SCHWEDEN

Deutscher Orden 1237

Hzm.
Pommerellen

Deutscher Orden

Litauer

Russische Fürstentümer

● Gnesen

GR. POLEN

eslau

● Krakau

● Gran

KGR. UNGARN

Belgrad ●

Walachei

osnien

KGR. SERBIEN

KGR. BULGARIEN

Lateinisches
Kaiserreich

Konstantinopel

KSR. TRAPEZUNT

KGR. GEORGIEN

Sultanat Iconium

KSR. NIKAIA

Despotat Epirus

Fsm. Achaia

● Ikonium

KGR. ARMENIEN

● Antiochia

Fsm. Antiochia

Gft. Tripolis

Rhodos

Tripolis ●

Kreta

KGR. ZYPERN

KGR. JERUSALEM

Jerusalem ●

REICH DER EJJUBIDEN

● Kairo

ZEITEN UND MENSCHEN

Ausgabe K

Geschichte für Kollegstufe und Grundstudium

Herausgegeben von Robert-Hermann Tenbrock, Kurt Kluxen und Erich Goerlitz
unter Mitarbeit von Rudolf Endres, Werner Grütter, Joachim Immisch, Erich Meier,
Ruth Mayer–Opificius, Karl J. Narr, Harald Popp, Hans Joachim Raab, Ursula Siems

AUSGABE K · BAND 2

Bestell-Nr. 34702

Zeiten und Menschen

Ausgabe K

Band 1   Politik, Gesellschaft, Wirtschaft bis 800 n. Chr.

Bearbeitet von Karl J. Narr, Ruth Mayer-Opificius, Harald Popp, Hans Joachim Raab, Rudolf Endres

Bestell-Nr. 34701

Band 2   Politik, Gesellschaft, Wirtschaft von 800 bis 1776

Bearbeitet von Ursula Siems und Kurt Kluxen

Bestell-Nr. 34702

Band 3   Politik, Gesellschaft, Wirtschaft von 1776 bis 1918

Bearbeitet von Kurt Kluxen, Robert-Hermann Tenbrock und Erich Goerlitz

Bestell-Nr. 34703

Band 4   Politik, Gesellschaft, Wirtschaft im 20. Jahrhundert

Bearbeitet von Erich Goerlitz und Erich Meier

Bestell-Nr. 34704

Band 5   Außereuropäische Geschichte

Best.-Nr. 34705

Zeiten und Menschen

Ausgabe Q

Quellen. 4 Bände.

Herausgegeben von Robert-Hermann Tenbrock, Kurt Kluxen und Werner Grütter

Politik, Gesellschaft, Wirtschaft von 800 bis 1776

Bearbeitet von
Ursula Siems und Kurt Kluxen

Schöningh · Schroedel

Auf dem Einband:

Herren- (geistliche und weltliche Fürsten, Ritter), Bürger- und Bauernstand. Nach einem Holzschnitt der Dürerschule, dem sog. Teppich von Michelfeld, aus dem Jahre 1526

Bildmaterial stellten zur Verfügung:

Bibliotheque Nationale, Paris; Bildarchiv Preußischer Kulturbesitz, Berlin; British Museum, London; Erzbischöfliche Akademische Bibliothek, Paderborn; Gering, Aachen; Giraudon, Paris; Herzog-August-Bibliothek, Wolfenbüttel; Hessische Landesbibliothek, Fulda; Historia-Photo, Bad Sachsa; Holle-Bildarchiv, Baden-Baden; Klimm, Speyer; Landesbildstelle Baden-Württemberg, Stuttgart; Lauros-Giraudon, Paris; Luftbild A. Brugger, Stuttgart Flughafen (Freigabe-Nr. 2/7996); Österreichische Nationalbibliothek, Wien; Photo Marburg; Scala, Florenz; Staatliche Kunsthalle, Karlsruhe; Staatliches Münzkabinett, München; Universitätsbibliothek Heidelberg; Vatikanische Bibliothek, Rom; Verlagsarchiv Ferdinand Schöningh, Paderborn; Verlag Hermann Böhlaus Nachf., Wien; Verlag Thorbecke, Sigmaringen

© 1979 by Ferdinand Schöningh at Paderborn. Printed in Germany

3. überarbeitete Auflage 1984

ISBN 3-506-34702-0 (Schöningh)

ISBN 3-507-34702-4 (Schroedel)

Inhaltsverzeichnis

E. BEGINN DER NEUZEIT

A. Das karolingische Erbe

I. Der Zerfall des Frankenreiches

Nach dem Tode Karls des Großen (814) geriet das französische Reich in einen Auflösungsprozeß. Die einzelnen Reichsteile wiesen in Wirtschaft und Kultur große Unterschiede auf und ließen sich bei den verkehrstechnischen Möglichkeiten der Zeit nur schwerfällig lenken. Die Luftlinie von Barcelona nach Hamburg, also von der spanischen Mark bis zur Nordmark, betrug 1500 km, die von Nantes bis zur Ennsmündung, also von der bretonischen bis zur Ostmark, 1200 km. Es war deshalb schwierig und langwierig, königliche Anordnungen in alle Reichsteile zu übermitteln und ihre Durchführung zu überwachen. Schon in den letzten Regierungsjahren Karls des Großen traten Mißstände in der Verwaltung auf, die eine krisenhafte Entwicklung andeuteten. Sie wurde durch die Schwäche der Nachfolger und durch das fränkische Erbrecht (Reichsteilungen) beschleunigt. Angriffe von außen besiegelten schließlich den Zerfall des Reiches, führten aber gleichzeitig zum Entstehen neuer politischer Kräfte.

1. Schwächung der Zentralgewalt durch Kämpfe innerhalb des Königshauses

Ludwig der Fromme (814—840) war erfüllt von mönchischen Idealen und kirchlichen Vorstellungen. Durch eine umfassende Reformgesetzgebung versuchte er eine Neuordnung des staatlichen Lebens nach den Geboten des Christentums. Ziel war die Verwirklichung eines Gottesreiches auf Erden. Diesem religiös überhöhten Streben nach einem einheitlichen Reich stand das alte fränkische Erbteilungsprinzip entgegen. Ludwig versuchte deshalb in der „Ordinatio imperii" (817) eine Art Thronfolgeordnung zu schaffen, die beide Grundsätze (Erbteilung und einheitliches Reich) in sich vereinigte. Er erhob seinen Sohn Lothar zum Mitkaiser und sicherte ihm die Nachfolge in Franken als dem Kernland des Reiches zu. Die jüngeren Söhne sollten ihm als „Unter-

könige" unterstellt bleiben und wurden mit Randgebieten abgefunden: Ludwig (der Deutsche) mit Bayern, Pippin mit Aquitanien. Mit der Oberherrschaft Lothars sollte die Reichseinheit erhalten bleiben.

Kirche und Adel hatten keine Einwände gegen diese Thronfolgeregelung. Sie fühlten sich beide als Träger der Reichseinheit, die Kirche, weil ihre kirchenpolitischen Vorstellungen nur in einem großen Reich zu verwirklichen waren, der Adel, weil er bei Reichsteilungen um seine Lehen und Ämter fürchten mußte. Gewisse Interessengegensätze zwischen Adel und Kirche wurden aber bald an der Frage des Grundeigentumes deutlich. Ein großer Teil des Adels besaß Kirchengut, weil Karl der Große und seine Vorgänger frei über kirchliche Ländereien verfügt und sie als Benefizien ausgegeben hatten (beneficium = Land oder ein Amt, zur widerruflichen, also zeitweiligen Nutzung). Diese Ländereien sollten nun an die Kirche zurückgegeben werden. Die Vertreter der Kirche waren ebenfalls unzufrieden, weil eine Durchdringung des gesellschaftlichen und politischen Lebens mit den Geboten des Christentums nicht im erhofften Maße zu verwirklichen war. Das Ziel, die vielen verschiedenen Stammesrechte durch ein Einheitsrecht auf biblischer Grundlage zu ersetzen, scheiterte, weil es die organisch gewachsenen Unterschiede der einzelnen Reichsteile zu wenig beachtete. So behinderten sich Adel und Kirche gegenseitig, und Ludwig war zu schwach, um die Zwistigkeiten zu schlichten. Die allgemeine Unzufriedenheit kam offen zum Ausbruch, als Ludwig unter dem Einfluß seiner zweiten Frau Judith die Thronfolgeordnung von 817 zugunsten seines aus dieser Ehe stammenden Sohnes Karl (dem Kahlen) aufhob (830). Die älteren Söhne erhoben sich und erzwangen zu Compiègne die Abdankung des Kaisers. Nach weiteren Kämpfen mit seinen Söhnen führte der Tod Ludwigs des Frommen (840) zum offenen Krieg der Brüder untereinander. Währenddessen plünderten die Normannen die friesische Küste, bedrohten die Avaren und Slowenen den Südosten, griffen die Mauren die spanische Mark an.

2. Verschleuderung des Königsgutes und Verselbständigung des Grafenamtes

Der Streit innerhalb des Karolingerhauses hatte nicht nur dem Ansehen der Zentralgewalt geschadet, sondern auch ihre eigentliche Machtgrundlage, das Königsgut, geschwächt. Parteigänger des Königs wurden in der Regel mit Benefizien ausgestattet (vgl. B, IV, 2), und je mehr man ihre Hilfe benötigte, desto großzügiger mußten Benefizien ausgegeben werden. Da das Kirchengut dem König jedoch nicht mehr ohne weiteres zur Verfügung stand, neues Land auch nicht erobert werden konnte, blieb nur der Rückgriff auf das vorhandene Königsgut. Es wurde entweder dem Adel zu (erblichem) Eigentum gegeben, besonders unter Ludwig dem Frommen, oder entglitt der Kontrolle des Königs und verschmolz nach und nach mit dem Eigenland des Adels. Man nennt diesen Vorgang „Allodialisierung" (Allod, Allodium = zunächst Erbschaft, dann das erbliche Eigengut schlechthin, im Gegensatz zum Lehen). Er fand vorwiegend im westlichen Teil des Karolingerreiches statt. Auf dem Konzil von Coulaines (843) mußte Karl der Kahle sich für das Westreich verpflichten, Lehen und Vermögen, die er seinen Vasallen gewährt hatte, nicht ohne ernsten Grund wieder an sich ziehen. Nur in den sogenannten „Kernlandschaften", z. B. im Rhein-Maingebiet, an der Marne und Oise, blieben über das Ende der karolingischen Dynastie hinaus umfangreiche Krongüter erhalten.

In diesen Zusammenhang gehört ein weiterer Prozeß: Die Verselbständigung des Grafenamtes. Das Wort „Graf" (lat. graphio) geht auf den byzantinischen Hoftitel „grapheùs" (eigentlich „Schreiber") zurück und bezeichnete unter den Merowingern einen königlichen Beauftragten mit administrativen und richterlichen Befugnissen. Unter den Karolingern wurden die Grafen in das Lehenswesen einbezogen und mit Land ausgestattet, behielten aber den Charakter des königlichen Beamten (Bd. I.). Allerdings hatte bei der Ausdehnung des Reiches schon Karl der Große Mühe, zu verhindern, daß die mit erheblichen Machtbefugnissen ausgestatteten Grafen seiner Kontrolle entglitten und zu lokalen Machthabern wurden. Deshalb versetzte er sie häufig von einem Amtsbezirk in einen anderen.

Nach dem Tode Karls des Großen änderte sich die Stellung der Grafen. Durch Parteikämpfe innerhalb des Herrscherhauses wuchs der Einfluß der großen Vasallen. Die Verwandlung zahlreicher Benefizien in Allodialgüter stärkte ihre Unabhängigkeit. Durch Heirat und gemeinsame Interessen (wie z. B. Grenzverteidigung) gerieten sie in enge Verbindung zum lokalen Adel und nahmen immer stärker eine lokale Machtposition ein, in die der Sohn als Amtsnachfolger des Vaters eintrat. Die Divergenz zwischen den eigenen wirtschaftlichen Interessen des Vasallen und seiner Verpflichtung zur Gefolgschaft gegenüber dem König mußte dabei immer größer werden. Je mehr die Macht des Königtums abnahm, desto mehr vernachlässigte der Adel seine Gefolgschaftspflicht. Seit dem Ende des 9. Jahrhunderts gab es Vasallen, die zugleich mehreren Herren dienten und dafür von jedem ein Lehen empfingen. — Für den König bedeutete diese Entwicklung, daß er sich nicht mehr genügend auf das Heeresaufgebot verlassen konnte, da dieses in seiner Gliederung fast ausschließlich von Kronvasallen geführt wurde. Da das Königsgut ständig abnahm, fiel es dem König immer schwerer, neue Vasallen an sich zu binden, für die noch keine lokalen Interessen im Vordergrund standen.

II. Die Entstehung neuer Teilreiche

1. Die Verträge von Verdun, Meersen und Ribemont

843 Der Vertrag von Verdun beendete 843 vorerst den Bruderkrieg. Die starke Beteiligung des Adels an seinem Zustandekommen zeigt, wie sehr das Ansehen der Krone gelitten hatte. Eine Kommission von 120 Adeligen — Gefolgsleute aller drei Könige — setzte die Grenzen der Teilreiche fest, und zwar auf Grund genauer wirtschaftlicher Erhebungen. Kaiser Lothar I. erhielt Italien und nördlich der Alpen einen schmalen Streifen von der Provence bis Friesland, verzichtete aber auf universale Ansprüche. Ludwig der Deutsche sicherte sich zu seinem rechtsrheinischen Gebiet die linksrheinischen Diözesen, Mainz, Worms und Speyer, fränkische Kernlandschaften mit reichem Königsgut und strategischer Bedeutung für die Verteidigung des Ostreiches. Karl der Kahle bekam den Westen. Als Lothars gleichnamiger Sohn 869 starb,

870 wurde im Vertrag zu Meersen 870 auch das Mittelreich aufgeteilt, wobei die Trennungslinie nun weitgehend mit der Sprachgrenze zusammenfiel: Köln, Trier, Aachen, Utrecht, Metz, Straßburg, Basel und andere Bischofsstädte wurden Ostfranken (Francia orientalis) zugeschlagen, für das sich allmählich der Name „Germania" einbürgerte. Das Kaisertum sicherte sich Karl der Kahle. Nach seinem Tod erreichte Karl III., der Dicke, der einzige überlebende Sohn Ludwigs des Deutschen,

880 im Vertrag von Ribemont (880), daß ganz Lothringen an Ostfranken kam. Bald darauf erlangte er als erster Ostfranke die Kaiserkrone. Noch einmal vereinigte er das Gesamtreich in seiner Hand, da die westfränkischen Adeligen unter dem Druck der Normanneneinfälle und unter Umgehung eines erbberechtigten westfränkischen Karolingers ihm die westfränkische Krone anboten.

Wie sehr die Eigenständigkeit der einzelnen Reichsteile inzwischen fortgeschritten war, zeigt die Datierung der Urkunden, in denen Karl III. seine Herrschaftsjahre jeweils ge-

Die Reichsteilung von Verdun 843

Die Reichsteilung von Meersen 870

Die Reichsteilung von Ribemont 880

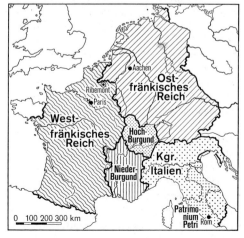

sondert nach Reichsteilen angab. — Als der König mit den Normannen, die Paris belagerten, ein unbefriedigendes Abkommen schloß, wurde er in Tribur von den großen Vasallen abgesetzt (887).

Der Vertrag von Verdun beabsichtigte ebensowenig wie zahlreiche andere karolingische Erbverträge eine tatsächliche Zerteilung des Reiches in Einzelreiche. Er verstand sich vielmehr als eine „Samtherrschaft" der drei Brüder. Diese „Brüdergemeine" war ein Teil des karolingischen Rechtsdenkens und fand ihren Niederschlag auch in den „Frankentagen" der folgenden Jahrzehnte, wo die Teilkönige mit ihren Gefolgsleuten (fideles) zusammenkamen, um über wichtige politische Fragen zu beraten. Da in der Praxis diese „Brüdergemeine" jedoch versagte, bemühte man sich, durch zusätzliche Verträge und Eidesleistungen (Schwurfreundschaften) der Brüder untereinander, doch mit Beteiligung der jeweiligen Gefolgsleute, eine gewisse Zusammengehörigkeit rechtsverbindlich zu dokumentieren. Hierhin gehören auch die Straßburger Eide, durch die sich Ludwig der Deutsche und Karl der Kahle 842 enger verbanden. So ist zu erklären, daß verhältnismäßig lange ein fränkisches Reichsbewußtsein erhalten blieb und eine Wiederherstellung des Gesamtreiches noch denkbar erschien.

Trotz dieses Einheitsbewußtseins stellte der Vertrag von Verdun einen Einschnitt dar, der die Eigenentwicklung der verschiedenen Reichsteile beschleunigte. Auch die Kirche verfolgte nach 843 keine Reichseinheitspolitik mehr, sondern bemühte sich um eine Konsolidierung der Teilreiche. Dies gelang ihr besonders im Westen, wo schon unter Ludwig dem Frommen der kirchliche Einfluß stark gewesen war. So erfuhr das Königtum im Westfrankenreich eine theokratische Überhöhung. Die kirchliche Salbung wurde — anders als im Ostreich — zum wesentlichen Bestandteil der Königserhebung. Die Macht der weltlichen Großen konnte nicht gebrochen werden, sondern steigerte sich — wenigstens für einige Familien bis hin zur Entstehung großer Lehensfürstentümer. In der 2. Hälfte des 9. Jahrhunderts bestand im Westreich die Verpflichtung des Königs, beim Herrscherwechsel den „fideles" geistlichen und weltlichen Standes

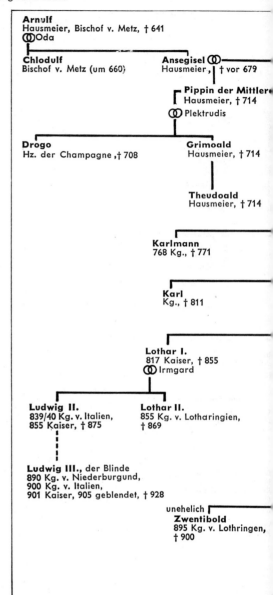

schriftlich formulierte Zusicherungen über die Handhabung der Herrschaft zu machen. Im Ostfrankenreich gaben die Könige solche Versprechungen nicht. Hier, in den rechtsrheinischen Gebieten, hatte sich ein stärkeres Eigenleben der Stämme erhalten, das schließlich zur Entstehung neuer, sogenannter „jüngerer" Stammesherzogtümer führte (vgl. B, I, 1). Nach der Absetzung Karls des Dicken erhob der ostfränkische

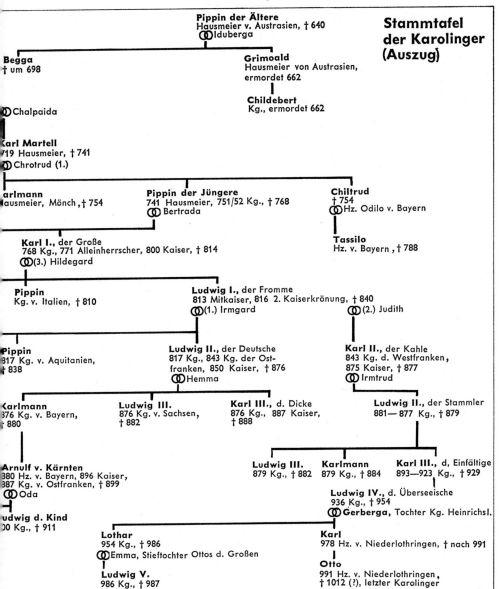

Stammtafel der Karolinger (Auszug)

Pippin der Ältere Hausmeier v. Austrasien, † 640 ⚭ Iduberga

Begga † um 698

⚭ Chalpaida

Grimoald Hausmeier von Austrasien, ermordet 662

Childebert Kg., ermordet 662

Karl Martell 719 Hausmeier, † 741 ⚭ Chrotrud (1.)

Karlmann Hausmeier, Mönch, † 754

Pippin der Jüngere 741 Hausmeier, 751/52 Kg., † 768 ⚭ Bertrada

Chiltrud † 754 ⚭ Hz. Odilo v. Bayern

Karl I., der Große 768 Kg., 771 Alleinherrscher, 800 Kaiser, † 814 ⚭ (3.) Hildegard

Tassilo Hz. v. Bayern, † 788

Pippin Kg. v. Italien, † 810

Ludwig I., der Fromme 813 Mitkaiser, 816 2. Kaiserkrönung, † 840 ⚭ (1.) Irmgard   ⚭ (2.) Judith

Pippin 817 Kg. v. Aquitanien, † 838

Ludwig II., der Deutsche 817 Kg., 843 Kg. der Ostfranken, 850 Kaiser, † 876 ⚭ Hemma

Karl II., der Kahle 843 Kg. d. Westfranken, 875 Kaiser, † 877 ⚭ Irmtrud

Karlmann 876 Kg. v. Bayern, † 880

Ludwig III. 876 Kg. v. Sachsen, † 882

Karl III., d. Dicke 876 Kg., 887 Kaiser, † 888

Ludwig II., der Stammler 881— 877 Kg., † 879

Arnulf v. Kärnten 880 Hz. v. Bayern, 896 Kaiser, 887 Kg. v. Ostfranken, † 899 ⚭ Oda

Ludwig III. 879 Kg., † 882

Karlmann 879 Kg., † 884

Karl III., d. Einfältige 893—923 Kg., † 929

Ludwig d. Kind 900 Kg., † 911

Ludwig IV., d. Überseeische 936 Kg., † 954 ⚭ Gerberga, Tochter Kg. Heinrichs I.

Lothar 954 Kg., † 986 ⚭ Emma, Stieftochter Ottos d. Großen

Ludwig V. 986 Kg., † 987

Karl 978 Hz. v. Niederlothringen, † nach 991

Otto 991 Hz. v. Niederlothringen, † 1012 (?), letzter Karolinger

Adel Arnulf von Kärnten zum König (887). Da er nur ein illegitimer Nachkomme der Karolinger war, hätte er ohne den Adel, der hier wahrscheinlich schon nach Stämmen gegliedert auftrat, nicht König werden können. Obgleich er sich später zum Kaiser krönen ließ, betrachtete er seine Oberhoheit über das Gesamtreich als rein formal: Die Herrschaft über das Westreich lehnte er ab. Auch in Italien, Aquitanien, Hochburgund

und in der Provence bildeten sich selbständige Gewalten. 891 besiegte Arnulf die Normannen bei Löwen an der Dyle. Auch in Westfranken wurde 888 ein Mann zum König gewählt, der sich im Kampf gegen die Normannen einen Namen gemacht hatte: Graf Odo, der Verteidiger von Paris. Er war Ahnherr des späteren französischen Herrscherhauses der Kapetinger.

2. Bedrohung von außen: Normannen, Sarazenen und Ungarn

Die Normannen (Nordmänner) oder Wikinger (der Name ist nicht ganz geklärt, wahrscheinlich „Buchtmänner", Männer von den Fjorden) waren in Skandinavien beheimatet und das erste große Seefahrervolk des mittelalterlichen Europas. Nachdem sie lange in kleine Stämme zersplittert waren, bildeten sich drei größere Reiche heraus: Dänemark, Schweden und Norwegen. Aus Abenteuerlust und Nahrungsmangel unternahmen sie ausgedehnte Beutezüge. In offenen Booten mit Rudern oder kleinen Segeln fuhren sie an den Küsten entlang und in die Flußmündungen hinein. Hier ankerten sie, machten sich beritten und unternahmen Raubzüge ins Landesinnere. Als Übervölkerung hinzukam, verwandelten sich die Raubzüge allmählich in Kolonisationsbewegungen unter adeliger Führung. Diese Entwicklung wurde durch das Erstarken von Königsgewalten in Skandinavien begünstigt: Adelige, die ihr Land nicht vom König zu Lehen nehmen wollten, wanderten mit ihren Gefolgschaften aus und siedelten in eroberten Ländern, wobei sie in hohem Maße staatsbildende Kräfte entfalteten. Zu Beginn des 9. Jahrhunderts fielen die Wikinger in England ein, wo erst Alfred der Große (871—899, vgl. B, V, 3) einen wirksamen Widerstand organisierte. Etwa zu gleicher Zeit tauchten die „Waräger" bei den Ostslawen an Don und Dnjepr auf. Dort errichteten sie mehrere Herrschaften und schließlich das Reich von Kiew (vgl. B, V, 5) und stießen bis ins Schwarze Meer vor. 859 erschienen Wikinger im Mittelmeer, im Jahr 1000 an der Nordküste Amerikas, allerdings ohne sich auf Dauer niederzulassen. Der Kontinent hatte schwer unter den Normannen zu leiden. Bei den Abwehrkämpfen wurde die zunehmende Abhängigkeit des Königs deutlich: Besonders im Westfrankenreich waren die großen Herren nicht mehr bereit, ihre Heereskontingente dem König zur Verfügung zu stellen, wenn sie nicht selbst unmittelbar betroffen waren. Deshalb mußten die westfränkischen Könige oft den Abzug der Normannen durch Geld erkaufen oder ihnen Land zu Lehen geben. So lag die Verteidigung weitgehend bei den lokalen Machthabern, auch kirchlichen Institutionen. Bischöfe und Äbte behielten ihre Truppen manchmal auch nach Abzug des Feindes. In einigen Gegenden zogen die Bauern unter Führung ihrer Pfarrer aus, wurden allerdings meist geschlagen. Nur noch erfahrene Krieger konnten mit Erfolg gegen die Normannen eingesetzt werden. Das hat mit zur Entstehung des Rittertums beigetragen. — Auch der Burgenbau entglitt der Hand des Königs. Die Magnaten (= große Adelige, lat. magnus = groß) errichteten auf eigene Faust Befestigungsanlagen, erst als Fluchtburgen für die Bevölkerung, dann als in sich geschlossene Burgbezirke. Aus ihnen entstanden später Verwaltungseinheiten mit der Burg als Mittelpunkt. Vergebens ordnete König Karl der Kahle 864 im Edikt von Pîtres die Zerstörung dieser Anlagen an. Die Bildung regional bestimmter Machtbereiche im Westfrankenreich war nicht mehr aufzuhalten.

Im Ostfrankenreich entstanden zwar auch lokale Gewalten, besonders unter den Markgrafen und Herzögen an der Ostgrenze. Diese suchten Rückhalt an den großen Volksgruppen, den Stämmen, deren partikularistisches Bewußtsein schon unter König Arnulf hervortrat: Bei seinem Feldzug gegen die Normannen (891) verließen die Alamannen das Heer und zogen in ihre Heimat zurück. — Der bereits erwähnte Sieg Arnulfs (891 a. d. Dyle) vertrieb die Normannen aus dem Ostreich. Im Westreich befriedete König Karl der Einfältige die Wikinger erst, als er ihnen 911 die Normandie (das Gebiet zwischen Epte und dem Meer mit der Stadt Rouen) überließ.

Ähnlich wie im Norden die Normannen beeinflußten im Süden die Sarazenen die politischen Verhältnisse. „Sarazene" (ursprünglich Name eines Araberstammes) wurde im Mittelalter zur üblichen Bezeichnung für alle Araber und schließlich sogar für alle Mohammedaner. Von Stützpunkten aus drangen sie zu Schiff bis in die Gegend von Rom und Nizza vor und beherrschten vorübergehend die Alpenpässe. Auch in diesen Kämpfen errichteten lokale Machthaber geschlossene Herrschaftsbezirke, so die Herzöge von Spoleto, die zeitweise zugleich das Gebiet von Capua und Benevent beherrschten.

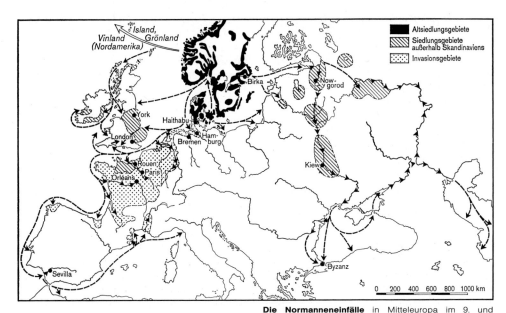

Die **Normanneneinfälle** in Mitteleuropa im 9. und 10. Jahrhundert

Norditalien, besonders die Lombardei, hatte seit etwa 900 unter den Einfällen der Ungarn zu leiden. Hier leisteten neben den Magnaten vor allem die befestigten Städte Widerstand und legten damit einen ersten Grund für ihre spätere Selbständigkeit. Der Hauptansturm der Ungarn richtete sich jedoch gegen den Süden und Osten des ostfränkischen Reiches, wo Alamannien und Sachsen verwüstet wurden.

Seit 887/888 war der Zerfall des karolingischen Großreiches deutlich geworden und auch in das Bewußtsein der Zeitgenossen eingedrungen. Die Gründe für die Auflösung des Reiches lagen in seiner Ausdehnung und in den geographischen, historischen und kulturellen Unterschieden der einzelnen Reichsteile. Erbteilung und innere Kämpfe hatten die Königsgewalt geschwächt. Die Verschleuderung von Königsgut und das Erblichwerden des Grafenamtes hatten zur Stärkung von Adel und Kirche beigetragen. Die persönliche Schwäche der Nachfolger Karls des Großen und der Ansturm äußerer Feinde besiegelten den Zerfall.

Wie schon der Aufstieg des Grafen Odo von Paris (888—898) in Westfranken und die Wahl Arnulfs von Kärnten (887—899) in Ostfranken gezeigt hatten, führte der Druck von außen auch dazu, daß im Kampf gegen die Feinde neue Herrschergewalten entstanden.

Die **Ungarneinfälle** in Mitteleuropa zu Anfang des 10. Jahrhunderts

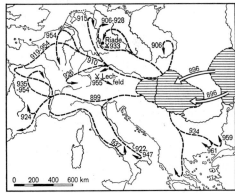

Die **Einfallsgebiete der Araber** in den christlichen Ländern Südeuropas (9. Jahrhundert)

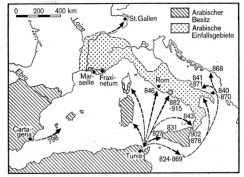

B. Die Zeit der sächsischen und salischen Kaiser

I. Begründung und Festigung des deutschen Reiches

911—918	Konrad I.	955	Otto I. besiegt die Ungarn auf dem
919—936	Heinrich I.		Lechfeld bei Augsburg
933	Heinrich I. besiegt die Ungarn bei	968	Gründung des Erzbistums Magde-
	„Riade"		burg für die Slawenmission
936—973	Otto I. der Große		

1. Die Entstehung der „jüngeren Stammesherzogtümer"

Im Westfrankenreich, wo die Stammesunterschiede schon seit der Römerzeit verwischt waren, hatten sich regional gegliederte Territorien gebildet, während im Ostfrankenreich die noch intakten Stämme wieder in den Vordergrund traten. Die alten Herzöge waren von den Karolingern beseitigt worden. An die Spitze traten neue Adelsfamilien, die sich im Kampf gegen äußere Feinde hervorgetan hatten oder als Nachkommen der karolingischen Grafen und Markgrafen Machtbefugnisse besaßen. Man spricht von „jüngeren" Stammesherzogtümern (im Gegensatz zu den „älteren" der vorkarolingischen Zeit).

In Sachsen — für die ostfränkischen Könige ein Grenzland, das sie kaum je besuchten — herrschte seit Ende des 9. Jahrhunderts unangefochten die Familie der Liudolfinger. Sie war in den schweren Kämpfen gegen Dänen, Slawen und Ungarn hochgekommen. Graf Brun fiel in der Dänenschlacht vom 2. Februar 880, in der fast das ganze sächsische Heer vernichtet wurde. Sein jüngerer Bruder Otto — der Vater Heinrichs I. — übernahm das Herzogtum, dessen Macht weiter gestärkt wurde, als sich die Thüringer nach einer Niederlage gegen die Ungarn unter seinen Schutz stellten. Beim Tode Ludwigs des Kindes (911), des letzten Karolingers, besaß er eine mächtige Stellung im Ostfrankenreich.

Auch in Bayern trugen die Kämpfe zur Festigung der herzoglichen Gewalt bei. Liutpold, ein einheimischer Adeliger, war in den Ungarnkämpfen zum Führer seines Stammes aufgestiegen. In der Schlacht bei Preß-burg am 4. Juli 907 blieben die Ungarn siegreich. Liutpold fiel, mit ihm der Erzbischof von Salzburg, der Bischof von Freising und zahlreiche Grafen. Danach trat Liutpolds Sohn Arnulf unbestritten an die Spitze und regierte das Herzogtum dreißig Jahre lang.

In Franken, dem Land um Main und Mittelrhein, fehlte der Druck äußerer Feinde. Zwei Familien, die Babenberger und die Konradiner, stritten um die Vorherrschaft. Die Konradiner setzten sich schließlich durch, jedoch blieb ihre Stellung weit hinter der der bayerischen und sächsischen Herzöge zurück.

Eine ähnliche Situation bestand in Schwaben (oder Alamannien), zu dem das Land um den Bodensee, die Rauhe Alb und der Schwarzwald gehörten. Auch hier bekämpften sich zwei Familien. Der Kampf war noch unentschieden, als Konrad I. zum deutschen König gewählt wurde. Er konnte nicht die Entstehung eines weiteren Stammesherzogtums verhindern. Da jedoch die Herzogswürde in Schwaben umstritten blieb und der König eine immer stärkere Rolle bei der Vergabe des Herzogtums spielte, blieben die schwäbischen Herzöge dem König treuergebene Lehensleute. Sie wurden nicht Träger eines eigenen Stammesbewußtseins.

Noch weniger war das Herzogtum Lothringen ein Stammesherzogtum. Es war eine künstliche Schöpfung, hervorgegangen aus den regionalen Teilungen von Verdun und Meersen. Weltliche und kirchliche Adelsgewalten kämpften hier um die Macht und lehnten sich je nach Lage der Dinge an West- oder Ostfranken an. Erst unter Heinrich I. erfolgte eine festere Bindung an Ostfranken. Ein Stammesherzogtum im Sinne

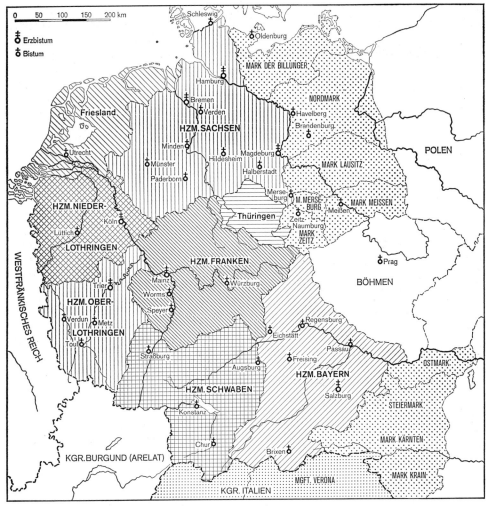

Die Stammesherzogtümer und Bistümer des Reiches im 10. Jahrhundert

der ostfränkischen Herzogtümer ist Lothringen nie geworden.

Die Kirche setzte sich gegen die Entwicklung der Stammesgewalten zur Wehr, vor allem aus Sorge um das Kirchengut. Ähnlich wie die Karolinger neigten auch die Herzöge dazu, ihre Gefolgsleute mit Kirchengut auszustatten oder ihre eigenen Ländereien auf diese Weise zu vergrößern. Sie hielten sich dabei zunächst an die Klöster, aber auch die Bischöfe waren auf die Dauer nicht sicher vor weltlichen Zugriffen dieser Art. Es ist daher verständlich, daß sie auf die Seite des Königs traten, als es zur Auseinandersetzung zwischen Königsgewalt und Stammesherzogtümern kam.

2. Entstehung und Festigung der neuen Königsgewalt

Konrad I.

Im November 911 wurde Herzog Konrad von Franken, aus dem Haus der Konradiner, zum König gewählt (Konrad I. 911—918). Über die Wahl ist wenig bekannt. Sie fand in Forchheim statt, auf fränkischem Boden, wo in der königlichen Pfalz seit den Tagen Ludwigs des Deutschen Reichsversammlungen abgehalten worden waren. An der Wahl in Forchheim waren nur Sachsen und Franken beteiligt. In den nächsten Monaten erfolgte die Anerkennung der Wahl auch durch Bayern und Schwaben. Lothringen hielt sich abseits. Die Einigung der vier Stämme (Sachsen, Franken, Schwaben, Bayern) auf einen König war zu diesem Zeitpunkt keine Selbstverständlichkeit mehr. Bei der Eigenständigkeit der Stämme hätte das Reich auseinanderfallen können. Aber der Druck der äußeren Feinde, die Reste fränkischen Reichsbewußtseins und das Eintreten der Geistlichkeit für eine Zentralgewalt ließ es nicht dazu kommen.

Der neugewählte König befand sich in einer schwierigen Situation: Im Osten fielen die Ungarn ein, im Westen hatte sich Lothringen an das Westfrankenreich angeschlossen, und im Innern mußte die Macht der Krone gegenüber den Stammesherzogtümern durchgesetzt werden.

Konrad konnte Lothringen nicht zurückgewinnen, und auch im Osten blieb er erfolglos. Die Ungarneinfälle häuften sich und erreichten Basel, das Elsaß und sogar Bremen. Der einzige Sieg über die Ungarn wurde in diesen Jahren (913 am Inn) von regionalen Kräften — Schwaben und Bayern — erkämpft und konnte somit das Ansehen der Krone nicht stärken. Konrads Regierungszeit war erfüllt von wechselvollen Kämpfen mit den Stammesgewalten, mit Sachsen, Schwaben und Bayern. Die Kirche unterstützte den König, und auf der Synode von Hohenaltheim (südlich von Nördlingen; 916), wo allerdings die sächsischen und lothringischen Bischöfe fehlten, bedrohte sie die widerspenstigen Herzöge mit Absetzung und Kirchenbann. Trotz dieser Unterstützung blieb ein anhaltender Erfolg aus. Am Ende seiner Regierungszeit war Konrad auf die schmale Basis seines fränkischen Herzogtums zurückgeworfen. Auf dem Sterbebett designierte er, ohne Rücksicht auf etwaige Erbansprüche seines Bruders, den Herzog des stärksten Stammes, Heinrich von Sachsen, zum Nachfolger.

Die Designation war nach damaliger Anschauung eine rechtsgültige Handlung, durch die der Herrscher einen Nachfolger zur Wahl empfahl, wobei er in der Regel das Geblütsrecht, d.h. den Erbanspruch des herrschenden Hauses (nicht unbedingt das Erstgeburtsrecht) beachtete. Die Wahl durch die Fürsten, die sich in den letzten hundert Jahren herausgebildet hatte und in dieser Form bis in die Stauferzeit hinein

stattfand, wich nur dann von der Designation ab, wenn besondere Gründe vorlagen. Die Wahl selbst erfolgte nach deutschem Recht einstimmig, da Gott selbst durch die menschliche Stimme wählte. Eine Minderheit mußte sich fügen, oder sie nahm an anderer Stelle eine ebenso „einstimmige" Wahl vor, die dann zu einem Gegenkönigtum und damit zu einem Kampf um die Macht führte. Die mittelalterliche Königswahl ist ein sehr vielschichtiger Vorgang und mit einem modernen Begriff kaum zu fassen. Am ehesten könnte man von einer „gebundenen" Wahl sprechen: gebunden an Erbanspruch, Designation und Einstimmigkeit. Andererseits bleibt eine gewisse Freiheit der Wahl bestehen, weil die Wahlversammlung unter besonderen Umständen auch „frei" entschied.

Eine besondere Bedeutung bei der Wahl allgemein und bei der Entscheidung Konrads I. kam dem Glauben an das „Königsheil" zu, in dem altgermanische und christliche Vorstellungen zusammengeflossen sind. An das Blut des Königs — also an seine Person und seine Sippe — war ein „Heil" gebunden, das als „Erfolg", aber auch als „heilen" im wörtlichen Sinn zu verstehen ist: Kranke berührten das Gewand des Königs in der Hoffnung auf Genesung. In diesem Zusammenhang gehörte auch die Vorstellung, daß der König frei von äußerem Makel, d. h. körperlichen Gebrechen sein müsse. Deshalb stellte sich der König nach der Wahl dem Volke vor (siehe dazu auch Wahl Ottos I., vgl. B, I, 2).

Heinrich I.

An der Wahl Heinrichs I. (919—936) in Fritzlar waren nur Franken und Sachsen beteiligt. Auch diese Wahl fand noch auf fränkischem Gebiet statt, allerdings nahe der sächsischen Grenze. Salbung und Krönung lehnte Heinrich ab, vielleicht um deutlich zu machen, daß er sich nicht im gleichen Maße wie seine Vorgänger auf die Kirche stützen würde.

Ähnlich wie Konrad mußte sich auch König Heinrich zunächst um Anerkennung seines Königtums bemühen. Herzog Arnulf von Bayern trat als erster Gegenkönig der deutschen Geschichte gegen ihn auf, und zwar ausdrücklich mit dem Anspruch, ein König des ganzen deutschen Reiches, nicht nur Bayerns zu sein (in regno Teutonicorum). Über die Einzelheiten wissen wir wenig. Offenbar ist es Heinrich durch geschickten Wechsel zwischen militärischer Drohung und Verhandlungsbereitschaft gelungen, erst Schwaben, dann Bayern zur Anerkennung seiner Herrschaft zu bringen, wobei er in beiden Herzogtümern auf das Verfügungsrecht über die Kirche verzichtete. Bayern trieb weiterhin selbständige Politik, setzte dem König aber keinen Widerstand entgegen. In Schwaben übertrug Heinrich, nachdem Herzog Burchard 926 gefallen war, die Herzogswürde dem Franken Hermann aus der Familie der Konradiner. Dieser verzichtete als treuergebener Lehensmann auf eigene Politik, und auch die schwäbische Kirche wurde von diesem Zeitpunkt ab vom König beherrscht.

In Lothringen zog Heinrich die Mehrheit der Großen durch Feldzüge und gleichzeitiges Verhandeln auf seine Seite, so daß er im Westen den Rücken frei hatte und sich der Ostgrenze zuwenden konnte.

Das Jahr 926 brachte erneut einen starken Einfall der Ungarn, die in Schwaben eindrangen und das Kloster St. Gallen plünderten. Der König nahm eine Tributzahlung an die Ungarn in Kauf, um einen neunjährigen Waffenstillstand zu erwirken, den er zum Aufbau eines Verteidigungssystems benutzte. Er ließ Klöster, Stifte und Wohnstätten befestigen und neue Burgen anlegen, die sich im Lauf der Zeit zu Burgbezirken, einer Art Mittelpunkt der lokalen Verwaltung, entwickelten. Sie waren Gerichtsorte, und einige wurden später zu Handelsstützpunkten und schließlich zu Städten (so z. B. Gandersheim, Goslar, Quedlinburg, Duderstadt, Nordhausen). Auch das Heer wurde neu organisiert. Besonders wichtig war die Vermehrung und Ausbildung der sächsischen Reiterei. Sie war schwer gepanzert, um den Pfeilen der Ungarn standhalten zu können. Daneben erfuhr der altsächsische Heerbann, das Heeresaufgebot aller Freien, eine Neubelebung. — Die erwähnten Maßnahmen galten hauptsächlich für Sachsen. Aber schon 926 sprach man sich offenbar auf einem Reichstag zu Worms über Verteidigungsmaßnahmen für das ganze Reich ab, denn auch in Bayern (Regensburg), Schwa-

ben (Augsburg), Franken (Hersfeld) und selbst in Lothringen entstanden neue Befestigungen. Die führende Rolle des Königs wird deutlich. — Nachdem das Heer gegen die Elbslawen erprobt worden war, verweigerte Heinrich — offenbar im Einvernehmen mit den Stämmen — die weitere Tributzahlung und rief damit die Ungarn ins

933 Land. Am 15. Februar 933 kam es an der sächsisch-thüringischen Grenze (der Ort ist unbekannt) zur Schlacht. Heinrich erhielt von allen Stämmen Unterstützung. Es gelang ihm, das ungarische Heer in die Flucht zu schlagen, das Lager zu erobern und die Gefangenen zu befreien. Der Sieg hatte vor allem Bedeutung für die inneren Machtverhältnisse: Die Ungarn waren nicht endgültig geschlagen und kamen später zurück, wenn auch nicht mehr unter Heinrichs Regierung. Wichtiger war, daß die Führungsrolle des Königtums im Kampf um die Sicherheit des Reiches bestätigt worden war.

Wahl und Krönung Ottos I.

Als Heinrichs Sohn Otto I. (936—973) in Aachen gewählt und gekrönt wurde, geschah dies in einer wohldurchdachten Zeremonie und unter der Beteiligung aller deutschen Stämme. Der Mönch Widukind von Corvey (um 1000) gibt in seiner Sachsengeschichte eine ausführliche Schilderung des Wahlvorganges. Otto trug fränkische Kleidung. Die Wahl fand im Vorhof des Münsters statt und bestand aus Thronsetzung, Kommendation und Treueid, d. h die weltlichen Großen führten ihn zum Thron, stellten sich unter seinen Schutz (se commendare = sich unter den Schutz und in die Gewalt eines anderen begeben) und gelobten Treue und Hilfe. Wahlberechtigt waren zu dieser Zeit nicht nur die Herzöge, sondern alle Großen, wobei der Kreis nicht ganz feststand. Die Geistlichkeit bildete noch kein eigenes Wahlgremium, sondern wählte wahrscheinlich mit dem Stamm, zu dem sie jeweils gehörte. Anschließend zogen die Versammelten mit dem Neugewählten ins Münster, wo der Erzbischof von Mainz an der Spitze der Geistlichkeit und des Volkes den Zug erwartete. Der Erzbischof, in der Rechten seinen Krummstab haltend, ergriff mit der Linken die Hand des Königs, führte ihn in die Mitte des Münsters und stellte ihn dem Volk vor, das den Herrscher mit lautem Zuruf begrüßte. Dann erfolgte die Überreichung der Reichsinsignien, deren Symbolwert für das Mittelalter von unmittelbarer Bedeutung war: das Schwert zur Bekämpfung aller Widersacher Christi; den langen Mantel als Symbol des unerschütterlichen Glaubens; das Szepter und den Stab, um die Untergebenen auf väterliche Art in Zucht zu halten und vor allem „die Diener Gottes" und die „Witwen und Waisen" zu schützen. Es folgten Salbung und Krönung durch die beiden Erzbischöfe von Mainz und Köln, die den König dann zum Thron Karls des Großen geleiteten, „zu dem man auf einer Wendeltreppe hinaufstieg; und der war zwischen zwei Marmorsäulen von herrlicher Schönheit errichtet, so daß er von hier aus alle sehen und von allen gesehen werden konnte" (Widukind von Corvey). Eine Messe beendete die feierliche Handlung.

Bei dem anschließenden Krönungsmahl in der Pfalz leisteten die vier Herzöge dem König den Ehrendienst: Giselbert von Lothringen diente als Kämmerer (Schatzmeister, der auch die Aufsicht über die königlichen Gemächer und über die königliche Garderobe hatte), Eberhard von Franken als Truchseß (Aufsicht über die Tafel), Arnulf von Bayern als Marschall (Aufsicht über Pferde und berittenes Gefolge) und Hermann von Schwaben als Mundschenk (Aufsicht über den Weinkeller).

Die Wahl Ottos I. knüpft an karolingische Tradition an und weist bereits auf imperiale Herrschervorstellungen hin. Die Wendung zur Kirche, die in der Annahme der Salbung und Krönung deutlich wird, war schon von König Heinrich I. eingeleitet worden, der in seinen letzten Jahren sogar mit dem Gedanken an eine Kaiserkrönung gespielt hatte.

Königtum und Stammesherzogtum unter Otto I.

Otto I. vertrat eine andere Auffassung von der Herzogswürde als sein Vater: Er wollte deren Amtscharakter, d.h. ihre dienende Stellung im Reich, wieder mehr betonen und das Stammesbewußtsein zurückdrängen. Die Unzufriedenheit über diese Einstellung des Königs begann im eigenen Stammland Sachsen, als er dort zur Grenzsicherung gegen die Slawen die kampferprobten Markgrafen Hermann Billung (Billunger Mark) und Gero einsetzte, ohne vermeintliche Ansprüche sächsischer Herren zu berücksichtigen. Die Opposition in Sachsen ermutigte oppositionelle Kräfte in anderen Herzogtümern. Zum offenen Kampf kam es mit Bayern (938), wo Herzog Arnulf gestorben war und Otto dessen Sohn Eberhard nur bestätigen wollte, wenn dieser auf das Verfügungsrecht über die Kirche in Bayern verzichtete. Eberhard lehnte das ab und wurde vertrieben. Das Herzogtum erhielt Arnulfs Bruder, *ohne* Verfügungsrecht über die Kirche.

In den folgenden Jahren brach Otto den Widerstand der Herzöge, die sich, unterstützt von seinem jüngeren Bruder Heinrich, gegen ihn erhoben hatten. Nur Hermann von Schwaben blieb treu. Heinrich unterwarf sich dem Bruder zweimal und erhielt zweimal Verzeihung. In der Hoffnung, die Stammesherzogtümer schwächen und zugleich Ansprüche seiner Familie befriedigen zu können, setzte Otto Verwandte als Amtsherzöge mit beschränkten Vollmachten ein: seinen Schwiegersohn Konrad den Roten in Lothringen (944); seinen Bruder Heinrich, der von da ab Ottos Politik unterstützte, 947 in Bayern; 950 seinen Sohn Liudolf in Schwaben. Franken wurde nicht wieder besetzt, sondern als Kronland einbehalten. So konnte es zusammen mit dem Stammland der jeweils herrschenden Königsfamilie als Machtgrundlage für das Königtum dienen. Das System der Amtsherzöge bewährte sich nicht, da diese sich mit den Interessen der Stämme identifizierten.

953 erhob sich Ottos Sohn Liudolf von Schwaben im Verein mit Konrad von Lothringen, dem Erzbischof von Mainz und sächsischen Adeligen (Liudolfingischer Aufstand 953/54). Liudolf fürchtete um seine Thronfolge, da Otto kurz zuvor in zweiter Ehe Adelheid, die Witwe des italienischen Königs geheiratet hatte. Außerdem mißbilligte er den starken Einfluß, den Herzog Heinrich von Bayern auf seinen Bruder, den König, ausübte. In dem Aufstand, der das ganze Reich erfaßte, schienen Bayern, Schwaben und Lothringen für das Königtum verloren. Selbst in Sachsen konnte Hermann Billung, den Otto als Stellvertreter zurückgelassen hatte, kaum die Ruhe aufrecht-

erhalten. Die unerwartete Wende brachte ein neuer Ungarneinfall, der besonders die süddeutschen Herzogtümer verwüstete. Wie auch früher bei Bedrohungen von außen, richtete sich jetzt alle Hoffnung auf den König und nahm so dem Aufstand seine moralische Berechtigung. Liudolf und Konrad unterwarfen sich und verloren ihre Herzogtümer, Otto konnte den Aufstand niederschlagen. Am 10. August 955 besiegte er mit einem Aufgebot aus allen deutschen Stämmen die Ungarn bei Augsburg vernichtend.

955

3. Die Sicherung des Reiches im Osten und Westen

Die Seßhaftmachung der Ungarn

Der Sieg von 955, der das ungarische Heer vernichtete und Otto den Beinamen „der Große" einbrachte, beendete die Ungarneinfälle in Deutschland und ermöglichte die Wiedererrichtung der Bayrischen Mark (später ostarrichi — Österreich), von der in den folgenden Jahren eine zielstrebige deutsche Kolonisation und Mission ausging. Der 971 erhobene Bischof Pilgrim von Passau nahm sich besonders der Ungarnmission an. Die Ungarn wurden in dieser Zeit seßhaft und schlossen sich unter König Stephan dem Heiligen (997—1038) an den Westen an. Er ließ sich 1001 mit einer vom Papst übersandten Krone krönen. Zu einem gewissen Abschluß kam diese Entwicklung 1001 durch die Begründung des Erzbistums Gran. Etwa um das Jahr 1000 fanden die Wanderungen nomadisierender Volksstämme in Europa ein Ende.

Die Auseinandersetzung mit den Elbslawen

Die Slawenstämme an der Elbe befanden sich seit Heinrich I. in loser Abhängigkeit vom Reich. Heinrich hatte in einem Zug gegen die Heveller Brennaborg (Brandenburg) erobert und gegen die Daleminzier die Burg Meißen angelegt. Auch das bereits christliche Böhmen war zur Lehenshuldigung gezwungen worden.
Otto erstrebte nun eine stärkere Abhängigkeit der Elbslawen vom Reich. Diesem Zweck diente die Berufung der Markgrafen

Otto der Große vor Christus. Der Kaiser (links vorn) bringt Christus als Stifter eine Kirche dar. Hinter ihm ein Heiliger, vermutlich der Kirchenpatron, und ein Engel. Rechts Petrus und andere Heilige (Elfenbein 9 × 11 cm; New York, Metropolitan Museum)

Hermann Billung und Gero, die ihre Aufgabe in schwern Kämpfen lösten: Bis zur Oder wurden die Slawen zinspflichtig gemacht. Dann begann man mit der Christianisierung. 948 konnte Otto drei Slawenbistümer gründen: Oldenburg für die Wagrier und Abodriten, Havelberg für die Redarier und angrenzende Stämme, Brandenburg für die Heveller.
Im Jahr des Ungarnsieges kam es — aufgewiegelt durch sächsische Adelige — zu einer Empörung fast aller Slawenstämme in Brandenburg, Mecklenburg und Vorpommern. Die Slawen erklärten sich bereit, Tribut zu zahlen, wollten die Herrschaft in ihren Gebieten aber selbst in der Hand behalten. Schon im Oktober 955 erschien Otto, in Begleitung des Markgrafen Gero, im östlichen Mecklenburg, wo er einen vollständigen Sieg über die Slawen errang. Hunderte von Gefangenen wurden enthauptet. Böhmen, das schon gegen die Ungarn mitgekämpft hatte, unterstützte auch diesen Feldzug. Die Missionierung konnte nun weitergeführt werden, und etwa 13 Jahre später verwirklichte Otto die geplante kirchliche Organisation des Slawenlandes: Magdeburg wurde Erzbistum (968), ihm unterstellte Otto die

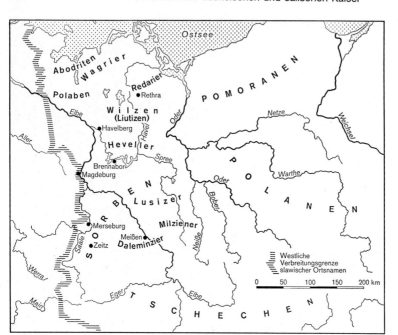

Die Westslawen im 10. Jahrhundert

neuerrichteten Bistümer Merseburg, Meißen und Zeitz und die bisher zu Mainz gehörenden Bistümer Brandenburg und Havelberg. Auch in Polen und Dänemark machte die Christianisierung Fortschritte. Als Markgraf Gero 965 starb, wurde seine Mark geteilt und bewährten Männern zur Verwaltung übergeben. Später entstanden daraus die Nordmark (spätere Mark Brandenburg), die Ostmark und die Mark Meißen.

Lothringen

Im Westen hatte König Heinrich I. Lothringen wieder fest mit dem Reich verbunden. Dennoch wurden vom Westfrankenreich, wo der Adel sehr selbständig war und Karolinger und Kapetinger sich um die Krone stritten, Ansprüche auf Teile Lothringens erhoben, und die lothringischen Herren selbst zeigten immer wieder Neigung, sich an das Westfrankenreich anzulehnen. Otto I. griff zweimal (940 und 946) militärisch und mehrmals politisch in die französischen Verhältnisse ein. Im Streit um die französische Krone übte er eine Art Schiedsrichterstellung aus. Es kam ihm dabei zustatten, daß er mit beiden Thronanwärtern verschwägert war. 942 verzichtete Ludwig IV. von Frankreich im Frieden von Visé auf Lothringen. Nach dem Aufstand Konrads

des Roten übertrug Otto die Verwaltung Lothringens seinem jüngsten Bruder Bruno, Erzbischof von Köln. In der Folgezeit spielten die Bistümer in Lothringen eine größere politische Rolle als die weltlichen Herrschaften.

Burgund

Südlich von Lothringen lag das Königreich Burgund (Arelat). Das Herzogtum Burgund westlich davon blieb bei Frankreich. Das Königreich Burgund war von hoher strategischer Bedeutung für die Italienpolitik, da es die wichtigsten Alpenpässe beherrschte. Durch verwandtschaftliche Beziehungen und kluges Taktieren machte Otto seinen Einfluß hier geltend. Er zog den jungen König Konrad von Burgund an seinen Hof und stellte das burgundische Königtum unter seinen Schutz.

II. Deutsches Königtum und römische Kaiseridee

951—952	Erster Italienzug Ottos I. und Vermählung mit Adelheid, Königin von Italien	1001	Otto III. gründet das Erzbistum Gran
962	Kaiserkrönung		Stephan I. der Heilige zum König von Ungarn gekrönt
973— 983	Otto II.	1002—1024	Heinrich II.
983—1002	Otto III.	1012	Gründung des Bistums Bamberg
1000	Otto III. gründet das Erzbistum Gnesen		

1. Reichskirchenpolitik Ottos I.

Nach dem Liudolfingischen Aufstand fand Otto keinen Widerstand mehr bei den Herzögen. Trotzdem schaffte er ein Gegengewicht gegen die Stammesgewalten in der Kirche. Eine Interessengemeinschaft zwischen König und Kirche war nicht neu (vgl. II, 1), Otto gestaltete diese Bindung aber enger, indem er weltliche Herrschaftsrechte auf die Bischöfe und Reichsäbte übertrug und sie damit auch zu weltlichen Fürsten machte. Er verlieh ihnen die volle Gerichtsbarkeit, sowie Zoll-, Münz- und Marktrechte. Dadurch wurde ihre Immunität gesichert. Kein Herzog oder Graf durfte auf dem Gebiet der geistlichen Herrschaft einschreiten. In der Praxis sah dies so aus, daß der Bischof einen Adeligen auswählte (oft nahm er den Grafen) und ihm als Vogt (advocatus, vocatus lat. der „Herbeigerufene") die Gerichtsbarkeit übertrug. Dieser war dann Lehnsmann der Kirche. Kontrollfunktionen hatte nur noch der König, der allein auch den Gerichtsbann übertragen konnte (vgl. B, IV). Der Bischof selbst übte keine Blutsgerichtsbarkeit aus, da ihm dies durch das Kirchenrecht untersagt war.

Da von den geistlichen Fürsten große Leistungen für das Reich erwartet wurden — auch bei Kriegszügen — vergab Otto freigebig Lehen an sie. 961 gab Otto I. einen ganze Slawengau an das künftige Erzbistum Magdeburg, und unter Otto III. erhielten deutsche Bischofskirchen ganze Grafschaften. Die Kirche stellte von nun an das größte Heeresaufgebot. 981 stellten die Bistümer Mainz, Köln, Straßburg, Augsburg je 100 Panzerreiter; Trier, Salzburg, Regensburg 70, Würzburg, Lüttich 60, die Herzogtümer aber nur 40 und weniger.

Da die Bischöfe keine Nachkommen hatten, gab es keine Vererbung der Lehen, so daß der König ohne Konflikte jeweils einen neuen, geeigneten Mann berufen konnte, meist einen Stammesfremden. Die kanonisch vorgeschriebene Wahl — bei Bischöfen durch Klerus und Volk, bei den Äbten durch den Konvent des Klosters — wurde dabei beachtet. Sie bedeutete allerdings nach Auffassung der Zeit nur Vorschlag oder Zustimmung zur Willenserklärung des Königs. Ein gewisses Risiko für den König lag darin, daß die hohe Geistlichkeit vom Adel gestellt wurde. Offenbar sah sie aber ihre Interessen eindeutig mit der Macht des Königs verbunden und unterstützte die königliche Politik auch noch in Zeiten der Schwäche.

Das ottonische Reichskirchensystem konnte nur funktionieren, weil es in Deutschland — anders als in Frankreich — seit der Unterwerfung Bayerns (938) keine Mediatbistümer (lat. medius = in der Mitte befindlich, mittlere) mehr gab, die Herzögen oder Grafen unterstanden und von diesen hätten besetzt werden können. Alle Bistümer und viele Klöster (Reichsklöster, Reichsabteien) unterstanden direkt dem König. Wie ein Netz legten sich die 31 Diözesen über das Reich und durchsetzten die Gebiete der weltlichen Fürsten.

Otto I. machte die Kirche zu einem Pfeiler der königlichen Gewalt. Die hohe Geistlichkeit ersetzte hier das fehlende königliche Beamtentum. Die Geistlichen konnten lesen und schreiben und beherrschten Latein. Die meisten von ihnen gingen in die Schule der königlichen capella, d.h., sie gehörten für einige Zeit der Hofgeistlichkeit an und der in enger Beziehung zu ihr stehenden Reichskanzlei. Hier gewannen sie Einblick in die

Reichspolitik und wurden dem König persönlich bekannt. Mainz, das größte und angesehenste Erzbistum, stellte den Erzkanzler für Deutschland, Köln später den für Italien.

Die enge Verknüpfung von geistlicher Funktion und weltlicher Herrschaft wurde bis in die zweite Hälfte des 10. Jahrhunderts nicht als Widerspruch empfunden, auch nicht die Einsetzung der Bischöfe und Äbte in ihre geistliche und weltliche Gewalt durch den König, der ja selbst von einem sakralen Nimbus umgeben war. Es bestand allerdings die Gefahr, daß die weltlichen Aufgaben allmählich zu einer Verweltlichung der Kirche führten.

2. Die Bedeutung Italiens für das Reich

Italien im 10. Jahrhundert

Nachdem die Macht der Karolinger in Italien zusammengebrochen war, traten dort anarchische Zustände ein, die dadurch verschlimmert wurden, daß Sarazenen und Ungarn das Land plünderten. Staatsrechtlich bestand Italien im 10. Jahrhundert aus den byzantinischen Teilen im Süden, dem langobardischen Königreich und dem Kirchenstaat, der sich wie ein Riegel von der Westküste bis zur Ostküste erstreckte und das Langobardenreich in zwei Teile teilte. Der Kirchenstaat ging auf die pippinische Schenkung zurück (Bd. I), unterstand aber der obersten Gewalt des Kaisers. Durch die Schwäche des Kaisertums war er ganz in der Hand des Papstes oder weltlicher Adeliger. Auch in den übrigen Gebieten hatten sich selbständige Gewalten herausgebildet. Es entstand ein italienisches Königtum, das aber seine Herrschaft im Kampf der verschiedenen Machtansprüche nicht durchsetzen konnte. Trotz der unsicheren Verhältnisse blieb Italien wichtig für die Politik, weil es den Weg nach Rom öffnete und Handelsverbindungen zum Orient hatte. Das Städtewesen in Norditalien war weiter entwickelt als im übrigen Europa. Venedig trieb einen ausgedehnten Handel mit Byzanz, die süditalienischen Städte, allen voran Amalfi, mit den Arabern. Es war also verständlich, wenn Frankreich, Deutschland und Burgund versuchten, in Italien Fuß zu fassen. In Deutschland unternahmen die süddeutschen Herzöge von Bayern und Schwaben diesen Versuch. Bayern hatte schon zur Zeit Karls des Großen gute Beziehungen zum Langobardenreich. 934 ließ Arnulf von Bayern seinen Sohn Eberhard zum König der Langobarden wählen und zog selbst mit Heeresmacht über die Alpen. Nur eine militärische Niederlage gegen Hugo von Vienne, den einige Unzufriedene gegen den gerade regierenden König Rudolf ins Land gerufen hatten, vereitelte das Unternehmen. Wahrscheinlich waren die Expansionsbestrebungen der süddeutschen Herzöge der Grund dafür, daß Heinrich I. gegen Ende seines Lebens den Plan faßte, selbst nach Italien und Rom vorzudringen.

Erster Italienzug Ottos I.

Auch unter König Otto I. versuchten die süddeutschen Herzöge, ihre Macht nach Italien auszudehnen. Heinrich von Bayern besetzte Aquileja. Liudolf von Schwaben zog heimlich in die Lombardei, um sich dort zum König wählen zu lassen. Der Versuch scheiterte, da Heinrich von Bayern einen solchen Machtzuwachs Schwabens nicht dulden wollte. In dieser Situation kam es König Otto sehr gelegen, daß ihn die Anhänger Adelheids, der Witwe des italienischen Königs Lothar, zu Hilfe riefen. Denn Berengar, Markgraf von Ivrea, hatte Adelheid gefangengenommen und das Königtum an sich gebracht. Im September 951 brach Otto mit einem großen Heer auf. Berengar flüchtete in eine Bergfestung. Ohne Kampf zog Otto in Pavia ein. Er nannte sich von nun an, ohne Wahl und Krönung, also nur aus der Nachfolge der Karolinger „König der Langobarden". Dieser Vorgang zeigt den tieferen Grund seines Italienzuges: Als bewußter Nachfolger Karls des Großen erstrebte er die Kaiserkrone und eine Vergrößerung seiner Macht. Das wirtschaftlich höher entwickelte Italien und die Beherrschung der Alpenpässe waren deshalb für ihn besonders wichtig. Seine Herrschaft blieb allerdings zunächst auf Oberitalien beschränkt. Unter dem Druck des römischen Adels, der um seine weltliche Macht fürchtete, lehnte der Papst die von Otto gewünschte Kaiserkrönung ab. Adelheid war inzwischen unter abenteuerlichen Umständen aus der Gefangenschaft Berengars entkommen. In Pavia fand die Eheschließung Ottos mit der zwanzigjährigen Königin statt. Die Rechtmäßigkeit seiner Ansprüche in Italien wurde durch diese Verbindung wesentlich gestärkt. Berengar unterwarf sich schließlich, erkannte die Oberherrschaft des deutschen Königs an und erhielt Italien als Lehen, mußte aber das ganze östliche Drittel abtreten: Die Marken Verona, Quileja (Friaul) und Istrien erhielt im Interesse des Reiches Heinrich von Bayern, da der Brennerpaß die wichtigste Verbindung nach Italien darstellte. Diese Bevorzugung Heinrichs, der zu einer wichtigen Stütze der ottonischen Politik geworden war, war Anlaß zum Aufstand Liudolfs von Schwaben (vgl. B, I, 2).

3. Das Verhältnis zwischen Papst und Kaiser unter den Ottonen

Kaiserkrönung und Italienpolitik Ottos I.

Die Unterwerfung Berengars war nicht von Dauer: Im Zusammenhang mit dem Liudolfingischen Aufstand fiel er von Otto ab, und Liudolf, nachdem er sich seinem Vater unterworfen hatte, zog nach Italien, um die Lage zu klären, starb aber in Italien am Fieber. Da wandte sich 961 Papst Johann XII. an Otto und bat um Hilfe gegen Berengar und eine römische Adelspartei. Otto ließ zunächst seinen gleichnamigen, erst sechs Jahre alten Sohn zum König wählen und krönen und zog mit einem großen Heer und in Begleitung der Königin über Pavia nach Rom. Nennenswerten Widerstand fand er nicht, Berengar hatte sich auf eine Bergfestung zurückgezogen. In Rom fand am 2. Februar 962 die Kaiserkrönung statt, anschließend leistete der Papst einen Treueid.

| 962 |

Otto blieb zwölf Tage in Rom, um die Zustimmung des Papstes für seine Missionspläne im Slawenland zu erhalten, besonders für die Erhebung Magdeburgs zum Erzbistum — gegen den Willen des Erzbischofs von Mainz — und für die Gründung neuer Bistümer. Als Gegenleistung bestätigte Otto in einer Urkunde (Pactum Ottonianum) die Pippinische Schenkung, also den Kirchen-

staat, und das kaiserliche Schutzversprechen. In einem zweiten Teil wurde die weltliche Obergewalt des Kaisers und seiner Nachfolger gesichert und festgesetzt, daß der kanonisch gewählte (also von Klerus und Volk von Rom) Papst erst die Weihe erhalten dürfe, wenn er dem Kaiser einen Treueid geleistet habe. Otto verließ Rom und ging zurück nach Oberitalien, wo sich die Bekämpfung Berengars länger hinzog. Der Papst brach die Vereinbarung und versuchte noch einmal, durch ein Bündnis mit Berengar die kaiserliche Oberherrschaft abzuschütteln. Otto besetzte 964 Rom und verstärkte seinen Einfluß auf die Papstwahl: schon *vor* der Wahl sollte die kaiserliche Genehmigung eingeholt werden. Durch eine Synode ließ er Papst Johann XII., dem man einen unsittlichen Lebenswandel nachsagte, absetzen und einen Laien als Leo VIII. zum Nachfolger wählen.

Otto griff in einem dritten Italienzug (966) noch einmal in die römischen Verhältnisse ein. Die Römer hatten unter Mißachtung des kaiserlichen Zustimmungsrechtes einen Gegenpapst gewählt. Otto setzte den rechtmäßigen Papst wieder ein und bestrafte die Aufrührer hart. Weihnachten 967 wurde Otto II., noch zu Lebzeiten des Vaters, zum Kaiser gekrönt.

Das Kaisertum Ottos I.

Das Kaisertum Ottos I. muß unter religiösen Aspekten gesehen werden. Nach der mittelalterlichen Theorie von den zwei Gewalten stellte das Papsttum die geistliche, das Kaisertum die weltliche Gewalt dar. Der Kaiser war zum Schutze der Kirche und der ganzen Christenheit verpflichtet. Als römischer Kaiser und Nachfolger Karls des Großen hatte er besonders das christliche Abendland zu schützen, gegen die Heiden zu kämpfen und den christlichen Glauben zu verbreiten. Darin lag zugleich ein universaler Anspruch, nämlich Schutzherr der Christenheit über die einzelnen Herrscher des christlichen Abendlandes zu sein.

Voraussetzung dafür war die Nachfolge Karls des Großen und die politische und militärische Vormachtstellung in Europa. Otto I. scheint konkrete politische Ziele mit dem Kaisertum verbunden zu haben. Wegen der Verbindung zum Orient bedeutete die Beherrschung Italiens einen politischen und wirtschaftlichen Machtzuwachs. Die Einflußnahme auf den Papst war notwendig, um die Neuorganisation der Slawenlande mit Hilfe der Bistümer und Klöster verwirklichen zu können und die Reichskirchenpolitik auf einen sicheren Boden zu stellen. Ferner war die Auseinandersetzung mit der immer noch mächtigen Kaisermacht Byzanz nur erfolgversprechend, wenn Otto als Kaiser mit dem Anspruch auf Gleichrangigkeit auftreten konnte. Er tat dies politisch und während seines dritten Italienzuges auch militärisch, indem er in Süditalien die byzantinischen Expansionsbestrebungen einschränkte.

Symbolischer Ausdruck für die Anerkennung der westlichen Macht durch Ostrom war die Eheschließung Ottos II. mit der schönen und klugen byzantinischen Prinzessin Theophanu, einer Nichte des oströmischen Kaisers Johannes Tzimiskes, die nach langen Verhandlungen zustande kam.

Otto I. zog sich aus Unteritalien zurück, als er sah, daß seine Macht nicht ausreichte, um die Byzantiner endgültig zu verdrängen. Er beschränkte sich auf seine Herrschaft im übrigen Italien, einschließlich der Fürstentümer Benevent, Capua und Salerno. Berengar war in Gefangenschaft gestorben, sein Sohn aus dem Land vertrieben.

Auch in Deutschland war die Macht des Kaisers unangefochten: Trotz der langen Abwesenheit während des dritten Italienzuges (966—972) herrschte im Reich Ruhe. Auf seinem letzten Hoftag in Quedlinburg (Ostern 973) zeigte sich Ottos abendländische Vormachtstellung: Gesandte aus allen Teilen Europas erschienen, Byzantiner und Römer, Dänen, Böhmen, Polen, Ungarn — viele von ihnen erbaten kaiserliche Entscheidungen.

Trotz der universalen Ansprüche seines Kaisertums verlor Otto der Große die realen politischen Ziele nicht aus den Augen und blieb sich der Tatsache bewußt, daß die Basis seiner Macht für seine ausgreifenden Unternehmungen Deutschland war.

Otto II.

Auch Otto II. (973—983), der mit achtzehn Jahren zur Regierung kam, war genötigt, in

Rom einzugreifen und den Papst gegen den römischen Adel zu schützen. Dies geschah ohne große Mühe durch den zurückgelassenen kaiserlichen Vertreter, da Otto selbst in Deutschland festgehalten wurde. Das Verhältnis zum Papst blieb ungetrübt gut, und als der Kaiser 980 nach Italien zog, hielt er in Rom prunkvoll Hof. Sein Verhältnis zu Byzanz, wo die Familie der Theophanu gestürzt worden war, hatte sich verschlechtert. Deshalb und weil die Sarazenen Süditalien beunruhigten, beschloß Otto, die ganze Apenninhalbinsel von Sarazenen und Byzantinern zu befreien und unter kaiserlicher Herrschaft zusammenzufassen. Damit wandte er sich von der Politik seines Vaters ab, der die Verständigung mit Byzanz gesucht hatte. Bei Cotrone erlitt er gegen die Araber (982) eine schwere Niederlage, die die deutsche Herrschaft über Italien ins Wanken brachte. Einige Monate später brach in Deutschland ein großer Slawenaufstand aus (vgl. B. II, 4). Erfüllt von neuen Plänen starb der König kurz darauf in Rom an der Malaria. Sein Sohn Otto III. (983—1002) war drei Jahre alt. Während der Regentschaft, die in Deutscland durch Kaiserin Theophanu, in Italien durch Kaiserin Adelheid ausgeübt wurde, entglitten Süditalien und Rom der kaiserlichen Herrschaft: In Süditalien gewannen die Byzantiner die Oberhand, in Rom wieder der römische Stadtadel. In den adeligen Parteikämpfen wurden mehrere Päpste ermordet. Das langobardische Königreich blieb der deutschen Herrschaft erhalten, dank der Geschicklichkeit und Autorität der Kaiserin Adelheid, die immer noch als die eigentliche langobardische Königin galt.

Anfänge Ottos III.

Unter Otto III. erfuhr das deutsch-römische Verhältnis eine entscheidende Wendung. Mit fünfzehn Jahren, also 995, übernahm er die Regierung. Seine Mutter Theophanu hatte ihm eine hervorragende Erziehung geben lassen: Er konnte lesen und schreiben — in der damaligen Zeit für Könige keine Selbstverständlichkeit —, er beherrschte die griechische und lateinische Sprache und interessierte sich für Dichtung und Philosophie. Sein Verhältnis zur Religion war stark gefühlsmäßig bestimmt, fast schwärmerisch, zugleich aber von asketischen Idealen der neu entstehenden Cluniazensischen Reformbestrebungen (vgl. B, VII, 1) und griechischem Anachoretentum (Anachoret = weltabgewandter Einsiedler) beeinflußt. Überhaupt bewunderte Otto die griechische Kultur und empfand das sächsische Wesen als roh. Bei verfeinerter Kultur und Frömmigkeit war der junge König vom Bewußtsein seines hohen herrscherlichen Amtes erfüllt. Für ihn bestand noch die Einheit von Gott und Welt, Papsttum und Kaisertum. Sie erfuhr durch ihn die höchste Ausprägung, die allerdings den Keim zum Umschlag in ein Gegeneinander der beiden Gewalten schon in sich trug.

Otto stieß nirgends auf Widerstand, als er im Jahr 996 mit einem stattlichen Heer in Italien erschien. In Ravenna erreichte ihn eine Nachricht aus Rom: Papst Johann XV. war gestorben, und Crescentius, das Haupt der römischen Adelspartei und keineswegs ein Freund kaiserlicher Herrschaft in Rom, bat Otto, der noch nicht einmal zum Kaiser gekrönt war, um Nominierung eines neuen Papstes. Diese Episode zeigt, wie unangefochten die Vormachtstellung des deutschen Königtums zu diesem Zeitpunkt war. Otto ernannte einen nahen Verwandten, den Kapellan Brun, Urenkel Ottos des Großen, der, als erster deutscher Papst, den Namen Gregor V. annahm. Die Wahl stieß auf allgemeine Zustimmung, da Gregor ein ernster, sittenstrenger Mann war, kein willenloses Werkzeug in der Hand Ottos. Nach der Kaiserkrönung kehrte Otto III. nach Deutschland zurück, aber schon 997 mußte er wieder in Rom eingreifen, da Crescentius den deutschen Papst vertrieben hatte. Crescentius wurde nach Erstürmung der Engelsburg enthauptet. Von nun an schlug Otto seine Residenz in Rom auf und verlagerte damit den Schwerpunkt des Reiches nach Süden.

Renovatio imperii Romanorum

Die Ideen Ottos III. zeigten sich schon äußerlich an der Veränderung der Kaiserurkunden: Die fränkischen und deutschen Kaiser hatten meist mit Wachs gesiegelt, Otto hängte jetzt eine Metallkapsel zur Be-

Die Kaiserkrone. Die seit 1804 unter den Reichskleinodien in der Schatzkammer der Wiener Hofburg aufbewahrte Krone ist vermutlich für die Kaiserkrönung Ottos I. 962 geschaffen worden. Aus dieser Zeit stammen die acht Platten des Kronreifes. Sie sind abwechselnd mit Perlen und Edelsteinen oder mit Goldzellenemails besetzt. Die Emailbilder zeigen Christus als König der Könige und drei alttestamentliche Herrscher. Über dem thronenden Christus steht: „Per me reges regnant."
Der heute vorhandene Bügel stammt laut Perleninschrift aus der Zeit Kaiser Konrads II. (1024—1039): „Chuonradus dei gratia Romanorum Imperator Augustus". Das Kreuz an der Stirnseite wurde im 11. Jahrhundert hinzugefügt.
Die Krone wurde als Teil der kaiserlichen Krönungsinsignien ursprünglich möglicherweise über einer Mitra getragen. Auf die Platten des Kronreifes konnten an der Seite herabhängende Pendilien (mit Perlen und Edelsteinen besetzte Schnüre) und Perlenaufsätze gesteckt werden. Zu den Insignien gehörten ferner die Krönungsgewänder, Zepter, Reichsapfel, Reichsschwert, Reichsevangeliar und Heilige Lanze. Die Insignien wurden von den reisenden Herrschern häufig mitgeführt und nur zeitweise auf Reichsburgen oder Pfalzen aufbewahrt, etwa auf dem Trifels (im 13. Jahrhundert) oder auf dem Karlstein (1365—1421). Von 1424 bis zu den napoleonischen Kriegen befanden sie sich in der Heilig-Geist-Kirche in Nürnberg.

glaubigung an seine Urkunden, wie es in Byzanz und beim Papst üblich war. Sie enthielt auf der einen Seite den Kopf Karls des Großen, auf der anderen ein Bild der Roma und die Umschrift „Renovatio imperii Romanorum" (= Erneuerung des Reiches der Römer). Rom sollte das Zentrum eines christlichen Universalreiches werden, in dem weltliche und geistliche Gewalt vereinigt waren. „Sacrum palatium" (= heilige Pfalz) hieß die Residenz, die Otto auf dem Aventin bauen ließ. Rom und der Kirchenstaat wurden durch kaiserliche Beamte verwaltet, und auch an der Kurie und bei päpstlichen Synoden machte der Kaiser seinen Einfluß geltend, selbst wenn es sich um die Angelegenheiten anderer Länder handelte. Der byzantinische Einfluß trat besonders in einer Fülle von griechischen Titeln hervor, die Otto einführte, teils für alte, teils für neugeschaffene Ämter am Hofe und in der Verwaltung, und in der Einführung des byzantinischen Hofzeremoniells bei bestimmten Anlässen. Auch die Werbung um eine byzantinische Prinzessin wurde ins Auge gefaßt. Otto verstand es, hochgebildete Männer an seinen Hof zu ziehen. Besonders starken Einfluß hatten auf ihn Gerbert von Aurillac, der 999 als Sylvester II. Papst wurde, und Adalbert von Bremen, der 997 bei der Preußenmission den Märtyrertod fand und wohl gerade dadurch die mystischen Neigungen Ottos verstärkte: Der junge Kaiser zog sich häufig zu Askese und Bußübungen zurück. Das war nichts Ungewöhnliches und entsprach außerdem den neuen reformerischen Zeittendenzen. Auffallend ist, daß Otto trotz der weltabgewandten Frömmigkeit politisch tätig blieb. Es scheint ihm gelungen zu sein, ohne nennenswerte kriegerische Aktionen seine Herrschaft in Süditalien weitgehend durchzusetzen.

Kirchliche und politische Neuordnung in Polen und Ungarn

Otto III. verließ Italien noch einmal für ein halbes Jahr, um das Grab des heiligen Adalbert in Gnesen zu besuchen. Auch diese Reise benutzte er, um seine Vorstellung vom Universalreich, in dem die verschiedenen Landesteile gleichberechtigt unter dem Kaiser stehen sollten, zu verwirklichen. In Polen erhob er Gnesen zum Erzbistum und unterstellte ihm die Diözesen Kolberg, Breslau und Krakau. Das bedeutete, daß das Erzbistum Magdeburg keine weitere Missionsmöglichkeit nach Osten mehr hatte — ein deutliches Abweichen von den Vorstellungen Ottos des Großen. Die politischen Verhältnisse erfuhren eine entsprechende Umgestaltung. Otto ernannte König Boleslav Chrobry zum Stellvertreter des Kaisers in Polen (cooperator imperii). Damit war Po-

len der Oberhoheit des deutschen Königtums entzogen und unterstand unmittelbar dem Kaiser. Diese Politik minderte den deutschen Einfluß im Osten und stieß in Deutschland auf Kritik, besonders von seiten Magdeburgs. In ähnlicher Weise wurden die Verhältnisse in Ungarn geordnet. Auch Ungarn erhielt eine eigene Kirchenprovinz (Erzbistum Gran). Stephan, dem der Papst die Krone schickte, unterstellte sich als „Freund und Bundesgenosse" der kaiserlichen Oberhoheit und dem Papst, doch wurde auch hier der deutsche Einfluß zurückgedrängt. Otto fühlte sich ebenso als Stellvertreter des Apostels Petrus wie der Papst und nannte sich folgerichtig „Knecht Jesu Christi" (servus Jesu Christi). Von Polen zog Otto nach Aachen, wo er die Gruft Karls des Großen öffnen ließ. Dann kehrte er nach Italien zurück.

Das Ende Ottos III.

In Italien hatte es in der kurzen Abwesenheit des Kaisers Unruhen gegeben. Die süditalienischen Fürstentümer waren abgefallen und auch in Rom und im Kirchenstaat gärte es. Der einheimische Adel sah sich in seiner Macht durch die dauernde Anwesenheit des Kaisers zu stark eingeschränkt. In harten Kämpfen setzte sich Otto in Rom noch einmal durch. Seine berühmte Rede an die Römer, in der er ihnen vorhielt, daß er aus Liebe zu seinen Römern das Vaterland verlassen und die Freunde zurückgesetzt habe, blieb nicht ohne Wirkung. Als er aber Rom verließ, weil er sich dort nicht mehr sicher fühlte, verschloß man dennoch die Tore hinter ihm. Ohne Rom zurückgewonnen zu haben, starb der Kaiser im Alter von 22 Jahren. Sein Wunsch war, in Aachen neben Karl dem Großen beigesetzt zu werden. Mit Mühe gelang es der deutschen Begleitung, die Leiche Ottos durch das in Aufruhr befindliche Italien über die Alpen zu schaffen. Otto III. ist schwer zu beurteilen, da er zu früh starb. Otto handelte trotz seiner Jugend konsequent und planvoll. Aber seine Pläne für das Imperium bedeuteten eine Überanstrengung der realen Möglichkeiten. Otto I. hatte sein Kaisertum auf die sichere Machtbasis des deutschen Königtums gestellt, und seine Kaiser- und Italienpolitik ergab sich folgerichtig aus der politischen Situation. Otto II. verlagerte den Schwerpunkt seiner Politik ungewollt nach Italien, als er die Eroberung Süditaliens versuchte. Otto III. verlegte programmatisch das Zentrum seines Reiches nach Rom und sprach selbst von einer „Bevorzugung" der Römer. Er übersah dabei wohl, daß nur die militärische Macht des deutschen Heeres die italienische Herrschaft ermöglichte. Die Vernachlässigung der deutschen Machtbasis wirkte sich nachteilig auf das Königtum aus.

4. Deutschland unter den Ottonen

Obgleich das Reich beim Tode Ottos des Großen im Inneren und nach außen gesichert schien, mußte Otto II. gleich zu Anfang seiner Regierung gegen Bayern vorgehen, dessen Herzog, sein Vetter Heinrich der Zänker, eigene Politik betrieb und so den Rahmen des Reiches zu sprengen drohte. Bayern wurde zerschlagen: Das Stammland Bayern erhielt Otto von Schwaben. Kärnten und der Nordosten Italiens wurden zu einem eigenen Herzogtum vereint und die oberfränkischen Babenberger (= Bamberg) erhielten die Oberpfalz (Nordgau). Die Ostmark kam an den Babenberger Liutpold.

Im Westen unternahm Otto II. nach einem französischen Überfall auf die Aachener Kaiserpfalz einen Feldzug gegen Frankreich. Der Friedensvertrag (980) brachte Lothringen wieder ans Reich zurück.

Die schwerste Gefährdung brachte der Slawenaufstand von 983. Es ist nicht anzunehmen, daß er eine unmittelbare Folge der Niederlage von Cotrone (982) war. Es scheint sich mehr um eine Reaktion der Liutizen und Obodriten auf das harte und ungerechte Regiment des Markgrafen Thiedrich (Nordmark) und des Herzogs Bernhard von Sachsen gehandelt zu haben. Wäre der Kaiser in Deutschland gewesen, hätte er vielleicht eine so ungeschickte Slawenpolitik verhindern können. Nun aber kam es zum Aufstand. Die Slawen erstürmten Havelberg und Brandenburg, überschritten die Elbe und bedrohten Magdeburg. Ein sächsisches Heer schlug sie schließlich über die Elbe zurück und befreite Sachsen, aber die Billung-

sche und die Nordmark blieben verloren. Der Rückfall ins Heidentum wirkte sich bis nach Dänemark und Böhmen aus.

Kaiserin Theophanu, die, unterstützt von Erzbischof Willigis von Mainz und den Bischöfen von Worms und Lüttich, für Otto III. die Vormundschaft führte, unternahm mehrere Züge gegen die Elbslawen (allein 993 drei). Weder ihr noch später Otto III. selbst gelang ein dauernder Erfolg, trotz Unterstützung durch Polen und Böhmen. Brandenburg konnte nur zeitweilig zurückerobert werden, und die räuberischen Einfälle in Sachsen hielten an. Die sächsische Nord- und Ostmark wurden wieder mit fähigen Leuten besetzt, aber die lange Abwesenheit Ottos III. vom Reich führte dazu, daß eine zentral gelenkte Ostpolitik fehlte und die lokalen Machthaber, auch wenn sie Anhänger des Kaisers waren, ihre eigenen Interessen verfolgten. So ließ sich beispielsweise Markgraf Ekkard von Meißen in Thüringen zum Volksherzog wählen und machte den Herzog von Böhmen zu seinem (nicht des Kaisers) Lehnsmann. Die Gründung der Erzbistümer Gnesen und Gran dienten dem Kaisergedanken, nicht der Stärkung des deutschen Königtums.

5. Ausgleich zwischen universaler Kaiseridee und deutschem Königtum unter Heinrich II.

Renovatio regni Francorum

Als Heinrich II. (1002—1024), Herzog von Bayern, Sohn Heinrichs des Zänkers und somit ein Vetter Ottos III., zum deutschen König gewählt wurde, stand Sachsen abseits, weil es eine Verlagerung der Politik nach Südosten fürchtete, Schwaben und der Markgraf Ekkehard von Meißen machten eigene Thronansprüche geltend. So mußte Heinrich um Anerkennung kämpfen wie vor ihm Konrad I. und Heinrich I. Gegen die Selbständigkeit der Herzöge setzte Heinrich nüchtern und zielstrebig seine Herrschaft in Deutschland durch und kehrte bewußt zu der Machtbasis Ottos des Großen zurück. Fast programmatisch gegen die Politik Ottos III. gerichtet, erschien auf seinen Bullen die Inschrift „Renovatio regni Francorum"

(= Erneuerung des Reiches der Franken).
Heinrich unternahm drei Italienzüge. Sie
waren alle kurz, da für ihn die deutschen
Verhältnisse, besonders an der Ostgrenze,
im Vordergrund standen.

Die Italienpolitik Heinrichs II.

1004 zog er zum ersten Mal über die Alpen
nach Pavia, wo die Langobarden einen eigenen König gewählt hatten. Ohne große
Mühe gewann Heinrich die langobardische
Krone zurück. Der deutsche König besaß
unter den italienischen Großen, besonders
unter den Bischöfen, viele Anhänger. Dennoch machte sich in Italien ein Streben nach
Unabhängigkeit bemerkbar, das in den folgenden Jahren zu anhaltenden Kämpfen
führte. Die Anhänger des Königs mußten in
Deutschland immer wieder um Rat und
Hilfe nachsuchen. Heinrich selbst konnte
erst 1013 einen zweiten Italienzug antreten.
Durch geschicktes Verhandeln erreichte er
Einzug und Kaiserkrönung in Rom, wo die
Adelsgeschlechter der Crescentier und Tusculaner in Streit lagen, kehrte dann aber
schnell nach Deutschland zurück.
Sieben Jahre später (1020) erschien Papst
Benedikt VIII. in Deutschland, um Hilfe gegen die Byzantiner und Sarazenen in Unteritalien zu erbitten. Benedikt, selbst ein tatkräftiger Politiker, hatte, zusammen mit den
Seestädten Pisa und Genua, jahrelang versucht, gegen die Byzantiner und Sarazenen
in Unteritalien anzukämpfen, nicht ohne Erfolg. Zum ersten Mal tauchten in diesen
Kämpfen auch normannische Ritter im
Dienste der Byzantiner und des Papstes in
Süditalien auf. Da Benedikts politische Tätigkeit den Vorstellungen des Kaisers entsprach, bestand zwischen beiden ein enges
Vertrauensverhältnis, das seinen Ausdruck
in mehreren gemeinsamen Synoden und in
der Vergrößerung des Kirchenstaates durch
den Kaiser fand. Der Papst erschien fast wie
eine Art kaiserlicher Statthalter in Italien.
Bei seinem dritten Italienzug (1021/1022)
konnte Heinrich ein weiteres Vordringen
der Byzantiner verhindern. Als er Italien
verließ, war seine Herrschaft in den langobardischen Fürstentümern anerkannt, aber
nach seinem Tode zerstörten die Bewohner
Pavias die dortige Pfalz.

Heinrich II. und die Reichskirche

Fest auf der kaiserlichen Seite standen weiterhin die Bischöfe, da Heinrich in Anknüpfung an die ottonische Kirchenpolitik nur
reichstreue Kandidaten als Bischöfe eingesetzt hatte, auch gegen die Wahl der Domkapitel. Entschlossen hatte er die großen
Reichsklöster gestärkt, um ihre Leistungsfähigkeit für das Reich zu steigern. Gleichzeitig bemühte er sich um Klosterreformen
(vgl. B, VII, 2), die er andererseits auch wieder dazu benutzte, durch große Säkularisa-
tionen (= Verweltlichung geistlichen Besitzes) seine Domänen zu vergrößern.
Obgleich Heinrich II. die Kirche konse-
quenter als Otto I. in den Dienst der Reichspolitik stellte, darf an seiner persönlichen
Religiosität nicht gezweifelt werden. Seinem
Wesen entsprechend hatte sie einen realisti-
schen, tätigen Charakter. Dies zeigt am
deutlichsten sein persönliches Bemühen bei
der Gründung des Bistums Bamberg (1012).
Er hat das Bistum reich ausgestattet und
dort mit seiner Frau Kunigunde seine letzte
Ruhestätte gefunden.

III. Festigung und Erweiterung der Reichsmacht

| 1024—1039 | Konrad II. | 1037 | Constitutio de feudis |
| 1033 | Erwerbung Burgunds (Arelat) | 1039—1056 | Heinrich III. |

1. Grenzsicherung im Osten und Westen durch Heinrich II.

Die vordringliche Aufgabe für Heinrich II. war die Sicherung der Ostgrenze in Deutschland, die durch die Elbslawen und auch durch die Entstehung eines polnischen Großreiches (vgl. B, V, 5) bedroht war. Boleslav I. Chrobry (= der Tapfere), Sohn des polnischen Reichsgründers Miezko, hatte Pommern, Mähren, Schlesien, die Lausitz und Böhmen erobert und unter den deutschen Fürsten Bundesgenossen gefunden. Wahrscheinlich plante er eine große slawische Erhebung gegen das Reich. Die Liutizen, die um ihre Selbständigkeit fürchteten, boten sich dem deutschen König als Bundesgenossen an. Heinrich nahm die Bedingungen der heidnischen Liutizen an, auf jede Missionstätigkeit bei ihnen zu verzichten.

Vierzehn Jahre kämpfte Heinrich mit wechselndem Erfolg und unter schwierigsten Bedingungen gegen Polen. Das Gelände war unwegsam. Die Feldzüge mußten im Herbst geführt werden, weil das Heer sich nur aus dem Lande versorgen konnte, zu offenen Feldschlachten kam es kaum.

Heinrich stellte die deutsche Oberhoheit über Böhmen wieder her. Im Frieden von Bautzen (1018) erkannte der polnische König die deutsche Lehenshoheit an, behielt aber die Lausitz und das Milzíener Land als Reichslehen. Das Bistum Posen wurde aus dem Erzbistum Magdeburg ausgegliedert und dem Erzbistum Gnesen unterstellt.

Auch im Westen griff Heinrich politisch und militärisch ein, und zwar in Flandern und Niederlothringen, wo mächtige Lokalgewalten entstanden waren, die die deutschen Interessen gefährdeten. Heinrich verstand es, militärische Aktionen durch Verhandlungen zu ergänzen: Er brachte den französischen König auf seine Seite und machte Graf Balduin von Flandern zum deutschen Lehensträger.

Am wichtigsten für die deutsche Politik wurde der Erbvertrag mit Burgund, in dem der kinderlose König Rudolf III. von Burgund und Kaiser Heinrich (seine Mutter war Rudolfs Schwester) als nächsten Erben anerkannte. Der französische König stimmte zu. Um einen Rückhalt gegen die burgundischen Großen zu haben, die mit der Regelung nicht einverstanden waren, übergab König Rudolf die Lehenshoheit an den Kaiser und räumte ihm ein Mitspracherecht ein. In mehreren Feldzügen setzte sich Heinrich gegen die burgundischen Großen durch.

Er tat es in der Erkenntnis, daß Burgund für die Beherrschung Italiens von großer Bedeutung war.

Als Kaiser Heinrich II. 1024 in der Pfalz Grona bei Göttingen starb, hinterließ er ein in sich gefestigtes und nach außen gesichertes Reich. Durch kluge Verbindung von Politik und militärischem Einsatz hatte er Macht und Ansehen des Reiches wiederhergestellt und den Grundstein für eine weitere Entfaltung der Reichsgewalt gelegt.

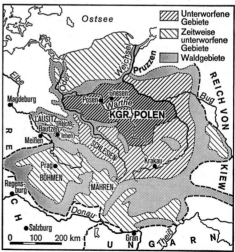

Das polnische Reich unter Boleslav Chrobry

2. Konrad II.:
Stärkung der Zentralgewalt und Erwerbung Burgunds (Arelat)

Beginnende Entwicklung zum Territorium

Mit Heinrich II. erlosch das sächsische Herrscherhaus. Die Wahl Konrads II. (1024—1039) brachte das fränkische oder salische Herrscherhaus zur Regierung. Bei der Wahl Konrads war die Verwandtschaft mit den Ottonen (er war ein Urenkel Ottos I.) von großer Bedeutung. Er setzte sich in Deutschland und mit Hilfe der Bischöfe auch in Italien schnell durch. 1027 fand in Rom die Kaiserkrönung in glanzvollem

Kaiser Konrad II., Münzbild eines Kölner Denars. Staatliche Münzsammlung München

Rahmen statt. Seit dem Tode des Papstes Benedikt VIII. (gest. 1024) war das Papsttum wieder in Adelsintrigen und Korruption versunken. Konrad II. unternahm nichts dagegen. Wie seine Vorgänger nutzte er die Kirche für das Reich, blieb aber mit Schenkungen an sie zurückhaltend. Statt dessen versuchte er, größere Lehen aus Kirchengut an die weltlichen Vasallen zu geben und das Reichsgut zu vermehren. Die durch Aussterben der direkten Linie erledigten Herzogtümer Bayern und Schwaben gab er an seinen Sohn und brachte damit fast ganz Süddeutschland unter die Hoheit des Königshauses.

Zur Zeit Karl des Großen und unter den Ottonen beruhte die Königsherrschaft hauptsächlich auf den persönlichen Bindungen zwischen den großen Vasallen (die ihre Le-

hen unmittelbar vom König hatten) und dem Herrscher (Personenverbandsstaat). Jetzt gewann allmählich das zusammenhängende Territorium an Bedeutung, auf dessen Boden der Territorialherr möglichst alle Herrschaftsrechte ausübte. Allerdings war dies erst der Beginn einer Entwicklung. Der König machte noch bestimmte Königsrechte (Regalien), besonders das Königsgericht, im ganzen Reich geltend, und seine Person war immer noch alleiniger Träger der Reichsgewalt, zumal es weder eine Hauptstadt noch eine zentrale Reichsverwaltung gab. Aber auch der König mußte sich auf die Gegebenheiten einstellen und versuchen, selbst möglichst ausgedehnte Territorien unmittelbar zu beherrschen. Eine gewisse Änderung des Bewußtseins weg von der engen Bindung an die Person des Königs zeigt Konrads Ausspruch gegenüber Vertretern der Lombarden, die die Zerstörung der Königspfalz in Pavia mit dem Tode König Heinrichs II. entschuldigen wollten: „Wenn der König auch gestorben ist, so bleibt doch das Reich."

Stärkung der kleinen Lehensträger

Konrad stützte die Macht der weltlichen Großen, schaffte aber zugleich ein Gegengewicht, indem er die niederen Lehensträger stärkte. Die Erblichkeit der Herzogslehen hatte sich durchgesetzt (allerdings nur in direkter Linie). Nun dehnte Konrad die Erblichkeit der Lehen auch auf die Reichsgrafen und auf die Vasallen zweiten Grades (also jene, die von Herzögen oder Bischöfen Lehen hatten) aus. Damit trat er als der Wahrer ihrer Rechte auf und band sie fester an die Zentralgewalt. Auch sozial tieferstehenden Schichten wandte er seine Fürsorge zu, so den Kaufleuten in den emporstrebenden Städten (Münzrechte, Marktprivilegien) und den Ministerialen. Sie waren ursprünglich unfreie Dienstleute des Königs, die als reisige Knechte, Inhaber von Hofämtern und Domänenbeamte an Bedeutung gewannen. Im Spätmittelalter bildeten sie den niederen Adelsstand. In Italien verfolgte Konrad eine entsprechende Politik. Er setzte hier noch stärker als seine Vorgänger deutsche Bischöfe ein, die durch die schnelle wirtschaftliche Entwicklung der Städte zu großer Macht gelangten. Als besonders ehr-

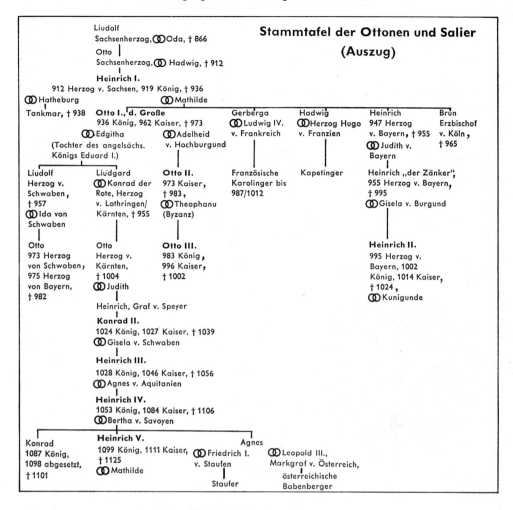

Stammtafel der Ottonen und Salier (Auszug)

geiziger und eigenwilliger Herrscher trat Erzbischof Aribert von Mailand auf, der in rücksichtsloser und willkürlicher Weise die Kirchenlehen seiner ritterlichen Lehensleute (= Lehensleute zweiten Grades = Valvassoren) einzog. Es kam zum offenen Aufstand, der die gesamte Lombardei in zwei feindliche Lager spaltete. Konrad, von beiden Parteien angerufen, stellte sich auf die Seite der Valvassoren und erließ am 28. Mai 1037 die „Constitutio de feudis", in der er die Bedrückung der Valvassoren untersagte und die Erblichkeit ihrer Lehen verfügte. Diese Entscheidung führte zu harten Kämpfen mit Aribert von Mailand, in deren Verlauf Konrad ihn absetzte und vom Papst exkommunizieren ließ, drei andere Bischöfe schickte er in die Verbannung —

dennoch gelang die endgültige Unterwerfung Mailands nicht.

Außenpolitik Konrads II.

Auch nach außen hin gestalteten sich die Verhältnisse des Reiches günstig: Mit dem Tode Boleslavs Chrobrys (1025) brach im Osten das polnische Großreich zusammen, so daß die Lausitz zurückgewonnen werden konnte. Im Norden entstand das Großreich Knuts des Großen (vgl. B, V, 3). Konrad schaffte dadurch gute Beziehungen, daß er sich mit der Eider als Grenze begnügte und durch Heirat familiäre Bindungen schuf. Eine wichtige Abrundung des Reiches brachte die Angliederung Burgunds (1033). Durch geschicktes Verhandeln brachte Konrad den französischen Kö-

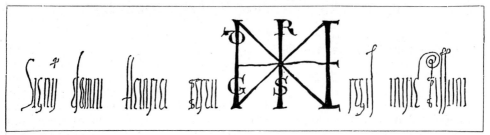

Signum domni Heinrich tertii + regis invictissimi. Der Querstrich in der Mitte des aus dem Monogramm und den Buchstaben der Amtsbezeichnung zusammengesetzten Signums ist der sog. Vollzugsstrich. (Von einer Urkunde Kaiser Heinrichs III., datiert Augsburg, 18. Januar 1040)

nig auf seine Seite. Den letzten Widerstand in Burgund brach er durch den Einmarsch eines deutschen und italienischen Heeres. Damit waren die französischen Expansionsbestrebungen nach Süden eingedämmt und die wichtigen Westalpenpässe gesichert.

Konrad II. hob sich von seinen sächsischen Vorgängern ab. Kühl und distanziert, gelegentlich rücksichtslos, betrieb er Machtpolitik. Personale Bindungen traten zurück, er nutzte die Interessen der einzelnen Machtgruppen zur Stärkung der Reichsgewalt. Obgleich er den Kaiserdom in Speyer begründete — Begräbnisstätte für ihn und viele seiner Nachfolger — blieben religiöse Verpflichtungen seinem Kaisertum fremd. Auch der cluniazensischen Reformbewegung, die in seiner Zeit immer mehr an Boden gewann, stand er ohne großes Verständnis gegenüber. Er sah in Papst und Kirche ein Mittel zur Verwirklichung politischer Ziele.

3. Heinrich III.:
Kämpfe im Osten und Westen

König Heinrich III. (1039—1056), der bereits zu Lebzeiten seines Vaters gewählt und gekrönt worden war, übernahm ohne Schwierigkeiten die Herrschaft in Deutschland, Italien und Burgund. Zunächst richtete er seine Aufmerksamkeit nach Osten. In Polen und Ungarn war es zu heidnisch-nationalen Reaktionen gekommen. Herzog Bretislav von Böhmen nutzte die verworrenen Verhältnisse in Polen zur Errichtung eines böhmischen Großreiches mit einer nur von Rom abhängigen nationalen Kirche. Erst nach mehreren Feldzügen unterwarf

sich Bretislav dem deutschen König, huldigte im Büßergewand, zahlte Buße und blieb für den Rest seines Lebens ein treuer Gefolgsmann Heinrichs. Die Ungarn hingegen warfen nach wechselvollen Kämpfen die deutsche Lehenshoheit ab. Zur Grenzsicherung gegen Böhmen und Ungarn ließ Heinrich Marken anlegen, die er mit königlichen Ministerialen besetzte. Auch die Liutizen, die die sächsischen Grenzen beunruhigten, mußten seit 1045 erneut Tribut zahlen. — In Polen wurde mit deutscher Hilfe der vertriebene Herzog Kasimir wieder eingesetzt, der 1046 ebenfalls huldigte. Damit war die deutsche Vorherrschaft über die östlichen Nachbarländer wiederhergestellt.

Im Nordosten setzte Heinrich den thüringischen Grafensohn Adalbert in das Erzbistum Bremen-Hamburg ein (1043), um die politische und missionarische Einflußnahme nach Norden hin zu verstärken. Unter dessen energischer Leitung erstreckte sich die kirchliche Hoheit über die skandinavischen Reiche hinaus bis nach Finnland, Island und Grönland.

In Lothringen griff der Kaiser in Erbstreitigkeiten ein und wies französische Einmischungsversuche zurück. Einer persönlichen Zweikampfforderung Heinrichs wich der französische König aus.

Trotz der zahlreichen Kämpfe, die Heinrich III. zur Sicherung des Reiches unternehmen mußte, lag das Hauptgewicht seiner Politik auf dem Gebiet der Kirchenreform. In dieser Zielsetzung unterschied er sich von seinem Vater und hob das Kaisertum noch einmal zu universaler Bedeutung (vgl. B, VII, 2) empor.

IV. Grundformen mittelalterlicher Herrschaft

1. Der Begriff der „Herrschaft"

Einen Staat im modernen Sinn kannte das Mittelalter nicht. Staat im modernen Sinn ist eine Institution, die allein für innere Ordnung und äußere Sicherheit verantwortlich ist, die allein Recht setzen und die Einhaltung dieses Rechtes mit Gewalt erzwingen darf (Gewaltmonopol).

Den Herrschern des Mittelalters fehlte zur Aufrechterhaltung der Ordnung in ihrem Herrschaftsbereich die dazu notwendige Organisation. Zur Aufbietung des Heeres, Einziehung der Abgaben, Aufrechterhaltung der inneren Sicherheit (z. B. Bekämpfung des Räuberwesens, Überwachung der Märkte, Gewährleistung eines Rechtsschutzes durch Gerichte) fehlten ein Beamtenapparat und eine gegliederte Verwaltung, mit deren Hilfe der moderne Staat seine Bürger zu jeder Zeit und an jedem Ort erreichen kann.

Dem König standen nicht Untertanen gegenüber, denen er nach Belieben hätte Befehle erteilen können, sondern unterschiedliche Gruppen, die Rechte oder Pflichten anderen Gruppen gegenüber hatten. Er griff in diese Verhältnisse nur korrigierend ein. Die Abstufung der Rechte und Pflichten, der persönlichen Freiheit oder Unfreiheit des einzelnen durften nicht angetastet werden. Die äußersten Gruppen in diesem Stufenbau bildeten Unfreie (servi) und Adel; aber auch innerhalb dieser Gruppen bestanden noch große Unterschiede.

Da staatliche Institutionen fehlten, war Gewalt über Menschen und Dinge in der Regel an einzelne Personen und ihre Rechte gebunden. Wichtig dabei war, daß der Mächtige, also der Herr, stark genug war, Schutz zu gewährleisten. Er mußte in der Lage sein, „Herrschaft" auszuüben. Seit der Germanenzeit hatten sich unterschiedliche Formen von Herrschaft herausgebildet, die sich manchmal überschnitten, so daß der einzelne innerhalb mehrerer Herrschaftsverhältnisse stand. Es gab die Grundherrschaft über Grund und Boden und die darauf lebenden Menschen (vgl. B, VI, 1), die Lehensherrschaft des Lehnsherrn über seine Gefolgsleute, Gerichtsherrschaft innerhalb eines bestimmten Bezirkes. Eine der älteren Formen war die Hausherrschaft (Munt), die der Hausherr über seine Familie und alle im weitesten Sinn zum Haushalt gehörenden Personen ausübte. Zur Munt gehörte auch der Schutz der Hausgenossen und ihre Vertretung vor Gericht.

Bei den Regierungsaufgaben (Verteidigung nach außen, Sicherung im Inneren, Rechtspflege) bediente sich der mittelalterliche König der Herrschaftsträger Adel und Kirche (Bischöfe, Äbte), deren Macht auf ausgedehnten Grundherrschaften beruhte. Ihnen übertrug er hoheitliche Aufgaben (Schutz der Märkte, Rechtsprechung u. a.) in ihrem Gebiet, an sie richtete sich in erster Linie die Heerespflicht, d. h. die Verpflichtung, eine bestimmte Anzahl Männer auszurüsten und mit ihnen beim Heeresaufgebot zu erscheinen. Den mittelalterlichen Äbten und Bischöfen war die Ausübung weltlicher Macht selbstverständlich, zumal sie meist jüngere Söhne bedeutender Adelsfamilien waren, die für den König die gleichen Aufgaben wahrnahmen wie ihre älteren Brüder.

Eine regelmäßige Geldentlohnung für geleistete Dienste gab es nicht. Der König verlieh statt dessen Land zur Nutzung oder überließ den Amtsträgern bestimmte mit den Ämtern verbundene Einnahmen ganz oder zum Teil. So erhielt der Graf für die Ausübung der Gerichtsbarkeit einen bestimmten Anteil an den Gerichtsgefällen. Auch der Marktherr, der den Marktfrieden sicherte, durfte Abgaben erheben.

2. Das Lehnswesen

Aus der Verleihung von Ämtern und Land entwickelte sich das Lehnswesen, das im 9. Jahrhundert seine volle Ausprägung erfuhr. Das Herrschaftssystem, das sich auf dem Lehnswesen aufbaute, wird mit dem Begriff „Feudalismus" bezeichnet (für das alte Wort Benefizium erscheint seit ca. 900 auch Feudum = Lehen). Es hatte drei Wurzeln: Die germanische Gefolgschaft, in der sich ein Freier durch Treueid einem Mächtigen verband; die gallo-römische Vasallität, in der der Vasall (oft auch ein Unfreier — kelt. gwas = Knecht) sich durch einen Akt der Ergebung (Kommendation) in die Gewalt eines Herrn begab, wobei der Vasall Gehorsam zu leisten und der Herr Unterhalt und Schutz zu gewähren hatte. Dritte Wurzel war die Landschenkung (beneficium) an verdienstvolle Adelige, wobei das Verfügungsrecht der Adeligen über das geschenkte Land schon unter den Merowingern auf ein Nutzungsrecht eingeschränkt wurde.

Aus der Verbindung von Gefolgschaft, Vasallität und Benefizium entstand das Lehen, für dessen Verleihung sich feste Formen herausbildeten: Als erstes erfolgte die freiwillige Selbstübergabe an den Herrn (Kommendation, Mannschaft) durch Einlegung der gefalteten Hände des Vasallen in die des Lehensherrn (Handgang). Dabei sollte der Vasall vor dem sitzenden Herrn waffenlos, barhaupt und ohne Mantel niederknien. Es folgte der Treueid. Obwohl er nur vom Vasallen geleistet wurde, war auch der Herr gegenüber seinem Lehensmann zur Treue verpflichtet. Der Herr gab Schutz und Unterhalt (meist durch Land oder ein Amt mit Einkünften), und der Vasall hatte für das Wohl des Herrn einzutreten, Schaden von ihm abzuwenden. Außerdem schuldete er seinem Herrn Rat und Hilfe (consilium et auxilium), wozu in erster Linie Heeresfolge und Hoffahrt (Erscheinen auf den Hoftagen) gehörte. Die Investitur schließlich begründete das Nutzungsrecht (ius utendi et fruendi) des Vasallen am Lehen und erfolgte durch die Übergabe von Symbolen (Fahne bei weltlichen, Bischofsstab oder — nach dem Investiturstreit — Zepter bei geistlichen Lehen).

Der Lehnsmann konnte sein Lehen weiterverleihen (Unterleihe, Afterlehen) und sich so eigene Gefolgsleute (Untervasallen, Valvassoren) schaffen. Verkaufen oder verschenken durfte er es nur mit Zustimmung des Herrn. Allerdings bemühten sich die Vasallen, volles Verfügungsrecht über die Lehen zu erhalten und diese mit ihrem eigenen Besitz (Allodialgut) zu verschmelzen. Die Erblichkeit setzte sich für die großen Lehen in Frankreich schon im 9., in England im 12. Jahrhundert durch. In Deutschland wur-

den noch im 12. und 13. Jahrhundert viele Lehen nur auf Lebenszeit ausgegeben. Das Recht auf Vererbung berührte die Dienstpflicht nicht: Der Erbe mußte um Treueid, Mannschaft und Investitur nachsuchen, doch durfte der Lehnsherr ihm diese ohne Grund nicht verweigern (Lehenserneuerung, renovatio feudi). Seit dem 12. Jahrhundert (in Frankreich schon seit dem 10. Jahrhundert) gab es beim Aussterben des Mannesstammes auch eine weibliche Erbfolge (Schleierlehen, Kunkellehen — von Kunkel = Spindel, Spinnrocken). Für die Dienstpflicht mußte dann ein Vertreter gestellt werden, häufig der Ehemann der Lehensträgerin. Starb der Vasall ohne Lehnserben, so fiel das Lehen an den Herrn zurück (Heimfall). In Deutschland mußte der König binnen Jahr und Tag Fürstenlehen wieder ausgeben (Leihezwang). So wurde — anders als in Frankreich — verhindert, daß der König durch heimgefallene Lehen das Königsgut vermehrte. Das führte schließlich zur Entstehung großer fürstlicher Territorien, während der französische König das Kronland vermehren konnte: So zog König Ludwig XI. von Frankreich 1477 das Herzogtum Burgund nebst den Grafschaften Mâcon, Auxerre, Bar-sur-Seine, Amiens, Ponthieu und Boulogne ein.

Das Lehnssystem verlangte gegenseitige Treue. Da aber Lehnsleute von verschiedenen Herren Lehen nehmen konnten (es gab Lehensleute, die bis zu hundert Lehensherren hatten), konnte es zu Konflikten kommen. — Der Untervasall war nur seinem Lehnsherrn zur Treue verpflichtet, nicht aber dessen Lehnsherrn (Obervasall). Diese Regelung wurde den praktischen Gegebenheiten gerecht, denn der Untervasall war von seinem eigenen Lehensherrn viel unmittelbarer abhängig als von einem Oberlehensherrn, in der Regel einem fernen Herzog oder König. Ein allgemeiner Treuevorbehalt der Untervasallen zugunsten des Königs hat sich in Frankreich und England, nicht jedoch im deutschen Reich durchgesetzt. So kam es, daß die Untervasallen nicht dem deutschen König verpflichtet waren, die großen Lehensträger immer mehr Verfügungsgewalt über ihre Lehensleute gewannen. Im Verlauf des Mittelalters steigerte sich die Stufung innerhalb der Lehenspyra-

Lehnsrecht nach der Dresdner Bilderhandschrift des Sachsenspiegels (Anf. des 14. Jh.) **Belehnung:** Die Kommendation (Ablegung des Lehenseides) als symbolische Begründung des Lehensverhältnisses zwischen Lehensherrn und Lehensmann, hier König und Kronvasall.

Zepter- und Fahnlehen. Rechts empfangen zwei geistliche Fürsten, ein Bischof und ein Säkularkleriker, in einer früheren Fassung der Sachsenspiegelbilderhandschrift vermutlich eine Äbtissin, vom König Zepterlehen, rechts erhalten drei weltliche Fürsten Fahnlehen.

Lehensaufgebot zur Heerfahrt. Der König bietet die Kronvasallen auf, diese geben das Aufgebot an ihre Lehensleute weiter. Für beide Aufgebote gilt die VI-Wochenfrist. Die Vasallen nehmen das Aufgebot mit Gelöbnisgebärde kniend entgegen, um die Bereitschaft, rechtzeitig Heeresfolge zu leisten, symbolisch anzudeuten.

und führte zu einer gewissen Erstarrung. Dieser Prozeß ist an der Heeresschildordnung des deutschen Reiches (vgl. C, V, 1) abzulesen.

3. Immunität und Vogtei

Eine Übertragung hoheitlicher Gewalt stellte die Verleihung von Immunitäten dar. Die Immunität (lat. immunitas, emunitas) stammt aus dem römischen Recht und stand in fränkischer Zeit dem Königsgut zu, wurde dann aber auch vom König großen Grundherren, besonders Kirche und Klöstern verliehen. Sie befreite das von ihr umfaßte Gebiet von jedem unmittelbaren Eingriff des ordentlichen Beamten, d. h. in der Regel des Grafen. Er durfte in diesem Gebiet keine Gerichtstage abhalten, Friedensgelder oder sonstige Abgaben erheben oder Bürgen nehmen. Nur der König selbst oder ein besonders Beauftragter durfte das Gebiet in amtlicher Eigenschaft betreten. Andererseits wurden bestimmte hoheitliche Aufgaben dem Immunitätsherrn übertragen, insbesondere die grundherrliche (niedere) Gerichtsbarkeit, bei der es sich um geringe Streitfälle mit Friedensgeldern oder Bußen (causae minores) handelte. Sie hatte ihren Ausgangspunkt in der Schutzgewalt des Grundherrn (Munt), die nach germanischem Recht mit einer Haftung verbunden war, und zwar nicht nur für die Unfreien, sondern auch für die Freien, soweit sie der Hausgemeinschaft des Grundherrn angehörten. Schwere Fälle, wie Klagen um Freiheit und Gut, Strafsachen, in denen Lebens- und Leibesstrafen verhängt wurden (causae maiores) und Rechtsverweigerung kamen vor das Gericht des Grafen (hohes oder Blutsgericht). Für den Immunitätsherrn bestand in diesen Fällen Auslieferungspflicht. Für die innerhalb des kirchlichen Immunitätsgebietes auszuübende Amtsgewalt wurde vom Grundherrn ein Beauftragter bestellt, der später allgemein *Vogt* (advocatus) genannt wurde. Er hielt Gericht, erfüllte polizeiliche Aufgaben und führte das Aufgebot zur Heerfolge durch. Ursprünglich war der Vogt ein Laie, der einen Geistlichen, eine Kirche oder ein Kloster in weltlichen Angelegenheiten vertrat (vor allem vor Gericht)

und Schutz gewährte (Schirmvogtei). Als die weltliche Macht der Kirche zunahm, wurden die Kirchenvögte, wie in den weltlichen Immunitäten, zu Gerichtsvögten und Trägern hoheitlicher Gewalt. Da der Vogt erhebliche Einkünfte hatte, wurde das Amt auch als Lehen vergeben und geriet häufig in die Hände mächtiger Herren, die auf die Kirche Druck ausübten. Die kirchliche Reformbewegung bekämpfte diese Entwicklung. Der König behielt sich die Kontrolle der Immunitätsbezirke vor. Da er jedoch meist abwesend war, setzte sich die Eigenherrschaft des Adels durch und führte zur Verselbständigung dieser Gebiete, was die Bildung von Territorien in Deutschland wesentlich förderte.

4. Die Bindung des Herrschers an das Recht

Der mittelalterliche König war kein uneingeschränkter Herrscher, sondern dem geltenden und dem überlieferten Herkommen unterworfen. Zwischen Sitte, Sittlichkeit und Recht gab es dabei keinen Unterschied. Das mittelalterliche Rechtsdenken hatte zwei Wurzeln. Nach germanischer Vorstellung war Recht „Volksrecht", „Gewohnheitsrecht", das „gute, alte" Recht der Väter und hatte somit einen stark bewahrenden Charakter. Nach Auffassung der christlichen Kirche war Recht „göttliches" Recht, Vernunftrecht, eine sittliche Forderung, die noch keineswegs verwirklicht, sondern nach deren Verwirklichung zu streben war. Das Mittelalter sah in diesen unterschiedlichen Auffassungen keinen Zwiespalt, weil im Rechtsempfinden des einzelnen das „alte", zu bewahrende Recht zugleich das „vernünftige, göttliche" war. Die Gesamtheit „fand" das Recht, der Herrscher hatte es nur zu „gebieten", d. h., für seine Einhaltung zu sorgen. Der König sollte jeden einzelnen in dem Rechtszustand erhalten, in dem er ihn angetroffen hatte. In Wirklichkeit griff auch der mittelalterliche Herrscher rechtsändernd ein. Er durfte dies aber nie willkürlich und allein tun, sondern stets nur mit Rat und Zustimmung der Allgemeinheit (consensus fidelium = Übereinstimmung der Getreuen, der Ratgeber). Wie er sich

Lehnshierarchie. Der König (rechts) belehnt einen Fürsten mit Fahnlehen, dieser übergibt darauf unter dem Symbol des Handschuhs einem Grafen eine Grafschaft, der Graf, wieder mit einem Handschuh, einem Schultheißen das „Schultheißtum".

Leihepflicht. „Kein von len en muos he (d.h. der König) ouch haben ledig iar und tag." LII und IIIIII Wochen des Sonnenlaufs, d.h. „Jahr und Tag", sind über der Vakanz eines Fahnlehens vergangen. Da fassen die Fürsten nach der Fahne, um sie dem König aus der Hand zu nehmen, d.h. sie nötigen ihn zur Neuverleihung, wie es das Lehnsrecht vorschreibt.

Die Heerschilde, Stufenordnung der Lehensfähigen nach dem „Grad" ihrer Vasallität: In der oberen Reihe von rechts nach links: 1. Schild: Der König; 2. Schild: Der Bischof von Meißen als Beispiel eines geistlichen Fürsten; 3. Schild: Der Markgraf von Meißen als Vertreter der weltlichen Fürsten. In der zweiten Reihe von links: 4. Schild: Der Burggraf von Meißen als Vasall des Markgrafen; 5. Schild: Das meißnische Rittergeschlecht von Colditz, Lehensleute der Burggrafen; 6. Schild: Wappen unbekannter Lehensleute, vermutlich Vasallen der vorher Genannten. Der 7. Schild ist leer, mit abgeschnittenem Fuß gezeichnet, weil seine Lehensfähigkeit und Zugehörigkeit zur Heerschildordnung im Sachsenspiegel in Zweifel gezogen wurde. Darunter sind links von dem Trennungsstrich die nicht Lehensfähigen dargestellt. Zunächst steht eine Gestalt mit Verweigerungsgebärde, dann ein Kaufmann (mit Geldstück), ein Geistlicher, eine Frau und ein Bauer. „Alle die nicht sin von riders art." Rechts wird ein Bauernlehen vergeben, das jedoch nicht erblich ist: Der Sohn des Bauern zeigt darum Trauergebärde.

dieser Zustimmung versicherte, war nicht festgelegt, in der Regel geschah dies auf den Hoftagen. Nicht die breite Masse des Volkes entschied darüber, sondern eine kleine Gruppe Adeliger und Geistlicher. Fehlte der Consensus, so war es ein „ungerechtes Gesetz", auf dessen Beseitigung die Untertanen Anspruch hatten. Bei der starken Bindung der mittelalterlichen Herrschaft an die Person neigten energische und zielbewußte Könige dazu, absolut zu regieren. Oft waren Eigenmächtigkeiten notwendig, um die königliche Gewalt zu stärken und rechtsändernde Politik zu betreiben; doch suchten die Herrscher stets den Anschein eines rechtmäßigen Consensus zu wahren. Indessen gab es zahlreiche Herrscherentscheidungen, die als „ungerecht" zurückgenommen werden mußten. Wie stark die Bindung an das Recht war, zeigen mittelalterliche Krönungszeremonien, in denen der König *vor* der Krönung geloben mußte, das Königreich „nach der Gerechtigkeit der Väter" zu regieren und zu verteidigen.

5. Das Recht auf Widerstand

Gegen den ungerechten Herrscher war Widerstand erlaubt und sogar geboten. Das Recht auf Widerstand war anerkannt. Es fehlte allerdings eine einheitliche Lehre darüber, in welchen Formen und bis zu welchem Grad Widerstand geleistet werden durfte. Schon die Entscheidung darüber, was „Recht" war, wurde dadurch erschwert, daß das frühe und hohe Mittelalter nicht zur Ausbildung einer Rechtswissenschaft gekommen ist. Die Rechte waren nicht umfassend aufgeschrieben (kodifiziert) und es bestand auch keine erkenntliche Vorstellung über Inhalt und Grenzen einzelner Rechte.

Erst mit Eindringen des römischen Rechtes bildeten sich im 12. Jahrhundert in Italien die Anfänge einer Rechtswissenschaft heraus.

Da das Recht im Rechtsdenken und im Rechtsgefühl des einzelnen verankert war, erschien jede Verletzung des „subjektiven Rechtes" zugleich als eine Verletzung der „objektiven Rechtsordnung". Deshalb war im Falle von Widerstand gegen den Herrscher oft schwer abzugrenzen, wo Eigeninteresse und Gruppenegoismus die entscheidende Rolle spielten und wo tatsächlich „objektives Recht" verletzt war. Gelegentlich fiel auch beides zusammen, so zum Beispiel, wenn „rechtmäßig" erworbene Rechte aus Partikularinteresse gegen eine aufkommende Staatsgewalt verteidigt wurden. Im Konfliktsfalle konnten sich häufig beide Parteien im Recht fühlen, so daß für eine Entscheidung nur der Kampf blieb.

Im Verlauf des Mittelalters gab es sehr unterschiedliche Auffassungen von Widerstandsrecht, besonders während des Investiturstreites. In England bestätigte 1215 König Johann (Ohneland) in der Magna Charta libertatum (vgl. C, V, 2) das Recht der Barone auf Widerstand, wenn der König gegen das Recht verstieß. Eike von Repkow (1180—1235) schrieb in seinem „Sachsenspiegel" das Gewohnheitsrecht seiner Zeit auf und sagte darin: „Der Mann muß auch wohl seinem König und seinem Richter, (wenn dieser) Unrecht (tut) widerstehen und sogar helfen (ihm zu) wehren in jeder Weise, selbst wenn (jen)er sein Verwandter oder (Lehns)herr ist. Und damit verletzt er seine Treupflicht nicht", (vgl. Fehde B, V, 2). Ein anerkanntes Recht auf Absetzung eines ungerechten Königs hat sich allerdings im deutschen Recht nicht durchgesetzt.

V. Politische Strukturen in Europa um das Jahr 1000

610— 641	Herakleios I. von Byzanz	
871— 899	Alfred der Große, König von England	
987— 996	Hugo Capet, König von Frankreich	
976—1025	Basileios II. von Byzanz	
992—1025	Herzog Boleslav Chrobry von Polen	

1016—1035	Knut der Große, König von Dänemark und England
1066	Schlacht von Hastings. Eroberung Englands durch Herzog Wilhelm von der Normandie
1016—1054	Jaroslav der Weise, Großfürst von Kiew

1. Deutschland

Herzöge und Reichskirche

In Deutschland hatten die Nachfolger Ottos I. die starke Position der königlichen Gewalt halten können. Damit jedoch war die Auseinandersetzung zwischen Königtum und Adel noch nicht entschieden. Die Herzogtümer bestanden weiter, wenn auch ihre Macht zugunsten einer Stärkung der Kirche und durch personale und territoriale Veränderungen (z. B. in Bayern) eingeschränkt worden war. Die Herzöge trieben nach außen hin kaum noch eigene Politik. Sie beschränkten sich in Reichsangelegenheiten auf die Erfüllung ihrer Lehenspflichten und widmeten sich dem Ausbau ihrer Landeshoheit und der Verwaltung ihres ausgedehnten Eigenbesitzes.

Die ottonische Reichskirche war weiter ausgebaut worden. Auch Konrad II., der versucht hatte, durch systematische Vermehrung des Krongutes von der Kirche unabhängiger zu werden, wich nicht grundsätzlich von diesem System ab. Noch zu Beginn des 11. Jahrhunderts bildeten die Bischöfe und Äbte die sicherste Stütze der königlichen Gewalt. Sie erbrachten nicht nur die größten Leistungen für das Reich, sondern übernahmen auch im königlichen Auftrag politische Missionen. So verwaltete Erzbischof Bruno von Köln jahrelang Lothringen, ohne deswegen Herzog zu werden. Eine Zentralverwaltung oder irgendeine andere Form von Reichsbeamten gab es nicht. Auch die Bischöfe waren nicht „Beamte" im modernen Sinne, da der König sie nur ernennen, aber nicht absetzen konnte. Die Zusammenarbeit zwischen König und Bischöfen beruhte weitgehend auf gemeinsamen Interessen. Die königliche Kanzlei, in der vorwiegend Urkunden ausgestellt wurden, war noch wenig entwickelt und mit Geistlichen aus der königlichen Kapelle (= Hofgeistlichkeit) besetzt.

Die königlichen Pfalzen

Das Reich war ausschließlich in der Person des Königs verkörpert. Es gab keine Reichshauptstadt. Der König regierte, indem er im Reich umherzog und auf den königlichen Pfalzen oder in Bischofsstädten Hof hielt. Bei der Ausdehnung des Reiches war dies eine schwere körperliche Beanspruchung, die den frühen Tod vieler Kaiser erklärlich macht.

Die königlichen Pfalzen wurden Mittelpunkt der Reichspolitik. Sie waren auf Reichsgut oder königlichem Eigengut erbaut und bildeten einen Gebäudekomplex, der dem königlichen Hof Unterkunft bieten sollte. Zugleich waren sie Zentrum eines Wirtschaftsbezirkes, der den Unterhalt des Hofes zu tragen hatte. Sie verwalteten umliegende Wirtschaftshöfe des Königs und daneben auch Reichsrechte (z. B. Wald- und Fischereirechte, Münz- und Zollrechte etc.). Damit bildeten die Pfalzen in einer Zeit, in der die Naturalwirtschaft vorherrschte und Reichssteuern fehlten, einen wesentlichen Teil der königlichen Einkünfte. — Neben der wirtschaftlichen hatten die Pfalzen auch eine politische Bedeutung. Sie wurden äußerlich immer mehr zum Ausdruck kaiserlicher Macht und Würde. Während die frühen sächsischen Pfalzen noch stark den alten Volksburgen ähnelten, zeigten die späteren Bauten immer mehr Wehrhaftigkeit und Pracht. Als einige Beispiele seien Werla, Goslar und die Harzburg genannt. Die

Staufer ließen später auch alte karolingische Pfalzen wie Ingelheim und Nymwegen wieder aufbauen. Die Pfalzgrafen übten zeitweilig, besonders unter Kaiser Otto I., eine Aufsicht über die königlichen Beauftragten innerhalb eines Stammes aus und trugen damit zur Eingrenzung der stammesherzoglichen Gewalt bei. Für Bayern, Sachsen, Franken, Schwaben und Lothringen werden solche Pfalzgrafschaften erwähnt.

Die Einkünfte des Reiches

Das Reich, bzw. der König, zog seine Einkünfte vorwiegend aus der Nutzung verschiedener Güter. Diese bestanden aus dem Hausgut des Königs und dem Reichsgut. Das Hausgut war Eigentum der königlichen Familie und diente vor allem zum Unterhalt des Hofes. Das Reichsgut wurde unterschiedlich verwaltet. Entweder setzte der König einen Grafen oder Reichsvogt als Verwalter ein, der Abgaben in Geld und Naturalien leisten mußte, oder er gab das Gut zur Nutzung an die Kirche (Reichskirchengut), die davon ihren Unterhalt und die Leistungen für das Reich bestritt, oder er gab es als Lehen in die Hand weltlicher Adeliger aus (Reichslehengut). Eine schärfere Trennung zwischen Reichs- und Königsgut setzte sich erst im 12. Jahrhundert durch.

Weitere Einkünfte flossen dem Reich aus bestimmten Hoheitsrechten zu (= Regalien = jura regalia = königliche Rechte), wie Münze und Zoll, Markt- und Geleitsrecht, Mühlen, Wälder, Fischerei, Silber- und Salzabbau. Diese Regalien konnten vom König weiterverliehen werden, unterstanden aber der Aufsicht des Reiches. Hohe Einkünfte werden aus diesen Rechten kaum erzielt worden sein, denn sie dienten nach den Vorstellungen der Zeit dem „gemeinen Nutzen" und mußten entsprechend verwaltet werden.

Zusammenfassend läßt sich sagen, daß die Geldeinnahmen des mittelalterlichen Reiches gering waren. Dem standen allerdings auch geringe Geldausgaben gegenüber, da Reichsverwaltung, Hof und Heerwesen auf Naturalwirtschaft beruhten bzw. auf unmittelbaren Leistungen der Reichskirche und der Lehensträger (Verpflegung des Hofes, Verwaltungsdienste, Heerfolge).

Königsbann und Gerichtshoheit

Besonders wichtig für die Machtausübung des Königs war das Bannrecht, d. h., das Recht des Königs, Gebote und Verbote unter Androhung von Strafe zu erlassen (Königsbann). Die Königsbannbuße betrug 60 Schilling, für die damalige Zeit ein hoher Betrag. Die Banngewalt bestand vor allem im Bereich des Heerwesens (Heerbann) und des Gerichtswesens (Gerichtsbann).

Die Gerichtshoheit lag beim König, er war Richter im ganzen Reich. Da er aber nicht überall zugleich sein konnte, lieh er den Fürsten das Grafengericht (Bannleihe). Die Stellung des Grafen befand sich um die Jahrtausendwende in einem Übergangsstadium und ist deshalb schwer zu fassen. Das System der karolingischen Grafschaften (Bd. I), in denen der Graf als königlicher Beauftragter die Gerichtsstätten seines Gebietes besuchte, war nur noch in Restbeständen vorhanden. Die Bedeutung der Grafen als Reiserichter und königliche Beauftragte trat allmählich zurück. Der Graf saß auf seiner Burg, die nicht mehr unbedingt eine königliche Burg war. Auch das gräfliche Gebiet war nicht mehr in sich geschlossen, sondern von weltlichen und geistlichen Immunitäten durchbrochen. Manche Grafen gerieten in Abhängigkeit von Herzögen — besonders in Bayern. Einige Grafschaften hatten sich ganz unabhängig von königlicher oder herzoglicher Oberhoheit entwickelt und stellten eine Art kleiner Landesherrschaften dar, andere waren vom König an die Kirche verschenkt oder verkauft worden. Daneben allerdings erhielten sich auch königliche Grafschaften, und zwar überall dort, wo in größerem Maße Reichsgut vorhanden war, wie in Schwaben, Franken und Sachsen. Der Graf verwaltete hier als königlicher Vertrauensmann Land und Leute und hielt im Namen des Königs Gericht, falls dies nicht durch einen Reichsvogt geschah, der mit ähnlichen Rechten ausgestattet werden konnte. Das Grafengericht war immer ein Hochgericht (Streitfälle um liegendes Gut, Freiheit einer Person, schwere Straffälle). Grundsätzlich galt, daß der Gerichtsbann *nur* vom König auf den Grafen oder Vogt übertragen werden konnte und sofort an den König zurückfiel, wenn dieser in eigener Person an einem Ort erschien. Dies galt auch für die niedere Gerichtsbarkeit, die jedoch schon bald in die Hände der aufsteigenden Territorialgewalten geriet.

Eine Sonderstellung nahmen die Markgrafen ein, die — in Fortführung der karolingischen Reichsverfassung — die Grenzen zu verteidigen hatten. Sie waren kraft Amtes Richter im Bereich ihrer Mark, wo ihnen auch die Wehrhoheit und das Befestigungsrecht zustanden.

2. Frankreich

In Frankreich kämpften während des 10. Jahrhunderts zwei Familien um die Vorherrschaft: Die legitimen westfränkischen Karolinger und die Capetinger (auch Robertiner genannt), die das Zentrum Frankreichs, das Herzogtum Francien mit Paris, beherrschten und die stärkste Militärmacht in Frankreich darstellten. Kaiser Otto I. griff mehrmals in die Auseinandersetzungen ein, verhalf jedoch keiner der beiden Parteien zu einem endgültigen Sieg. So wurde eine Art Gleichgewicht der Kräfte hergestellt, das sich auf die deutsche Politik günstig auswirkte. Erst 987 wählten die französischen Großen unter Mißachtung des Erbrechtes den Robertiner Hugo von Francien (987—996), mit dem Beinamen „capet" (= das Mäntelchen) zum König. Diese Wahl wurde von der französischen Geistlichkeit gefördert, da nach ihrer Ansicht ein starker Führer am ehesten Frieden im Land schaffen und erhalten konnte. Das war wichtig, weil gerade damals von Südfrankreich her eine neue kirchliche Bewegung ihren Anfang nahm, die sogenannte Gottesfriedensbewegung (pax Dei, treuga Dei), die den Versuch machte, die Fehde einzuschränken.

Das Fehdewesen

Der Ursprung der *Fehde* reicht in germanische Zeit zurück. Sie war in einer Zeit fehlender hoheitlicher Gerichtsbarkeit und damit fehlenden Rechtsschutzes die anerkannte Rache der in ihrem Recht verletzten Sippe an dem Rechtsverletzer und dessen Sippe. Gelegentlich führte sie zur Vernichtung ganzer Sippen. Starke Königsgewalten, so auch die Karolinger, die zur Sicherung

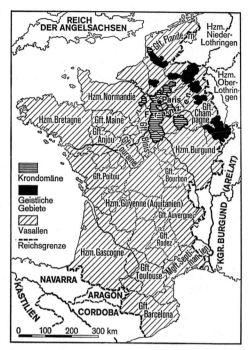

Frankreich unter den Capetingern

des inneren Friedens ein Gewaltmonopol anstrebten, bemühten sich um Einschränkung der Fehde. Der Adel verteidigte sie als ein ihm zustehendes Recht auf Selbsthilfe und als ein Zeichen seiner Unabhängigkeit. In Zeiten schwacher Königsgewalt, so im 10. Jahrhundert in Frankreich, uferte die Fehde aus und führte zu Gewalttaten aller Art. Deshalb schützte die Kirche durch Gottesfrieden (pax Dei) zunächst bestimmte Personengruppen (Geistliche, Frauen, Kaufleute etc.) und Orte (Kirchen, Mühlen etc.). Später (erstmals 1027 in Roussillon) verkündete sie die treuga Dei, einen allgemeinen Waffenstillstand für bestimmte Tage, anfangs von Samstag, später von Mittwoch bis Montagmorgen. Erfolgreicher als der Gottesfrieden war später der Landfrieden, hinter dem die weltliche Macht stand. Doch auch er konnte die Fehde nur einschränken. Überwunden wurde sie erst durch den fürstlichen Absolutismus.

Königtum und Kronvasallen

Trotz der hohen Erwartungen blieb das französische Königtum für die nächsten hundert Jahre schwach. Der König war auf das zwar zentral gelegene, aber kleine Gebiet von Francien beschränkt, von dem in den folgenden Jahren noch einiges verlorenging, weil es als Lehensgut ausgegeben werden mußte. Das übrige Frankreich war zersplittert und fest in der Hand von Landesherren. Die Zahl der Baronien (adelige Besitzungen mit einer Burg) hatte sich zwischen 900 und 987 fast verdoppelt und betrug beim Regierungsantritt König Hugos über fünfzig. In Deutschland wurde diese Zahl erst im 13. Jahrhundert erreicht, als in Frankreich der Zersetzungsprozeß bereits überwunden war. Die Lehensfürstentümer waren nach regionalen, nicht nach stammensmäßigen Gesichtspunkten gegliedert und befanden sich ausschließlich in der Hand des weltlichen Adels. Die Bischöfe waren weitgehend mediatisiert, d. h., unter die Oberherrschaft der Lehensfürsten geraten, die auch die Gerichtsbarkeit innehatten. Eine gewisse Sonderstellung unter den französischen Fürstentümern nahm die Normandie ein. Karl der Einfältige hatte sie 911 dem Normannen Rollo zu Lehen gegeben. Obgleich die Herzöge der Normandie ihre Lehenspflichten erfüllten und auch fränkisches Recht annahmen, entwickelte sich in der Normandie ein besonders straff geführter Feudalstaat, in dem der Herzog den niederen Adel vor den großen Vasallen schützte, die Gerichtsbarkeit offenbar weitgehend selbst beherrschte und Handel und Verkehr förderte. Als Herzog Wilhelm von der Normandie 1066 England eroberte (Schlacht von Hastings), schaffte er damit einen anglo-normannischen Machtbereich, der eine ernste Bedrohung für das französische Königtum darstellte.

Zusammenfassend läßt sich sagen, daß Frankreich in Lehensfürstentümer zersplittert war und der König außerhalb seines Herzogtums keine Macht ausübte. Diese Beschränkung hatte allerdings auch eine positive Seite: Da er im Lande nicht herumziehen konnte, entwickelte sich Paris bald zu einer Art Hauptstadt mit Ansätzen einer königlichen Verwaltung.

3. England

In England war das 10. Jahrhundert eine Zeit der Konsolidierung, trotz harter Kämpfe gegen die skandinavischen Invasoren.

Um 800 gab es auf der Insel mehrere angelsächsische Königreiche, die den Einfällen und Ansiedlungen der heidnischen Normannen (Dänen) keinen erfolgreichen Widerstand entgegensetzen konnten. 839 errichteten die Norweger in Irland (Dublin) ein Königreich, das sich bis in die Mitte des 12. Jahrhunderts hielt. Gegen Ende des 9. Jahrhunderts drängte Alfred der Große (871–899), König von Wessex, in harten Kämpfen die skandinavischen Eroberer zurück. Seine Nachfolger eroberten bis 954 alle angelsächsischen Gebiete bis an den Fuß der schottischen Berge zurück. Da die Könige über das eroberte Land verfügen konnten, erreichten sie die Bildung eines Gesamtkönigreichs. Die Kleinkönigreiche blieben als Verwaltungseinheiten bestehen, mit einem erblichen „Ealdorman" an der Spitze. Daneben aber traten neue königliche Amtsbezirke, die „Skir" (= shire = Grafschaft) mit dem „Skirgerefa" (sheriff) als königlichem Beauftragten, der, ähnlich wie der fränkische Graf, fiskalische und gerichtliche Funktionen hatte.

Zur Stärkung der Zentralgewalt trug auch die Entwicklung des Rechtes bei. Da die Königreiche verschiedenes Recht hatten, wurde ein Königsrecht notwendig, das sich unter Beibehaltung der Volksrechte über diese legte und eine gewisse Einheitlichkeit garantierte.

Um die Jahrtausendwende begannen neue schwere Einfälle der Dänen. Um ihnen Tribut zahlen zu können, erhob der König das „Danegeld", aus dem sich später eine Grundsteuer entwickelte.

Knut der Große (1016–1035) unterwarf England noch einmal der dänischen Herrschaft und errichtete ein englisch-skandinavisches Großreich. Unter der Decke des Einheitsstaates vollzog sich jedoch ein Prozeß der Territorialisierung, zumal Knut das Entstehen großer Herzogtümer förderte. Unter seinen Nachfolgern gewannen die Herzöge die Oberhand und traten als Repräsentanten Englands mit eigener Bündnispolitik auf. Auf der unteren Ebene der Sheriffs blieb der königliche Einfluß aber erhalten und führte zu Anfängen einer Lokalverwaltung.

1066 1066 erhob Herzog Wilhelm von der Normandie Erbansprüche auf England und landete mit einem Heer. König Harald, von den Earls des Nordens im Stich gelassen, unterlag und fiel in der Schlacht von Hastings.

4. Skandinavien

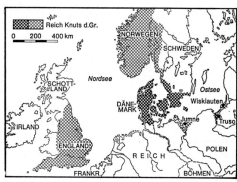

Das Reich Knuts des Großen

Skandinavien hatte im 10. Jahrhundert hauptsächlich Bedeutung als Ausgangspunkt der Wikingerzüge, die zu Niederlassungen in England, Frankreich, Island, Grönland und Rußland führten. Eine feste herrschaftliche Organisation gab es bei den Dänen, Schweden und Norwegern noch nicht. Sie waren zersplittert in kleine Stämme mit Königen an der Spitze, die oft zugleich Priester waren. Die eigentliche Macht lag bei der „Dingversammlung", die erst im 11. Jahrhundert von einer Reichsversammlung („rigssamling"), die größere Gebiete umfaßte, überlagert wurde. Allmählich traten Könige hervor und beherrschten mehrere Stämme. Zu Beginn des 10. Jahrhunderts bildete sich ein eigenständiges Königtum auf dänischem Gebiet in Hedeby (Haithabu). Ungefähr zu gleicher Zeit errichtete Olaf Schoßkönig eine mächtige Herrschaft im Inneren Schwedens. Harald Blauzahn (Blatand, gest. 985) scheint der erste gewesen zu sein, der von ganz Dänemark als König anerkannt wurde. Von dieser Basis griff er in Norwegen ein und konnte sich dort für einige Zeit als König behaupten. Er brachte das Christentum nach Dänemark. Die Christianisierung Skandinaviens war ein langwieriger Prozeß, von vielen Rückschlägen begleitet. Die Errichtung der Bistümer Schleswig, Ripen und Arhus durch Otto den Großen war für die Mission von Bedeutung, zugleich aber auch Ausdruck politischer Vorherrschaft in Jütland, die von Harald anerkannt wurde. Er zahlte Zins an Otto und trat zum Christentum über, konnte aber eine heidnische Reaktion unter seinem Sohn Sven Gabelbart nicht verhindern. Auch im übrigen Skandinavien wurde das

Christentum durch die Könige eingeführt: In Norwegen gewaltsam von Olaf dem Heiligen (1015—1030), in Schweden durch Olaf Schoßkönig, der sich 1008 taufen ließ und damit eine zweite Epoche der Christianisierung Schwedens einleitete.

Im 11. und 12. Jahrhundert bildete sich in Skandinavien ein starkes Königtum heraus, das auch zu einer staatlichen Festigung führte, sich jedoch immer wieder gegen den Adel und die wachsende Macht der Kirche behaupten mußte.

5. Die Entwicklung in Osteuropa

Die Slawen sind neben den Germanen und Romanen die dritte große Völkerfamilie im europäischen Raum. — Um 650 hatten ihre Wanderungen einen gewissen Abschluß gefunden. Ihr Gebiet reichte von Elbe, Saale, Böhmerwald bis Dnjepr und Wolga. Auch Ungarn und der größte Teil der Balkanhalbinsel waren von ihnen bewohnt. Die politischen und sozialen Verhältnisse der slawischen Völker ähnelten sich. Grund und Boden gehörten der Sippe, an ihrer Spitze stand der Starosta (= Ältester) als Oberhaupt. Mehrere Sippen bildeten einen Stamm unter einem gemeinsamen Führer, neben dem aber die Starosten eine wichtige Stellung innehatten. Viele dieser Völker kamen über ein bloßes Stammesdasein, d. h. über ein wenig organisiertes Leben innerhalb eines Landgebietes, das sie besetzt hielten, nicht hinaus, wie die Elbslawen (Abodriten, Liutizen, Heveller, Sorben u. a.). Andererseits entstanden auch größere Herr-

schaftsgebilde, so im 8. Jahrhundert in Süd-
rußland ein bulgarisches Reich, um 850 das
Großmährische Reich. Dieses war aus einem
Zusammenschluß von Slawen gegenüber
den fränkischen Herrschaftsansprüchen entstanden und umfaßte zur Zeit seiner größten Ausdehnung Böhmen, die Slowakei und
Nordungarn. 894 brach das mährische
Reich unter dem Ansturm der finnisch-ugri-
schen Magyaren auseinander. Von da ab
trennten die Magyaren an Donau und
Theiss die Südslawen (Kroatien — Slowenien) von den Westslawen nördlich der Kar-
paten.

Polen

Zwischen Weichsel und Oder entstand aus
dem Zusammenschluß mehrerer Slawenstämme das polnische Reich unter dem Geschlecht der Piasten, das bis ins späte Mittelalter herrschte. Im 10. Jahrhundert wies es
geordnete Herrschaftsformen auf. Es gab
ausgeprägtes Gewerbe, und die Volksange-
hörigen hatten Vieh-, Getreide- und gewerbliche Abgaben zu leisten, daneben Hee-
res- und Frondienste, wie z. B. Burg- und
Wegebau. Der Herzog war Gesetzgeber
und Heerführer.
Um das Jahr 1000 bestanden zwischen
Deutschland und Polen enge Beziehungen.
Die Gründung des Erzbistums Gnesen
(1000) durch Kaiser Otto III. (vgl. B, II, 3)
begünstigte die Entstehung einer polnischen
Landeskirche und verwandelte die bisher bestehende Tributpflicht Polens in ein Lehns-
verhältnis. Der Versuch Herzog Boleslavs
des Tapferen (Chrobry, 992—1025), Polen
zu einem großslawischen Reich zu erheben,
scheiterte am Widerstand des deutschen Königs Heinrich II. Nach Boleslavs Tod trugen
Adelskämpfe zum Verfall der polnischen
Macht bei. Erst während des Investiturstreites (B, VII, 6) gelang es Boleslav II., durch
geschickte Unterstützung der päpstlichen
Politik von Papst Gregor VII. die Königskrone zu erlangen.

Böhmen

Auch Böhmen mit Prag als Mittelpunkt entstand aus der Vereinigung mehrerer Slawenstämme, deren Fürsten schon Ludwig dem
Deutschen (843—876) gehuldigt hatten. Gegen Ende des 9. Jahrhunderts gelang es dem
Geschlecht der Przemysliden (Stammvater
war der Gemahl der sagenhaften Königin
Libussa, Przemysl), eine starke Herzogsge-
walt zu errichten. Die Magnaten hatten nur
beratende Stimme. Nach dem Vorbild der
sächsischen Burgen wurde ein System herzoglicher Kastelle angelegt, deren Burg-
hauptleute absetzbare herzogliche Beamte
waren. Erst im 11. Jahrhundert entstand ein
adeliger Großgrundbesitz, und da die Landesherren aus Geldnot gezwungen waren,
auch die Burgen dem Adel zu Lehen zu geben, wurde Böhmen im Spätmittelalter zu
einem Land mit ausgeprägter Ständeherr-
schaft. Ähnlich wie Heinrich II. in Polen
mischte sich König Heinrich III. in Böhmen
ein. Er verhinderte, daß Herzog Bretislav
(1040) unter Ausnutzung der Schwäche Polens ein tschechisches Großreich gründete.
Seither leistete der Herzog von Böhmen
seine Vasallenpflicht und zog mehrmals mit
nach Italien, so daß er immer mehr als deutscher Reichsfürst betrachtet wurde. Durch
Einwanderung deutscher Kaufleute im 11.
Jahrhundert erfuhr das deutsche Element
eine Stärkung.

Die Christianisierung

Die Christianisierung der slawischen Völker
begann schon vor 900 und erhielt ein besonderes Gepräge dadurch, daß römisch-westli-
che und byzantinisch-östliche Missionsbe-
strebungen aufeinanderstießen. Bedeutend
war die Missionsarbeit der griechischen
Apostel Konstantin (in Rom Cyrill genannt)
und Methodius um 860 im Großmährischen
Reich. Konstantin schuf eine slawische
Schrift, die er aus griechischen, koptischen
und armenischen Buchstaben entwickelte
(sogenannte glagolitische Schrift; die nach
ihm benannte cyrillische Schrift ist einfacher
und erst um 900 entstanden), übersetzte die
Heilige Schrift ins Slawische und hielt auch
den Gottesdienst in slawischer Sprache ab.
Dadurch war der Erfolg seiner Missionsarbeit gesichert, doch seine Nachfolger unterlagen dem fränkisch-römischen Klerus und
mußten das Land verlassen. Dennoch blieb
die Schrift für die frühe Kultur der Süd-
und Ostslawen wichtig und stellte eine Verbindung zum griechischen Kulturkreis her.
Umgekehrt verlief die Entwicklung in Bulgarien, das um 860 Anschluß an das westli-

che Christentum suchte (864 Bündnis mit Ludwig dem Deutschen). Danach setzte sich der byzantinische Kaiser durch und gliederte Bulgarien der byzantinischen Kirche ein. Selbst in Ungarn wirkten anfangs byzantinische Missionare. Erst die Gründung des Erzbistums Gran durch Kaiser Otto III. und die Krönung Stephans des Heiligen (997—1038) zum König von Ungarn unter Mitwirkung des Papstes schlossen Ungarn endgültig an den Westen an. Böhmen neigte von Anfang an dem karolingischen Imperium und damit der römischen Kirche zu. Herzog Miseko I. (Mieszko) von Polen schloß sich unter dem Einfluß seiner tschechischen Gemahlin 966 dem Christentum westlicher Prägung an. — Die Tatsache, daß Polen, Böhmen und Ungarn für die römische Kirche und damit für den lateinisch-westlichen Kulturkreis gewonnen wurden, war von großer Bedeutung für die weitere Entwicklung Deutschlands und Europas. Wie schon erwähnt, nahmen die Elbslawen eine gewisse Sonderstellung ein. Zwischen den größeren Reichen kamen sie nicht zu einer kulturellen und staatlichen Organisation. Auch die Christianisierung erfolgte wesentlich langsamer und war von Rückschlägen unterbrochen. Durch die Siedlungsbewegung des 12. Jahrhunderts (vgl. C, IV) gingen sie weitgehend im deutschen Reich auf.

Rußland

Die ersten Fürstentümer in Rußland entstanden aus der Verbindung ostslawischer Stämme mit schwedischen Normannen, den Warägern, unter dem sagenhaften Rurik um 860 (das Geschlecht der Rurikiden herrschte bis 1598).
Als gesichert kann gelten, daß die Skandinavier über Ladoga, Nowgorod nach Süden vordrangen, sich niederließen und in Kiew eine Herrschaft bildeten, wobei sie an ältere von ihnen vorgefundene politische und soziale Gemeinschaftsformen anknüpften. Sie selbst wurden zunächst in der Sprache, bald auch in der Lebensweise slawisiert, obgleich die Verbindung zu Skandinavien lange erhalten blieb.
Das Reich von Kiew bestand aus mehreren Herrschaften warägischer Fürsten über slawische Stämme. Der Großfürst von Kiew

war primus inter pares (= erster unter Gleichen). Zu seiner Gefolgschaft (drushina) gehörten Fürsten, die ihm mit ihren eigenen Leuten zu Diensten standen (sogenannte ältere drushina), und einzelne Krieger, die ihm persönlich dienten (sogenannte jüngere drushina).
Der Handel wurde begünstigt durch Wasserwege (Wolga, Don, Dnjepr, Wolchow) und wirtschaftlich entwickelte Mächte im Süden: Byzanz und die arabischen Länder. Schon im 9. Jahrhundert bildeten sich zahlreiche halbstädtische, befestigte Handelszentren, die „gorod", wie Kiew und Nowgorod, Tschernigow, Polotsk und Smolensk. Nach anfänglichen Kämpfen mit Byzanz kam es 911 und 944 schon zu schriftlichen Handelsverträgen. Als erster bedeutender Herrscher des neuen Reiches erscheint Großfürst Wladimir (geb. 960), der zum byzantinischen Christentum übertrat (988) und die Heirat mit der byzantinischen Prinzessin Anna durchsetzte, die im Rang höher stand als die für Kaiser Otto II. bewilligte Theophanu. Der Übertritt zur griechischen Form des Christentums bedeutete zunächst keine Frontstellung gegenüber den „Lateinern". Die Beziehungen nach Westen wurden weiter gepflegt und auch Gesandtschaften mit dem Papst ausgetauscht. Dennoch kam es im Laufe der Zeit zu einer engeren Beziehung zu Byzanz, deren Hauptbedeutung auf der Ebene des Geistig-Kulturellen lag. Wladimir war noch Analphabet, sein Sohn Jaroslav (der Weise, 1016—1054) beherrschte neben ostslawischen Dialekten Schwedisch, Griechisch und Lateinisch, begründete eine öffentliche Bibliothek zur Hebung der allgemeinen Bildung, zog Gelehrte an seinen Hof und ließ an zahlreichen Schulen Mönche „nach byzantinischem Programm" unterrichten. Auch byzantinische Rechtsvorstellungen drangen ein mit härteren Strafen, als sie das alt-russische Gewohnheitsrecht kannte, dem beispielsweise die Todesstrafe fremd war. Wie stark trotz der wirtschaftlichen, kirchlichen und religiösen Bindungen an Byzanz Kiews Beziehungen nach Westen gerichtet waren, zeigte die Heiratspolitik Jaroslavs. Jaroslav selbst hatte eine schwedische Prinzessin zur Frau, die Schwester seiner Frau war Königin von Polen, eine seiner Töchter Königin von Nor-

wegen, eine andere Königin von Ungarn und eine dritte Königin von Frankreich; ein Sohn war mit einer byzantinischen Prinzessin verheiratet, drei andere mit deutschen Prinzessinnen, seine Enkelin Praxedis wurde die zweite Frau Kaiser Heinrichs IV. Trotz seiner überragenden Stellung war Jaroslav kein uneingeschränkter Herrscher nach byzantinischem Vorbild; vielmehr beruhte seine Stellung auf persönlicher Überlegenheit. Der Adel (Bojaren), der aus den Nachkommen der alten warägischen Gefolgsleute und aus emporgekommenen Kaufleuten bestand, und die Volksversammlung (Wetsche) hatten Mitspracherecht, das besonders deshalb wirksam werden konnte, weil sich das politische Leben nach wie vor in den Städten abspielte. Wichtig war, daß man nur im Dienste des Fürsten Bojar werden und damit eine bevorzugte soziale Stellung einnehmen konnte. Die Aristokratie lebte von Beute und Sold, besonders von Sklavenbesitz. Auch Landgüter wurden vergeben, aber nicht als Entgelt für geleistete Dienste, so daß man nicht von einer Lehnsaristokratie sprechen kann. Bei der Ausdehnung des Landes war Grundbesitz von vergleichsweise geringem Wert. Das flache Land war wenig entwickelt. Später, wahrscheinlich im 14. Jahrhundert, bildeten benachbarte Bauernhöfe Flurgemeinschaften, den sogenannten „Mir", der noch bei der Bauernbefreiung im 19. Jahrhundert eine Rolle spielte. Im „Mir" war das Ackerland Eigentum der Gemeinde und wurde unter den Großfamilien aufgeteilt, auch Wald und Weide wurden gemeinschaftlich genutzt.

Unter den Nachfolgern Jaroslavs trat eine gewisse Abkapselung nach Westen und eine stärkere Ausrichtung auf Byzanz ein. Gleichzeitig kam es zu heftigen Auseinandersetzungen mit den Steppenvölkern des Ostens, die seit Bestehen des Kiewer Reiches eine ständige Bedrohung darstellten. Die wechselvollen Kämpfe führten zu einer Abwanderung besonders des gefährdeten Landvolkes nach Norden in das Stromgebiet der oberen Wolga und nach Westen in die unmittelbare Nachbarschaft des katholischen Abendlandes, nach Wolhynien und Galizien.

Der Niedergang Kiews begann um die Mitte des 12. Jahrhunderts mit der Loslösung fürstlicher Stadtherrschaften, die in blutige Bruderkriege ausartete. Der Tatareneinfall besiegelte den Auflösungsprozeß. 1240 wurde Kiew von den Mongolen erobert und zerstört.

6. Byzanz

Die Neuorganisation des Reiches durch Herakleios I.

Das byzantinische Reich war nach dem Tode Kaiser Justinians I. (565) in eine Krise geraten. Soziale und religiöse Gegensätze entluden sich in Volksaufständen und Adelsverschwörungen. Von außen brachen Perser und Araber ein. Slawenstämme überfluteten die Balkanhalbinsel und nahmen hier seit Ende des 6. Jahrhunderts byzantinisches Land in Besitz. Bis auf Kleinasien waren die Kernländer des Reiches verloren. In dieser Situation gelang es Kaiser Herakleios I. (610—641) noch einmal, eine Epoche des Aufstieges einzuleiten. Er begann mit einer Heeres- und Verwaltungsreform, indem er die Themenverfassung durchsetzte. Das Gebiet wurde in Militärbezirke (Themen) mit einem „Strategen" an der Spitze eingeteilt, der zugleich die oberste militärische und zivile Verwaltung ausübte. Die Bezirke waren nicht nur Verwaltungseinheiten, sondern zugleich Siedlungsgebiete für Truppen. Wer sich zum erblichen Heeresdienst verpflichtete, erhielt zum erblichen Besitz ein Grundstück zugewiesen (Stratiotengut; Stratiot = Soldat). Der Stratiot hatte bei Aufruf gerüstet, mit seinem Pferd im Heere zu erscheinen. Sein zusätzlicher Sold war gering, so daß der Staatshaushalt dadurch wenig belastet wurde. Die Themenorganisation ermöglichte somit eine Straffung der Provinzialverwaltung und die Entstehung eines starken einheimischen Heeres, das die kostspieligen und unzuverlässigen Söldner weitgehend überflüssig machte. Vor allem aber wurde der freie Kleingrundbesitz verstärkt. Da durch den Ansturm der Avaren, Slawen, Perser und Araber der Großgrundbesitz weitgehend untergegangen war, stand viel brachliegendes Land zur Verfügung, das nun von Freibauern in Besitz genommen wurde. Sie bildeten zusammen mit den Stratioten die staatstragende Klasse. Ein Gesetz regelte die Rechtsverhältnisse der Bauern.

Das Reich von Kiew im 10. Jahrhundert mit den Sitzen der Teilfürstentümer des 11.—13. Jahrhunderts

Sie waren unabhängige Landbesitzer, keinem Grundherrn, sondern nur dem Staat als Steuerzahler verpflichtet und besaßen uneingeschränkte Freizügigkeit. Den Beamten war für die Zeit ihrer Amtsausübung der Güterkauf, die Annahme von Schenkungen oder Erbschaften ohne kaiserliche Genehmigung untersagt. Den bäuerlichen Nachbarn und Verwandten stand ein Vorkaufsrecht zu; vom Adel widerrechtlich erworbenes Land wurde vom Staat eingezogen. Der Schutz des Kleingrundbesitzes gegenüber einer allmählich wieder erstarkenden Aristokratie wurde zur schwierigsten Aufgabe der nachfolgenden Herrscher. Als nach dem Tode Basileios II. (1025) der Adel die Macht im Staat zurückgewann und die Bauern- und Soldatengüter an sich zog, führte dies zu einer erneuten schweren Krise des Reiches.

Neben der Provinzialverwaltung bemühte sich Herakleios um eine Straffung der Zentralverwaltung. In der durchorganisierten Verwaltung mit einer geschulten und gebildeten Beamtenschaft, die schon nach Aufgabenbereichen getrennt arbeitete, besaß der byzantinische Herrscher ein Machtinstrument, das kein anderer mittelalterlicher Staat aufzuweisen hatte. Es konnte allerdings zur Gefahr werden, wenn die zentrale Kontrolle nachließ und Korruption und Bürokratismus überhandnahmen. Wie bewußt die Loslösung von der römischen Spätantike stattfand, zeigt der Wechsel der Amtssprache. Statt des Lateinischen wurde das Griechische, die Sprache des Volkes und der Kirche, offiziell eingeführt, und auch der Kaiser ersetzte die komplizierten römischen Titel durch den altgriechischen Königstitel „Basileus".

Erfolgreiche Verteidigung nach außen

Die schweren äußeren Kämpfe gingen in der Folgezeit weiter, wobei seit der inneren Festigung des Staates auch Erfolge zu verzeichnen waren. 627 ein entscheidender Sieg über die Perser, der den Zusammenbruch des Perserreiches zur Folge hatte, Siege auch über die Slawen und über die Araber, die von 674—678 vergeblich Konstantinopel belagerten und 718, ebenfalls vor Konstantinopel, eine Niederlage erlitten. Die Angriffe der Araber waren damit zwar nicht beendet, sie bedeuteten aber keine Gefährdung des Reiches mehr.

Zeitweilig befand sich sogar Byzanz in der Offensive. Um 1025 waren die ehemals verlorenen Gebiete auf dem Balkan und in Kleinasien zurückerobert, die Grenzen weitgehend gefestigt und selbst das zeitweilig unabhängige Bulgarische Reich unterworfen.

Die inneren Verhältnisse bis zur Jahrtausendwende

Im 9. und 10. Jahrhundert gab es in Byzanz trotz mancher Thronwirren eine Reihe befähigter Herrscher, wie Basileios I. (867—886) und Leo VI., der Weise (886—912), der die Gesetze aus der römischen Kaiserzeit (bes. die Kodifikation des Justinian) sichten und in systematisch geordneter Form neu herausgeben ließ (sogenannte „Basiliken"). Die Handel- und Gewerbetreibenden waren in Zünften organisiert. Der Staat überwachte Quantität und Qualität der Waren, besonders in der Lebensmittelversorgung, setzte den Ein- und Verkaufspreis fest und nahm Abgaben für die Staatskasse. Unter Basileios II. (976—1025) erreichte die byzantinische Macht außenpolitisch einen Höhepunkt, innenpolitisch mußte sich der Kaiser jedoch mit Härte gegen die wachsende Macht des Adels durchsetzen. Seine Nachfolger gaben den Kleingrundbesitz der Aristokratie preis. Die Folge war ein rascher Verfall der Steuer und Wehrkraft, der den Übergang zu Söldnerheeren notwendig machte. — Kulturell erlebte Byzanz um die Mitte des 11. Jahrhunderts einen Aufschwung. Die antike Bildung, besonders Plato wurde neu entdeckt, eine philosophische und eine juristische Hochschule gegründet. Den Thron umgaben Männer mit hoher Bildung, unter ihnen der Philosoph und Staatsmann Konstanti-

nos Psellos, der als erster Humanist gilt und dessen Rhetorik berühmt war.

Die Lage der Kirche

Während des 9. und 10. Jahrhunderts war die Macht der byzantinischen Kirche gewachsen. Die Zunahme des kirchlichen und klösterlichen Grundbesitzes sowie das Anwachsen des Mönchtums war Anzeichen dafür. Der Einfluß des Patriarchen von Konstantiopel, der eine dem römischen Papst vergleichbare Vorrangstellung einnahm, stieg entsprechend, ohne jedoch Anspruch auf eine weltliche Vormachtstellung zu erheben. Die weltliche und geistliche Macht waren gleichberechtigt, wobei der Kaiser eine stärkere Position innehatte, da er de facto über die Besetzung des Patriarchenamtes entschied. Die räumliche Nähe der kaiserlichen Gewalt setzte der Entfaltung der kirchlichen Gewalt Grenzen. — Zunächst bemühte sich die byzantinische Kirche um gute Beziehungen zu Rom. Erst die Christianisierung der slawischen Gebiete (um 1000) führte zu Spannungen. 1054 kam es zu dogmatischen und liturgischen Differenzen (Priesterehe, Sabbatfasten, Lehre vom Abendmahl und vom Heiligen Geist), die mit der gegenseitigen Bannung von Patriarch und Papst zum endgültigen Bruch führten.

Erneute Bedrohung durch äußere Feinde

Um die Mitte des 11. Jahrhunderts erwuchsen dem Reich neue gefährliche Feinde in den seldschukischen Türken, den Ungarn und Normannen. Die Normannen siegten in Sizilien (mit Bari ging 1071 der letzte Stützpunkt in Süditalien verloren). Die Ungarn nahmen 1064 Belgrad ein. Kleinasien wurde von den Türken erobert. Im Inneren hatten die Niederlagen Wirtschaftskrisen und bürgerkriegsähnliche Zustände zur Folge, in denen die bis dahin feste byzantinische Währung ruiniert wurde.

7. Die Welt des Islam

Um 900 hatte der Islam seine Stoßkraft gegen Europa verloren. Nach dem Tode des mächtigen Abassidenkalifen Harun-ar-Ra-

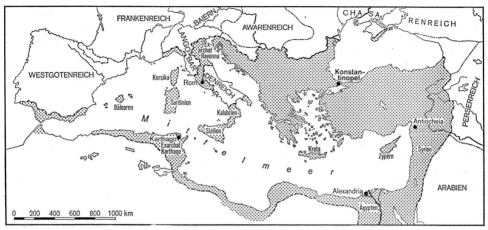

Das byzantinische Reich zur Zeit des Kaisers Herakleios (610—641)

Das byzantinische Reich am Ende der Regierungszeit des Kaisers Basileios II., um 1025, mit den Themen

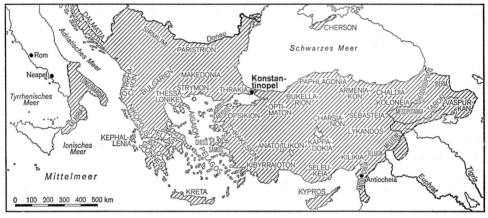

schid (gest. 809) begann die Auflösung des Reiches in Fürstentümer. Die entfernten Provinzen lieferten die Steuereinkünfte nicht mehr an die zentrale Kasse in Bagdad ab. Die Statthalter, die ihre Stellung wie Fürsten an die Söhne vererbten, erkannten nur noch eine lose Oberhoheit des Kalifen an. Neben Cordoba in Spanien und dem Abbasidenreich mit der Hauptstadt Bagdad entstand ein drittes unabhängiges Kalifat, das Reich der Fatimiden mit der Hauptstadt Kairo (969), das Nordafrika, Ägypten und schließlich auch Sizilien umfaßte und mit seiner hervorragenden Flotte Italien und Ostrom bedrohte.

Der Aufstieg türkischer Söldnerführer

Die tatsächliche Macht der Kalifate ging immer mehr in die Hände türkischer Söldner-

führer über. Einige von ihnen machten sich zu Fürsten, die unmittelbar unter dem Kalifen standen. Sie nannten sich „Sultan", was ursprünglich die „legitime Herrschaft, die Staatsordnung" bedeutete. Neue türkische Stämme drangen von Osten her ein und gründeten auf dem Boden des Kalifats türkische Sonderreiche. Besonders mächtig wurden die Seldschuken, deren Sultan 1055 in Bagdad einzog, vom Kalifen zu Hilfe gerufen gegen dessen persischen Oberemir. Damit ging die Macht auch legitim an den türkischen Sultan über. — Ägypten geriet erst 1254 unter türkische Herrschaft, als türkische Söldner, die „Mameluken", die Macht ergriffen (mamluk = arabisch „gekaufter Sklave", dann übertragen auf die ursprünglich unfreien türkischen Söldner). Die Mameluken eroberten schließlich auch

Bagdad, nachdem es 1258 von den Mongolen zerstört worden war.

Wirtschaft

Trotz des politischen Machtverlustes blühten Wirtschaft und Kultur in der islamischen Welt. Zentren waren die Städte (Bagdad, Damaskus, Samarkand, Mekka, Kairo, Cordoba u. a.). Sie besaßen keine politischen Sonderrechte (z. B. Selbstverwaltung, bes. Stadtrechte), entfalteten aber ein sehr vielfältiges urbanes Leben. Genaue Zahlen über die Größe liegen nicht vor, doch schätzt man die Einwohnerzahl Bagdads um diese Zeit auf einige Hunderttausend, vergleichbar etwa mit Byzanz. Mittelpunkt des städtischen Lebens bildeten die große Moschee und die Märkte. Um sie gruppierten sich in ungeordneter Vielfalt Häuser und Straßen, oft sehr eng und ohne die Ordnung der klassisch-antiken Stadt. Häuser bis zu sechs Etagen waren in Bagdad und Kairo keine Seltenheit. Die vornehmen Wohnhäuser waren um einen Hof mit Brunnen herumgebaut, nach der Straße zu fast ganz abgeschlossen. Holz war knapp und teuer. Man baute in den Städten daher meist mit Ziegeln, die mit Kalk oder anderen Materialien verputzt wurden. Die Wasserversorgung für Privathäuser und öffentliche Bäder, die Unterhaltung von Kanälen und Brunnen sowie die Beschäftigung von Wasserträgern war Aufgabe der Verwaltung. Diese überwachte auch Handel und Gewerbe.

Das Gewerbe war ganz auf ein hochdifferenziertes Handwerk abgestellt. In der Regel beschäftigte ein Meister einige Lehrlinge und Sklaven. Größere Betriebe scheint es kaum gegeben zu haben, mit Ausnahme einiger staatlicher Monopolgewerbe (öffentliches Bauwesen, Waffenproduktion, Papyrusherstellung, Münzprägung). Besondere Höhe erreichte das Handwerk bei der Produktion von feinen Textilien, in der Leder-, Metall- und Glasverarbeitung (die Technik zur Herstellung des berühmten „Damaszener"-Stahls kam aus Indien), in der Herstellung von Parfüm, Farben und Seifen, und schließlich in der Papierproduktion. Das Papier, das wahrscheinlich aus China stammt, begann in Ägypten schon im 10. Jahrhundert den Papyrus zu verdrängen.

Im Handel gab es eine scharfe Trennung zwischen dem Einzelhandel bzw. dem Kleinvertrieb handwerklicher Erzeugnisse auf dem einheimischen Markt (oft noch von den Handwerkern selbst getätigt) und dem Außenhandel großen Stils. Letzterer wurde genau registriert und mit Zöllen und Handelssteuern belegt. Der Fernhandel umfaßte sowohl Konsumgüter und Rohstoffe, die beide schon für die Versorgung der Städte notwendig waren, wie auch teure Luxusartikel, z. B. Edelsteine, Perlen, Elfenbein, Gewürze, wertvolle Hölzer u. a. Da die islamische Produktion weitgehend auf dem hochentwickelten Handwerk beruhte, war die Einfuhr von Rohstoffen (bes. Holz und Metall) und Sklaven als billiger Arbeitskraft von großer Bedeutung.

Die Haupthandelswege führten über das Rote Meer und den Persischen Golf nach Indien und weiter nach Südchina (etwa bis Kanton), nach Süden hin entlang der ostafrikanischen Küste. Neben den Seewegen gab es auch alte Handelswege zu Lande, meist in Form wenig ausgebauter Karawanenpfade. Sie verliefen von der Mittelmeerküste über die Sahara zum Sudan, nach Osten über Buchara auf die alten Seidenstraßen nach China, von Innerasien nach Norden bis ins Wolgagebiet. Im Mittelmeer war der Haupthandelspartner Byzanz. Auffallend gering scheint der Handel mit Westeuropa gewesen zu sein. Arabische Kaufleute ignorierten die norditalienischen und südfranzösischen Mittelmeerhäfen. Eine gewisse Verbindung zwischen Spanien und Frankreich wurde von jüdischen Händlern aufrechterhalten. Die Gründe für die Zurückhaltung der islamischen Kaufleute sind unklar. Möglicherweise war der wirtschaftliche Anreiz zu gering, oder die westlichen Länder haben den zu Schiff ankommenden Kaufleuten das Betreten des Landesinneren untersagt.

Kunst und Wissenschaft

Trotz politischer Zerrissenheit entwickelten sich Kunst und Wissenschaft im 10./11. Jahrhundert ungehindert und erfaßten breite Schichten der Bevölkerung. Mittelpunkte des kulturellen Lebens waren die zahlreichen Fürstenhöfe und die Städte. Beschäftigung mit Wissenschaft und ihre Ver-

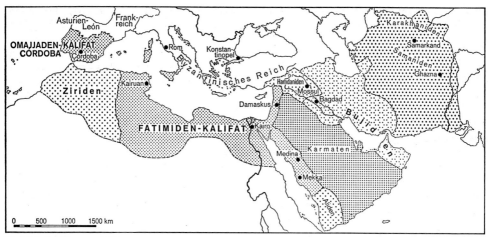

Die Welt des Islam um 1000

breitung galt als frommes Werk. Öffentlichen Unterricht gab es noch nicht, aber jede Stadt hatte ihre Bibliothek und Schulen (oft in Moscheen oder auch auf öffentlichen Plätzen), wo Lehrer wichtige Texte vortrugen, kommentierten und mit den Schülern diskutierten. Fromme Stiftungen sorgten für den Unterhalt von Lehrern und Studenten. Die Nachfrage nach Handschriften war groß und ein Heer von Kopisten arbeitete an ihrer Vervielfältigung. Man beschäftigte sich mit antiker Philosophie (Aristoteles, Plato, Neuplatonismus), Medizin (Hippokrates, Galen), Astronomie und Mathematik. Die islamischen Mathematiker betrieben Algebra (das Wort stammt aus dem Arabischen) und Geometrie und übernahmen aus dem Indischen das Dezimalsystem (zéro aus arab. sifr = „Leerstelle", Null) mit den Zahlzeichen, die wir „arabisch" nennen. Es stellte im Vergleich zu dem schwerfälligen römischen Zahlensystem, das die Null nicht kannte, eine Vereinfachung dar. Auch das Wort „Alchimie" und, davon abgeleitet, „Chemie" ist arabischen Ursprungs (al-kimiya = Elixier oder Stein der Weisen, mit dem man alle Substanzen in Gold verwandeln kann). — Die islamische Kultur hat in besonders hohem Maße geistige Erzeugnisse verschiedener Zeiten und Völker aufgenommen, bewahrt oder auch weiterentwickelt. Deshalb konnten die Araber auch viel antikes Gedankengut an das christliche Abendland weitergeben.
Der Islam verbietet die bildliche Darstellung

von Mensch und Tier. Obgleich sich die Künstler nicht dogmatisch streng an dieses Verbot hielten, führte es zu einer Abstraktion in der Kunst (stilisierte Pflanzenformen, sogenannte Arabesken; Ornamentik). Die Kunst blieb stark handwerklich orientiert (Mosaikarbeiten, Schnitzereien, Intarsien, Keramik) und schmückte Moscheen und Paläste. Auch diese wurden, wie die Häuser, meist aus Ziegeln gebaut. Deshalb bemühten sich die Baumeister um Vervollkommnung der gemauerten Kuppel. Im Inneren baute man offen (eingefügte Höfe, Gärten) unter Verwendung von Säulen, über die sich verschiedene Arten von Bögen wölbten.
Die Dichtung wurde im 10./11. Jahrhundert stark vom Persischen beeinflußt. Während das Arabische die Sprache von Theologie und Wissenschaft blieb, entstand eine neupersische Literatur, die die historisch-legendären Überlieferungen des alten Iran wieder aufleben ließ. — In Andalusien entwickelte sich unter dem Einfluß romanischer Verskunst eine eigenständige Dichtung. Sie verherrlichte Natur und Liebe, wobei sie Liebe erstmals auch als „höfische Liebe" verstand. Am bekanntesten wurde „Das Halsband der Taube" von dem Dichter Ibn Hazm (994—1064) und später die Liedersammlung (Divan) des Dichters Ibn Qozman (1078—1160).

VI. Wirtschaft und Gesellschaft im 10./11. Jahrhundert

1. Die Grundherrschaft

Um die Jahrtausendwende war Deutschland ein Agrarland, dessen Lebens- und Wirtschaftsformen weitgehend von der Grundherrschaft bestimmt wurden (vgl. dazu auch Herrschaftsformen, Kap. IV). Unter Grundherrschaft versteht man den Besitz eines Herrn (König, Adel, Kirche) an Grund und Boden, den er entweder mit Hilfe familienfremder Arbeitskräfte (Leibeigene, fronpflichtige Bauern, Landarbeiter) selbst bewirtschaftete oder an andere Leute zur Bewirtschaftung gegen einen bestimmten

Abgabenleistung an den Grundherrn. (Aus einer Handschrift des 15. Jahrhunderts)

Anteil am Ertrag oder gegen Dienste weitergab. Die Grundherrschaft hatte sich im 8./9. Jahrhundert herausgebildet. Indem sie den Unterschied zwischen persönlich Unfreien und Freien ignorierte, führte sie im 11./12. Jahrhundert zu einem relativ einheitlichen Bauernstand. Die persönlich Unfreien wurden häufig in grundherrlichen Bauernwirtschaften angesiedelt und stiegen damit zum selbständig wirtschaftenden Bauern auf, der in der Regel Abgaben, vielleicht auch noch bestimmte Dienste zu leisten hatte, persönlich aber frei war. Andererseits sanken ehemals unabhängige Bauern in die Abhängigkeit von Grundherren ab. Sie wurden zu sogenannten Grundholden, indem sie ihr eigenes Land einem Grundherrn übergaben und sofort als Leiheland zurückerhielten, manchmal mehr, als sie überge-

ben hatten. Die Gegenleistung des Herrn bestand in Rechts- und Waffenschutz. Die Abgaben wurden in Naturalien geleistet. Der Grundherr konnte sie nicht willkürlich ändern, da sich bald „Hofrechte" herausbildeten, d. h. Rechte, die die Verhältnisse des Hofes regelten und an die auch der Grundherr gebunden war. Die Verpflichtungen waren sehr unterschiedlich, oft sogar innerhalb ein und derselben Herrschaft. Sie reichten von geringen Abgaben (ein Huhn im Jahr) bis zur Bindung an die Scholle (Hörigkeit), von wenigen festumrissenen Leistungen bis hin zu ungemessenen Diensten: „Sie haben zu tun, was man ihnen befiehlt" (Kloster Corvey, 11. Jahrhundert).

Besondere Bedeutung erlangten die Bauern durch den Landesausbau und die Ostkolonisation. Als im 11. Jahrhundert durch hohen Bevölkerungszuwachs das Land knapp wurde, begann die Ansiedlung jüngerer Bauernsöhne auf Wald- und Ödland, das meist einem Grundherrn gehörte. Da dieser die Bauern zur Urbarmachung benötigte, mußte er ihnen bessere Abgabebedingungen einräumen, besonders, als im Zuge der Kolonisation eine bäuerliche Abwanderung nach Osten einsetzte, wo günstigere Besitzverhältnisse geboten wurden.

Da sich bald die Erblichkeit der grundherrlichen Bauerngüter durchsetzte (Erbleihe), bildete sich ein Bauernstand heraus, dessen wirtschaftlicher und sozialer Aufstieg bis zum Beginn des 14. Jahrhunderts anhielt. Mancher Bauer erschien gegenüber dem „armen" Ritter wohlhabend.

Im 12. Jahrhundert änderte sich die Struktur der Grundherrschaft und entwickelte in den verschiedenen deutschen Landesteilen unterschiedliche Typen, wobei sich das Kräfteverhältnis zwischen grundherrlichen und bäuerlichen Rechten nach der einen oder anderen Seite hin verschob.

Die gesellschaftliche Bedeutung der Grundherrschaft bestand darin, daß sie die breite Schicht der Bauern vom König oder Herzog trennte. Der Grundherr repräsentierte für den Bauern die „Herrschaft". Er sorgte für Ordnung, organisierte im Kriegsfall das Aufgebot, erhob die Abgaben, war entweder

Zinszahlung an den Grundherrn. Darstellung in der Dresdner Bilderhandschrift des Sachsenspiegels, Anfang des 14. Jahrh.

Getreidemühle mit Wasserantrieb und hölzernem Zahnradgetriebe nach einer Handschrift des 12. Jahrhunderts. Der Mühlstein ist horizontal liegend vorzustellen. Wasserantrieb (mit ganz unterschiedlichen Funktionen: Pochwerke, Walkmühlen usw.) setzte sich im Hochmittelalter allmählich durch, obwohl er seit der Antike bekannt war.

Frondienst. Monatsbild August aus einem englischen Psalter des 14. Jahrhunderts

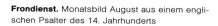

selbst Gerichtsherr (niedere Gerichtsbarkeit) oder vertrat den Bauern beim Grafengericht.

Die Frage, wie weit unabhängige Bauern außerhalb der Grundherrschaft existierten, ist regional verschiedenen. Ihre Zahl war jedenfalls begrenzt.

2. Die landwirtschaftliche Produktion

Seit der Karolingerzeit hatten in der Landwirtschaft keine grundlegenden Neuerungen stattgefunden. Unter dem Druck des Bevölkerungswachstums fand im 11. Jahrhundert eine rasche Verbreitung bereits bekannter Verbesserungen statt. Sie erhöhten die Produktivität allerdings nur geringfügig. Die ungeregelte Feld-Graswirtschaft wurde nun allgemein von der Dreifelderwirtschaft abgelöst, die eine planmäßigere Bearbeitung ermöglichte: 1. Frühjahrssaat (Hafer, Gerste, Hülsenfrüchte). 2. Wintersaat (Weizen, Roggen), 3. Brache (unbebaut bzw. als Weide genutzt). Dadurch verteilte sich die Feldarbeit über das ganze Jahr, und der Fruchtwechsel wirkte günstig auf den Nährstoffhaushalt des Bodens. Eine wichtige Rolle spielte die Düngung, die sogar als grundherrliche Abgabe gefordert wurde. Da sie meist aus Viehdung bestand, machte sie auch dort einen gewissen Viehbestand erforderlich, wo man ihn lieber eingeschränkt hätte, weil Getreideanbau gewinnbringender war. Welcher Pflug benutzt wurde, ist umstritten, doch dürfte der einfache Hakenpflug, der die Erde nur anritzte zurückgetreten sein gegenüber dem Brettpflug, der, an einen zweirädrigen Vorderwagen gehängt, die Erde umwendete. Er benötigte ein Gespann, in der Regel Ochsen. Pferde waren zu wertvoll und unwirtschaftlich. Die Geräte waren noch vorwiegend aus Holz. Auf Diebstahl von Eisen standen hohe Strafen. Im 11. Jahrhundert nahm die Eisenproduktion zwar zu, trotzdem blieb Eisen knapp. Geerntet wurde mit der Sense und mit der kleinen Sichel. Sie war billiger und erschütterte die bei den damaligen Getreidearten noch lose in den Ähren sitzenden Getreidekörner weniger (weil die Ähren mit der linken Hand festgehalten wurden). Daneben nahm der Garten- und Weinbau weite

Flächen in Anspruch. Genannt werden vor allem Bohnen, Erbsen, Linsen, Flachs, Hanf, aber auch verschiedene Obst- und Beerensorten, Küchen- und Heilkräuter und sogar Blumen. Im Rheingebiet, wo man bisher Wein nur im Tal und an flachen Hängen angebaut hatte, begann der Ausbau der steileren Hänge zu Weinbergen. In Lahnstein verbot man die Ausfuhr von Mist, weil die Weinberge ihn benötigten.

Durch die Ausweitung des Acker-, Garten- und Weinbaus wurden die Weiden im westlichen Deutschland zurückgedrängt, so daß die Rinderhaltung schrumpfte. Im 12. Jahrhundert bildeten sich dort, wo die Natur Graswuchs begünstigte, im Norden (Marschen) und Süden (Gebirge), Viehhaltungszonen heraus, und um 1300 fand ein reger Warenaustausch zwischen den einzelnen Zonen statt. Natürlich blieb auch in Westdeutschland Viehzucht in Grenzen bestehen, schon wegen der Düngung. Eine große Rolle spielte die Schweinezucht. Das Schwein brauchte wenig Pflege und suchte sich in Busch und Wald Eicheln und Bucheckern. Das Schaf wurde wegen der Wolle gezüchtet (für die Kleidung war man im allgemeinen auf Wolle und Flachs angewiesen), jedoch fand auch die Milch Verwendung (Käse), das Fett (Kerzen) und die Haut (Pergamentherstellung). Das Fleisch war weniger geschätzt.

3. Das Handwerk

Das Handwerk als gesonderter, selbständiger Berufszweig war zunächst noch wenig entwickelt. Freie Handwerker gab es in ehemaligen Römerstädten an Rhein und Donau, im übrigen Deutschland ging die Loslösung der handwerklichen von der bäuerlichen Tätigkeit langsam vor sich.

In der Karolingerzeit bildete sich an den Herrenhöfen, den Bischofssitzen und Klöstern zunächst ein unfreies Handwerk heraus, unfrei, weil es sich dabei vorwiegend um Dienstwerk des unfreien Gesindes oder der Mönche handelte. Neben Koch, Bäcker, Schuster, Sattler, Schwertpolierer, Weber, Böttcher gab es Kunsthandwerke wie Goldschmied, Schwertschmied, Steinmetz, Baumeister, deren besondere Bedeutung darin lag, daß sie auf dem Weg über die Kirche technisches Wissen der Spätantike weitergeben konnten. Die Verarbeitung von Farbe, Glas und Metall stand im Vordergrund. — Das Handwerk blieb auf die großen Wirtschaftszentren von König, Adel und Kirche beschränkt, da nur sie sich eine solche Spezialisierung leisten konnten. In den ländlich-bäuerlichen Verhältnissen blieb der Bauer vorerst sein eigener Handwerker. Erst als im 10./11. Jahrhundert die Bevölkerungsdichte zunahm, der Lebensstandard stieg und kompliziertere Arbeitsgeräte Verbreitung fanden, entstand langsam ein dörfliches Handwerk, das zunächst für den dörflichen Eigenbedarf produzierte (Schmied, Köhler, Stellmacher, Wagner etc.), aber an manchen Orten auch bald für den Fernhandel, wie Lodenstoff in den Alpen, Leinen in Südwestdeutschland. In den Römerstädten gab es in Ansätzen ein städtisches Handwerk, das den lokalen Bedarf zu befriedigen hatte, auch Aufträge aus anderen Orten übernahm (besonders im Baugewerbe) und sich genossenschaftlich zusammenschloß, wenn die Errichtung teurer Produktionsanlagen nötig wurde, wie etwa bei der Tuchherstellung (Genossenschaften vgl. B, VI, 6).

Die weitere Entwicklung des Handwerks war eng verbunden mit dem aufkommenden Städtewesen.

Verbesserungen der Agrartechnik, die sich im Hohen Mittelalter zunehmend durchsetzten: Stirnjoch und Kummet als rationellere Spannmethoden für Rinder und Pferde, schollenwendende Pflugschar und Egge. (Nach mittelalterlichen Buchillustrationen in der Bibliotheque Nationale, Paris)

Dreifelderwirtschaft. Luftaufnahme eines schwäbischen Haufendorfes. Auf der Flur werden Futter und Hackfrüchte, Winter- und Sommergetreide in besonderen Schlägen angebaut, die durch unterschiedliche Tönung kenntlich sind.

4. Der Handel

Schon während der Karolingerzeit spielte der Fernhandel eine große Rolle, während der Lokalhandel vergleichsweise unbedeutend blieb, da sich die Hauswirtschaften mit den alltäglichen Bedarfsartikeln noch weitgehend selbst versorgten. Die großen Handelswege und Handelszentren lagen außerhalb des ostfränkischen Gebietes, das eine überwiegend landwirtschaftliche Struktur aufwies. Währenddessen wurden im Norden die Skandinavier zu seefahrenden und abenteuernden Kaufleuten, und auf dem ehemals römischen Gebiet im Westen und Süden erhielten sich Handel und Handwerk ungebrochen. Mittelpunkte des Handels waren Byzanz und einige italienische Städte, bedeutend wurde auch der arabische Handel.

Ein wichtiger Handelsweg hatte sich von Schweden über Kiew nach Byzanz herausgebildet; viele Wege führten über die Alpen nach Italien; auch Rhein und Donau blieben wichtige Verkehrslinien.

Gegen Ende des 10. Jahrhunderts trat ein entscheidender Wandel ein: Die Handelswege verlagerten sich in das ostfränkische Reich, da die Verbindung von Skandinavien zu Byzanz und dem Orient durch politische Veränderungen in Rußland abgebrochen waren. Beweis hierfür sind die Münzfunde. Um 980 verschwanden die arabischen Münzen schlagartig aus Norwegen, Dänemark und Rußland und wurden dort durch deutsche Münzen ersetzt. Dazu mag beigetragen haben, daß um diese Zeit reiche Silbergruben am Rammelsberg bei Goslar entdeckt wurden, die der königlichen Münze zur Verfügung standen. Z. Z. Ottos des Großen soll der Hof täglich 30 Pfund Silber ausgegeben haben. Obgleich seit der Römerzeit die Naturalwirtschaft wieder zugenommen hatte, war das Geld nie ganz verschwunden und spielte besonders im Fernhandel eine Rolle. Geprägt wurde Silber. Im 11. Jahrhundert trat im gesamten europäisch-orientalischen Handelsraum eine Münzverschlechterung ein, wahrscheinlich durch eine allgemeine Silberverknappung hervorgerufen, deren Gründe noch nicht bekannt sind.

Seit der Jahrtausendwende nahm der Fernhandel auch in Deutschland zu, deutsche Kaufleute wurden in Zollverzeichnissen und Urkunden erwähnt. Das begehrteste Privileg war die Zollfreiheit, die Kaufleuten einer bestimmten Stadt verliehen wurde (den Kaufleuten von Magdeburg, von Gandersheim etc.). Die Kaufleute zogen zu Jahrmärkten, später auch zu Messen, wobei sich bald Rangunterschiede herausbildeten zwischen den Kaufleuten, die auf eigenen Schiffen fuhren und Überseehandel mit England und Skandinavien betrieben, und solchen, die nur mit Wagen über Land oder mit kleinen Schiffen die Flüsse hinunterfuhren. Da die Fahrten gefährlich waren, taten sich die Händler zu Bruderschaften oder Schwurverbänden zusammen, deren Ursprung wahrscheinlich schon in germanischen Kultgemeinschaften zu suchen ist. Später entwickelten sich daraus die Kaufmannsgilden (vgl. Genossenschaften B, VI, 6).

Eine wichtige Rolle als Geldverleiher spielten die Juden, weil sie nicht dem Zinsnahmeverbot der Kirche unterlagen, das durch Karl den Großen in die weltliche Gesetzgebung eingegangen war. Daneben besaßen sie auch andere Handelsprivilegien, in Speyer und Worms z. B. für den Handel mit Farben und Medikamenten. Aus Köln, Regensburg und Worms wird im 11. Jahrhundert zum ersten Mal von Judenvierteln berichtet, und 1084 wurde für das Judenviertel in Speyer eine eigene Ummauerung vorgesehen. Damit kündigte sich ein Umschwung im bisher unproblematischen Verhältnis zwischen Juden und Christen an.

Gehandelt wurden Luxusgüter, aus dem Orient vor allem Gewürze und Seide, wobei auch der Durchgangshandel eine Rolle spielte: So verkauften deutsche Händler z. B. Pfeffer nach London. Auch der Sklavenhandel spielte noch eine Rolle. Die Sklaven, meist gefangene heidnische Sklaven, wurden im Osten gesammelt (Magdeburg, Regensburg, Prag) und vor allem nach Spanien exportiert. Ein wichtiger Umschlagplatz war Verdun. Eine der wichtigsten Handelswaren unter den Konsumgütern war das Salz, das u. a. in die französischen Städte ausgeführt wurde. Im Rheingebiet war der Getreide- und Weinhandel verbreitet. Von Laon wurde Wein nach England exportiert. Bedeutend war auch der Handel mit Metallen (Kupfer, Zinn, Blei, Eisen, Silber), der sich vorwiegend in der Rheingegend abspielte (zwischen Köln, Lüttich, den Maasstädten bis nach Zürich und Spanien). Wie schon erwähnt, bestand als ausgesprochen städtisches Handwerk die Tuchproduktion. Flandrische Tuche galten als Luxusgüter wegen ihrer schönen Färbung. Wahrscheinlich wurde auch in Deutschland Tuchproduktion schon in größerem Stil betrieben. Es wird berichtet, daß deutsche Kaufleute Wolle in England einkauften. Außerdem werden schwarze Tuche aus dem Rheinland, rötliche Tuche aus Schwaben erwähnt. Um die Jahrtausendwende nahm der Handel in Deutschland zu, und Orte wie Regensburg, Konstanz und Mainz hatten schon eine gewisse Bedeutung als Handelszentren. Im Vergleich zu Italien, den arabi-

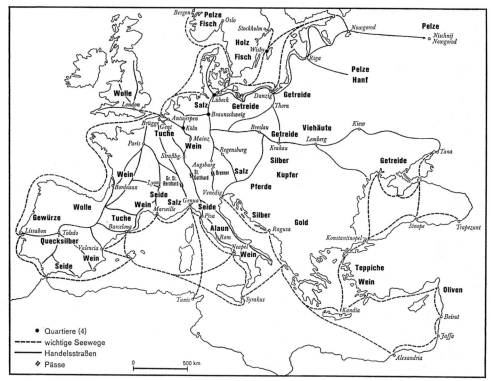

Handelswege und Handelsgüter des Mittelalters

schen Staaten und Byzanz steckte der Fernhandel großen Stiles allerdings noch in den Anfängen.

5. Die Städte

Städtische Anfänge auf ehemals römischem Boden

Unter dem Begriff „Stadt" versteht man eine in sich geschlossene Siedlung von bestimmter Größe und Beständigkeit, die auch wirtschaftliche Funktionen wahrnimmt (Stadt im siedlungsgeschichtlichen Sinn). Hinzutreten kann die Ausbildung eines eigenen Rechtes und Selbstverwaltung durch die Bürger (Stadt im Rechtssinn). Dieses letzte Stadium der Entwicklung, die Stadt als politische Körperschaft mit Rechtssetzungsgewalt und Selbstverwaltung, wurde in Deutschland im 12. Jahrhundert erreicht und voll ausgeprägt im 15. Jahrhundert. In den angrenzenden Ländern (Italien, Frankreich und England) erfolgte die Ausprägung der Städte früher, in Skandinavien später. Die Anfänge des Städtewesens liegen im

10./11. Jahrhundert. Sie sind schwer zu erforschen, weil in den dicht bebauten Stadtkernen Ausgrabungen heute kaum möglich sind. Da sehr unterschiedliche Faktoren bei der Städtebildung mitgewirkt haben, hat jede Stadt letztlich ihre eigene Entstehungsgeschichte. Vereinfachend lassen sich folgende Strukturen erkennen:
Städte aus der Spätantike blieben in Italien, Byzanz und Südfrankreich weitgehend in ihren wirtschaftlichen, kulturellen und politischen Funktionen erhalten. Sie waren nicht mehr selbständig, sondern standen unter der Oberhoheit eines Stadtherrn, oft eines Bischofs. Die alten römischen Befestigungen erlangten zur Zeit der Arabereinfälle wieder Bedeutung, so in Lyon, Marseille, Arles, Avignon und Narbonne.
Für die römischen Städte auf deutschem Boden (Rhein-Main-Donau) ist die Kontinuität städtischen Lebens von der Antike ins Mittelalter nicht in allen Fällen gesichert. Eindeutig belegt ist sie für Regensburg und Köln. Hier arbeiteten die Handwerker, vor allem Goldschmiede, Glasmacher und Töp-

fer, in römischer Tradition weiter. In Trier und Mainz benutzte man einen Teil der großen Römerbauten zu anderen Zwecken. Die Einwohnerzahl dieser Städte ging jedoch stark zurück und von Siedlungskontinuität kann nur mit Vorbehalt gesprochen werden. Bei Xanten, Kempten und anderen kleinen Römerstädten hat es sie in anderer Form gegeben. Da nämlich viele dieser Städte früh Bischofssitze wurden, ließen sich in der Nähe der alten Befestigungsreste und wegen des Bedarfs der Kirche und der Klöster wieder Gewerbe und Handel nieder. Die günstige Lage an den alten Handelswegen und die Nachbarschaft wirtschaftlich stärker entwickelter Gebiete trug zum frühen Aufblühen der Städte bei.

In Flandern und Brabant bildeten alte Bischofssitze und große Abteien, vor allem aber die landesherrlichen Kastelle Kristallisationspunkte für städtisches Leben (Gent, Brügge, Lüttich, Antwerpen). Die Grafen von Flandern und die Herzöge von Brabant bemühten sich um Förderung dieser Entwicklung, indem sie für Sicherheit auf den Straßen sorgten und vor allem für den Fernhandel Privilegien vergaben (Zollfreiheiten, Marktrechte), gelegentlich auch selbst Städte gründeten.

Bedeutung des Fernhandels für die Entstehung der Städte

Zwischen Rhein und Elbe fehlte eine städtische Tradition, trotzdem läßt sich eine Reihe größerer nichtagrarischer Siedlungen an Küsten und Flüssen belegen, so etwa Hamburg, Magdeburg, Merseburg, Erfurt, Fritzlar, Würzburg u. a. Sie bildeten sich an Punkten, die für den Fernhandel verkehrsgünstig lagen und durch eine Burg (Königsburg, Bischofssitz oder Kloster, auch Burgen weltlicher Großer) geschützt waren. Allerdings blieben die Kaufmannssiedlungen (wik — noch erhalten in Namen wie Brunswik, Bardowik) zunächst von der Burg räumlich getrennt und unbefestigt. Erst gegen Ende des 10. Jahrhunderts wurden sie durch Mauern geschützt oder in die Burgbefestigungen mit einbezogen. Ursprünglich waren die Siedlungen, nur Stützpunkte für durchziehende Wanderhändler, oft nur für eine bestimmte Zeit des Jahres bewohnt, wie etwa Haithabu oder Dorestad. Aufgrund von Ausgrabungen nimmt die neuere Forschung jedoch an, daß es schon sehr früh ständige Kaufmannssiedlungen gegeben hat, spätestens seit dem 10. Jahrhundert, wahrscheinlich schon früher. Das schließt natürlich nicht aus, daß die ansässigen Kaufleute selbst auch lange Reisen unternahmen und fremde Händler in den Siedlungen Geschäfte abwickelten und für einige Zeit dablieben.

Die Ansiedlung von Fernhändlern wirkte sich auch auf die lokale Wirtschaft aus. Ein spezialisiertes Handwerk wurde nötig, um die Bevölkerung zu versorgen, auch um Kirchen, Mauern und Brücken zu bauen (Erfurt zum Beispiel erhielt 1066 eine steinerne Ummauerung). Auch die umliegenden Bauernwirtschaften begannen für den städtischen Markt zu produzieren, wodurch sie wiederum Geld oder Handelsware in ihren Besitz brachten und zum Konsumenten wurden. So bildeten sich aus Stützpunkten des Fernhandels ständige Kaufmannssiedlungen, die etwa seit dem Ende des 11. Jahrhunderts allmählich zu Gewerbezentren und Zentren auch des regionalen Handels wurden.

Zu den Stadtplänen auf S. 65:

Regensburg. 1. Augustiner 1308. 2 St. Blasius (Dominikaner). 3 St. Cassian 973. 4 Dom St. Peter um 700. 5 St. Egidien 1279. 6 St. Emmeram um 700. 7 St. Jacob 1293, Schottenkloster. 8 Niedermünster 1170. 9 Obermünster um 1000. 10. Schwarzes Burgtor. 11 Jacobstor. 12 Ostentor. 13 Peterstor. 14 Tor Roselind. 15 Arnulfplatz. 16 Haidplatz. 17 Herzogsburg. 18 Kaiserpfalz. 19 Kohlenmarkt. 20 Porta praetoria
Castra Regina, Standlager 179 n. Chr. . . . / Civitas 795. / Pfalz 9. Jahrh. / Kaufleutesiedlung und Haidplatz, 917 befestigt . . . / Kaiserpfalz Heinrichs II. 1002—24. / Stadterweiterung 1320 mit Stadtamhof 1322 —.—.—

Lübeck. 1 Dom 1163. 2 St. Ägidien. 3 St. Jacob. 4 St. Marien 1170. 5 St. Petri 1170. 6 Burgtor. 7 Holstentor. 8 Hüxter Tor. 9 Mühlentor. 10 Burg. 11 Markt. 12 Rathaus. 13 Bauhof.
Um 1050 wendische Burg mit Siedlung; 1138 Zerstörung; 1143 Gründung durch Adolf von Schauenburg (Domgegend) . . . / 1158 Gründung durch Heinrich den Löwen — — —. / 1160 Bistum, 1163 Stadt Lübeck ummauert. / 1188 Barbarossa-Privileg; 1201—25 Dänenherrschaft; nach 1225 Ummauerung —.—.—. / 1226 Lübeck Reichsstadt; 1251/52 Bau der Marienkirche.

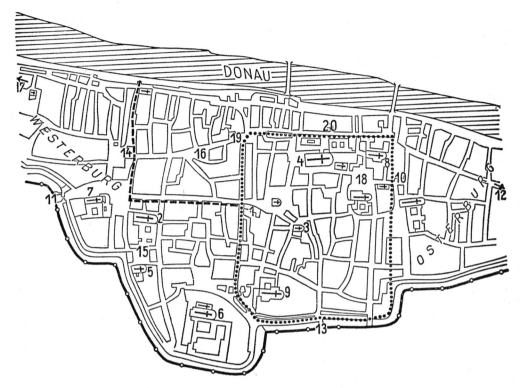

Regensburg (Nach H. Planitz, Die deutsche Stadt im Mittelalter, Köln-Graz-Wien, ⁴1975, S. 38)

Lübeck (Nach H. Planitz, a.a.O., S. 141)

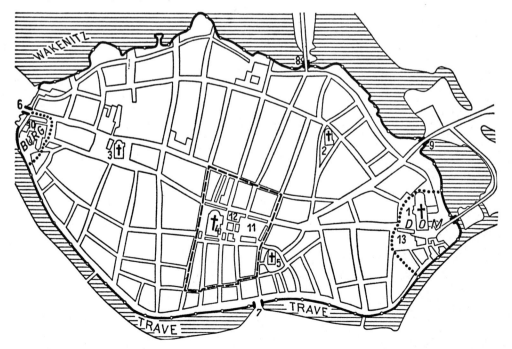

Handel und Gewerbe waren die Kräfte, die ein städtisches Gemeinwesen entstehen ließen. Fast jede Kaufmannssiedlung hatte einen Markt, zunächst meist als Straßenmarkt, erst seit dem 12. Jahrhundert als Marktplatz. Entscheidend für die Entstehung einer Stadt war die Freiheit des Marktes, d. h. die Freiheit des Handels und der in der Kaufmannssiedlung angesiedelten Kaufleute. Symbol der Marktfreiheit war das Marktkreuz, das mit Handschuh und Schwert die Anwesenheit des Königs versinnbildlichen sollte, von dem sich das Marktrecht herleitete und unter dessen Frieden der Markt stand.

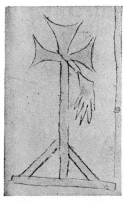

Marktkreuz mit dem königlichen Handschuh (als Symbol für Markt und Marktrecht). Der rechts aufrecht stehende Balken ist die Andeutung der Bannmeile. Dresdner Bilderhandschrift des Sachsenspiegels, Anfang des 14. Jahrh.

Gesellschaftliche und politische Merkmale

Anfangs gab es in den Städten keine Bürger, sondern nur verschiedene Gruppen von Bewohnern. Die wichtigste Gruppe bildeten die Kaufleute, besonders die bald zu Ansehen und Reichtum gekommenen Fernkaufleute, die königliche Privilegien genossen (das älteste erhaltene Privileg dieser Art wurde für die Kaufleute von Bremen 965 von Otto I. ausgestellt), z. B. Zollbefreiung, Befreiung vom Heeresdienst, Handelsfreiheit, Freizügigkeit. Diese privilegierten Kaufleute standen unter dem Schutz (munt) des Königs, sie waren königliche Kaufleute (mercatores regis), die dafür an den König Abgaben leisteten.

Ursprünglich lebten in der Stadt auch Unfreie, und von außen wanderten Unfreie in die Stadt ein, die der Stadtherr sofort als sein Eigentum in Anspruch nahm. Erst im späteren Verlauf der mittelalterlichen Stadtentwicklung ist die Unfreiheit überwunden worden, so daß die Freiheit später ein Merkmal der städtischen Bevölkerung wurde.

In dieser Frühzeit der städtischen Entwicklung stand jede Stadt unter der Herrschaft eines Stadtherrn (stadtherrliche Periode). Stadtherr konnte der König sein, aber auch geistliche oder weltliche Große — je nachdem, auf wessen Grund und Boden sich eine Siedlung entwickelt hatte; das Marktregal lag jedoch beim König. Durch die ottonische Kirchenpolitik waren die stadtherrlichen Rechte in den Bischofsstädten an die Bischöfe übergegangen, die nun hier als Stadtherren Gericht, Rechtssetzung und Verwaltung in der Hand hatten, dafür allerdings oft Beauftragte einsetzten (Burggrafen). Von einer Selbstverwaltung der Städte durch die „Bürger" konnte um 1100 also noch keine Rede sein, im Gegenteil, die Macht der Stadtherren wuchs, vor allem die der Bischöfe, die schon bald auch über die hohe Gerichtsbarkeit verfügten. Dennoch wiesen Ansätze genossenschaftlicher Zusammenschlüsse bereits auf eine andere Entwicklung hin.

6. Genossenschaften

Neben dem Herrschaftsgedanken (vgl. B, IV, 1) stand in der Welt des Mittelalters als Ordnungsprinzip der Genossenschaftsgedanke, d. h., der Zusammenschluß gleichberechtigter Mitglieder, oft durch Eid verbunden.

Als im 11. Jahrhundert die Bevölkerung und damit auch die Größe der Dörfer zunahm, wurde eine genossenschaftliche Regelung notwendig für die gemeinsame Nutzung an Wald- und Weideland, das in der Regel Gemeineigentum war. Da die Felder der Bauern nicht mehr an einem Stück, sondern verstreut (Gemengelage), ohne trennende Wege, lagen, machte die komplizierte Dreifelderwirtschaft eine gemeinsame Regelung der Feldnutzung notwendig, damit man nicht die Saat oder das noch nicht abgeerntete Feld des anderen niedertrat. So bildeten

Genossenschaftliches Dorfgericht. Vor dem Bauermeister der Kläger, der sich auf das urkundlich fixierte Recht des Dorfes beruft, hinter ihm der Umstand der Schöffen. Heidelberger Bilderhandschrift des Sachsenspiegels, Anfang des 14. Jahrh.

Bürgereid (Holzschnitt), 16. Jahrh.

sich allmählich Nutzungsordnungen heraus (Dorfordnungen, Flurordnungen, Wege- und Überfahrtsrechte etc.), die das Zusammengehörigkeitsgefühl der Dorfgemeinschaft stärkten und dazu führten, daß die Bauern bei der Entstehung der Hofrechte eine gewisse Mitsprache erreichten.

Auch bei den Kaufleuten gab es frühzeitig genossenschaftliche Zusammenschlüsse, zunächst als Fahrtgenossenschaften, um sich auf den gefährlichen Fernfahrten gegenseitig Hilfe zu leisten (Hanse = Gemeinschaft. Genossenschaft). Seit dem 10. Jahrhundert schlossen sich die Kaufleute einer Siedlung oder Stadt zu Kaufleutegilden zusammen. „Gilde" bedeutet soviel wie „Opfergemeinschaft". Die Gilden tauchten auch in Frankreich und England auf und verpflichteten ihre Mitglieder zu gegenseitiger Hilfe. Daneben spielten religiöse und repräsentative Pflichten eine Rolle (Spenden an die Armen, gemeinschaftliche Feier kirchlicher Feste, Gildegelage, Totenfeiern für verstorbene Mitglieder). Die Gilden griffen nicht direkt in die Regierung der Städte ein, wurden aber zum Vorbild für die Organisation anderer Gruppen (Handwerker) und führten schließlich zur genossenschaftlichen Gesamtorganisation der Stadtgemeinde. 1076 bildete sich in Cambray eine Eidgenossen-schaft der Bürger, in Worms vertrieb die Bürgerschaft 1073 den bischöflichen Stadtherrn, der König Heinrich IV. untreu geworden war. 1112 heißt es in der Kölner Königschronik: „Eine Schwurvereinigung bildete sich in Köln für die Freiheit!" Gemeint war damit eine Eidgenossenschaft der Kölner Bürger, die die Herrschaft des erzbischöflichen Stadtherrn zurückdrängen wollten.

7. Die Klöster

Die abendländischen Klöster um das Jahr 1000 gehörten dem Benediktinerorden an, lebten also nach der Regel des heiligen Benedikt von Nursia (480—547), die sich gegenüber dem Asketentum und Einsiedlerwe-

sen der Ostkirche durchgesetzt hatte. Sie erwies sich als besonders praktikabel, weil sie
genaue Anweisungen für den täglichen Ab-
lauf und die Organisation des Klosterlebens
gab und in ihren Forderungen an den einzelnen maßvoll blieb. Die ausgewogene Verbindung von Gebet und Arbeit (worunter
man anfangs nur körperliche, später auch
geistige Arbeit verstand) ließ Raum für
breite   Entfaltungsmöglichkeiten.   Der
Mönch besaß kein privates Eigentum, sollte
aber aus dem Klosterbesitz mit allem Notwendigen versorgt werden, wobei die Le-
benshaltung maßvoll, aber keineswegs arm-
selig oder gar asketisch sein sollte. Die
Bindung des einzelnen an die klösterliche
Gemeinschaft wurde dadurch gestärkt, daß
er auf Lebenszeit in ein und demselben Kloster blieb (stabilitas loci). Auf das gemeinsame Leben, Gebet und Arbeit war auch die
Klosteranlage ausgerichtet: um einen Kreuzgang sind die Kirche, der Speisesaal (refectorium) und der gemeinsame Schlafsaal
(dormitorium) angeordnet, es folgen die
übrigen Klosterräume, und das Ganze wird
in einem breiten Ring umschlossen von
Werkstätten, Ställen und Vorratsräumen
(siehe Grundriß v. St. Gallen).
Die Betonung der Arbeit, reiche Landschen-
kungen von Gläubigen, aber auch die Verbindungen nach Italien und Frankreich ließen die Klöster bald zu Wirtschaftszentren
(Gartenbau, Weinbau, neue Techniken in
Kunst und Gewerbe) und zu Grundherren
werden.
Wie in der Karolingerzeit waren die Klöster
auch jetzt noch die wichtigsten Kulturträ-
ger: Sie unterhielten Schulen und sammelten
durch das Abschreiben antiker und christlicher Autoren große Bibliotheken (z. B. St.
Gallen). Neben den alten Zentren (St. Gallen, Reichenau, St. Emmeran in Regensburg, St. Maximin in Trier, Fulda) entfalteten sich unter den Ottonen auch im sächsi-

schen Raum große Klöster, die die karolingische Tradition der Geschichtsschreibung
und der Annalen fortführten (Corvey, Hersfeld, Magdeburg). Die „Sachsengeschichte"
Widukinds von Corvey, die die Zusammenhänge aus sächsischer Sicht darstellt, gehört
noch heute zu den wichtigsten Geschichtsquellen über die Ottonen.
Die soziale Zusammensetzung der einzelnen
Klöster war verschieden. In einige Klöster
wurden nur Adelige aufgenommen, die bei
ihrem Eintritt meist große Schenkungen
machten, in weniger angesehene, abgelegene
Klöster mehr die Armen. Neben die Klöster
traten Stifte (Quedlinburg, Gandersheim),
die aus echter Religiosität gegründet worden waren und die Versorgung adeliger
Töchter übernahmen. Ihre Regeln waren
weniger streng, man konnte auch austreten.
Auffallend ist die unterschiedliche Entwicklung der Klöster. Während einige sehr reich
wurden, verarmten andere, etwa durch Einfälle äußerer Feinde (Ungarn in Bayern, Sarazenen in Italien), oder weil sie politisch zu
stark beansprucht wurden (Aufnahme des
Hofes, Eingriffe des Königs ins Klostergut),
manchmal auch, weil sie schlecht gewirt-
schaftet hatten oder als Pfründe in die
Hände von Laien geraten waren.
Um die Jahrtausendwende machte sich in
ganz Europa ein gewisser Niedergang des
Ordens bemerkbar. In vielen Klöstern war
die Ordensregel durch Gewohnheiten eingeschränkt worden, Verwilderung und Aus-
schweifungen rissen ein, besonders in verarmten Klöstern. Einzelne Äbte bemühten
sich um Besserung, wobei sie manchmal auf
gewaltsamen Widerstand der Mönche stießen. Da das Reichsinteresse gefährdet
schien, griff in Deutschland auch der König
ein (Heinrich II.). Die entscheidende Reformbewegung ging aber schließlich von
Frankreich (Cluny) und Lothringen (Gorze)
aus.

Rekonstruktion des Klosters St. Gallen nach dem Klosterplan von 820 (Museum Burg Frankenberg, Aachen)

Benediktinerkloster St. Gallen. In der Stiftsbibliothek von St. Gallen ist ein in den Maßen 1,10 × 0,75 m auf Pergament gezeichneter Bauplan erhalten, der um das Jahr 820 für den damals projektierten Neubau des Klosters gezeichnet worden ist. Dank der genauen Beschriftung des Originals ist die Bestimmung aller Teile der geplanten Anlage bekannt. Der hier in moderner Nachzeichnung wiedergegebene Plan konnte bei dem 822 begonnenen Bau nicht verwirklicht werden. Er zeigt den Idealgrundriß eines Klosters nach den Vorstellungen des 9. Jahrhunderts.

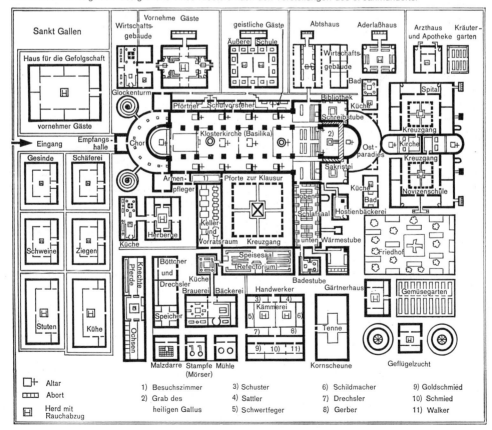

Sankt Gallen

Haus für die Gefolgschaft

vornehmer Gäste

Eingang   Empfangshalle

Gesinde   Schäferei

Schweine   Ziegen

Stuten   Kühe

Wirtschaftsgebäude   Vornehme Gäste   geistliche Gäste   Abtshaus   Aderlaßhaus   Arzthaus und Apotheke   Kräutergarten

Äußere Schule   Wirtschaftsgebäude   Bad   Spital

Glockenturm   Bibliothek   Küche   Kreuzgang

Pförtner   Schulvorsteher   Schreibstube

Chor   Klosterkirche (Basilika)   2)   Ostparadies   Kirche   Kreuzgang

Armenpfleger   1)   Pforte zur Klausur   Sakristei   Novizenschule

Küche   Bad   Hostienbäckerei

oben   Friedhof

Schlafsaal   unten Wärmestube

Keller- und Vorratsraum   Kreuzgang

Böttcher und Drechsler   Speisesaal (Refectorium)   Badestube

Küche   Handwerker   Gärtnerhaus

Pferde   Brauerei   Bäckerei   Kämmerei   Gemüsegarten

Knechte   Speicher   3)   4)

Ochsen   5)   6)

7)   8)   Tenne

9)   10)   11)

Malzdarre   Stampfe Mühle (Mörser)   Kornscheune   Geflügelzucht

☐⊢ Altar
⊞ Abort
⊞ Herd mit Rauchabzug

1) Besuchszimmer	3) Schuster	6) Schildmacher	9) Goldschmied
2) Grab des heiligen Gallus	4) Sattler	7) Drechsler	10) Schmied
	5) Schwertfeger	8) Gerber	11) Walker

VII. Die Zeit der Kirchenreformen

910	Gründung des Klosters Cluny	1075	Dictatus Papae
1046	Synode von Sutri	1077	Heinrich IV. wird Cannossa vom Bann gelöst
1049—1054	Papst Leo IX.	1088—1099	Papst Urban II.
1058—1061	Papst Nikolaus II.	1106—1125	Heinrich V.
1059	Papstwahldekret	1111	Vertrag von Ponte Mammolo
1056—1106	Heinrich IV.	1122	Wormser Konkordat
1073—1085	Papst Gregor VII.		

1. Die Cluniazensische Bewegung

Während des 10. Jahrhunderts waren Kirche und Klerus im ganzen Abendland stark verweltlicht.

In Deutschland war der Klerus seit Otto dem Großen an das Reichsinteresse gebunden. Der König entzog die Kirche dem Zugriff des Hochadels, ließ fähige Bischöfe wählen und griff auch in Klöster ein, wenn die Ordnung gefährdet erschien. In Frankreich fehlte eine starke Zentralgewalt, so daß die weltlichen Großen fast das gesamte Kirchengut an sich rissen und die geistlichen Ämter nach wirtschaftlichen und politischen Gesichtspunkten besetzten, oft mit Laien. Durch die andauernden Kämpfe der großen Adelsgeschlechter untereinander trat eine Verrohung der Sitten und ein Zustand der Rechtlosigkeit ein. Auch die Klöster, einst Stätten der Bildung und religiösen Vertiefung, verfielen der allgemeinen Zuchtlosigkeit. Aber gerade dieser Zustand ließ, vor allem in Burgund und Lothringen, Sorge um das Heil der Welt und der eigenen Seele aufkommen und führte zu einer christlichen Neubesinnung. Aus den Kreisen des Hochadels heraus entstand eine Erneuerungsbewegung, die zunächst die Klöster, später die ganze Kirche erfaßte.

Herzog Wilhelm I. von Aquitanien gründete

910

910 in Südburgund das Kloster Cluny und stattete es reich mit Land aus. Es sollte streng nach der alten Benediktinerregel leben. Von Anfang an unterstand es nur dem Papst, blieb also unabhängig gegenüber jeder bischöflichen oder weltlichen Oberhoheit. Neu war das Recht, dem Abt von Cluny andere Klöster zum Zwecke der Reform zu unterstellen und sie unter dauernder Überwachung zu halten. Damit wurden viele Benediktinerklöster aus ihrem Einzeldasein herausgeführt und zu einem zentralisierten Verband unter Leitung des Mutterklosters zusammengefaßt (Kongregation von Cluny). Da Cluny hintereinander eine Reihe hervorragender Äbte hatte, suchten viele Klöster um Rat und Hilfe nach. Um das Jahr 1100 umfaßte die Kongregation etwa 1000 Klöster in Burgund, Frankreich, Spanien, Italien und England. Sie alle erstrebten Freiheit von der Jurisdiktion des Bischofs und unterstellten sich dem Papst. Obgleich die Äbte von Cluny oft mit den deutschen Königen befreundet waren, blieb der cluniazensische Einfluß in Deutschland zunächst gering. Deutsche Klosterreformen folgten den lothringischen Vorbildern (Kloster Gorze bei Metz, St. Maximin in Trier), die auch Rückkehr zu den Regeln und Abschaffung der Laienäbte forderten, sonst aber reichstreu waren und keine ausschließliche Subordination unter Rom anstrebten. Erst unter Kaiser Heinrich III. drangen die Ideen von Cluny in Deutschland ein. Ausgangspunkt wurde das Kloster Hirsau im Schwarzwald, dessen Mönche als Wanderprediger umherzogen. Da sie in deutscher Sprache predigten, erfaßten sie auch breite Laienkreise, so daß die Reformbewegung zu einer Volksbewegung wurde. Die Reformer wandten sich gegen die Gewohnheit, geistliche Ämter zu kaufen und zu verkaufen (Simonie). Da der deutsche König für die Übertragung eines Bistums oder einer Abtei (Laieninvestitur = Einsetzung in ein geistliches Amt durch einen Laien) Abgaben verlangte, war somit die Kritik auch gegen ihn gerichtet. Das Eigenkirchenrecht wurde scharf abgelehnt, weil es eine Einschrän-

Cluny um 1150. Rekonstruktion der Klosteranlage von Kenneth Conant

kung der kirchlichen Freiheit darstellte. Freiheit der Kirche von allen weltlichen Verstrickungen („libertas ecclesiae") war das Schlagwort, mit dem sich die Kirche gegen den Laieneinfluß in jeder Form wendete. Diese Forderungen gefährdeten die gesamte wirtschaftliche und politische Grundlage der mittelalterlichen Ordnung. Den adeligen Eigenkirchenherren drohte der Verlust wesentlicher Einnahmen bei der Besetzung der Pfarreien und Eigenklöster. Damit würde ihre wirtschaftliche Basis und zugleich ihre politische und militärische Leistungsfähigkeit geschwächt. Das deutsche Königtum mußte damit rechnen, daß Bischöfe und Klöster, seit Otto I. Hauptstützen der königlichen Macht, seinem Einfluß entzogen würden. Das bedeutete nicht nur eine Einbuße an wirtschaftlicher, politischer und militärischer Macht, sondern auch an moralischem Ansehen. Die Stellung des Kaisers gegenüber dem Papst würde wesentlich geschwächt. — Heinrich III. hat diese Gefahren offenbar unterschätzt. Er berief den reformfreundlichen Bischof Bruno von Toul

als Papst nach Rom (Leo IX., 1049—1054), mit dem andere Reformer in Rom zu Einfluß gelangten, so vor allem Kardinal Humbert von Silva Candida, der Bahnbrecher der streng kirchlich-cluniazensischen Richtung (gest. 1061) und der Mönch Hildebrand, der nachmalige Papst Gregor VII. (1073—1085).

2. Reformbemühungen der Kaiser

Heinrich II.

Klosterreformen fanden in Deutschland überwiegend unter Einflußnahme des Königs oder des Bischofs statt. Sie erschienen den meisten wohl auch nicht besonders dringlich, da die Verhältnisse im Vergleich zu Frankreich geordneter waren. Heinrich II. bemühte sich dennoch um Reformen. Sein Ziel war, die Klöster in einen Zustand zu versetzen, in dem sie den religiösen Zwecken, um derentwillen sie gegründet waren, genügen konnten, und bei der andererseits ihr großer Besitz dem Interesse des

Reiches noch besser dienstbar gemacht werden konnte. Oberste Forderung wurde die Rückkehr zur Benediktinerregel, wogegen die Mönche z. T. entschlossenen Widerstand leisteten. In Hersfeld z. B. war der Abt aus dem Kloster ausgezogen und hatte sich ein eigenes Stift daneben gebaut. Heinrich setzte ihn ab und berief den bayerischen Reformabt Godehard, der die Sonderwohnungen der Mönche niederreißen ließ, den Prunk im Kloster und beim Gottesdienst beseitigte (Metall wurde eingeschmolzen und viele Kostbarkeiten an die Armen verschenkt). Von den fünfzig Mönchen sollen nur drei dageblieben sein, aber die Lücken wurden durch Mönche aus anderen Klöstern gefüllt. Auch Tegernsee, Reichenau, Fulda, Corvey u. a. Klöster bekamen fremde Äbte, die meist nach lothringischem Vorbild reformierten. Überall wanderten Mönche ab; in Corvey mußte Heinrich 17 von ihnen gefangensetzen. Sie kehrten aber in der Regel nach einiger Zeit zurück, wohl auch aus wirtschaftlichen Gründen.

Im Zuge der Reformen zog Heinrich Klostergut ein und vergab es an Lehnsleute oder Bischöfe, wie Heinrich auch ganze Klöster an Bischöfe schenkte. Bei Gegensätzen zwischen Klöstern und Episkopat stellte sich Heinrich grundsätzlich auf die Seite der Bischöfe, die daher seine Reformen nicht nur unterstützten, sondern auch selbständig weiterführten und zugleich ihr Visitationsrecht bei den Klöstern energisch betonten. Das Ergebnis dieser Reform war also einerseits eine Vertiefung der religiösen Gesinnung, andererseits waren aber gerade die bedeutendsten Klöster in Gefahr, ihre politische Stellung und ihre kirchliche Selbständigkeit gegenüber dem Bischof einzubüßen. Hierin lagen wichtige Unterschiede zu Cluny.

Heinrich III.

Als Heinrich III. 1039 zur Regierung kam, hatte sich die cluniazensische Bewegung in Europa verbreitet. Ihre ursprünglich auf die Reform des mönchischen Lebens gerichteten Ziele hatten sich immer mehr auf eine völlige Umgestaltung der Welt durch den christlichen Glauben hin ausgeweitet. Heinrich war beeindruckt von diesen Idealen und wurde darin von seiner Frau Agnes von Poitou, einer Tochter des Herzogs Wilhelm V.

von Aquitanien, bestärkt. Er war gewillt, die geistliche Seite des Königtums wieder stärker hervorzuheben. Während sein Vater, Konrad II., Mißstände in der Kirche für seine Zwecke ausgenutzt hatte, fühlte Heinrich sich für die Kirche verantwortlich. Auf zahlreichen Synoden bemühte er sich um Besserung der kirchlichen Verhältnisse. Er selbst kam den Forderungen der Reformer entgegen und verzichtete auf die Simonie. Damit gab er ansehnliche Einnahmen des Reiches preis.

Aribert von Mailand erkannte er wieder als Erzbischof an, weil dieser von Konrad II. unkanonisch abgesetzt worden war. Bei Auswahl der Bischöfe und Reichsäbte, denen er neben dem Hirtenstab erstmals auch den Ring als Symbol der Vermählung mit ihrer Kirche überreichte, berücksichtigte er nicht nur deren politische Eignung, sondern auch ihre Reformgesinnung.

Zu gleicher Zeit wurden vereinzelt radikale Stimmen laut, die eine Einhaltung der kanonischen Forderungen (also freie Wahl des Domkapitels, ohne Einflußnahme des Königs) auch für die Bischofswahlen verlangten, den bischöflichen Treueid für den König ablehnten und die Überlegenheit der priesterlichen Weihe über die königliche vertraten. Da aber der König echten Reformeifer zeigte, stellte die Reformpartei seine Rechte nicht ernsthaft in Frage und ermöglichte ein Eingreifen des Königs in Rom.

Hier kämpften die städtischen Adelsgeschlechter der Tusculaner und Crescentier um den Papststuhl, aber auch die Cluniazensische Reformpartei gewann Einfluß: sie hatte ihren Sitz im Kloster auf dem Aventin, wo die Äbte von Cluny abzusteigen pflegten, wenn sie in Rom waren. Der Tusculanerpapst Benedikt IX. war von dem Crescentierpapst zeitweilig verjagt worden. Nachdem er wieder eingesetzt worden war, verkaufte er sein Amt gegen eine hohe Geldsumme an Gregor VI. Da dieser als reformfreudig galt, erhob die Reformpartei keine Einwendungen gegen diesen offensichtlichen Fall von Simonie. Das aber tat König Heinrich III., der inzwischen in Italien angekommen war. Auf einer Reformsynode in Pavia, an der lombardische, deutsche und burgundische Bischöfe teilnahmen, erließ er ein allgemeines Verbot der Simonie. Auf der

| 1046 | Synode von Sutri (1046) und auf einer anschließenden Synode in Rom ließ er alle drei Päpste absetzen und Bischof Suitger von Bamberg als Clemens IX. zum Papst wählen. Anschließend fand die Kaiserkrönung statt.

Heinrich fühlte sich als Oberhaupt der Reformbewegung und verantwortlich für eine Besserung der kirchlichen Verhältnisse. Zugleich übte er die kaiserlichen Rechte in Rom wieder aus und knüpfte damit an die Ottonen an. Auch in Deutschland versuchte er unter Berücksichtigung cluniazensischer Forderungen die Institution der Reichskirche zu erhalten, indem er Bischöfe einsetzte, die sowohl den politischen wie den kirchlichen Ansprüchen genügten. In Rom ließ Heinrich nacheinander vier Deutsche zu Päpsten wählen. Sie stellten sich an die Spitze der Reformbewegung, die die Kirche schließlich von weltlichen Mächten unabhängig machte und das Papsttum zu abendländisch-universaler Bedeutung führte. Unter ihnen ragte Papst Leo IX. (1049—1054) hervor, der, mit dem Kaiserhaus verwandt, zur strengen Reformrichtung gehörte. Unermüdlich bereiste er Italien, Deutschland und Frankreich, um die Beschlüsse gegen Simonie, Priesterehe und andere Mißstände durchzusetzen. Besonders in Frankreich griff er ein. In Reims hielt er eine große Reformsynode ab; die französischen Bischöfe, die nicht erschienen waren, wurden gebannt, Simonisten abgesetzt. Immer mehr Klöster unterstellten sich unmittelbar Rom. Die Obergewalt der Bischöfe wurde vielfach zurückgedrängt. In Deutschland ging Leo behutsam vor, um das gute Einvernehmen mit dem Kaiser nicht zu stören. In bestem Einverständnis leiteten beide zusammen das Reformkonzil zu Mainz (1049). In Rom berief Leo ein internationales Beratergremium, aus dem später das Kardinalskollegium entstand. Er holte geistig hochstehende Reformer, vor allem aus Burgund und Lothringen, und schaltete damit den Nepotismus (Vetternwirtschaft) der stadtrömischen Adelsgeschlechter aus. Der Mönch Hildebrand (später Papst Gregor VII.) ordnete die kurialen Finanzen, Kardinal Humbert von Silva Candida galt als gelehrter Theologe. — Die seit Karl dem Großen übliche Datierung der Papsturkunden nach Kaiserjahren verschwand.

Heinrich III. starb 1056 im Alter von 39 Jahren. Im Kreis der Reformer genoß er hohes Ansehen, bei den Bischöfen und Fürsten in Deutschland allerdings herrschte Unzufriedenheit mit der neuen Entwicklung. — Bisher waren keine ernsteren Spannungen zwischen Kaisertum und Papsttum aufgetreten. Bei einer konsequenten Weiterentwicklung der cluniazensischen Ideen war der Konflikt zwischen weltlichen und kirchlichen Interessen aber kaum zu vermeiden. Er traf das deutsche Kaisertum in einem sehr ungünstigen Moment: Beim Tode Heinrichs III. war die Nachfolge zwar gesichert, aber sein Sohn erst sechs Jahre alt.

3. Die Weiterentwicklung der Reformideen

Bald nach dem Tode Heinrichs III. kündigte sich eine Verschärfung der kirchlichen Reformziele an. In seiner Schrift „Gegen die Simonie" (Adversus simoniacos libri tres) bezeichnete Humbert von Silva Candida (um 1000—1061) die Verfügungsgewalt der Laien über die Kirche als Grund allen Übels. Jeder Empfang geistlicher Ämter aus Laienhand war für ihn Simonie, wobei er den König ausdrücklich zu den Laien zählte. Das bedeutete für die damalige Zeit eine Neuerung. Schon Papst Gregor der Große (590—604) hatte die Weihe der weltlichen Obrigkeit als „Sakrament" bezeichnet. Seither empfand man eine enge Verwandtschaft zwischen Herrscher- und Priesterweihe, die auch in der äußeren Form einander angenähert wurden (Salbung). In den Regeln der Kaiserkrönung hieß es an einer bestimmten Stelle: „Und hier macht (der Herr Papst) den (erwählten Kaiser) zum Kleriker." Im deutschen Königskrönungsritus sprach der Erzbischof zum König: „Empfange die Krone des Reichs aus (unserer) der Bischöfe Händen, ... und wisse dich durch diese (Krone) unseres Amtes teilhaftig." Damit sollte der König nicht in den geistlichen Stand hinein, aber aus dem Laienstande herausgehoben werden, als „Mittler zwischen Klerus und Volk". Als Bischof Wazo von Lüttich an Heinrich III. eine Forderung stellte, die er damit einleitete, daß er, der Bischof, mit dem heiligen Öl gesalbt sei, for-

derte der Kaiser Unterordnung mit der Begründung, auch er, der Kaiser, sei damit gesalbt. — Erst auf diesem Hintergrund ge-
winnt die Bemerkung Humberts, der König
sei Laie, ihr volles Gewicht. — Weiter heißt
es bei Humbert, der Bischof sollte „vom
Klerus erwählt, vom Volk verlangt und nach
dem Urteil des Metropoliten von den Bischöfen der Kirchenprovinz geweiht" werden. Mit diesem geistlichen Akt sollte dem
Erwählten gleichzeitig das mit dem Amt verbundene Gut zufallen. Dem König blieb lediglich das Recht der Zustimmung (Kon-
sensrecht). Damit war die Trennung der
Kirche vom weltlichen Bereich klar zum
Ausdruck gebracht worden. Die Ordnung
Heinrichs III., die in dem engen Anschluß
der geistlichen an die weltliche Gewalt die
Verchristlichung der Welt erstrebt hatte,
wurde damit aufgelöst und die Herrschaft
der geistlichen über die weltliche Gewalt
vorbereitet.
Der Kampf der Reformer gegen die Laieninvestitur richtete sich auch gegen das Ei-
genkirchenwesen und traf somit die gesamte
weltliche Gewalt. Am stärksten aber wurde
das Reich erschüttert, weil sein Bestand wesentlich auf der Reichskirche und ihren
Diensten für das Reich beruhte.

4. Die Durchsetzung
der päpstlichen Unabhängigkeit

Nach dem Tode Papst Stephans IX. versuchte der stadtrömische Adel noch einmal,
sich in den Besitz des Papsttums zu bringen.
Der Versuch mißlang. Der einflußreiche Ar-
chidiakon Hildebrand setzte mit Hilfe der
Reformpartei und mit Zustimmung der Kaiserin Agnes die Wahl des Bischofs von Florenz zum Papst durch (Papst Nikolaus II.
1058—1061). 1059 wurde auf der
Lateransynode das Papstwahldekret
beschlossen, das vor allem den Einfluß des
römischen Adels bei der Papstwahl ausschalten sollte. Wählen durften nur noch die
Kardinalbischöfe; der Klerus und das Volk
von Rom erhielten ein Zustimmungsrecht
(Akklamation). Falls Wahl und Inthronisation in Rom nicht möglich waren, konnte
beides auch an jedem anderen Ort vorge-
nommen werden. „Honor" (Ehre; Recht)

und „reverentia" (Ehrfurcht, Achtung) dem
König gegenüber sollten gewahrt bleiben,
doch ließ eine derart vage Formulierung
viele Möglichkeiten der Auslegung zu.
Wichtig für die weitere päpstliche Machtentfaltung wurde die Normannenpolitik des
Papstes in Süditalien. Die normannischen
Führer (Robert Guiscard und sein Bruder
Roger, Richard von Aversa) nahmen ihre eroberten Gebiete aus der Hand des Papstes
zu Lehen (1059). In den folgenden Jahren
vertrieben die Normannen die Byzantiner
ganz aus Süditalien. Roger eroberte in langen Kämpfen (1061—1091) die Insel Sizilien und beseitigte dort die mohammeda-
nisch-sarazenische Herrschaft. Die mächtigen Normannenfürsten waren zeitweilig
wichtige Bundesgenossen für die Kurie.
Papst Alexander II. (1061—1073) breitete
seinen Einfluß in Europa zielstrebig aus. Er
billigte das Vorgehen Wilhelms des Erobe-
rers, der als Herzog von der Normandie ein
eifriger Förderer der Kirchenreform war,
bei der Eroberung Englands (1066). Als Zeichen seiner Zustimmung überreichte er ihm
die päpstliche Fahne. — Über Ungarn,
Kroatien, Dänemark, Spanien und die normannischen Eroberungen beanspruchte er
die päpstliche Lehenshoheit und griff in
Frankreich und Deutschland in kirchliche
Angelegenheiten ein. 1070 wurden die Bischöfe von Köln, Mainz und andere nach
Rom befohlen, um sich gegen den Vorwurf
der Simonie zu verteidigen. Aus dem gleichen Grund mußte der vom König einge-
setzte Bischof Karl von Konstanz auf seine
Würde verzichten.
Zu einem ersten Konflikt zwischen König
Heinrich IV. und dem Papst kam es um die
Besetzung des Erzbistums Mailand. In Mailand hatte es seit längerer Zeit Spannungen
zwischen dem Domkapitel und einer Volksbewegung, nach dem Mailänder Trödler-
markt „Pataria" (patta = Lumpen) genannt,
gegeben. Das Domkapitel war „edelfrei",
d. h., nur dem lombardischen Adel zugäng-
lich. Die Volksbewegung, entstanden aus
dem Gegensatz der breiten Masse zum
Adel, griff die Forderungen der Kirchenreform auf und kämpfte gegen den simonisti-
schen und verheirateten Klerus der Stadt.
Soziale Motive verbanden sich dabei mit religiösen. Hildebrand, der die päpstliche Po-

1059

litik weitgehend leitete, unterstützte die Pataria.

Als 1070 der erzbischöfliche Stuhl freigeworden war, stellten die Patarener dem von König Heinrich IV. bestimmten und vom kaisertreuen Domkapitel gewählten Kandidaten einen eigenen entgegen. Der Papst unterstützte den Kandidaten der Pataria. Als auf ausdrücklichen Befehl des Königs hin der Kandidat des Domkapitels geweiht wurde (1073), bannte der Papst die Räte des Königs, angeblich wegen Simonie. Kurz darauf starb Alexander II. Sein Nachfolger war Hildebrand, der unbestrittene Führer der Reformpartei. Er nannte sich Gregor VII., um damit zu bekunden, daß der die Freiheit der Kirche wiederherstellen wolle, wie sie unter Papst Gregor I., dem Großen (590—604), bestanden habe.

5. Die Lage des Kaisertums

Als Heinrich III. starb, war sein Nachfolger, Heinrich IV. (1056—1106) sechs Jahre alt. Für ihn führte seine Mutter, Agnes von Poitou, die Regierung, aber ohne die Tatkraft früherer Regentinnen wie Adelheid oder Theophanu. Der Idee des universalen, von den Reformkräften im Klerus und in der Laienschaft getragenen Papsttums stand die Schwäche eines stellvertretend geführten Königtums gegenüber, das nunmehr für die Reformer Hemmung, nicht Förderung der endgültigen Verchristlichung der Welt bedeutete. Diese Lage verschärfte sich durch die Entwicklung Deutschlands bis zum Ausbruch des Investiturstreites. Die straffe Regierung Heinrichs III. hatte zwar alle Oppositionsversuche erstickt, aber Unzufriedenheit bei den Stammesgewalten zurückgelassen. Die schwache Reichsregierung konnte eine weitgehende Usurpation des Reichsgutes durch die Fürsten nicht verhindern. Die Herzogtümer Schwaben, Kärnten und Bayern wurden während der Regentschaft neu besetzt. Bayern erhielt Otto von Northeim. Alle erwiesen sich später als Gegner der salischen Reichspolitik. Eine starke Hilfe für das Königtum waren die Bischöfe, besonders Erzbischof Anno von Köln und Erzbischof Adalbert von Bremen.
1062 wurde die Regentschaft der Königin-

mutter nach der Entführung des jungen Königs von Kaiserswerth nach Köln durch Erzbischof Anno beendet. An ihre Stelle traten die beiden Erzbischöfe Anno von Köln und Adalbert von Bremen, die, gegensätzlich in ihrer menschlichen wie politischen Haltung, doch eine Basis für ihre gemeinsame Regentschaft fanden. 1065 übernahm Heinrich die Regierung selbst, machte Adalbert zu seinem Ratgeber und drängte den Einfluß Annos zurück. Aber schon ein Jahr später mußte Heinrich auf Drängen der Fürsten Adalbert entlassen. — Mit dem Sturz des Erzbischofs von Bremen brach auch die Mission unter den Abodriten zusammen. Die mecklenburgischen Bistümer wurden zerstört. Der deutsche Einfluß östlich der unteren Elbe hörte auf.

Da das Königshaus über kein Herzogtum mehr verfügte, versuchte Heinrich, das verlorene Königsgut, dessen wichtigster Teil in Sachsen lag, zurückzugewinnen. Er zog dazu schwäbische Ministerialen (vgl. C, V, 1) heran. Sie zogen als Besatzung in die königlichen Burgen ein und nahmen die königlichen Rechte (u. a. alte Wald- und Weiderechte) mit Nachdruck wahr. Die Sachsen, Bauern und Adelige, sahen das als Eingriff in ihre Stammesrechte an. Stammeshaß der Sachsen und Fürstenopposition gingen ein gefährliches Bündnis ein. Heinrich entzog Otto von Northeim wegen angeblicher Mordpläne gegen den König die sächsischen Güter und das Herzogtum Bayern, das er an Welf IV., den Stammvater des jüngeren Welfenhauses, verlieh. Ein allgemeiner Aufstand, an dem sich nicht nur die weltlichen und geistlichen Fürsten, sondern auch die sächsischen Bauern beteiligten, nötigte den König, die Harzburg zu verlassen. Die Bürger von Worms nahmen ihn gegen den Willen ihres Bischofs auf. Heinrich belohnte sie mit Zollprivilegien und versuchte künftig, die aufstrebende Bürgerschaft vor allem der Rheinstädte für seine politischen Ziele zu gewinnen.

Im Frieden von Gerstungen (1074) mußte Heinrich u. a. die Niederlegung der königlichen Burgen zugestehen. Als er die Abmachungen nur zögernd und unvollständig erfüllte, überfielen die Bauern der Umgebung die Harzburg und plünderten die königlichen Gräber. Dieses Vorgehen führte die süddeutschen Fürsten wieder auf Heinrichs Seite, so daß er den Aufstand mit einem Reichsheer endgültig niederschlagen konnte. Die sächsischen Führer ergaben sich bedingungslos und verloren ihre Güter an die Krone. Otto von Northeim erhielt die Freiheit zurück, nicht aber das Herzogtum Bayern.

6. Der Investiturstreit

Entstehung des Konfliktes

Papst Gregor VII. (1073—1085) zeigte seine Wahl dem deutschen König, wie auch anderen Königen und dem Abt von Cluny, an, ohne jedoch um Bestätigung zu bitten. Trotz der Gegnerschaft deutscher und italienischer Bischöfe aus der Umgebung König Heinrichs IV. erkannte dieser die Wahl an. — Gregor, der schon in den letzten Jahren die päpstliche Politik weitgehend bestimmt hatte, war ein Mann von starkem Willen, tief erfüllt von seinem göttlichen Auftrag bis hin zum religiösen Fanatismus. Er fühlte sich als Nachfolger des Apostels Petrus verpflichtet, der Welt die richtige, nämlich christliche Ordnung zu geben, so wie er sie verstand. Sein Ziel war, das augustinische Ideal des Gottesstaates in die Wirklichkeit umzusetzen. Seine Auffassung vom Wesen des päpstlichen Amtes legte er **1075** in dem sogenannten „Dictatus papae" nieder: „1. Die Römische Kirche ist von dem Herrn allein gegründet worden. 2. Der Römische Bischof allein darf der alleinige Bischof genannt werden. 3. Nur jener kann Bischöfe absetzen oder wieder in die Gemeinschaft der Kirche aufnehmen ... 6. Mit denen, die er in den Bann getan hat, soll man unter anderem nicht im selben Haus weilen ... 8. Er allein darf sich der kirchlichen Insignien bedienen. 9. Des Papstes Füße allein haben alle Fürsten zu küssen ... 12. Ihm ist es erlaubt, Kaiser abzusetzen. 13. Ihm ist es gestattet, falls die Notwendigkeit dazu zwingt, Bischöfe von einem Sitz nach einem anderen zu versetzen. 14. Er kann einen Geistlichen von jeder Kirche senden, wohin er will ... 18. Sein Anspruch darf von keinem in Frage gestellt werden. Er selbst darf allein die Urteile aller verwerfen. 19. Er selbst darf von niemandem gerichtet werden ... 21. Alle wichtigen Angelegenheiten einer jeden Kirche sollen dem Apostolischen Stuhl übertragen werden. 22. Die Römische Kirche hat sich nie geirrt und wird nach dem Zeugnis der Heiligen Schrift nie in Irrtum verfallen ... 27. Er vermag Untertanen von ihrer Treueverpflichtung gegen Ungerechte zu entbinden." Mit diesen Thesen beanspruchte Gregor in einer früher nicht gekannten Schärfe und Konsequenz die Überordnung des Papstes über jede weltliche Gewalt und zugleich auch die des „Römischen Bischofs" über alle anderen Bischöfe. Viele Bischöfe führten die Dekrete gegen Simonie und Priesterehe nur lässig durch oder setzten der päpstlichen Politik offenen Widerstand entgegen, so daß der Papst sich zu schärferem Vorgehen genötigt sah. Auf der Fastensynode von 1075 suspendierte er die Bischöfe von Bremen und Bamberg, bannte erneut die Räte des Königs und erklärte die königliche Investitur der Bischöfe (Laieninvestitur) für unerlaubt. Ein erneuter Streit um Mailand brachte den Konflikt zwischen Kaiser und Papst zum offenen Ausbruch.

Der Konflikt zwischen Heinrich IV. und Gregor VII.

In Mailand war die Pataria besiegt worden, und die Sieger baten König Heinrich erneut um Einsetzung eines neuen Erzbischofs. Der König kam dieser Bitte nach und setzte auch an anderen Orten weiter Bischöfe ein. Nach anfänglicher Zurückhaltung reagierte Gregor mit einem scharfen Schreiben (8. 12. 1075), in dem er Gehorsam und Buße verlangte und mit Absetzung drohte. Dieses Schreiben erreichte Heinrich zu einem für ihn günstigen Zeitpunkt nach seinem Sieg über die Sachsen. Er berief sofort eine Reichssynode nach Worms (Januar 1076), auf der die Mehrheit des deutschen Episkopates (von insgesamt 38 Bischöfen waren 24 Bischöfe und 2 Erzbischöfe anwesend) fast einmütig Gregors Papsttum für unrechtmäßig erklärten. Daraufhin forderte Heinrich in seiner Eigenschaft als römischer Patrizius

Dictatus Papae. Erste Seite der 27 von Gregor VII. redigierten programmatischen Sätze im Papstregister von 1075. Der Herrschaftsanspruch des Papstes wird insbesondere in den Sätzen VIII, VIIII und XII umrissen. Nach dem Original in der Vatikanischen Bibliothek, Rom

Dictatus papae.

i Qd Romana eccla a solo dno sit fundata.

ii Qd solus Romanus pontifex iure dicat universal'.

iii Qd ille solus possit deponere epos ul reconciliare.

iiii Qd legatus eius omib; epis psit in concilio etia inferioris gradus. & aduers eos sententia depositionis possit dare.

v Qd absentes papa possit deponere.

vi Qd cu excommunicatis abillo int cetra nec in eade domo debem manere.

vii Qd illi soli licet p temporis necessitate nouas leges condere. nouas plebes congregare. de canonica abbatia facere. & econ tra. diuite epatu diuidere. & inopes unire.

viii Qd solus possit uti imperialib, insignis.

viiii Qd solius pape pedes omis princepes deosculent.

x Qd illius solius nom in ecclis recitet.

xi Qd hoc unicu e nom in mundo.

xii Qd illi liceat imperatores deponere.

xiii Qd illi liceat de sede ad sede necessitate cogente epos transmutare.

xiiii Qd de omi eccla quocuq uoluerit clericu ualeat ordinare.

xv Qd abillo ordinatus alii eccle pcee p nest. sed n militare. et qd ab aliquo epo n debet supiore gradu accipe.

xvi Qd nulla synodus absq pcepto eius debet generalis uocari.

xvii Qd nullu capitulu. nullusq liber canonicus habeat absq illius auctoritate.

xviii Qd sententia illius a nullo debeat retractari. & ipse omnium solus retractare possit.

xviiii Qd a nemine ipse iudicare debeat.

xx Qd nullus audeat condemnare apostolica sede apellante.

xxi Qd maiores cause cuiusq eccle ad eam referri debeant.

xxii Qd Romana eccla nunquam errauit. nec in pperuu scriptura testante errabit.

xxiii Qd Romanus pontifex si canonice fuerit ordinat meritis bti petri in dubitant efficit scs. testante sco Ennodio papiensi epo ei mul tis scis patrib; fauentib; sic indecretis beati symachi pp cinet.

den Papst zur Abdankung auf in einem Schreiben an „Hildebrand, nicht Papst, sondern falscher Mönch". Es schließt mit dem Satz: „Denn ich, Heinrich von Gottes Gnaden König, mit allen meinen Bischöfen spreche zu dir: steig herab, steig herab, du für immer zu Verdammender." Als Grund wurden der angeblich unsittliche Lebenswandel des Papstes und seine unkanonische Wahl angeführt. Die Wahl entsprach tatsächlich nicht dem Papstwahldekret von 1059, weil es zu einer tumultartigen Erhebung durch das Volk gekommen war. Allerdings hatten die Kardinäle ihn anschließend auch gewählt. Abgesehen davon hatte Heinrich die Wahl drei Jahre lang anerkannt. — Die lombardischen Bischöfe folgten dem deutschen Schritt und sagten sich ebenfalls von Gregor los.

Gregor antwortete umgehend auf einer Fastensynode (Februar 1076). Auf Grund der ihm gegebenen Binde- und Lösegewalt verbot er Heinrich die Regierung in Deutschland und Italien, entband alle Untertanen vom Treueid und sprach zugleich den Bann über den König aus. Er wählte dazu die Form eines Gebetes an den heiligen Petrus. Die Bischöfe der Wormser Synode wurden suspendiert, sofern sie bis zum 1. April des Jahres ihre Haltung nicht geändert hätten. Dieser Vorgang wurde von den Zeitgenossen als eine Ungeheuerlichkeit empfunden. Wohl hatten Kaiser Päpste abgesetzt, noch nie aber hatte es ein Papst gewagt, den gesalbten König abzusetzen und sogar zu verfluchen. Der Bann bedeutete Ausschluß aus der Gemeinschaft der Christen und ewige Verdammnis nicht nur für den Gebannten, sondern auch für alle, die noch mit ihm verkehrten. Für den mittelalterlichen Menschen waren dies sehr konkrete Vorstellungen. Priester und Laien waren vor die Gewissensentscheidung gestellt, ob sie der alten sakralen Herrschervorstellung mehr Gewicht beimessen sollten oder der neuen Auslegung päpstlicher Gewalt. Streitschriften tauchten auf, die die Vorgänge erörterten und die Frage nach dem Widerstandsrecht stellten, sich zumeist aber gegen Heinrich wandten. Es zeigte sich nun, daß Heinrichs Machtstellung nicht so fest war, wie es zu Beginn des Jahres geschienen hatte. Die Mehrzahl der deutschen Bischöfe nahm aus Gründen, die nicht klar zu erkennen sind, eine unentschiedene Stellung ein. In Sachsen machten sich erneute Unruhen bemerkbar und die Opposition der deutschen Fürsten verfolgte sichtbar ihre Sonderinteressen und zielte auf eine Neuwahl des Königs hin. Nur mit größter Mühe und zähen Verhandlungen, bei denen die päpstlichen Legaten eine wichtige Rolle spielten, konnte Heinrich die sofortige Absetzung verhindern. Die Fürsten beschlossen aber, ihn nicht mehr als König anzuerkennen, wenn er sich nicht bis zum Jahrestag der Exkommunikation vom Bann gelöst hätte.

Canossa

Da die Fürsten Papst Gregor VII. nach Deutschland eingeladen hatten, um hier die Streitigkeiten zu schlichten, mußte Heinrich versuchen, dem zuvorzukommen. Um die Lösung vom Bann zu erzielen, ging er trotz des harten Winters mit seiner Familie und seinem Gefolge, aber ohne Heer, über die Alpen. Er mußte den Mont Cenis benutzen, da die anderen Alpenpässe gesperrt waren. Der Papst, schon auf der Reise nach Norden, zog sich nach Canossa, der Bergfestung der Markgräfin Mathilde von Tuscien, zurück. Entsprechend der mittelalterlichen Bußpraxis erschien der König drei Tage hintereinander im Büßergewand vor der Burg und bat den Papst als obersten Priester der Kirche um Erbarmen. Nebenher aber liefen Verhandlungen, bei denen der Abt von Cluny als Vermittler auftrat. Erst nachdem die Bedingungen für eine Losprechung ausgehandelt waren, erteilte Gregor — wohl auch, um als Priester nicht unglaubwürdig zu werden — am dritten Tage **1077** (28. Januar 1077) die Absolution und nahm den König wieder in die Gemeinschaft der Gläubigen auf. Dieser mußte dem Papst für eine Reise nach Deutschland freies Geleit zusichern und versprechen, seinen Konflikt mit den Fürsten innerhalb einer vom Papst zu setzenden Frist beizulegen.

Heinrichs Gang nach Canossa ist sehr unterschiedlich beurteilt worden: Die ältere Geschichtsschreibung hat in ihm eine tiefe Demütigung, die neuere einen genialen politischen Schachzug des deutschen Königs sehen wollen. Welchem Standpunkt man im einzelnen auch zuneigen mag, seine politische Handlungsfreiheit erhielt Heinrich zurück. Die Reise Gregors nach Deutschland hat nicht mehr stattgefunden. Für die Idee des sakralen Königtums war Canossa allerdings eine Niederlage: Der Papst hatte Erfolg gehabt mit der unerhörten Absetzung und Bannung des deutschen Königs, auch Heinrich hatte dies anerkennen müssen. Damit war das bisher unbestrittene Zusammenwirken der beiden obersten Gewalten (Papst und König) bei der Regierung der Welt gestört. Sie entwickelten sich immer mehr auseinander und gerieten schließlich in einen erbitterten Kampf um die Vorherrschaft.

Ende Gregors VII.

Der Aufenthalt in der Lombardei hatte den König von der Treue der Lombarden überzeugt, so daß er den Kampf gegen die Fürstenopposition sofort beginnen konnte. Die drei süddeutschen Herzöge setzte er ab, das Volk ging zu ihm über. Da Heinrich sich nicht um die dem Papst gegebenen Versprechungen kümmerte und Investitur und Simonie weiter ausübte, erneuerte Gregor auf der Fastensynode 1080 den Bann gegen ihn. Die Wirkung dieser zweiten Bannung blieb jedoch gering. Der größte Teil des deutschen und lombardischen Episkopats trat jetzt auf Heinrichs Seite. Die Synode von Brixen sprach die Absetzung des Papstes aus und wählte Erzbischof Wibert von Ravenna als Clemens III. (1080—1100) zum Gegenpapst. Bevor Heinrich nach Rom zog, um den Gegenpapst zu inthronisieren, mußte er erst den Gegenkönig Rudolf von Rheinfelden schlagen (1080), den die Fürstenopposition, deren Haupt Otto von Northeim war, aufgestellt hatte. Im Frühjahr 1081 zog er nach Italien. Hier hatte Gregor zwei Stützen: In Mittel- und Oberitalien die Markgräfin Mathilde von Tuscien, die ihre gesamten Allodialgüter der römischen Kirche geschenkt und von dieser zu Lehen zurückerhalten hatte (Mathildische Güter), im Süden die Normannen. Erst 1084 konnte Heinrich unter großen Schwierigkeiten in Rom einziehen. Wibert wurde nun in aller Form zum Papst gewählt und vollzog die Kaiserkrönung Heinrichs. Gregor hatte sich in die stark befestigte Engelsburg geflüchtet. Beim Herannahen des normannischen

Hilfsheeres unter Robert Guiscard mußte der Kaiser die Stadt verlassen. Er kehrte noch im Sommer nach Deutschland zurück. In Rom führte die schwere Plünderung der Normannen zu einem Aufstand der stadtrömischen Bevölkerung, der sich Gregor nur durch die Flucht nach Salerno unter normannischer Bedeckung entziehen konnte. Von den meisten seiner Anhänger verlassen, starb er in tiefer Verbitterung (1085). Seine letzten Worte sollen gewesen sein: „Ich habe die Gerechtigkeit geliebt und das Unrecht gehaßt, deshalb sterbe ich in der Verbannung", (eine verbitterte Abwandlung des 45. Psalms).

Der Tod des abgesetzten und vertriebenen Papstes schien den Zusammenbruch des Reformpapsttums und der ganzen Reformbewegung anzukündigen. Dies trat jedoch nicht ein. Nach anfänglicher Unsicherheit sammelten sich die Reformkreise wieder und setzten ihre Arbeit fort. Gregors Bedeutung liegt darin, daß er durch seine Unbeirrbarkeit ein Vorbild blieb und durch seinen Kerngedanken, nämlich die Überordnung der geistlichen über die weltliche Gewalt, die kirchliche Entwicklung für die nächsten Jahrhunderte entscheidend bestimmte. — In Deutschland wurde besonders das Kloster Hirsau im Schwarzwald ein Mittelpunkt cluniazensischer Reformideen. Die Zahl der Streitschriften, in denen die Probleme kirchlicher und weltlicher Gewalt erörtert wurden, nahm zu. Mit Papst Urban II., der Mönch und Prior in Cluny gewesen war, trat 1088 wieder ein Papst der strengen Reformrichtung an die Spitze der Kurie, ein Mann mit weniger Leidenschaft und mehr diplomatischem Geschick als Gregor VII. Das Schisma (= Spaltung; in der Kirche gleichzeitige Regierung zweier Päpste) dauerte an und vertiefte den Riß zwischen König und Papst. Eine Stärkung der Reformbewegung gelang Urban, als er sich an die Spitze der aufkommenden Kreuzzugsbewegung setzte (C, II, 2).

Die letzten Regierungsjahre Heinrichs IV.

Heinrich IV. verbrachte die letzten zwanzig Jahre seiner Regierung in wechselvollen Kämpfen gegen das Papsttum, die fürstliche Opposition und, am Ende seiner Regierungszeit, auch gegen seine eigene Familie.

1104 sagte sich sein Sohn Heinrich von ihm los und übernahm die Regierung. Heinrich IV. mußte 1105 zugunsten seines Sohnes abdanken. 1106 starb der Kaiser in Lüttich, noch gebannt, aber nach Empfang der heiligen Sakramente. Fünf Jahre verweigerte man ihm die Bestattung in geweihter Erde, bis er im Dom zu Speyer, nach Lösung vom Bann, beigesetzt wurde.

Eine Entscheidung im Investiturstreit zeichnete sich auch in den nächsten Jahren nicht ab, aber die Auseinandersetzungen zielten immer stärker auf eine Trennung von geistlicher Amtsgewalt (spiritualia) und weltlichen Hoheitsrechten (temporalia). Um die Selbständigkeit des „regnum" gegenüber dem „sacerdotium" zu begründen, leitete man es aus dem Erbrecht der römischen Imperatoren und den Rechtsbegriffen Justinians ab. Auf diese Weise fand das spätrömische Recht auch im weltlichen Bereich Eingang in das Abendland. Die wichtigste Rechtsschule wurde Bologna.

Vertrag von Ponte Mammolo

Auf eine solche Trennung der Bereiche zielte ein Vertrag zwischen Heinrich V. (1106—1125) und Papst Paschalis II., der unter strengster Geheimhaltung ausgehandelt wurde. Er sah die Rückgabe aller Regalien (Güter und Rechte des Reiches) durch die Bischöfe vor. Dafür sollte Heinrich auf die Investitur verzichten. Diese Abmachung hätte den Bischöfen ihre reichsfürstliche Stellung genommen, zugleich das Reichsgut vermehrt und damit die Stellung des Königs erheblich gestärkt. Es ist kaum anzunehmen, daß Heinrich ernsthaft geglaubt hat, diese Machtverschiebung gegenüber den Bischöfen und Reichsfürsten durchsetzen zu können. Bei seiner Verlesung in der Peterskirche wurde der Vertrag unter großem Tumult von den überraschten Bischöfen und Fürsten abgelehnt. Daraufhin verlangte Heinrich vom Papst das volle Investiturrecht und die Kaiserkrönung. Als Paschalis **1111** beides ablehnte, nahm Heinrich Papst und Kardinäle gefangen. Im Vertrag von Ponte Mammolo (1111) zwang er den Papst, der Investitur mit Ring und Stab nach kanonischer Wahl, aber vor der Weihe, zuzustimmen. Die Kaiserkrönung schloß sich an, und so schien der kaiserliche

Sieg über Papsttum und Kirche vollständig zu sein. — Der Vertrag aber führte zu einer scharfen Gegenreaktion der gregorianischen Reformpartei, die den Papst zur Annullierung des Abkommens zwang, sich wieder mit der fürstlichen Opposition in Deutschland verband und — da Paschalis selbst dies ablehnte — auf einer Synode in Südfrankreich (1112) den Bann über Heinrich V. aussprach. Dies führte erneut zu langwierigen Kämpfen.

Erst zehn Jahre später brachte das Wormser Konkordat einen Ausgleich.

Das Wormser Konkordat

1122 Das Wormser Konkordat (1122), nach langen Verhandlungen zustande gekommen, vollzog die Trennung der geistlichen und weltlichen Symbole bei der Investitur. Der König verzichtete auf die Investitur mit Ring und Stab. Er verlieh die Regalien durch das Zepter nach vollzogener kanonischer Wahl, in Deutschland vor der Weihe, in Italien und Burgund nach der Weihe. Die Investitur mit Ring und Stab als Sinnbilder der geistlichen Macht erfolgte durch einen Beauftragten des Papstes. Wichtig für den König wurde jetzt die Wahlhandlung. Er hatte das Recht, bei dieser anwesend zu sein (praesentia regis), auch durch einen Bevollmächtigten, und damit die Möglichkeit, zwar nicht rechtlich, aber persönlich Einfluß zu nehmen. Außerdem erhielt er das Recht, bei zwiespältigen Wahlen einzugreifen. Friedrich I. (Barbarossa, 1152 bis 1190) hat es später verstanden, diese Möglichkeiten souverän zu handhaben und sich so einen zuverlässigen und reichstreuen Episkopat zu schaffen. Papst Innozenz III. (1198—1216) erkannte die Lücken des Konkordates und begann zielstrebig, sie zu schließen. Dabei kam ihm die Schwäche der Reichsmacht und das Doppelkönigtum Ottos IV. und Philipps von Schwaben zustatten (siehe C, I, 4). Um die Unterstützung des Papstes zu gewinnen, verzichtete Otto IV. 1209 in Speyer auf die königliche Einflußnahme bei Bischofs- und Abtswahlen, und Friedrich II. blieb 1213 nichts anderes übrig, als in der Goldenen Bulle von Eger diese Zugeständnisse zu bestätigen. Damit waren die Bischöfe der königlichen Kontrolle weiter entglitten. Aller-

dings hatten sie schon durch die Entwicklung der Territorialfürstentümer ihre Stellung als „Beamte des Reiches" weitgehend verloren.

Die Bedeutung des Wormser Konkordates liegt darin, daß hier zum ersten Mal in der Geschichte der katholischen Kirche ein Konkordat abgeschlossen wurde, d. h., kirchliche und weltliche Gewalt gleichberechtigt nebeneinandertraten. Der Papst erkannte die Eigenständigkeit der weltlichen Herrschaft an und legte so den Grund für eine kirchenunabhängige, stark auf die irdische Ordnung ausgerichtete Entwicklung des Staates.

Investitur eines Bischofs mit dem Stab. Dargestellt ist die Einsetzung des Erzbischofs von Gnesen durch Kaiser Otto III. im Jahre 1000 an einer Bronzetür des Gnesener Doms. Die Darstellung stammt vom Anfang des 12. Jahrhunderts.

Verleihung der bischöflichen Regalien nach einer Darstellung der Dresdner Bilderhandschrift des Sachsenspiegels, Anfang des 14. Jahrh. Rechts übergibt der Kaiser das Zepterlehen einem Bischof, hinter dem ein Kleriker mit Wahlgebärde steht. Auf der linken Bildseite sind vier Kleriker, abgewendet, ausschließlich mit der Beisetzung des Verstorbenen beschäftigt, ohne an die fällige Wahl zu denken. Hier wird der Fall des Wahlversäumnisses angedeutet, in dem, wie die Handgebärde des Verstorbenen zeigt, die Entscheidung über das Bischofsamt an den Kaiser devolviert.

7. Das Reich unter den letzten Saliern

Heinrich III. und Heinrich IV.

Unter Heinrich III. erlebte nicht nur das christliche Kaisertum, sondern auch das Reich einen Höhepunkt seiner Macht. Sein Einfluß reichte von Polen, Böhmen und Ungarn bis Gent, Verdun, Lyon, Arles, von der dänischen Grenze bis zur Herrschaft über Rom und den Papst. Auch die süditalienischen Lehensgebiete erkannten die deutsche Hoheit weitgehend wieder an. Die äußeren Grenzen waren gesichert, im Inneren das Ansehen der Krone unbestritten. Gegen Ende der Regierungszeit Heinrichs kam es zu einer Opposition der Fürsten, die jedoch schnell zusammenbrach. Der Grund für die Unzufriedenheit lag in der entschlossenen kaiserlichen Reformpolitik und in einer gewissen Bevorzugung der Geistlichkeit. Heinrich IV. trat die Herrschaft unter ungünstigen Umständen an. Die alten Kräfte der Stammesherzogtümer waren unter der schwachen Regentschaft der Kaiserin Agnes erstarkt, neue Kräfte (Bürger, Ministeriale; Reformideen) noch in Entwicklung begriffen. Während seiner Regierungszeit kämpfte Heinrich IV. unermüdlich, um die Macht von König und Reich wieder zu festigen. Anfangs neigte er zu übereilten Entschlüssen (als er 1075 Papst Gregor absetzte, war er 25 Jahre alt), wurde aber später ein gewandter Taktiker. In Deutschland versuchte er, sich auf die unteren Volksschichten zu stützen, auf die Bürger in den Rheinstädten, auf Ministeriale und Bauern. Um das Volk zu schützen, ließ er 1085 im ganzen Reich den „Gottesfrieden" verkünden. Die Gottesfriedensbewegung war im 10. Jahrhundert in den unsicheren politischen Verhältnissen Frankreichs entstanden und sollte das Fehdewesen eindämmen (Beschränkung auf bestimmte Tage; Geistliche, Frauen, Bauern, Reisende durften von den Kämpfen nicht betroffen werden). Träger dieser Bewegung waren die Bischöfe, unterstützt von den Cluniazensern. Der Gottesfriede in Deutschland unterschied sich von dem älteren französischen dadurch, daß er nicht nur Kirchenstrafen, sondern weltliche, und zwar harte körperliche Strafen androhte. Zugleich zeigte sich aber der Mangel, der darin lag, daß dem König Verwaltungsorgane zur Ausführung fehlten. Er mußte diese den einzelnen Territorialherren überlassen.

Ein wichtiger Vorgang war 1077 die Wahl Rudolfs von Schwaben zum Gegenkönig. Damit wichen die Fürsten vom Geblütsrecht ab und bekannten sich zur freien Wahl.

Heinrich V.

Heinrich V. hatte sich gegen seinen Vater erhoben aus der Befürchtung, daß dessen Politik eine Entfremdung zwischen König und Adel herbeiführen würde. Als König setzte er indessen die salische Politik fort, indem auch er sich auf die Städte stützte, Reichsministeriale zu seinem Dienst heranzog und versuchte, die Macht der Krone zu stärken. Trotz des Wormser Konkordats behielt er Einfluß auf die deutsche Kirche. Den Machtzuwachs der Fürsten konnte er jedoch nicht verhindern. Sachsen war immer noch Mittelpunkt des fürstlichen Widerstandes. 1115 erlitt der Kaiser gegen die Sachsen eine schwere Niederlage (am Welfesholz bei Mansfeld), die zur Folge hatte, daß sich auch ein Teil des Episkopates von ihm abwandte. Als er in dieser Lage einen Italienzug antrat, ließ er als Stellvertreter in Deutschland seine beiden staufischen Neffen zurück, Herzog Friedrich II. von Schwaben und dessen Bruder Konrad, der damals das Herzogtum Ostfranken erhielt. Da Heinrich keine Kinder hatte, vererbte er auch seine Eigengüter an Friedrich von Schwaben.

Im ganzen zielte die Politik Heinrichs IV. und Heinrichs V. darauf, Macht und Stellung des deutschen Königtums gegenüber der Kirche und den aufstrebenden Fürsten zu erhalten. Trotz zahlreicher Rückschläge gaben sie diesen Anspruch niemals auf. Wenn ihnen trotzdem kein endgültiger Erfolg beschieden war, so lag dies an den neuen religiösen und geistigen Strömungen, die die alten Machtgrundlagen des Reiches erschütterten.

C. Die Zeit der Hohenstaufen

I. Kaiser und Papst als Vertreter universaler Machtansprüche

1125—1137	Lothar von Sachsen	1198—1208	Philipp von
1137—1152	Konrad III. von Staufen		Schwaben Doppelkönigtum
1152—1190	Friedrich I. Barbarossa		Otto IV. von in Deutschland
1129—1195	Heinrich der Löwe, Herzog von		Braunschw.
	Sachsen und Bayern	1214	Schlacht von Bouvines
1157	Reichstag zu Besançon	1215	4. Laterankonzil
1159—1181	Papst Alexander III. Schisma	1215—1250	Friedrich II.
1159—1164	Papst Viktor IV.	1220	Confoederatio cum principibus
1176	Sieg Mailands über Friedrich I.		ecclesiasticis
	bei Legnano	1230	Frieden von Ceprano (mit dem
1177	Frieden von Venedig (mit dem		Papst)
	Papst)	1231	Constitutionen von Melfi
1180	Sturz Heinrichs des Löwen	1232	Statutum in favorem princi-
1180—1223	Philipp II. Augustus, König von		pum
	Frankreich	1250—1254	Konrad IV.
1183	Frieden von Konstanz (mit den	1268	Konradin, der letzte Staufer, von
	lombardischen Städten)		Karl von Anjou in Neapel hinge-
1190—1197	Heinrich VI.		richtet
1198—1216	Papst Innozenz III.	1256—1273	Interregnum in Deutschland

1. Das deutsche Königtum in Abhängigkeit von Kirche und Territorialgewalten

Lothar von Supplinburg

Nach dem Tod des kinderlosen Heinrich V. wählten die Fürsten nicht, wie erwartet, dessen Neffen und Erben, den Staufer Herzog Friedrich von Schwaben zum König, sondern Lothar von Supplinburg (1125—1137). Die Wahl war eine Absage an das dynastische Erbrecht. Kirche und Fürsten bevorzugten einen schwachen König. Lothar erbat vom Papst die Bestätigung seiner Wahl. Er ließ sich im Lateran zum Kaiser krönen und nahm von ihm die Mathildischen Güter in Tuscien gegen Zins zu Lehen, obgleich er einen Rechtsanspruch auf sie hatte. Diese Vorgänge zeigen die Unterlegenheit des Königtums trotz des Wormser Konkordates. Das veränderte Verhältnis der beiden Gewalten ließ der Papst später durch ein Bild im Lateran darstellen, auf dem er dem knienden König die Krone darreicht. Darunter stehen die Verse:

„Kommt vor die Tore der König, beschwört er die

Rechte der Stadt erst,
Wird dann des Papstes Vasall, von ihm empfängt er
Die Krone."

Lothars Reichspolitik stand im Zeichen seines Kampfes gegen die an Territorialmacht überlegenen Staufen. Um sich gegen sie durchzusetzen, schloß er ein Bündnis mit dem Welfen Herzog Heinrich dem Stolzen von Bayern, dem er durch die Ehe mit seiner Tochter Gertrud die Anwartschaft auf Sachsen verlieh. Der Erbfall trat beim Tode Lothars (1137) ein und machte den Welfen, nunmehr Herzog von Sachsen und Bayern, zum mächtigsten deutschen Territorialherrn.

Konrad III. von Staufen

Nach Lothars Tod wählten die Fürsten nicht den mächtigen Welfen, sondern Konrad III. von Staufen (1137—1152). Die geringere Territorialmacht der Staufen schien ihnen Gewähr zu bieten, daß das Königtum nicht zu stark würde. — Konrad III. geriet in einen langwierigen Kampf mit den Welfen, welche das Herzogtum Bayern an die Babenberger abtreten mußten. Die bürgerkriegsähnlichen Zustände im Reich veranlaßten die Fürsten, der Empfehlung Konrads zu folgen und nach dessen Tod einmütig seinen Neffen, den 28jährigen Herzog Friedrich von Schwaben, zum Nachfolger zu wählen. Weil er über seine Mutter mit den Welfen verwandt war, erhoffte man von ihm einen Ausgleich zwischen den verfeindeten Parteien.

2. Friedrich I. Barbarossa

Friedrichs I. Stellung zu den Herzogtümern

Tatsächlich gelangte Friedrich I. (1152 bis 1190) schnell zu einer Einigung mit den Welfen und stellte den Frieden im Reich wieder her. Seinem Onkel Welf VI. übertrug er das Reichslehen Spoleto und die Mathildischen Güter, auf die allerdings auch der Papst Anspruch erhob. Auf dem Reichstag zu Goslar (1154) wurde durch Fürstenspruch das Herzogtum Bayern wieder den Welfen, und zwar Herzog Heinrich dem Löwen (1129—1195), zuerkannt und zugleich dessen Stellung im Nordosten des Reiches gestärkt. Heinrich der Löwe hatte seit Beginn seiner herzoglichen Herrschaft in Sachsen (1142) durch Sicherung des Grenzraumes die Voraussetzung für eine deutsche Besiedlung geschaffen. Gegen den Widerstand des Erzbischofs von Bremen übertrug Friedrich ihm das Investiturrecht der drei Missionsbistümer Oldenburg, Ratzeburg und Mecklenburg (vgl. B, II, 4). In den folgenden Jahren gliederte Heinrich Mecklenburg und Pommern seinem Gebiet ein. Der Ostseehafen Lübeck fiel nach völliger Zerstörung in seine Hand und wurde neu aufgebaut. Mit Hilfe adeliger Grundherren, freier Bauern und der neugegründeten Orden der Zisterzienser und Prämonstratenser kam das neubesiedelte Land zu wirtschaftlicher und kultureller Blüte. Mit Sachsen und Bayern verfügte Heinrich der Löwe über eine Macht wie kein anderer Herzog vor ihm. Er sicherte sie durch verwandtschaftliche Verbindungen zu England und Dänemark sowie durch eine tatkräftige innere Verwaltung. Die schroffe Anwendung herzoglicher Rechte und die expansive Territorialpolitik schufen ihm viele Feinde unter dem sächsischen Adel und den norddeutschen Fürsten. Nur das mehrmalige Eingreifen Kaiser Friedrichs I. zu seinen Gunsten erhielt ihm die Machtstellung im norddeutschen Raum.

Der bisherige Herzog von Bayern, der **1156** Babenberger Heinrich Jasomirgott, wurde 1156 mit der Markgrafschaft Österreich entschädigt, die durch das „Privilegium minus" zum Herzogtum erhoben wurde. Der Herzog durfte über das neue Herzogtum frei verfügen, auch wenn er kinderlos blieb. Die Lehenspflichten gegenüber dem Reich wurden dahingehend eingeschränkt, daß der Herzog nur königliche Hoftage besuchen mußte, wenn sie in Bayern stattfanden. An Heerfahrten brauchte er nur dann teilzunehmen, wenn sie in benachbarte Gebiete führten. Auch seine Gerichtsrechte wurden erweitert. Mit diesen Sonderrechten begünstigte das Privileg die Entwicklung des alten Stammesherzogtums zum neuen territorialen Fürstenstaat (Teilung des bayrischen Stammes) und die Ausbildung herzoglicher Landeshoheit.

Nachdem die Verhältnisse in Deutschland beruhigt waren, wandte sich Kaiser Friedrich I. Italien und dem Papst zu.

Die Lage in Italien

In Italien hatten in den letzten Jahrzehnten erhebliche Machtverschiebungen stattgefunden. In Oberitalien hatte der Orienthandel die Wirtschaft der Städte gestärkt. Die Bürgerschaft war selbstbewußter geworden, hatte häufig die geistlichen Stadtherren verdrängt, selbstgewählte „consules" eingesetzt und Reichsrechte und Reichsgüter usurpiert. So waren Stadtstaaten entstanden, die oft miteinander in Streit lagen. Der mächtigste von ihnen war Mailand.

In Rom hatte der Ausbau des Kirchenstaates und der Anspruch auf die Mathildischen Güter die weltliche Herrschaft des Papstes in den Vordergrund treten lassen und eine Gegenreaktion der stadtrömischen Bevölkerung hervorgerufen. Unter Führung des beredsamen und sittenstrengen Theologen Arnold von Brescia, der das kirchliche Armutsideal predigte und es mit Ideen der altrömischen Volkssouveränität verband, forderten die Römer Unabhängigkeit vom Papst. Ferner hatten die Normannen unter Roger II. (1101—1154) Sizilien und Süditalien er

Stammtafel der Welfen und Staufer (Auszug)

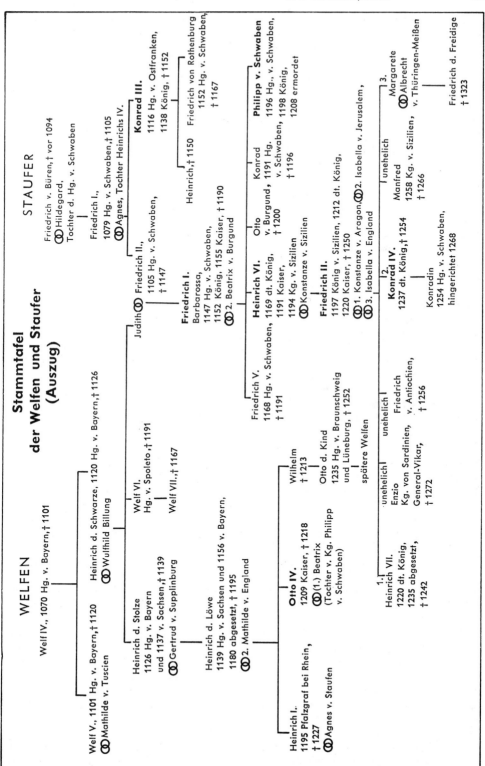

WELFEN

Welf IV., 1070 Hg. v. Bayern, † 1101

Welf V., 1101 Hg. v. Bayern, † 1120
⚭ Mathilde v. Tuscien

Heinrich d. Schwarze, 1120 Hg. v. Bayern, † 1126
⚭ Wulfhild Billung

Heinrich d. Stolze
1126 Hg. v. Bayern
und 1137 v. Sachsen, † 1139
⚭ Gertrud v. Supplinburg

Welf VI.,
Hg. v. Spoleto, † 1191

Welf VII., † 1167

Heinrich d. Löwe
1139 Hg. v. Sachsen und 1156 v. Bayern,
1180 abgesetzt, † 1195
⚭ 2. Mathilde v. England

Heinrich I.
1195 Pfalzgraf bei Rhein,
† 1227
⚭ Agnes v. Staufen

Otto IV.
1209 Kaiser, † 1218
⚭ (1.) Beatrix
(Tochter v. Kg. Philipp
v. Schwaben)

Wilhelm
† 1213

Otto d. Kind
1235 Hg. v. Braunschweig
und Lüneburg, † 1252
spätere Welfen

STAUFER

Friedrich v. Büren, † vor 1094
⚭ Hildegard,
Tochter d. Hg. v. Schwaben

Friedrich I.,
1079 Hg. v. Schwaben, † 1105
⚭ Agnes, Tochter Heinrichs IV.

Judith ⚭ Friedrich II.,
1105 Hg. v. Schwaben,
† 1147

Konrad III.
1116 Hg. v. Ostfranken,
1138 König, † 1152

Friedrich von Rothenburg
1152 Hg. v. Schwaben,
† 1167

Heinrich, † 1150

Friedrich I.
Barbarossa,
1147 Hg. v. Schwaben,
1152 König, 1155 Kaiser, † 1190
⚭ 2. Beatrix v. Burgund

Friedrich V.
1168 Hg. v. Schwaben,
† 1191

Heinrich VI., 1169 dt. König,
1191 Kaiser,
1194 Kg. v. Sizilien
⚭ Konstanze v. Sizilien

Otto
v. Burgund,
† 1200

Konrad
1191 Hg.
v. Schwaben, 1196
† 1196

Philipp v. Schwaben
1196 Hg., v. Schwaben,
1198 König,
1208 ermordet

Friedrich II.
1197 König v. Sizilien, 1212 dt. König,
1220 Kaiser, † 1250
⚭ 1. Konstanze v. Aragon, ⚭ 2. Isabella v. Jerusalem,
⚭ 3. Isabella v. England

1.
Heinrich VII.
1220 dt. König,
1235 abgesetzt,
† 1242

unehelich
Enzio
Kg. von Sardinien,
General-Vikar,
† 1272

unehelich
Friedrich
v. Antiochien,
† 1256

2.
Konrad IV.
1237 dt. König, † 1254
⚭ Isabella v. England

Konradin
1254 Hg. v. Schwaben,
hingerichtet 1268

unehelich
Manfred
1258 Kg. v. Sizilien,
† 1266

3.
Margarete
⚭ Albrecht
v. Thüringen-Meißen

Friedrich d. Freidige
† 1323

obert und ein straff organisiertes Reich gegründet. Da der Papst den sizilischen Königstitel nicht anerkennen wollte, drohte
ihm auch von dieser Seite eine kriegerische
Auseinandersetzung.
In dieser Lage war er bereit, sich mit Friedrich zu verständigen. Schon 1153 hatten
Papst und König im Konstanzer Vertrag
Romzug und Kaiserkrönung unter der Bedingung festgelegt, daß Friedrich den Papst
gegen Römer und Normannen schützen
sollte. Auf dem ersten Romzug (1154/55)
schlug der König die stadtrömische Bewegung nieder. Arnold von Brescia wurde gefangengenommen und hingerichtet. 1155 erfolgte die Kaiserkrönung. Der Zug gegen
die Normannen unterblieb auf Rat der Fürsten, weil das deutsche Heer für ein solches
Unternehmen zu klein war. Dies führte zu
einem Umschwung der päpstlichen Politik.
Im Vertrag von Benevent (1156) erkannte
der Papst Wilhelm I. (1154—1166) als König an, belehnte ihn mit sämtlichen normannischen Herrschaftsgebieten in Süditalien
und Sizilien und machte ihm Zugeständnisse
bezüglich der Kirchenherrschaft. Damit
lenkte der Papst in die Bahnen Gregors VII.
ein, der die Normannen als Stütze gegen das
Kaiserreich benutzt hatte.

Der Reichstag zu Besançon

Auf dem Reichstag zu Besançon prallten
päpstliche und kaiserliche Machtansprüche
aufeinander, schroff vertreten durch den
| 1157 | päpstlichen Legaten Roland, den
späteren Papst Alexander III., und
den kaiserlichen Kanzler Rainald von Dassel, der jetzt immer mehr Einfluß auf die
kaiserliche Politik gewann. Er stammte aus
einem sächsischen Grafengeschlecht, hatte
in Frankreich eine gelehrte geistliche Bildung erhalten, ohne jedoch von den religiösen und geistigen Spannungen seiner Zeit
besonders ergriffen zu werden. Er lebte
noch in der Vorstellungswelt der Ottonenzeit, in der die Reichsbischöfe ihre Kraft ungebrochen in den Dienst des Reiches gestellt
hatten. Auf dem Reichstag von Besançon
übersetzte er einen päpstlichen Brief, in dem
von „Benefizien" die Rede war, die der
Papst dem Kaiser gewährt haben sollte,
wohl bewußt mit dem schärferen Ausdruck
„Lehen" (beneficium = Wohltat, aber auch

„Lehen") und verursachte damit einen Tumult unter dem kaiserlichen Gefolge. Nur
das persönliche Dazwischentreten des Kaisers verhinderte Tätlichkeiten gegen die Legaten. Als bei diesem jedoch belastende
Schriftstücke gefunden wurden, durch die
die Kurie in Angelegenheiten der deutschen
Kirche eingreifen wollte, mußten die
päpstlichen Gesandten das Reich sofort verlassen. Deutsche Geistliche durften nicht
mehr nach Rom reisen. Friedrich wies in einer Erklärung Einmischungsversuche des
Papstes in die kirchlichen Verhältnisse des
Reiches zurück und äußerte sich programmatisch über das Verhältnis der beiden Gewalten zueinander: In Anknüpfung an die
königlichen Streitschriften im Investiturstreit proklamierte er die Unabhängigkeit
seiner Herrschaft von der Kirche. Die
Krone des Reiches verdanke er allein der
Gnade Gottes und der freien Wahl der Fürsten. Unter Bezugnahme auf die ersten
christlichen Kaiser (Konstantin, Theodo-
sius, Justinian) stellte er der religiösen Hei-
ligkeit der Kirche (sancta ecclesia) die weltliche, historisch gewachsene des Reiches
entgegen (sacrum imperium). Er wollte die
Ehre dieses Reiches (honor imperii) wiederherstellen und meinte damit die Wiederherstellung alter Reichsrechte in Italien und
Deutschland. In diesem Sinne knüpfte er an
Vorstellungen der Ottonen und Salier an.
An eine Weltherrschaft im Sinne des altrömischen Imperiums dachte er nicht.

Die Ronkalischen Gesetze

Friedrich hatte bisher eine schärfere Auseinandersetzung mit den italienischen Städten
vermieden. 1158 zog er mit einem starken
Heer nach Italien, um die dortigen Reichsrechte wiederherzustellen. Ein Teil der
Städte leistete den Treueid, auch Mailand
mußte sich nach mehrwöchiger Belagerung
ergeben. Der Reichstag auf den Ronkalischen Feldern (in der Poebene) sollte die
Verhältnisse neu ordnen. Eine Kommission
von vier angesehenen Juristen aus Bologna
und 28 Vertretern der Städte hatten die Regalien festzustellen (Verfügung über Herzogtümer und Grafschaften, Hoheit über
Verkehrswege, Zollrecht, Münzrecht, Ernennungsrecht der Konsuln, Recht zur Er-
bauung von Burgen u.a.). Sie fielen an die

Kaiser Friedrich I. mit seinen Söhnen, links Heinrich VI. als Römischer König, rechts Herzog Friedrich von Schwaben. Miniatur aus der Welfenchronik, um 1180

Rainald von Dassel. Büste vom Dreikönigsschrein im Kölner Dom, um 1200

Krone zurück, falls ihre rechtmäßige Verleihung nicht nachgewiesen werden konnte. Ferner mußten die Städte die Einsetzung eines kaiserlichen Vertreters (podestà) dulden, auf Städtebündnisse verzichten und dem Kaiser erlauben, Burgen anzulegen und sie mit königlichen Ministerialen zu besetzen. Für den König hätte die Verwirklichung der Ronkalischen Gesetze einen starken politischen und wirtschaftlichen Machtzuwachs (ca. 30 000 Pfund Silber im Jahr) erbracht, für die Städte bedeutete sie Aufgabe der städtischen Freiheit und Selbstverwaltung. So kam es zum Widerstand, als die kaiserlichen Legaten ihre Tätigkeit auch auf die Toskana erstreckten. Während einige kaisertreue Städte (Cremona, Pavia, Piacenza, Lodi) sich fügten, leistete Mailand erbitterten Widerstand, der dadurch gefährlich war, daß sich nun auch der Papst mit den lombardischen Städten verband, um seinen politischen Einfluß in Italien zu erhal-

ten. Die Auseinandersetzung zwischen Papst und Kaiser drehte sich nicht mehr in erster Linie um religiöse Anliegen, sondern um die politische Vorherrschaft.

Das Schisma von 1159

Die zwiespältige Papstwahl von 1159 führte zum offenen Konflikt. Die Mehrheit wählte den Kanzler Roland, der die päpstliche Politik bisher schon weitgehend bestimmt hatte, als Alexander III. (1159—1181), eine kaisertreue Minderheit Viktor IV. (1159—1164). Friedrich war nicht in der Lage, das Schisma beizulegen. Auf dem Konzil zu Pavia mußte er erkennen, daß sich die europäischen Verhältnisse geändert hatten: England und Frankreich, aber auch kleinere Randstaaten wie Ungarn, Norwegen, Spanien hatten sich innerlich gefestigt und trieben eigene, vom deutschen Reich unbeeinflußte Politik. Bei ihnen sowie bei den lombardischen Städten, dem sizilischen Normannenreich und sogar bei einem Teil des deutschen Episkopats (Trier, Salzburg) fand Alexander III. Anerkennung. Auch ein Treffen des Kaisers mit König Ludwig VII. von Frankreich an der deutsch-französischen Grenze konnte das Schisma nicht beseitigen. Es dauerte 18 Jahre.

Friedrich richtete seinen Hauptstoß zunächst gegen Mailand, das nach einjähriger

| 1162 | Belagerung in demütigender Weise kapitulieren mußte (1162). Auf Verlangen der feindlichen Nachbarstädte wurde es dem Erdboden gleichgemacht, die Bewohner in umliegenden Dörfern angesiedelt. Damit schien der lombardische Widerstand gebrochen. In den besiegten Städten wurden Podestàs eingesetzt. Nach einigen Jahren mußte der Kaiser erkennen, daß seine Maßnahmen zu weit gegangen waren. Zunächst nahm er unter dem Einfluß Rainalds von Dassel und im Gefühl seiner militärischen Überlegenheit eine schroffe Haltung gegenüber Alexander III. und der Lombardei ein. Als Viktor IV. starb, ließ Rainald, ohne eine Entscheidung des Kaisers abzuwarten, einen neuen Gegenpapst, Paschalis III., wählen. Zwar gelang es der kaiserlichen Diplomatie, Heinrich II. von England, der in Streit mit Thomas Beckett, Erzbischof von Canterbury, geraten war (siehe C, V, 2), von Alexander III. abzuziehen; ferner erzwang Friedrich auf einem Reichstag in Würzburg die eidliche Verpflichtung aller geistlichen und weltlichen Fürsten, bei Verlust ihrer Ämter und Lehen niemals den Gegenpapst anzuerkennen. Trotzdem war Alexander III. nicht ernsthaft gefährdet und sein Anhang in Deutschland wuchs sogar noch.

In dieser Situation suchte der Kaiser die militärische Entscheidung. Da ihm aus Italien reichliche Geldmittel zuflossen, konnte er mit einem großen Heer, bei dem sich erstmals auch Söldner befanden, nach Italien ziehen. Glänzende militärische Siege ermöglichten seinen Einzug in Rom. Alexander mußte fliehen, der Gegenpapst wurde inthronisiert und krönte die Gemahlin Friedrichs, Beatrix von Burgund, zur Kaiserin. Da brach eine unvorhergesehene Katastrophe über das deutsche Heer herein. Ein Wolkenbruch rief in den heißen Augusttagen eine Malariaseuche hervor. Innerhalb

weniger Tage starben im Heer 2000 Menschen, unter ihnen Rainald von Dassel (1167). Auch der König erkrankte und konnte nur mit Mühe den Rest des Heeres zurückführen. Die Anhänger Alexanders sahen in diesen Vorgängen ein Gottesurteil. Die lombardischen Städte erhoben sich, schlossen sich zu einem Städtebund zusammen und bauten Mailand wieder auf. 1168 errichteten sie eine Bundesfestung, die zu Ehren des Papstes den Namen „Alessandria" erhielt.

Der Frieden von Venedig

In den nächsten sechs Jahren baute der Kaiser seine Machtstellung in Deutschland aus, indem er zielstrebig das Königsgut vermehrte. Im Südwesten (Schwaben, Elsaß), in Ostfranken und im mitteldeutschen Osten (Altenburg, Egerland) schaffte er größere Gebiete, die nur seiner unmittelbaren Herrschaft unterstanden. Er ließ sie durch Reichsministerialen als Vögte verwalten (daher auch der Name „Vogtland"). Außerdem erweiterte er das Reichsgut durch Kirchenlehen (= Lehen, die die Kirche aus ihrem Gut an weltliche Vasallen gab), indem er bei Bischofswahlen in dieser Richtung einen gewissen Druck ausübte.

Seit dem Tode Rainalds von Dassel zeigte sich der Kaiser gegenüber Papst Alexander III. verständigungsbereiter. Da aber Verhandlungen an der engen Verbindung von Papst und Städten scheiterten, zog er noch einmal nach Italien, dieses Mal mit einem kleinen Heer (1174). Die Kämpfe zogen sich längere Zeit hin. Als Friedrich in einer schwierigen Lage Heinrich den Löwen dringend um Waffenhilfe bat (zu der Heinrich *nicht* verpflichtet war), verlangte dieser als Entgelt Goslar mit den Silberbergwerken. Da der Kaiser dieses Ansinnen ablehnte, versagte Heinrich seine Hilfe. Bei *Legnano*

| 1176 | (1176) siegte daraufhin das Mailänder Fußvolk über das kleine Ritterheer Friedrichs, er selbst entkam nur mit Mühe der Gefangenschaft.

In den anschließenden Friedensverhandlungen gelang es dem diplomatischen Geschick des Kaisers, den Papst von den lombardischen Städten zu trennen und die Bedingungen für sich günstig zu gestalten. In *Venedig*

1177 (1177) schloß er Frieden mit dem Papst, wobei er Alexander III. anerkannte (Ende des Schismas), aber die Verfügung über die Mathildischen Güter in Tuscien bis auf weiteres behielt, ebenso seinen Einfluß auf die deutsche Kirche (die von ihm eingesetzten Bischöfe wurden vom Papst bestätigt).

Der Frieden von Konstanz

Ein gleichzeitig abgeschlossener Waffenstillstand mit den Lombarden führte erst **1183** 1183 zum Frieden von Konstanz, in dem der Kaiser auf die Durchführung der Ronkalischen Gesetze verzichten und den Lombardenbund sowie die städtische Selbstverwaltung anerkennen mußte. Die Oberhoheit des Reiches über die Lombardei blieb jedoch bestehen und fand ihren Ausdruck in der Investitur der Konsuln, der Vereidigung der Bürger und Abgaben für die Überlassung der Regalien (eine einmalige Abfindung von 15 000 Pfund Silber, jährliche Zahlungen von 2000 Pfund Silber). Außerdem hatten die Städte beim Durchzug kaiserlicher Truppen eine Heersteuer, das sogenannte „Fodrum", zu leisten. Die Bundesfestung Alessandria wurde in Caesarea umbenannt.
Der Frieden stellte einen Kompromiß dar: Der Kaiser hatte die Entwicklung der neuen städtischen Freiheit nicht aufhalten können. Andererseits war die Abmachung für ihn von wirtschaftlichem und auch politischem Nutzen, der darin lag, daß die Grundlagen für eine starke Reichsgewalt in Italien erhalten blieben. Das war besonders wichtig, weil die Reichsmacht sich in den letzten Jahren nach Mittelitalien verlagert hatte, wo neben Tuscien auch das Herzogtum Spoleto und das Fürstentum Sardinien an das Reich zurückgefallen waren. Allerdings war zu befürchten, daß die enge Nachbarschaft zum Kirchenstaat bald wieder zu Spannungen mit dem Papst führen würde.

Ausgleich mit den Normannen

Auch mit den Normannen suchte Friedrich einen Ausgleich. Er besiegelte ihn mit einem Ehevertrag seines Sohnes Heinrich VI. mit der erheblich älteren Konstanze, Tochter Rogers II. und Tante Wilhelms II., Königs von Sizilien. Für den Fall, daß Wilhelm kin-

Heinrich der Löwe. Grabfigur im Braunschweiger Dom, um 1230

Die Normannen in Sizilien

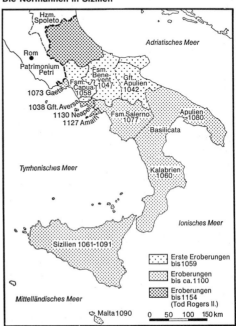

derlos starb, sollte Heinrich die Erbschaft in Sizilien antreten; jedoch war damit bei der Jugend Wilhelms nicht ernsthaft zu rechnen. Friedrich dachte also bei dieser Ehe nicht daran, den Schwerpunkt der deutschen Politik nach Sizilien zu verlegen.

Der Hoftag zu Mainz

Das Ansehen, das der Kaiser nach dem Friedensschluß mit den Lombarden im Abendland genoß, fand seinen Ausdruck in dem festlichen Hoftag, den er Pfingsten **1184** in Mainz abhielt, um die Schwertleite und Ritterweihe seiner beiden ältesten Söhne zu feiern. Über 40 000 Ritter sollen teilgenommen haben. Auch die geistlichen und weltlichen Fürsten waren der Einladung gefolgt. Dichter, unter ihnen Heinrich von Veldecke, besangen den Glanz

Goldbulle Friedrichs I., Vorderseite: „Fredericus Dei gratia Romanorum Imperator." (Hauptstaatsarchiv München)

des Festes und die ritterlich-höfische Kultur. Den Höhepunkt bildete ein Turnier, an dem der Kaiser selbst teilnahm.

Fünf Jahre später stellte er sich an die Spitze des dritten Kreuzzuges (1189—1192, C, II, 5), von dem er nicht zurückkehrte. In Kilikien fand er beim Baden in dem Bergfluß Saleph den Tod (1190).

Der Sturz Heinrichs des Löwen

Die kaltblütige Art, mit der Heinrich der Löwe 1176 die Notlage Friedrichs hatte ausnutzen wollen, ließ darauf schließen, daß der Welfe sich auf die Dauer der königlichen Oberhoheit nicht beugen würde. Um die Macht Heinrichs einzuschränken, ging der Kaiser nicht selbst gegen ihn vor, sondern hörte lediglich auf, ihn gegen die zahlreichen Klagen der Fürsten in Schutz zu nehmen. Er schenkte den Anschuldigungen Gehör und lud den Herzog vor das königliche Gericht. Als der Welfe trotz mehrmaliger Ladung nicht erschien, verlor er auf **1180** einem Reichstag in Würzburg (1180) durch Spruch der Fürsten seine beiden Herzogtümer Sachsen und Bayern. Später (1181) unterwarf er sich, mußte aber für drei Jahre in die Verbannung gehen und erhielt nur seinen Allodialbesitz Lüneburg und Braunschweig zurück.

Auf einem Reichstag in Gelnhausen teilte Friedrich im Einvernehmen mit den Fürsten das sächsische Herzogtum. Der Erzbischof von Köln erhielt die Sprengel von Köln und Paderborn als Herzogtum Westfalen, der Rest des Herzogtums Sachsen fiel an Graf Bernhard von Anhalt, einen Sohn Albrechts des Bären. Bayern erhielt Konrad von Wittelsbach (das Haus Wittelsbach regierte in Bayern bis 1918). Das Herzogtum Steiermark wurde neu errichtet und von Bayern abgetrennt.

Die Neuordnung der Herzogtümer war ein weiterer Schritt auf dem Wege von den Stammesherzogtümern zu kleineren Territorialfürstentümern, der schon mit dem Privilegium minus eingeschlagen worden war. Der Sturz Heinrichs des Löwen hatte eine Stärkung der Fürsten zur Folge, die bei dem ganzen Verfahren eine entscheidende Rolle gespielt hatten. Für die Ostkolonisation bedeutete der Sturz des Löwen einen Rückschlag. Sein Nachfolger konnte sich in den ostelbischen Gebieten nicht durchsetzen, die Besiedelung geriet ins Stocken.

Friedrich I.: Ziele und Methoden seiner Politik

Die Gestalt Kaiser Friedrichs I. hat bei den Zeitgenossen und auch in der späteren Geschichtsschreibung und Dichtung eine Verklärung erfahren. Das hatte mehrere Gründe. Er fand als christlicher Kaiser auf einem Kreuzzug den Tod. Er führte Kaisertum und Reich noch einmal zu Macht und Ansehen. Vor allem aber kam er der Idealvorstellung nahe, die man von einem mittelalterlichen Kaiser hatte: Von ebenmäßiger Gestalt, blond, ausgeglichen und liebenswürdig im Umgang, ein mutiger und ritterlicher Kämpfer mit starkem Empfinden für Recht und Gerechtigkeit.

Sein Ziel war die Wiederherstellung der Kaisermacht, die für ihn noch eine religiöse Verpflichtung bedeutete, und der Reichsmacht. Im Rahmen des zu seiner Zeit Möglichen hat er diese Ziele erreicht. Seine Leistung liegt darin, daß er nicht starr überholte Ordnungen wiederherstellen wollte, sondern daß er lernte, neue Kräfte in sein System einzubauen: So machte er die Normannen und die Lombarden zu Stützen der Reichsmacht in Italien (mit Mailand hat er sogar ein Bündnis geschlossen) und benutzte die Fürsten zur Stärkung der Königsmacht gegenüber dem Welfen. Fast modern mutet die Wendigkeit an, mit der er seine politischen Ziele verfolgte. Auf dem Gebiet der Diplomatie war er seinen Verhandlungspartnern überlegen.

Allerdings nahmen während seiner Regierung auch die Gegenkräfte zu. Weder die neu entstehenden Nationen Europas noch der Papst waren bereit, den Führungsanspruch des Kaisertums noch anzuerkennen. Dies wurde besonders in der Auseinandersetzung mit Papst Alexander III. deutlich.

Im Reich hatte der König den Fürsten ein Mitspracherecht zuteil werden lassen, wie sie es vorher nicht besessen hatten. Friedrich konnte es für seine Zwecke nutzen, aber ein festgefügter Zentralstaat wie in Frankreich kam nicht zustande. Ein Grund dafür war der frühe Tod seines Nachfolgers Heinrich VI.

3. Heinrich VI.

Die sizilische Erbschaft

Mit Friedrichs I. Sohn Heinrich VI. (1190—1197) bestieg ein Realpolitiker den Thron. Seine Auffassung vom Kaisertum war durch machtpolitische und römischrechtliche Vorstellungen geprägt, religiöse und kirchliche Belange traten zurück.

In Sizilien war König Wilhelm II. kinderlos gestorben (1189). Unter Mißachtung des Erbrechtes und mit Unterstützung der Kurie, die die Gefahr einer staufischen Umklammerung erkannt hatte, erhob eine sizilische Nationalpartei Graf Tankred von Lecce zum König. Heinrich zog nach Ita-

lien, um seine Rechte in Sizilien wahrzunehmen. Bezeichnend für sein skrupelloses Vorgehen war die Art, wie er den widerstrebenden Papst zur Kaiserkrönung zwang. Er gewann die Stadtrömer, indem er ihnen ihre alte Gegnerin, die mit ihm verbündete, reichstreue Stadt Tuskulum auslieferte. Sie wurde von den Römern zerstört, und der Papst konnte die Kaiserkrönung nicht länger verweigern.

Der Versuch, Sizilien zu gewinnen, scheiterte zunächst. In Deutschland erhob sich eine antistaufische, von England geschürte Gegenbewegung. Durch Zufall gelang dem Kaiser die Gefangennahme des englischen Königs Richard Löwenherz, der vom Kreuzzug heimkehrte. Ohne Rücksicht darauf, daß alle christlichen Könige zum Schutz der Kreuzfahrer verpflichtet waren,

Goldbulle Friedrichs I., Rückseite: „Roma caput mundi regit orbis frena rotundi." („Rom, das Haupt der Welt, lenkt die Zügel des Erdkreises.")

setzte er Richard auf dem Trifels (Südpfalz) in Haft. Durch die Drohung, ihn nach Frankreich auszuliefern, erreichte er die Zahlung hoher Geldsummen und den Lehenseid für England. Damit war den Gegnern in Deutschland ihr Rückhalt genommen. — Am Weihnachtstag 1194 ließ sich der Kaiser in Palermo zum König von Sizilien krönen. Durch die Geburt eines Sohnes schien die Thronfolge gesichert.

Der Erwerb Siziliens brachte dem deutschen Kaiser einen realen Machtzuwachs durch kampferprobte Ritter, eine Seemacht und große Geldmittel. Hundertfünfzig Saumtiere waren nötig, um den normannischen Königsschatz auf den Trifels zu bringen. Außerdem öffneten sich neue politische Perspektiven im Mittelmeerraum: Das Übergreifen in den byzantinischen und arabischen Machtbereich (Nordafrika, Spanien). Heinrich nutzte diese Möglichkeiten. Die Könige von Armenien und Cypern wurden zu Lehensmännern des Kaisers, der spanische Kalif (Al Mansur) zahlte Tribut. Gegenüber Byzanz meldete Heinrich Erbansprüche an, da sein ältester Bruder Philipp mit der Tochter (Irene) des oströmischen Kaisers Angelus verheiratet war, gab sich aber vorerst mit hohen Zinszahlungen zufrieden (jährlich 16 Zentner Gold). Italien war durch die Herrschaft über Sizilien nun ganz in deutschem Besitz, zumal Heinrich verstanden hatte, das gute Einvernehmen mit den lombardischen Städten aufrechtzuerhalten und die mittelitalienischen Gebiete der straffen Verwaltung durch deutsche Reichsministeriale zu unterstellen.

Unter diesen Umständen erschien ein geplanter und bereits begonnener Kreuzzug Heinrichs erfolgversprechend. Sein Tod jedoch setzte allen Plänen ein Ende.

Die Erbreichspläne Heinrichs VI.

Der Erbreichsplan Heinrichs VI. war der wichtigste Ansatz einer weiterführenden Innenpolitik. Die freie Wahl der Reichsfürsten sollte abgelöst werden durch die Erblichkeit des deutschen Kaisertums auf der Grundlage des Geblütsrechts. Als Gegenleistung bot Heinrich den Fürsten die Erblichkeit ihrer Lehen zumal in weiblicher Linie, den Bischöfen Verzicht auf das Spolienrecht (= Recht des Königs, über den bischöflichen Nachlaß zu verfügen). Dem Papst, der auf das Recht der Kaiserkrönung verzichten sollte, stellte er hohe Abfindungen in Aussicht. Anfangs fand der Plan eine Mehrheit bei den Fürsten. Erst der Widerstand des Kölner Erzbischofs, der um sein Recht der Königskrönung fürchtete, und des Papstes, der die staufische Umklammerung nicht verewigen wollte, führten zur Ablehnung. Um die Wahl seines kleinen Sohnes Friedrich (II.) zum deutschen König durchzusetzen, mußte Heinrich auf die Erbreichsabsichten verzichten (1196).

Zweifellos verfolgte Heinrich VI. mit seinem Erbplan zunächst dynastische Ziele. Möglicherweise sah er darüber hinaus aber auch Entwicklungstendenzen seiner Zeit. In England und Frankreich hatte sich die Erbmonarchie praktisch durchgesetzt. In Deutschland hätte man die Freiheiten der Fürsten einschränken und der sich anbahnenden Auflösung des Reiches in Territorien entgegentreten müssen, wenn man eine starke Zentralgewalt anstrebte. Ein Ansatz in dieser Richtung war der Versuch Heinrichs, die heimgefallene Mark Meißen unter Mißachtung des Leihzwanges zum Krongut zu schlagen. Es erscheint daher zweifelhaft, ob der Verzicht auf die Erbpläne 1196 endgültig gemeint war. — Auch über die anderen politischen Ziele des Kaisers läßt sich nichts Sicheres sagen. Es ist fraglich, ob man von „Weltherrschaftsplänen" sprechen sollte; denn wo immer Heinrich politisch tätig wurde, bewies er ausgeprägten Sinn für das Mögliche und Vernünftige, selbst noch auf dem Sterbelager, wo er die Anweisung gab, durch Zugeständnisse an die Kurie die Herrschaft des jungen Friedrich II. zu retten.

Die Geschichtsschreibung bezeichnet den frühen Tod dieses Herrschers als folgenschwersten Einschnitt in der deutschen Geschichte des Mittelalters. Sein Sohn Friedrich II. wurde zwanzig Jahre später noch einmal ein mächtiger Kaiser, aber die Möglichkeit, das staufische Reich zu einem Staatswesen moderner Prägung umzugestalten, war für die nächsten Jahrhunderte vertan.

4. Papst Innozenz III.
und das deutsche Doppelkönigtum

Papst Innozenz III.

Papst Innozenz III. (1198—1216), bei seiner Inthronisation 37 Jahre alt, hatte in Paris Theologie, in Bologna Kirchenrecht studiert. Er bildete die päpstliche Verwaltung (Kurie) um und machte sie zu einem Instrument der päpstlichen Politik. Für kurze Zeit verschaffte er dem Papsttum jene Weltherrschaft, die Gregor VII. gefordert hatte.

Heinrich VI. hatte in seinem Testament empfohlen, die päpstliche Oberlehensherrschaft über Sizilien, Ravenna und Ancona anzuerkennen, die Mathildischen Güter herauszugeben und dafür die Thronfolge Friedrichs II. in Deutschland durchzuset-

Krönungsmantel, der seit Heinrich VI. oder Friedrich II. zu den Reichskleinodien gehörte und von den Kaisern bei der Krönung getragen wurde. Er ist 1133/34 von arabischen Künstlern für König Roger II. von Sizilien geschaffen worden. Dargestellt ist in Goldstickerei auf roter Seide der Lebensbaum, zu dessen Seiten je ein Löwe ein Kamel schlägt. Die kufische Inschrift am unteren Saum bedeutet: „Gehört zu dem, was in der königlichen Werkstatt gearbeitet wurde, in der das Glück und die Ehre, der Wohlstand und die Vollendung, das Verdienst und die Auszeichnung ihren Sitz haben . . . In der Hauptstadt Siziliens im Jahre 528" (der Hedschra = 1133/34 n. Chr.). Breite 342 cm. Wien, Schatzkammer

Der Reichsapfel der Wiener Reichskleinodien entstand vermutlich in einer Kölner Werkstatt anläßlich der Krönung Heinrichs VI. 1191 oder zur Krönung Ottos IV. 1209. Der Globus besteht aus einer Harzmasse und ist mit Goldblech verkleidet, Kugel und Kreuz sind mit Perlen und Edelsteinen verziert. Höhe 21 cm. Wien, Schatzkammer

zen. Innozenz lehnte dieses Anerbieten ab und versuchte in den nächsten Jahren, eine eigene Vormachtstellung in Italien aufzubauen. Durch die Ausdehnung des Kirchenstaates gelang es ihm, Süditalien vom Reich abzuschneiden und damit die Umklammerung zu lösen. Um wenigstens die Krönung Friedrichs zum König von Sizilien zu erreichen, unterstellte Kaiserin Konstanze ihren Sohn der päpstlichen Vormundschaft.

Das deutsche Doppelkönigtum

In Deutschland fand sich das alte antistaufische Bündnis von Welfen, niederrheinischem Klerus und England erneut zusammen und wählte den Sohn Heinrichs des Löwen, Herzog Otto, als Otto IV. zum Gegenkönig gegen Philipp von Schwaben, den Bruder Heinrichs VI. Damit war der welfisch-staufische Gegensatz neu entflammt.

Die Welfen waren mit England verbündet, die Staufer mit König Philipp II. Augustus von Frankreich (1198).

Zunächst unterstützte der Papst Otto IV. In einer berühmt gewordenen Schrift („Deliberatio super facto imperii de tribus electis") legte Papst Innozenz das Für und Wider jeder Kandidatur dar und begründete das päpstliche Recht der letzten Entscheidung damit, daß das Imperium bei der Kaiserkrönung Karls des Großen durch den Papst von den Griechen auf das fränkisch-deutsche Reich übertragen worden sei (translatio imperii). Damit wurde der päpstliche Hoheitsanspruch über das Kaisertum, den Gregor religiös begründet hatte, nun auch juristisch formuliert und ging in das Kirchenrecht ein. Trotz der Entscheidung des Papstes für Otto IV. konnte sich dieser nicht durchsetzen. Militärische Erfolge des französischen

Königs stärkten die Partei der Staufer. Otto ging nach England. Philipp wurde als deutscher König allgemein anerkannt, auch seitens der Kurie. Da brachte seine Ermordung (aus Privatrache) neue Unsicherheit in die deutschen Verhältnisse.

Die Fürsten, der Streitereien müde, einigten sich auf Otto IV., in dessen Dienst sich nun auch die Reichsministerialen stellten. Im Pakt von Speyer (1209) verbriefte er dem Papst die Grenzen des Kirchenstaates und verzichtete auf jeden Einfluß bei der Bistumsbesetzung. — Er behielt die Unterstützung des Papstes auch noch, als er in Mittelitalien die Reichsrechte wiederherstellte. Erst als Otto Anstalten machte, in Anknüpfung an die Politik Kaiser Heinrichs VI. nach Süditalien zu ziehen, um Sizilien zu erobern und wieder mit dem Reich zu vereinigen, kam es zum Bruch mit dem Papst.

Nach Verhandlungen mit Frankreich und der deutschen Opposition setzte Innozenz die Wahl Friedrichs II. zum deutschen König durch. Zum König von Sizilien wurde Friedrichs einjähriger Sohn Heinrich bestimmt, um eine Verbindung Siziliens mit Deutschland auszuschließen. In Deutschland nahm Friedrich die staufischen Erblande in Besitz und dehnte mit französischem Geld seine Herrschaft über Mittel- und Süddeutschland aus.

Die Schlacht von Bouvines

Um sich zu behaupten, mußte Otto IV. auf das englisch-welfische Bündnis zurückgreifen und versuchen, den französischen Einfluß auszuschalten. An der Seite des englischen Königs Johann ohne Land kämpfte er | 1214 | in der Schlacht von Bouvines (1214) gegen Frankreich. Der französische Sieg entschied auch über das deutsche Kaisertum. Philipp II. Augustus von Frankreich übersandte den erbeuteten Reichsadler an Friedrich II.

Die Schlacht von Bouvines (zwischen Lille und Tournay) beeinflußte nicht nur die innere Entwicklung Englands und Frankreichs (vgl. C, V, 2), sondern war auch von Bedeutung für die abendländische Geschichte: Auf ausländischem Boden war von ausländischen Mächten über das deutsche Kaisertum entschieden worden. Deutschland hörte auf,

Mittelpunkt der europäischen Politik zu sein. England und Frankreich, denen sich bald auch andere Mächte zugesellten, bestimmten die Entwicklung der sich bildenden europäischen Staatenwelt.

Während des deutschen Thronstreites hatte Innozenz III. die innere und äußere Macht des Papsttums erweitert. Durch Beseitigung landeskirchlicher Besonderheiten, Schwächung der bischöflichen Befugnisse, Ausprägung der kirchlichen Gesetzgebung und Rechtsprechung hatte er eine straffe Zentralisation auf Rom hin erreicht. Der Klerus wurde erstmals zugunsten der Kirche besteuert, päpstliche Legaten reisten umher und griffen unmittelbar in die Ordnung der Kirchen ein.

Politisch beherrschte Innozenz nicht nur Italien, auch die Könige von England, Dänemark, Polen, Ungarn und Aragon (Spanien) erkannten die päpstliche Lehensoberhoheit an. Der vierte Kreuzzug (1202—1204) wurde als päpstliches Unternehmen begonnen, entglitt allerdings der päpstlichen Führung und diente venezianischen Handelsinteressen (Eroberung von Byzanz, Errichtung eines lateinischen Kaisertums 1204 bis 1261). Daraufhin verkündete Innozenz 1215 einen neuen Kreuzzug.

Das 4. Laterankonzil

Das 4. Laterankonzil (1215) veranschaulichte in eindrucksvoller Weise die | 1215 | universale Herrschaft des Papstes. 412 Bischöfe und über 800 Äbte waren anwesend, der Kaiser und die Könige von England, Frankreich und Ungarn hatten Gesandte geschickt. Verhandlungsgegenstände waren die Wiedergewinnung des Heiligen Landes und die Reform der gesamten Kirche. In mehr als 70 Dekreten wurden politische (Absetzung Ottos IV.), dogmatische, kultische und juristische Entscheidungen niedergelegt. Man bemühte sich, die Laien stärker in die Kirche einzubeziehen, um zu jener Verchristlichung der Welt zu gelangen, die Gregor VII. angestrebt hatte. Zugleich wurde die Bekämpfung der Häresie (abweichende Glaubenslehren) durch die weltliche Gewalt gefordert.

Die Größe und Geschlossenheit der Kirche war eng verbunden mit der Persönlichkeit

Innozenz' III. Unter seinen Nachfolgern nahm die Verweltlichung zu, so daß 100 Jahre später Papst und Kirche in eine Krise gerieten.

5. Kaiser Friedrich II.

Regelung der deutschen Verhältnisse

Seit dem Tode Heinrichs VI. war die Macht der Fürsten weiter gestiegen. Friedrich II. (1215—1250) sah offenbar keine Möglichkeit, Deutschland in einen geschlossenen Einheitsstaat zu verwandeln. Er beschränkte seine Tätigkeit auf Sizilien, aus dem er einen absolutistisch regierten Staat machte. In Deutschland stand dem König keine Reichskirche mehr zur Seite, auch das Krongut konnte nicht in vollem Umfang wiederhergestellt werden. Seine Verwalter, die Reichsministerialen, waren zum großen Teil aus dem Stand der Unfreiheit zum niederen Adel aufgestiegen und selbst zu Lehensträgern mit eigenen Interessen geworden.

Um die Krönung seines fünfjährigen Sohnes Heinrich (VII.) zum deutschen König zu erreichen, gewährte Friedrich den geistlichen Fürsten die Confoederatio cum principibus **1220** ecclesiasticis (1220), in der er auf das Reichskirchengut, den bischöflichen Nachlaß und Regalien (Münzrecht, Zollrecht etc.) verzichtete. Allerdings war es mehr eine Bestätigung bereits bestehender Verhältnisse. Mit diesem Privileg wurden die geistlichen Fürsten rechtlich zu Landesherren (domini terrae).

Friedrich übertrug die vormundschaftliche Regierung für seinen Sohn Heinrich (VII.) dem Erzbischof von Köln und kehrte nach Italien zurück (1220). Er betrat Deutschland nur noch einmal für wenige Monate (1235/36), behielt aber die deutschen Verhältnisse im Auge und griff unter Mitwirkung der Reichsfürsten persönlich ein. Als Heinrich (VII.), der seit 1228 selbst regierte, eine Politik gegen die Herzogtümer betrieb, indem er sich auf Städte und Reichsministerialen stützte, kam es zu einem Konflikt mit dem Kaiser und zur Niederlage gegenüber den Fürsten. Das Ergebnis war das Statutum in favorem principum **1232** (1232), das den weltlichen Fürsten ihre landesherrlichen Rechte bestä-

tigte und weiter ging als die Confoederatio: Neben Zoll und Münze durften sie das immer einträglicher werdende Geleitrecht ausüben. 13 Artikel richteten sich gegen die Entwicklung der Städte (Verbot der Pfahlbürger), das Reich verzichtete auf die Errichtung neuer Städte und Burgen, übertrug die hohe Gerichtsbarkeit ganz den Landesherren, die dabei das Gewohnheitsrecht ihrer Territorien beachten sollten. Das bedeutete Verzicht auf ein einheitliches deutsches Reichsrecht. Der König durfte allerdings Prozesse an das königliche Hofgericht ziehen (ius evocandi), und umgekehrt konnten die Parteien das Hofgericht anrufen (ius appellandi). Später, zu Beginn der Neuzeit, erreichten aber die meisten Fürsten „privilegia de *non* evocando et appellando", so daß die fürstlichen Hofgerichte zur letzten Instanz wurden.

Als Friedrich 1235, ohne Heer und mit großem Prunk, noch einmal nach Deutschland kam, bestätigte er das Statut, weil er für seine italienischen Unternehmungen Ruhe in Deutschland brauchte. Dem diente auch das große Landfriedensgesetz von Mainz, das erstmalig in deutscher Sprache veröffentlicht wurde.

Da Heinrich (VII.) sich gegen seinen Vater empört hatte, übertrug Friedrich die Herrschaft in Deutschland seinem zweiten Sohn Konrad IV., mit eingeschränkten Vollmachten. Im Grunde hatte er nur noch das Reichsgut zu verwalten. — Auch die Fürsten zogen sich von den Reichsangelegenheiten zurück und bauten ihre Territorien aus. Als 1241 die Mongolen in das Reich einfielen, rief der Kaiser von Italien aus durch Edikte zum Kampf auf, aber Konrad IV. gelang es nicht, ein Reichsheer zu mobilisieren. So blieb die Abwehr im wesentlichen den Fürsten an der Ostgrenze überlassen, ähnlich wie bei den Ungarneinfällen zur Zeit der letzten Karolinger.

Die Neuordnung Siziliens

In Sizilien hatte sich seit dem Tode Heinrichs VI. eine chaotische Herrschaft der großen und kleinen Barone entwickelt, das reiche Königsgut schien verloren zu sein. Friedrich nahm sofort nach seiner Kaiserkrönung (1220) die Neuordnung Siziliens in

Angriff, wobei er auf alte Gesetze seiner normannischen Vorfahren zurückgriff. Der Zeitpunkt war günstig, da mit den deutschen Fürsten und dem Papst Einvernehmen bestand.

Grundlage seiner Herrschaft waren die Gesetze von Capua (Assisen von Capua), die er erließ, noch ehe er sizilianischen Boden betreten hatte: Alle Privilegien (Regalien, Lehen, Schenkungen, Vorrechte jeder Art), die seit dem Tode des letzten Normannenkönigs (Wilhelm II. 1189) erworben worden waren, erklärte Friedrich für nichtig. Das bedeutete, daß alle Dokumente über nicht-privaten Besitz der kaiserlichen Kanzlei vorgelegt werden mußten. Ob und wie der Kaiser diese Privilegien neu vergab, war in sein Belieben gestellt. Auf diese Weise erhielt die Kanzlei einen guten Überblick über die Krongüter und über die alten Lehen, die die Besitzer vorerst behalten durften. Außerdem mußten alle Burgen, die in den letzten dreißig Jahren angelegt worden waren, zerstört oder an den König ausgeliefert werden.

Zur Durchsetzung dieser Beschlüsse benutzte Friedrich die kleinen Barone gegen die großen, deren freiwillige Unterwerfung er ablehnte. Nach zwei Jahren Kampf waren die großen Adelsherren besiegt; viele von ihnen gingen nach Rom. Nun fiel es dem Kaiser nicht schwer, auch die kleinen Barone, seine ehemaligen Helfer, zu entmachten.

In den nächsten Jahren schaffte Friedrich das Lehenswesen nicht ab, richtete es aber ganz auf sich aus, indem er Erbfolge, Verheiratung oder Weitergabe von Lehen an Untervasallen von seiner persönlichen Genehmigung abhängig machte und stark einschränkte. Viele Lehen wurden nicht wieder ausgegeben, sondern durch königliche Verwalter bewirtschaftet. Der Adel trat wieder in königliche Dienste, der Burgenbau wurde ein staatliches Monopol. Eine straffe Zoll- und Steuerpolitik ermöglichte den Wiederaufbau der normannischen Flotte und ein stehendes Heer. Fremde Mächte (besonders Pisa und Genua) verloren ihre Handelsprivilegien, der Handel wurde weitgehend vom Staat kontrolliert (besonders der Getreidehandel). Die hohe Gerichtsbarkeit lag ausschließlich in der Hand königlicher Justiziare, zu deren Ausbildung die Staatsuniversität Neapel gegründet wurde (1224).

Schließlich gelang auch die endgültige Unterwerfung der Sarazenen auf Sizilien.

Die Vollendung des sizilischen Staatswesens erfolgte in den Konstitutionen von Melfi (1231), dem ersten staatlichen Gesetzbuch des Abendlandes, das stark auf römischen und normannischen Vorbildern beruhte und einen straff zentralisierten Beamtenstaat schuf. Das Beamtentum war zu strengem Gehorsam verpflichtet, fest besoldet und juristisch gebildet. Bestechlichkeit wurde streng bestraft. Der Beamte durfte nicht aus dem Gebiet stammen, in dem er tätig war. Die kommunale Selbstverwaltung wurde abgeschafft. Die Städte unterstanden staatlichen Beamten. An der Spitze der Verwaltung stand der Herrscher, der in Sachen der Gerechtigkeit als unfehlbar galt, umgeben vom Großhofjustiziar, Großhofrichtern und einer hochentwickelten Kanzlei. Die bürokratische Schriftlichkeit im Gerichts- und Verwaltungswesen ging auf das Vorbild Innozenz' III. zurück.

Die Konstitutionen von Melfi und der Aufbau Siziliens waren weitgehend eine persönliche Leistung Friedrichs II. Trotzdem fand dieser erstaunliche Herrscher noch Zeit, sich mit der Falkenjagd, mit arabischen Wissenschaften (Kunst, Mathematik, Medizin), mit den Verhältnissen in Deutschland, in Italien, vor allem aber mit den Forderungen des Papsttums zu befassen.

Auseinandersetzung zwischen Papst und Kaiser

Friedrich II. hatte schon 1215 dem Papst einen Kreuzzug versprochen und dieses Versprechen bei seiner Krönung (1220) wiederholt. Der von Innozenz auf dem Laterankonzil organisierte Kreuzzug war in Ägypten, wo der Sultan die Nildämme durchstechen ließ, gescheitert. Nur gegen die Zusage einer achtjährigen Waffenruhe hatte das Kreuzheer abziehen dürfen. Diese Lage ließ ein Einschreiten des Kaisers besonders nötig erscheinen, und auf erneutes Drängen des Papstes versprach er bei Strafe des Bannes, spätestens 1227 aufzubrechen.

Der Versuch Friedrichs, vor seinem Kreuzzug die Reichsrechte in der Lombardei wiederherzustellen, scheiterte am lombardischen Städtebund (1226), obgleich der alte Verbündete der oberitalienischen Städte, der Papst, sich diesmal neutral hielt, um den Kreuzzug nicht zu gefährden. Unter Vermittlung des Papstes wurde die Entscheidung aufgeschoben.

Obgleich das Heer von Seuchen bedroht und er selbst krank war, brach der Kaiser im August 1227 mit einer ungewöhnlich großen Schar — man sprach von 60 000 Teilnehmern — von Brindisi auf, kehrte aber bald wieder um, da seine eigene Krankheit sich verschlimmert hatte und sein nächster Begleiter, Landgraf Ludwig von Thüringen, gestorben war.

Inzwischen aber hatte mit Gregor IX. (Hugo von Ostia, 1227—1241) ein Mann den päpstlichen Thron bestiegen, der entschlossen war, im Geiste Innozenz III. den Herrschaftsanspruch der Kirche durchzusetzen und der kaiserlichen Macht entgegenzutreten. Während Friedrich in den Bädern von Pozzuoli Heilung suchte, sprach Gregor den Bann über ihn aus, den er kurz darauf noch durch das Interdikt (= Verbot aller geistlichen Handlungen in dem Ort, in dem der Gebannte weilte) verschärfte. Alle Entschuldigungen und Anerbieten des Kaisers lehnte er ab, verband sich statt dessen mit den Lombarden, betrieb Friedrichs Absetzung in Deutschland, rüstete zum Einfall in Sizilien und untersagte den Kreuzzug.

Trotz dieser Bedrohungen und als Gebannter brach der Kaiser erneut zum Kreuzzug auf (1228), um damit die Beschuldigungen des Papstes zu entkräften. Durch seine guten Beziehungen zu mohammedanischen Gelehrten und Fürsten, vor allem zu dem hochgebildeten Sultan El-Kamil von Ägypten, erreichte er auf diplomatischem Wege den Vertrag von Jaffa. Dieser überließ die heiligen Stätten (Jerusalem, Bethlehem, Nazareth) und ihre Verbindung zur Küste den Christen, vorerst auf 10 Jahre, garantierte aber den Moslems Ausübung ihrer Religion in der Omar-Moschee (Jerusalem) und Waffenstillstand auf 10 Jahre. Trotz dieses Erfolges fand keine Lösung vom Bann statt. Friedrich krönte sich in der Grabeskirche selbst zum König von Jerusalem, ohne Weihe und Gottesdienst. Dann kehrte er nach Brindisi zurück, wo inzwischen päpstliche Truppen eingefallen waren.

Es fiel dem Kaiser nicht schwer, die päpstlichen Söldner aus seinem Erbland zu vertreiben, aber um seine Machtstellung in Italien ausbauen zu können, brauchte er Frieden mit dem Papst und vor allem Lösung vom Bann. Deshalb fiel er nicht in den Kirchenstaat ein, und erreichte dadurch und durch Vermittlung des angesehenen Hermann von Salza, Hochmeisters des deutschen Ordens (vgl. C, IV, 3), den Vertrag von Ceprano (1230), der ihn gegen einige Zugeständnisse (Unantastbarkeit des Kirchenstaates, freie Bischofswahlen in Sizilien) vom Bann löste. Damit wurden auch die Erfolge des Kreuzzuges anerkannt und Friedrichs Ansehen erhöht.

Friedrichs II.
Kampf gegen den lombardischen Städtebund

Ende 1231 wandte sich der Kaiser erneut der lombardischen Frage zu, wobei es ihm zunächst gelang, den Papst auf seiner Seite zu halten, indem er ihm eine Schiedsrichterstellung einräumte, zugleich aber die Opposition der Stadtrömer gegen das päpstliche Regiment schürte. Die Lombardenstädte hingegen verbündeten sich gegen Papst und Kaiser mit König Heinrich (VII.), der sich gegen seinen Vater empörte.

Auf dem Hoftag zu Mainz (1235) wurde die Heerfahrt gegen den lombardischen Städtebund beschlossen und ein großes Heer zog über die Alpen. Bei Cortenuova erlitten die Mailänder und ihre Verbündeten eine schwere Niederlage, Friedrich verlangte jedoch ihre bedingungslose Unterwerfung, das hieß: Vernichtung ihrer städtischen Freiheit. Er wollte den zentralisierten Beamtenstaat auch auf das übrige Italien ausdehnen. Sein Ziel war die Erneuerung des altrömischen Imperiums, nicht nur von der Idee her (wie Otto III.), sondern als politische Realität. Den erbeuteten Mailänder Fahnenwagen übersandte der Kaiser nicht dem Papst, sondern den römischen Bürgern, die ihn auf dem Kapitol aufstellten. Damit wurde die Bedrohung auch der päpstlichen Macht deutlich. Gregor hielt sich zunächst zurück, weil ein Kampf im Augenblick aussichtslos erschien. Friedrich rief auch die anderen europäischen Fürsten zum Kampf gegen Staatsfeinde und gegen päpstliche Einmischungsversuche auf. Er erhielt Zuzug von England, Frankreich, Spanien und sogar vom ägyptischen Sultan. Mit einem ungewöhnlich stattlichen und glanzvollen Heer, ausgerüstet mit Belagerungsmaschinen aller Art, begann die Belagerung der widerspenstigen Stadt Brescia (1238). Die Belagerung mußte nach zwei Monaten ergebnislos abgebrochen werden und bedeutete einen Wendepunkt in der kaiserlichen Politik: Die städtische Opposition sammelte ihre Kräfte, der Papst gab seine abwartende Haltung auf und trat auf ihre Seite. Er verhängte zum zweiten Mal den Bann über Friedrich, der sich daraus nicht mehr hat lösen können (1239).

Der Endkampf zwischen Papsttum und Kaisertum 1239—1250

Die Auseinandersetzung fand zunächst auf publizistischer Ebene statt. In Streitschriften und Manifesten wurde Friedrich als Ketzer und Antichrist dargestellt, der seinerseits Gregor als einen unwürdigen Papst bezeichnete, der sich mit Rebellen gegen die gottgewollte Staatsordnung verbinde. Friedrich tat alles, um seine Rechtgläubigkeit zu beweisen, richtete sich aber andererseits auf einen harten Kampf ein. Er entfernte päpstliche Parteigänger aus ihren Ämtern, besetzte die Mark Ancona und das Herzogtum Spoleto, bezog Mittel- und Oberitalien in seine straffe Verwaltung ein und ließ über hundert hohe Geistliche gefangennehmen, die sich auf dem Weg nach Rom befanden, wo Gregor ein Konzil einberufen hatte (1241). Mit Gregors Nachfolger, Innozenz IV. (1243—1247), schien ein Vergleich zunächst möglich, scheiterte aber an der lombardischen Frage. Der Papst entzog sich jedem weiteren Druck Friedrichs durch die Flucht nach Lyon, das zwar noch zum Reich gehörte, aber unter französischem Einfluß weitgehend unabhängig war. Wieweit die Auseinandersetzung bereits ideologisch festgefahren war, zeigte sich auf dem Konzil von Lyon (1245), wo der eigentliche | 1245 | Streitpunkt, die lombardische Frage, nicht zur Sprache kam. Auch auf die weitergehenden Angebote des Kaisers ging Innozenz IV. nicht ein, sondern setzte ihn als Ketzer und tyrannischen Friedensstörer ab. Die europäischen Fürsten hielten sich in dieser Auseinandersetzung zurück, der deutsche Gegenkönig Wilhelm von Holland setzte sich zunächst nicht durch. Die Absetzung hatte kaum politische Wirkung.

In den folgenden Jahren versuchte der Kaiser noch mehrmals, Verhandlungen einzuleiten, glaubte aber offenbar nicht mehr an einen Ausgleich. Das christliche Abendland war von der schonungslosen Härte betroffen, mit der dieser Kampf nun auf allen Ebenen geführt wurde. In der Propaganda war vor allem der Minoritenorden (vgl. C, III, 3) durch seine Volkspredigten wirksam. Dennoch verlor auch die Kirche durch die Maßlosigkeit ihrer Anschuldigungen an Glaubwürdigkeit, und Friedrichs Forderung nach Rückkehr der Kirche zu Demut und Reinheit erschien vielen gerechtfertigt.

In Italien war die militärische Machtstellung des Kaisers nicht zu brechen, andererseits gelang ihm auch nicht die vollständige Niederwerfung des städtischen Widerstandes. Der Kampf wurde von beiden Seiten mit Grausamkeit geführt. Als Friedrich II. im Alter von 56 Jahren am Fieber starb (1250), war die Lage in Italien unentschieden. Ob er am Ende seiner Herrschaft ein umfassendes Kaisertum oder die Zentralisierung des italienischen Staates im Auge hatte, ist nicht mit Sicherheit zu sagen. Er scheint aber die städtischen und kirchlichen Widerstände hoch eingeschätzt zu haben, denn ähnlich wie sein Vater Heinrich VI. empfahl er in seinem Testament ein weitgehendes Entgegenkommen gegenüber der Kurie.

6. Das Ende des staufischen Herrscherhauses

Der Italienzug Konrads IV.

Nach dem Tod Friedrichs II. zog sein Sohn Konrad IV. (1250—1254) nach Sizilien, wo ihm Friedrichs illegitimer Sohn Manfred loyal die Herrschaft übergab. Obgleich Papst Innozenz IV. auch jetzt noch zu keinem Ausgleich bereit war, setzte sich Konrad IV. in Süditalien durch, starb aber im Alter von 26 Jahren, bevor er in Norditalien eingreifen konnte. Manfred versuchte, Sizi

Kaiser und Papst nach der Dresdner Bilderhandschrift des Sachsenspiegels, Anfang 14. Jahrhunderts. „Zwei swert liez got in ertriche zu beschiermene dy cristenheit. dem pabiste das geistliche dem keiser das werltliche."
Darunter der Steigbügeldienst des Kaisers: „Dem pabiste iz gesatzt, zu ritene zu bescheidener Zeit uf einem blankin pherde. unde der keyser sal ym den stegereif haldin das der satil nicht wanke. dis iz bedutnis. was dem pabiste widirste, das he mit geistlichem gerichte nicht betwingen mac, das is der keyser mit werltlichem rechte twinge dem pabiste gehorsam zu sine."

lien für die Staufer zu halten, fiel aber im Kampf gegen Karl von Anjou, den Bruder des französischen Königs, dem der Papst Sizilien zu Lehen gegeben hatte (Schlacht von Benevent, 1266).

Die Hinrichtung Konradins

Als Konradin, Sohn Konrads IV. 1267 in Italien erschien, hatte der Name der Staufer noch so viel Ausstrahlungskraft, daß er eine Abfallbewegung von der französischen Herrschaft hervorrief. Konradin wurde jedoch militärisch geschlagen und auf Befehl Karls von Anjou in Neapel hingerichtet. Diese Hinrichtung war für die Zeitgenossen eine Ungeheuerlichkeit. Sie zeigte den Anbruch einer neuen Epoche, in der das Bewußtsein vom Königsheil und der sakrale Charakter des Königtums kaum noch eine Rolle spielten.

Das Kaisertum der Staufer

Die Herrschaft der Staufer ist häufig durch unglückliche Todesfälle geschwächt worden. Nicht nur der folgenschwere Tod Heinrichs VI. und die Ermordung Philipps sind hier zu nennen. Auch Friedrich II. starb, als sich neue militärische Erfolge ab-

zeichneten. Konrad IV. starb, als er in Sizilien die staufische Macht wiederhergestellt hatte und in Italien eingreifen wollte. Dennoch erscheint es fraglich, ob die staufische Kaiserherrschaft auf längere Dauer hätte Erfolg haben können.
Seit dem Investiturstreit war der sakrale Charakter des Kaisertums gemindert und seine übergeordnete Stellung über Kirche und Abendland in Frage gestellt worden. Friedrich I. Barbarossa hielt noch an einer engen Verbindung des „sacrum imperium" (heiligen Reichs) mit der Kirche fest, von einer Überordnung konnte keine Rede mehr sein.
Unter seinen Nachfolgern trat mit dem Vordringen römischer Rechtsvorstellungen und antiker Kaisertraditionen eine Verweltlichung ein, die sich bei Friedrich II. auf seltsame Weise mit der Idee eines christlichen „Endkaisertums" verband. Im Kampf mit der Kirche erschien er seinen Anhängern als der einzige Verteidiger des rechten Glaubens, als neuer Messias, seinen Feinden aber als Ketzer und Antichrist.
Dem Kaiser standen jetzt neue Kräfte gegenüber: Neben dem machtbewußten Papsttum erhoben sich die italienischen Städte und die jungen europäischen Nationen. Die nationale Eigenständigkeit, die in Bouvines siegte, entschied mit für Friedrich II., wenn er die europäischen Fürsten zur

Unterstützung gegen den Papst aufrief oder als Partner der weltlichen Herrscher gegen die Machtansprüche der Kirche auftrat.

Die innere Entwicklung zum modernen Staat mit Verwaltung, Beamten und zentraler Lenkung vollzog sich in Deutschland in den Territorialfürstentümern des 16. Jahrhunderts. Daß Friedrich II. die Bedeutung des zentralisierten Staates für die Zukunft erkannt hatte, zeigten sein Staatsausbau in Sizilien und Mittelitalien und seine gleichlaufenden Bemühungen in Norditalien und im Königreich Jerusalem.

Die Verschiebung des politischen Schwerpunktes nach Italien und in den Mittelmeerraum war für Deutschlands Entwicklung zum Nationalstaat nachteilig. Andererseits brachte Sizilien einen starken Machtzuwachs für das staufische Herrscherhaus, der bei einer längeren Regierung Heinrichs VI. auch für Deutschland hätte fruchtbar gemacht werden können. Die wirtschaftliche Bedeutung Italiens war gegenüber der Ottonenzeit erheblich gestiegen.

Die Staufer haben das mittelalterliche Kaisertum noch einmal zu Glanz und Macht geführt. Im Hintergrund, manchmal in spürbarem Gegensatz zu ihrer Politik, vollzog sich ein politischer, wirtschaftlicher und geistiger Wandel in Europa.

7. Das Interregnum in Deutschland 1256—1273

„Interregnum" heißt wörtlich „Zwischenregierung" und meint hier die Zeit einer schwachen Regierung zwischen zwei anerkannt starken Regierungen.

Nach dem Tode Friedrichs II. konnte sich für die nächsten 23 Jahre kein König in Deutschland mehr durchsetzen. Unter den Fürsten kristallisierten sich die sieben mächtigsten als „Kurfürsten" heraus: Die Erzbischöfe von Köln, Trier und Mainz, der Pfalzgraf bei Rhein, der Herzog von Sachsen, der Markgraf von Brandenburg und später noch der König von Böhmen. Sie konnten sich nicht auf einen Herrscher einigen. Ähnlich wie in der Schlacht von Bouvines wirkte sich auch jetzt noch der englisch-französische Gegensatz in Deutschland aus. Es kam zu einer Doppelwahl: Köln, Mainz, Pfalz erhoben Richard von Cornwall, Trier, Sachsen, Brandenburg Alfons X. von Kastilien, einen entfernten Nachkommen der Staufer. Zum König durchsetzen konnte sich keiner von beiden. Als 1273 Rudolf I., Graf von Habsburg einmütig zum deutschen König gewählt wurde, hatten sich die politischen Verhältnisse stark verändert.

II. Die Kreuzzugsbewegung 1095—1291

1095	Papst Urban II. ruft zum Kreuzzug auf	1202—1204	4. Kreuzzug. Gründung des Lateinischen Kaisertums in Konstantinopel (1204—1261)
1096—1099	1. Kreuzzug. Gründung des Königreichs Jerusalem	1228—1229	5. Kreuzzug. Diplomatischer Erfolg Kaiser Friedrichs II. Jerusalem auf kurze Zeit wiedergewonnen
1099 (Juli)	Erstürmung Jerusalems		
1147—1149	2. Kreuzzug. Teilnahme Konrads III. von Deutschland und Ludwigs VII. von Frankreich. Endet mit einer Katastrophe für die Kreuzfahrer	1244	Jerusalem für die Christen endgültig verloren
1187	Schlacht bei Hattin. Sultan Saladin siegt über die Kreuzritter und erobert Jerusalem zurück	1248—1254	Beide unter Führung Ludwigs IX., des
		1270	6. Kreuzzug. Heiligen, von
1189—1192	3. Kreuzzug. Teilnahme Kaiser Friedrichs I. Barbarossa, Richard Löwenherz von England und Philipps II. Augustus von Frankreich		7. Kreuzzug. Frankreich. Ohne Erfolg
		1291	Erstürmung Akkons durch die Mamelucken. Die letzten Besitzungen (Tyros, Beirut, Sidon) werden von den Christen geräumt

1. Das Rittertum

Das Rittertum war eine europäische Erscheinung und stellte in der mittelalterlichen Kultur und Gesellschaft einen wichtigen Faktor dar.

In der Karolingerzeit meinte „Ritter" zunächst nur den „vollgerüsteten, zu Pferd kämpfenden Krieger". Da aber die nötige Übung und die erforderlichen Mittel (Grundbesitz) nur im Rahmen der Familie und der Tradition zur Verfügung standen, bildete sich im 10. und 11. Jahrhundert ein erblicher Ritterstand, der den gesamten Adel umfaßte. Der adelige Ritter nahm als Gefolgschaft Dienstmannen, meist Unfreie, mit, die auch als Ritter kämpften (Ministeriale). Seit Beginn des 13. Jahrhunderts stiegen diese auf und bildeten die Schicht des niederen Adels, der — wie der hohe Adel — zur Ritterschaft gehörte.

Im 9. und 10. Jahrhundert widmeten sich die Ritter vorwiegend ihren adeligen Fehden, unter denen Volk und Kirche (vor allem die reichen Klöster) zu leiden hatten. In Frankreich, wo das Fehdewesen besonders verbreitet war, griff die von Aquitanien ausgehende Gottesfriedensbewegung (treuga Dei) ein und wurde dabei von den cluniazensischen Reformbestrebungen unterstützt. Sie schränkten das Fehdewesen ein, gaben dem Rittertum christlich orientierte Werte und lenkten seinen Kampfeifer gegen die Heiden. Das ritterliche Ideal verband Mut und Abenteuerlust mit höfischem Frauendienst und religiöser Hingabebereitschaft an den bedürftigen Nächsten. Höchster Wert war das Maßhalten — diu mâze. Der ritterliche Kampf und die Turniere (Kampfspiele) wurden strengen Regeln unterworfen. Dem unterlegenen Gegner sollte der Ritter Erbarmen zeigen.

Seine Erziehung erhielt der junge Adelige als Knappe an einem Hof, wo er Dienste leistete, dabei höfische Sitten und das Kämpfen lernte. Durch den „Ritterschlag" und die feierliche Umgürtung des Schwertes (Schwertleite) wurde er in die Gemeinschaft der Ritter aufgenommen. Seit etwa dem 11. Jahrhundert nahm die religiöse Zeremonie dabei einen wichtigen Platz ein. Durch Gottesdienste und Weihe des Schwertes trat der Ritter sozusagen in den Dienst der Kirche bzw. Gottes. Das älteste Gebet, mit die Umgürtung des Schwertes eingeleitet wurde, stammt wahrscheinlich aus dieser Zeit: „Erhöre, o Herr, unsere Gebete und segne mit der Hand deiner Majestät dieses Schwert, mit dem dein Diener umgürtet zu werden wünscht, damit er die Kirchen, die

Witwen, die Waisen und alle Diener Gottes gegen die Grausamkeit der Heiden verteidigen und schützen kann und allen, die ihm nachstellen, zum Schrecken wird."

Um die Mitte des 11. Jahrhunderts beteiligten sich französische Ritter an der Reconquista (= Wiedereroberung) in Spanien. Der seit 1031 einsetzende Verfall des Kalifates von Cordoba ermöglichte einen Angriff der nördlichen, christlich gebliebenen Königreiche. 1085 wurde Toledo von Alfons IV. von Kastilien und León erobert, mußte jedoch vor dem islamischen Gegenstoß wieder geräumt werden. Dennoch blieb der Gedanke des christlichen Glaubenskampfes, der in den Zügen der französischen Ritter nach Spanien zum ersten Mal verwirklicht worden war, lebendig. Seine historische Bedeutung gewann er in den Kreuzzügen.

Ritterschlag. Holzschnitzerei in der Kathedrale von Worcester/England. Ende des 14. Jahrhunderts

2. Der Ursprung der Kreuzzüge

Kreuzpredigt Papst Urbans II.

Am 27. November 1095 hielt Papst Urban II. auf einem Konzil in Clermont eine Rede, in der er die Verwüstung der heiligen Stätten durch die Türken (Seldschuken) beklagte und die Ritterschaft aufrief, den christlichen Brüdern im Osten zu Hilfe zu kommen, anstatt weiterhin das Abendland durch Bruderkriege zu verwüsten. Die Ansprache hatte einen außerordentlichen Erfolg. Die Masse der Priester und Laien brach in den Ruf aus „Deus lo volt", Gott will es. Bischof Adhémar von Le Puy — offensichtlich in die Pläne des Pap-

> 1095

stes eingeweiht — nahm als erster das Kreuz, viele folgten ihm. Aus Gewändern wurden Stoffkreuze geschnitten, die die einzelnen sich bei der Kreuznahme als Zeichen der Nachfolge Christi über die Schulter hefteten (Mt 10, 38).

Anlaß für die Rede Urbans war ein Hilferuf des byzantinischen Kaisers Alexius I. Comnenos (1095), dessen Reich von den Petschenegen und Normannen, vor allem aber von den seldschukischen Türken bedroht wurde. Die Seldschuken (vgl. B, V, 7) hatten 1071 Jerusalem erobert, dem byzantinischen Reich große Teile seines asiatischen Besitzes entrissen und in Kleinasien das Sultanat von Ikonium gegründet.

Der Appell von Clermont wurde mündlich und schriftlich weitergetragen. Obgleich der Papst selbst Jerusalem nicht genannt hatte, rückte es immer stärker als eigentliches Ziel in den Mittelpunkt, vielleicht weil das „himmlische Jerusalem" (Apokalypse 21, 10 ff. und Tobias 13, 21 ff.) in der religiösen Vorstellung der Zeit eine große Rolle spielte und der Name daher den Menschen vertraut war. Die meisten hatten nur geringe geographische Kenntnisse.

Die Kreuzzüge waren eine europäische Bewegung, die alle sozialen Schichten erfaßte und 300 Jahre andauerte.

Der „gerechte Krieg"

Augustins Lehre vom „gerechten Krieg" (bellum iustum), der nur zur Verteidigung und zur Wiedererlangung geraubten Gutes geführt werden darf, war von der römischen Kirche stets anerkannt worden. Da die Einfälle der Normannen, Ungarn und Araber im 9./10. Jahrhundert Angriffe von Heiden waren, gewöhnte man sich daran, den „gerechten Krieg" in enge Verbindung mit dem Kampf gegen die Heiden zu bringen. Die kirchliche Reformbewegung entwickelte den Begriff des „gerechten Krieges" dann weiter zum Begriff des „heiligen Krieges", der von der Kirche gutgeheißen und in ihrem Dienst geführt wurde. In diesem Sinne unterstützten die Päpste den Kampf ihrer normannischen Lehnsleute in Sizilien gegen die Araber (Robert Guiscard) und die Heidenkämpfe in Spanien. Später hat man diese Kämpfe in Spanien (gegen die Araber), im Osten (gegen die Slawen) und sogar Züge gegen „Ketzer" als Ersatzkreuzzüge gewertet und mit Sündenablaß belohnt. Der Aufstand der Stedinger Bauern, die sich gegen die Herrschaft des Erzbischofs von Bremen erhoben hatten, wurde mit einem Kreuzheer niedergeschlagen (1234). Allerdings waren das schon Späterscheinungen der Kreuzzugsbewegung.

Der Ablaß (= Nachlaß zeitlicher, in der Beichte auferlegter Strafen für Sünden), den Papst Urban als Lohn für die Kreuznahme versprach, war schon für Pilgerfahrten und andere gute Werke gewährt worden. Die Kreuzzugswerbung erweckte aber immer stärker den Eindruck, als reinige der Kreuzzug „von aller Sünde", als sei dem Kreuzfahrer „das Reich Gottes" sicher. Viele Gläubige meinten daher, daß nicht nur ihre (diesseitigen) zeitlichen Kirchenstrafen erlassen seien, sondern auch ihre Schuld im Jenseits. Damit war für den mittelalterlichen Menschen ein großer Anreiz gegeben. Die Kirche hat diese Auffassung vom Sündenerlaß nicht eindeutig bestätigt, aber auch nicht widerlegt. Der Ablaßhandel bis hin zur Reformation entwickelte sich in dieser Richtung weiter.

Pilgerfahrten hatte es schon lange gegeben. Bischof Gunther von Bamberg führte 1064/65 eine Gruppe von 7000 Menschen ins Heilige Land. Die Pilger waren unbewaffnet. Durch Machtverschiebungen im Orient war es häufiger zu Überfällen gekommen, so daß die Idee einer bewaffneten Wallfahrt nahelag. Diese nun verband sich mit Vorstellungen des „Heiligen Krieges" und öffnete der Ritterschaft, deren Betätigungsfeld durch die Gottesfriedensbewegung stark eingeschränkt worden war, neue Möglichkeiten.

Wirtschaftliche Hintergründe

Eine wichtige Rolle für die Kreuznahme, besonders bei der Ritterschaft, spielten auch wirtschaftliche und soziale Faktoren. Um den sozialen Status der Adelsfamilien aufrechterhalten zu können, hatte man das Erbrecht stark eingeschränkt und verwaltete den Grundbesitz gemeinschaftlich. Das bedeutete eine weitgehende Unterordnung des einzelnen unter die Familie und das Familienoberhaupt (bes. in Burgund, Südfrankreich und Italien). Als Beispiel sei hier die Adelsfamilie Le Hongre genannt. Von den fünf Brüdern waren 1096 zwei Mönche, zwei gingen nach Jerusalem, so daß der verbleibende Humbert den Familienbesitz allein übernehmen konnte. In Nordfrankreich erbte nur der erste Sohn (Primogenitur). Auch in Deutschland scheint eine Art gemeinsamer Besitz vorherrschend gewesen zu sein. Der Kreuzzug bot nun die Möglichkeit, zu eigenem Grundbesitz und damit zu größerer Unabhängigkeit zu kommen, da auch Urban II. in Clermont den Ausziehenden den ungestörten Besitz der eroberten Länder versprochen hatte. Für den ersten Kreuzzug (allerdings wohl nur für ihn) war diese Aussicht für viele ein Grund zur Teil-

Kreuzritterheer, dem der apokalyptische Christus als Führer voranzieht. Miniatur aus einer englischen Apokalypse vom Anfang des 14. Jahrhunderts. British Museum, London

nahme. In den Kreuzfahrerstaaten entwickelte sich später ein Erbrecht, das neben den Töchtern auch die Verwandten berücksichtigte. Starb der Kreuzritter, konnte die in Europa zurückgebliebene Familie ein anderes Mitglied auswählen, das die palästinensische Erbschaft antrat.

Aus wirtschaftlicher Sicht ist erklärlich, daß der erste Kreuzzug fast ganz von der Ritterschaft getragen wurde. Dennoch würde man mittelalterlichem Fühlen und Denken nicht gerecht, wenn man den Erfolg Papst Urbans II. in Clermont allein auf wirtschaftliche Verhältnisse zurückführen wollte.

3. Der 1. Kreuzzug
und die Judenpogrome

Eine große Masse niederen Volkes schloß sich dem Zug an, der zu Beginn des Jahres

| 1096 |

1096 aufbrach. Das Unternehmen zerfiel in verschiedene Gruppen: Gottfried von Bouillon führte Lothringer, Nordfranzosen und Deutsche; der Normanne Boemund von Tarent, Sohn Robert Guiscards, führte normannische Ritter und Graf Raimund von Toulouse Provenzalen und Burgunder. Daneben gab es viele kleinere Gruppen mit ihren Führern. Vorwiegend bei diesen kam es zu Plünderungen und Judenpogromen (Verfolgungen).

Jüdische Niederlassungen bestanden seit Jahrhunderten entlang den europäischen Handelsstraßen. Ihre Bewohner spielten im Fernhandel eine wichtige Rolle, weil sie Verbindung zu Glaubensgenossen in Byzanz und den arabischen Ländern unterhielten. Da den Christen Wucher und Zinsnahme verboten war, fanden die Juden auch im Geldverleih ein weites Betätigungsfeld. Ihre alten Überlieferungen hatten ihnen überdies in der Medizin Bedeutung verschafft. Obwohl sie kein Bürgerrecht besaßen, gewährten weltliche und geistliche Herrscher ihnen als nützlichen Gliedern der Gemeinschaft Schutz. Allerdings hatte sich ihr Verhältnis zu den unteren Schichten der Bevölkerung im Verlauf des 11. Jahrhunderts verschlechtert. Mit der allmählichen Ablösung des älteren Dienstleistungssystems durch Bargeldwirtschaft gerieten Bauern und ärmere Bürger in Geldnot und liehen bei den Juden. Die Kreuzzugsbewegung beschleunigte diese Entwicklung, da viele ärmere Ritter die kostspielige Ausrüstung nur mit Hilfe jüdischer Geldverleiher aufbringen konnten. Hinzu kamen religiöse Gefühle. Die Kreuzzugsprediger legten immer wieder besonderen Nachdruck auf Jerusalem, die Stätte der Kreuzigung. Dadurch wurde unvermeidlich die Aufmerksamkeit auf jenes Volk gelenkt, das Christus getötet hatte.

Die Ausschreitungen begannen in Frankreich und griffen auf das Rheinland über. In Speyer, Worms, Mainz, Köln, Trier und später auch in Prag kam es zu Plünderungen und Massenmorden, obwohl die Bischöfe sich dagegen wendeten und die Verfolgten zu schützen suchten. Erst in Ungarn wurden die mordenden und plündernden Haufen durch den entschlossenen Widerstand König Kolomans vernichtet.

Die größeren Heere waren inzwischen in Richtung Byzanz weitergezogen. Kaiser Alexios I. von Byzanz, der ein Söldnerheer als päpstliche Hilfstruppe erwartet hatte, war mißtrauisch und verlangte von den Anführern einen Eid, alles Land zurückzugeben, das vor der türkischen Invasion byzantinisch gewesen war. Der Eid wurde geleistet, aber nicht gehalten. Alexios gestattete die Überfahrt über den Bosporus und den Weitermarsch nach Kleinasien. Trotz großer Strapazen und obgleich eine einheitliche Leitung fehlte, war das Kreuzheer erfolgreich. Die Führer operierten strategisch geschickt, und in der offenen Feldschlacht erwiesen sich die schwergepanzerten Ritter den türkischen Bogenschützen überlegen. In kurzer Zeit wurden die Armenier von den Türken befreit, die Grafschaft Edessa und das Fürstentum Antiochia gegründet. Nach mehrwöchiger Belagerung nahmen die Kreuzfahrer Jerusalem ein, das die ägyptischen Fatimiden kurz zuvor von den Türken zurückerobert hatten, und richteten unter den Juden und Mohammedanern ein Blutbad an.

Da Gottfried von Bouillon die Königskrone ablehnte, krönte man später seinen Bruder zum „König der Lateiner in Jerusalem". Nach diesem Erfolg kehrte der größte Teil des Heeres nach Europa zurück, wo das Ergebnis des Zuges großen Jubel auslöste.

S. 105 oben: **Die wichtigsten Kreuzzüge**

Unten links: **Mittelalterliche Weltkarte** aus einer Psalmenhandschrift, um 1299. London, British Museum. Die Karte zeigt Jerusalem im Mittelpunkt der Welt.

Unten rechts: **Die Kreuzfahrerstaaten** in der ersten Hälfte des 12. Jahrhunderts

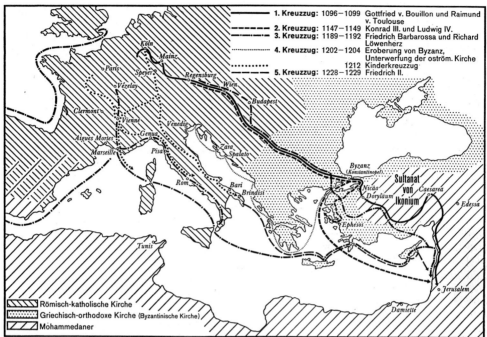

1. **Kreuzzug**: 1096—1099 Gottfried v. Bouillon und Raimund v. Toulouse
2. **Kreuzzug**: 1147—1149 Konrad III. und Ludwig IV.
3. **Kreuzzug**: 1189—1192 Friedrich Barbarossa und Richard Löwenherz
4. **Kreuzzug**: 1202—1204 Eroberung von Byzanz, Unterwerfung der oström. Kirche
                    1212 Kinderkreuzzug
5. **Kreuzzug**: 1228—1229 Friedrich II.

Römisch-katholische Kirche
Griechisch-orthodoxe Kirche (Byzantinische Kirche)
Mohammedaner

4. Die Kreuzfahrerstaaten

Die Ritterorden

Das Königreich Jerusalem war ein schmaler Landstrich. Erst in den folgenden Jahren konnte man die Küstenstädte dazuerobern. Wichtige Helfer erstanden den Kreuzfahrerstaaten in den Ritterorden und den italienischen Seestädten. Venedig, Pisa, Genua ersetzten die fehlende Flotte und erhielten dafür ausgedehnte Handelsprivilegien.

Die Ritterorden entstanden aus einer Verbindung mönchischer und ritterlicher Ideale. Hugo von Payens, ein Ritter aus der Champagne, schloß sich mit acht Genossen zusammen und leistete zu den drei Mönchsgelübden (Gehorsam, Armut, Keuschheit) den Schwur, Pilgern auf der noch immer unsicheren Straße zwischen Jaffa und Jerusalem Waffenschutz zu bieten. Da die Ritter im sogenannten „Templum Salomonis" (heute Aqsa-Moschee) wohnten, nannten sie sich „Templer". Bald entwickelte sich aus diesen Anfängen ein reicher, festorganisierter Orden mit einem Hochmeister an der Spitze, den Rittern, dienenden Brüdern und Ordenskaplänen. Sie trugen einen weißen Mantel mit rotem Kreuz. — Der Orden der Johanniter (roter Mantel mit weißem, achtspitzigem Kreuz) entstand aus einem christlichen Hospital, das Kaufleute aus Amalfi 1070 gegründet hatten. Neben der Krankenpflege übernahm er bald Funktionen im Grenzschutz. Beide spielten wirtschaftlich, politisch und militärisch eine wichtige Rolle. — Fast hundert Jahre später (1190) liegt die Gründung des Deutschen Ritterordens. Er ging aus einer deutschen Hospitalgenossenschaft Lübecker und Bremer Bürger vor Akkon hervor und wurde zu dem rein national ausgerichteten geistlichen Ritterorden „vom Hause der Heiligen Maria der Deutschen in Jerusalem" umgewandelt. Seine Tracht war ein weißer Mantel mit schwarzem Kreuz.

Wirtschaft und Verwaltung

Wegen des Menschenmangels in den Kreuzfahrerstaaten zog man kampffähige Siedler ins Land, indem man ihnen gute Bedingungen einräumte (Landzuteilung, geringe Abgaben, persönliche Freiheit. Außerdem stand ein fränkischer Bauer sozial über einem noch so reichen syrischen Großgrundbesitzer). In den Städten lebte man komfortabel. Antiochia, aus byzantinischer Zeit eine gewaltige Festung mit 360 Türmen, hatte ein kunstvolles Kanalisationssystem und fließendes Wasser. Der persische, syrische und ein Teil des indischen Gewürzhandels ging über Akkon und Tyrus. Nach Europa verschifft wurden hier Gewürze, Weihrauch, Linnen, Seide, Damast, Färbemittel für die europäische Textilproduktion, Edelhölzer (Sandelholz), damaszenische Stahlwaren, Juwelen, Porzellan. An eigener Produktion führte man aus: Staubzucker (ein Haupterzeugnis auf Tyrus und Akkon), jüdische Glasfabrikate, Wein, Früchte, Öl, während man Getreide, Salz, Pferdesättel, gesalzenes Schweinefleisch für die Franken einführen mußte. Der Haupttransithandel mit Indien und Arabien lief allerdings nach wie vor über Ägypten.

Die Landwirtschaft lag in den Händen der eingeborenen Bevölkerung, die zwar politisch rechtlos war, aber sonst ohne Bedrückung leben konnte. Sie war an die Scholle gebunden, genoß aber Kultfreiheit und zahlte nur mäßige Abgaben. Sklaven konnten sich durch die Taufe befreien. Syrische Christen sind sogar in den fränkischen Ritterstand aufgestiegen.

Der König bzw. der Landesfürst wurde gewählt, wobei das Geblütsrecht in den Vordergrund trat. Die königliche Gewalt war zunächst stark, aber nie absolut (der König besaß das Zoll- und Münzregal, die Jurisdiktion, das alleinige Recht, mit den italienischen Seestädten oder Byzanz Verträge abzuschließen, und er konnte in 12 genau festgelegten Fällen Lehen ohne Gerichtsverfahren einziehen). Durch die vielen Kriege geriet der König jedoch in steigende Abhängigkeit von seinen Vasallen, deren Macht ständig wuchs. Kaiser Friedrich II. konnte sich als König von Jerusalem nicht gegen den hohen Adel durchsetzen.

Das Heerwesen beruhte auf dem Lehen. Um 1180 bestand das Heer aus etwa 675 Rittern der Kronlehen zuzüglich der Ordensritter. Geistlichkeit und städtische, nichtadelige Bevölkerung stellten die Fußtruppen (ca. 5000 Mann), die die Aufgabe hatten, das Ritterheer so lange zu schützen, bis dieses seine festgeschlossene Kampfreihe (Phalanx) bilden konnte. Hinzu kamen leichtbewaffnete Reitertruppen aus der eingeborenen getauften Bevölkerung und Söldner. Durch innere Kämpfe und Adelsintrigen wurden die Kreuzfahrerstaaten geschwächt. Aber auch die Welt des Islam war nicht einig.

5. Die späteren Kreuzzüge

Der Gegenschlag des Islam

Um die Mitte des 12. Jahrhunderts nahm der islamische Druck zu. 1144 ging die Grafschaft Edessa verloren. Deshalb kam es zu einem zweiten Kreuzzug (1147—1149), geführt von dem deutschen König Konrad III. und dem französischen König Ludwig VII. Der Zug, aufgeteilt in verschiedene Gruppen und von einem großen Troß behindert, mußte schon auf dem Marsch durch Kleinasien schwere Niederlagen hinnehmen. Der unsinnige Versuch, Damaskus zu erobern, ließ das Unternehmen vollständig scheitern. Der Papst, aus Sorge, seine Führungsrolle bei den Kreuzzügen an die Könige zu verlieren, war für diesen Kreuzzug stark eingetreten (Kreuzzugspredigten des berühmten Bernhard von Clairvaux). Ihn traf nun auch die Kritik, und es wurden Zweifel laut, ob der Kreuzzug tatsächlich Gottes Wille gewesen sei, wie die Kirche behauptet hatte.

Seit etwa 1170 hatte Saladin, ein Sohn des Sultans von Aleppo, Syrien und Ägypten unter seine Herrschaft gebracht. Er sah seine Aufgabe darin, Macht und Einheit des Islam wiederherzustellen. Nach sorgfältiger politischer und militärischer Vorbereitung brachte er in der Schlacht von Hattin (am See Genezareth, 3. Juli 1187) den **1187** Kreuzfahrerstaaten eine vernichtende Niederlage bei und zog als Sieger durch Palästina und Syrien. Akkon, Askalon und schließlich auch Jerusalem fielen. Die Aqsa-Moschee wurde feierlich dem Islam zurückgegeben, aber am Heiligen Grab durfte der christliche Gottesdienst weitergeführt werden. Saladin selbst stand wegen seiner Großmütigkeit und Zuverlässigkeit (er soll nie sein Wort gebrochen haben) in hohem Ansehen. Einige Küstenstädte, dar-

unter Tripolis und Tyrus sowie Antiochia konnten sich halten.

Der 3. Kreuzzug

In Europa, wo man kreuzzugsmüde geworden war, machte die Nachricht vom Fall Jerusalems tiefen Eindruck, so daß ein dritter Kreuzzug (1189—1192) beschlossen wurde. Es war der größte, der je ins Heilige Land gezogen ist: Die Könige von England (Richard Löwenherz) und Frankreich (Philippe II. Augustus) nahmen teil, sowie Kaiser Friedrich I. (Barbarossa) mit den Herzögen von Schwaben und Österreich, dem Landgrafen von Thüringen und vielen Bischöfen und Grafen. Zeitgenossen sprachen von 100 000 Mann. Die Engländer und Franzosen nahmen den Seeweg, die Deutschen zogen über Land. Byzanz, das sich aus Mißtrauen gegen die Kreuzfahrer mit Saladin verbündet hatte, gestattete nur auf Drohungen hin die Überfahrt nach Kleinasien. Trotz großer Strapazen erkämpfte das Heer einen glänzenden Sieg und näherte sich schon Seleukia, als der Kaiser im Fluß Saleph ertrank. Offenbar fand sich kein Führer, der das Heer zusammenhalten konnte, die meisten traten zu Schiff die Heimreise an, nur ein kleiner Teil folgte Friedrichs Sohn, dem Herzog von Schwaben, nach Antiochia. Die Deutschen spielten auf diesem Kreuzzug kaum noch eine Rolle, die Führung ging an die Engländer und Franzosen über (vgl. C, V, 2). In wechselvollen Kämpfen errang Richard Löwenherz einige Erfolge, konnte aber Jerusalem nicht zurückgewinnen. Es kam schließlich zum Frieden mit Saladin (1192), in dem die Christen das Recht erhielten, als friedliche Pilger Jerusalem zu besuchen. Nur die nordsyrischen Gebiete und der Küstenstreifen zwischen Jaffa und Tyrus waren noch christlich. Nach dem Tod Saladins (1193) zerfiel sein Reich, und die Kreuzfahrerstaaten hatten für etwa 50 Jahre Ruhe.

Das Lateinische Kaisertum

Bei den noch folgenden Kreuzzügen spielten immer stärker politische Motive eine Rolle. Der Kreuzzug Kaiser Heinrichs VI. (1197) diente der kaiserlichen Machtausdehnung im östlichen Mittelmeer, stellte aber durch die Eroberung von Sidon und Beirut die Verbindung zwischen dem Königreich Jerusalem und der Grafschaft Tripolis wieder her.

Nutznießer des 4. Kreuzzugs (1202—1204), zu dem Papst Innozenz III. aufgerufen hatte, waren die Venezianer. Da die Kreuzfahrer, vorwiegend Adelige aus Frankreich und Burgund, die Überfahrt auf den venezianischen Schiffen nicht bezahlen konnten, mußten sie ersatzweise die von Venedig abgefallene christliche Stadt Zara in Dalmatien zurückerobern. Der Papst exkommunizierte das Heer vorübergehend, lenkte aber wieder ein, da er sich mit den Gegebenheiten abfinden mußte. Anstatt wie ursprünglich geplant, den Islam in Ägypten anzugreifen, fuhren die Kreuzfahrer auf der venezianischen Flotte nach Byzanz, um dort in die Thronstreitigkeiten einzugreifen. Nach Erstürmung und Plünderung der Stadt errichteten sie ein Lateinisches Kaisertum (1204—1261) unter Balduin von Flandern. Venedig erhielt Handelsstützpunkte (Kreta, Euböa, Korfu u. a.), die übrigen Führer kleine Fürstentümer auf griechischem Boden.

Die letzten Kreuzzüge

Der 4. Kreuzzug, in dem man zum ersten Mal gegen Christen gekämpft hatte, bedeutete eine gewisse Pervertierung der Kreuzzugsidee. Es folgten die Kreuzzüge gegen die ketzerischen Albigenser in Südfrankreich (1209—1229) und die Stedinger Bauern (1234), der Kinderkreuzzug (1212) und die Slawenkreuzzüge. Auch der 5. Kreuzzug (1228—1229), den der gebannte Kaiser Friedrich II. durch Verhandlungen zu einigem Erfolg führte, hatte mehr politischen Charakter. Friedrich wollte seine dynastischen Interessen (Erbschaft seiner verstorbenen Gemahlin Isabella von Jerusalem) durchsetzen und seine Stellung in Europa stärken. Er gewann Jerusalem für kurze Zeit zurück, aber schon 1244 ging es den Christen endgültig verloren.

Trotz zahlreicher Mißerfolge und häufiger Kritik an der Durchführung der Kreuzzüge war die religiöse Begeisterung nicht erloschen. Das zeigte die Opferbereitschaft beim 6. Kreuzzug (1248—1254), den Ludwig IX. (der Heilige), König von Frankreich, aus tiefer Religiosität unternahm und an dem sich ca. 20 000 Mann, darunter 2500 Ritter, beteiligten. Der Zug kostete (nach einer Berechnung des königlichen Schatzamtes im 14. Jahrhundert) etwa 30 Millionen Goldmark und entsprach damit dem damaligen französischen Staatsbudget von 11—12 Jahren.

Das Unternehmen brachte keinen bleibenden Erfolg. Auch die Hoffnung, sich mit den Mongolen, die China unterworfen und in Zentralasien ein großes Reich gebildet hatten, gegen den Islam verbünden zu können, ging nicht in Erfüllung.

In Ägypten waren inzwischen die Mameluken zur Macht gekommen, türkische Sklaven, die im Heer gedient und schließlich die Macht übernommen hatten. Ihr Sultan Baibars (1260—1277) knüpfte an die Politik Saladins an. Er nahm den planmäßigen Kampf gegen die Christen wieder auf und eroberte 1268 Jaffa und Antiochia.

König Ludwig IX. versuchte noch einmal, dem Osten zu Hilfe zu kommen, fand aber kein Interesse mehr beim Adel. Ähnlich erging es Papst Gregor X. 1291 fiel Akkon. Daraufhin wurden die letzten christlichen Besitzungen in Palästina geräumt.

Obgleich die Kreuzzüge politisch keinen dauernden Erfolg hatten, blieben sie nicht ohne Folgen. Das geographische Weltbild der Europäer hatte sich erweitert, die Zunahme des Orienthandels führte zur Verfeinerung des adeligen und städtischen Lebensstiles, die italienischen Seestädte waren zu politischer Macht und wirtschaftlicher Unabhängigkeit gelangt. Allerdings erfolgte die kulturelle Berührung stärker über Spanien und Sizilien als über Palästina. In den Kreuzfahrerstaaten hatte sich die fränkische Oberschicht kaum mit dem Koran, den arabischen Wissenschaften oder den islamischen Sprachen befaßt. Arabische Lehnworte wie Damast, Musselin, Arsenal, Zucker, Syrup, Admiral, Almanach, Alchimie und arabische Wissenschaft und Kultur drangen mehr über Spanien und Italien ein.

III. Neue religiöse Strömungen

1. Die Orden
der Zisterzienser und Prämonstratenser

Durch die cluniazensische Reformbewegung waren die Klöster in das kirchliche und politische Leben einbezogen und in ihrer Bedeutung gestärkt worden. Große Schenkungen hatten ihren Reichtum vermehrt. Die Kirche stand auf einem Höhepunkt ihrer Macht, die sich in den monumentalen Kirchenbauten der Romanik ausdrückte. Wie in den Städten die Bischofskirche wuchs auch die Klosterkirche weit über die Dimensionen hinaus, die für eine Gemeinde nötig gewesen wären. In ihrer wuchtigen Einfachheit und mit den mächtigen Türmen (ihre Zahl war bis auf sechs gestiegen) glich sie eher einer Burg als einer Kirche.

Die Machtentfaltung der Kirche rief Gegenkräfte hervor, die eine Vertiefung des religiösen Lebens bei Klerikern und Laien anstrebten.

In Burgund gründete Robert von Molesme

| 1075 |

1075 das Kloster Cîteaux (Cistercium) in einer Einöde, wo er mit 20 Mönchen nach der ursprünglichen Strenge der Benediktinerregel lebte. Aus dieser Klostergemeinschaft entwickelte sich der Zisterzienserorden, der besonders unter dem Abt Bernhard von Clairvaux (gest. 1153) schnelle Verbreitung fand. — Die Mönche folgten der Benediktinerregel ohne jede Milderung und stellten die Handarbeit so stark in den Vordergrund, daß sie lange Zeit als bildungsfeindlich galten. Die Klosterbauten wurden auf das Zweckmäßige beschränkt. Die Kirchen besaßen weder farbige Fenster noch Bilder oder Skulpturen, statt der Türme sollte nur ein kleiner Dachreiter über der Vierung angebracht werden. Der Orden siedelte, wie es die Regel vorschrieb, abseits von Städten und Straßen und widmete sich der Rodung, dem Austrocknen von Sümpfen und verschiedenen Handwerken. Die Güter wurden ohne weltliche Hilfsleute in Eigenwirtschaft bestellt und galten bald als landwirtschaftliche Mustergüter. Bei der Ostkolonisation wirkten die Mönche dank ihrer Arbeitskraft und straffen Organisation als Pioniere. Im Jahr 1342 zählte der Orden 707 Klöster. Seine Äbte waren Berater von Königen und Päpsten. Bernhard von Clairvaux galt als der be-

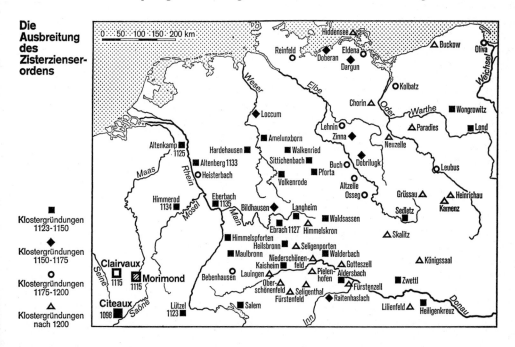

Die Ausbreitung des Zisterzienserordens

Klostergründungen 1123-1150
Klostergründungen 1150-1175
Klostergründungen 1175-1200
Klostergründungen nach 1200

rühmteste Kreuzzugsprediger seiner Zeit und als Autorität in allen Kirchenfragen. Aus dem Orden gingen zwei Päpste, 42 Kardinäle und 535 Bischöfe hervor.

Ähnliche Ziele wie die Zisterzienser verfolgten auch die Prämonstratenser, die regulierten Chorherren von Prémontré. Da die Reformbewegung auch vom Weltklerus einen strengeren Lebenswandel gefordert hatte, schlossen sich viele Kleriker zu einem gemeinsamen Leben zusammen, wobei sie unterschiedlich strenge Regeln annahmen, meist die Augustinerregel (z. B. die Augustiner Chorherren). Ein solcher Klerikerorden waren die Prämonstratenser. Da ihr Gründer, der Deutsche Norbert von Xanten (gest. 1134), Erzbischof von Magdeburg wurde, eröffnete er diesem Orden ein weites Tätigkeitsfeld in den Ostgebieten (Christianisierung, Kolonisation).

2. Ketzerbewegungen

Seit Bestehen der christlichen Kirche hatte es Lehren gegeben, die vom anerkannten Dogma abwichen. Man nannte diese „Irrlehren" mit einem griechischen Ausdruck „Häresien" (Häretiker = einer, der Irrlehren vertritt). Häretiker wurden verurteilt, gelegentlich auch — zunächst gegen den Willen der Kirche — von aufgebrachten Volksmassen verbrannt. Zu Beginn des 11. Jahrhunderts gab es vereinzelt Irrlehren mit asketischem Charakter, die sich unter Berufung auf das Evangelium gegen das Fleischessen, das Töten von Tieren, die Ehe, die Heiligenverehrung, die Taufe und andere Sakramente wandten und die Hierarchie der Kirche nicht anerkannten.

Während des Investiturstreites hörte man nichts von Häretikern, da die Kirchen- und Klosterreform alle religiösen Kräfte auf ein gemeinsames Ziel lenkte.

Seit Beginn des 12. Jahrhunderts tauchten jedoch in den lebhaften theologischen Auseinandersetzungen zahlreiche Irrlehren auf und ergriffen als Gegenbewegung gegen Macht und Reichtum der Kirche breite Volkskreise.

In Südfrankreich, Spanien, Italien und am Rhein verbreitete sich die Bewegung der Katharer, von deren Namen (griech. katharòs

= rein) der Begriff „Ketzer" abgeleitet wurde. Sie predigten Armut und Nachfolge Christi, wurden dann aber zu einer Bedrohung der Kirche, weil sie eine Art Gegenkirche entwickelten. Sie vertraten ein schroff dualistisches Weltbild (Dualismus = Herrschaft zweier Mächte, hier des guten und des bösen Prinzips): Satan als zweiter, abgefallener Sohn Gottes hatte die materielle Welt geschaffen, deshalb war alles Materielle und Fleischliche böse, der Mensch mußte sich ihm entziehen und durch Hinwendung seiner Seele zu Gott nach Erlösung streben. Ein „Kreuzzug" nach Südfrankreich (1209 bis 1211) vernichtete die Katharer.

In Lyon verzichtete ein reicher Kaufmann namens Petrus Valdes auf allen Besitz und legte als armer Wanderprediger die Bibel aus. Seine Anhänger nannten sich Waldenser. Sie vertraten Armut und Laienpredigt. Jeder Eid, jede Lüge, alles Töten galt ihnen als Todsünde gegen das Gebot der Bibel. Sie bekämpften die Katharer als Ketzer, wurden aber trotzdem von der Kurie abgelehnt und aus der Kirche ausgeschlossen (1184). Ebenso erging es zunächst den Humiliaten („Humiliati" = die Demütigen) in Norditalien, die ähnliche Ziele verfolgten, jedoch nicht umherzogen, sondern als gewerbstätige Bürger ein bescheidenes, arbeitsames Leben führten. Allerdings behielten sie trotz Verbotes die Laienpredigt bei. Es zeigt den Weitblick Papst Innozenz' III., daß er das religiöse Streben dieser als Ketzer verurteilten Sekten erkannte. Er bezog die Humiliaten und einen Teil der Waldenser als fromme Laiengemeinschaften in die Kirche ein und gab ihnen eine Art Ordensregel. Damit war die Voraussetzung für die Entstehung der neuen Bettelorden gegeben.

Die Antwort der Kirche auf die Ketzer war die Inquisition (inquirere = untersuchen, Beweise zur Klage suchen). Papst Lucius III. (1181—1185) verpflichtete als erster die Bischöfe „zur Beseitigung der verschiedenen Ketzereien", jährlich ein- oder zweimal in den Pfarreien ihrer Diözese, wo Ketzereiverdacht bestehe, die Gemeinde unter Eid zu befragen, die Angeschuldigten zu verhören und — wenn sie sich nicht reinigen könnten — zu bestrafen. Die weltliche Obrigkeit hatte gegen die Ketzer vorzugehen.

Franz von Assisi. Auf dem vielleicht von Giotto di Bondone um 1300 gemalten Fresko in der Minoritenkirche San Francesco in Assisi ist die Legende dargestellt, nach der Papst Innozenz III. träumte, Franz von Assisi werde den drohenden Einsturz der Kirche aufhalten.

Sie bestimmte das Strafmaß. Nach dem Laterankonzil von 1215 verhängten viele Staaten für Ketzerei den Tod auf dem Scheiterhaufen. Da der Begriff der Ketzerei nicht genau definiert war, wurde auch viel spontane Religiosität mit verurteilt. Innozenz III. erkannte diese Gefahr und versuchte, ihr entgegenzuwirken.

3. Die Bettelorden

Als Franz von Assisi (gest. 1226), Sohn eines reichen Kaufmanns, mit seinen ersten Gefährten an der Kurie um Erlaubnis bat, eine besitzlose Büßer- und Predigergemeinschaft zu bilden, wurde er — anders als seinerzeit Petrus Valdes — *nicht* abgewiesen. Man erkannte die „Minoriten" (Fratres Minores = Minderbrüder) als neuartigen Orden an. Sie vertraten das Ideal absoluter Armut, zogen barfuß durchs Land, lebten von der Mildtätigkeit anderer und predigten das Evangelium. 1219 wurden sie in Frankreich und Deutschland noch für Ketzer gehalten, entwickelten sich aber bald zu einem weitverbreiteten, in Provinzen gegliederten Orden mit einem auf Zeit gewählten General an der Spitze. Der Orden unterstand direkt dem Papst. Dieser nutzte ihn zur Massenseelsorge und zur Mission gegen Ketzer, aber auch zum propagandistischen Kampf gegen Kaiser Friedrich II.

Neben die Franziskaner trat der Bettelorden der Dominikaner mit verwandten Idealen. Der Kastilianer Dominikus hatte bei der Auseinandersetzung mit den Katharern erkannt, daß man ihren religiösen Eifer nur durch ernste Frömmigkeit überwinden könne. Deshalb widmete er sich vor allem der Predigt unter Häretikern (Predigerorden). Folgerichtig wurde dem Orden (1215 anerkannt) die Inquisition übertragen, wobei die Bekehrung im Vordergrund stand. Später wurde er wegen seiner gelehrten Studien berühmt.

IV. Die deutsche Ostbewegung

1226	Goldene Bulle von Rimini	1411	1. Thorner Frieden
1209—1239	Hermann von Salza Hochmeister des Deutschen Ordens	1466	2. Thorner Frieden
1410	Schlacht bei Tannenberg	1525	Das Ordensland Preußen wird weltliches Herzogtum

1. Verteidigung und Mission im frühen Mittelalter

Das Verhältnis des Reiches zu seinen östlichen Nachbarn war im 9. und 10. Jahrhundert durch militärische Abwehrkämpfe bestimmt. Die Ottonen knüpften an das karolingische System der Grenzmarken an und ergänzten es durch die Begründung von Bistümern (947 Brandenburg, 949 Havelberg, 968 Magdeburg und Posen, 976 Prag, 1000 Gnesen). Neben die militärisch-politische Zielsetzung trat die Heidenmission und eröffnete die Möglichkeit, auch kulturell und wirtschaftlich Einfluß zu nehmen.

Diese erste Epoche der Ostbewegung stand unter Führung des deutschen Königtums, brachte aber bis ins 11. Jahrhundert hinein schwere Rückschläge: Noch der Sturz des mächtigen Erzbischofs Adalbert von Bremen-Hamburg (1066) führte zu einer heidnischen Reaktion der Abodriten.

Obgleich sich im Schutze der Burgen Kaufleute und vereinzelt auch Bauern niedergelassen haben, kann man in dieser Zeit noch nicht von einer planmäßigen deutschen Besiedlung der slawischen Gebiete sprechen, mit Ausnahme des Südostens. Hier hatten die Bayern schon seit dem 7. Jahrhundert christianisierend und kolonisierend gewirkt. Unter Heranziehung fränkischer Siedler nahmen sie die Neubesiedelung der verwüsteten Ostmark wieder auf, sobald die Ungarn zurückgeschlagen worden waren.

2. Die deutsche Ostsiedlung

Die Wanderung nach Osten

Die Ostwanderung wurde durch eine Zunahme der Bevölkerung im 11. Jahrhundert ausgelöst. Sie begann in den wirtschaftlich hochentwickelten Gebieten des unteren Rheins, von wo aus holländische und flämische Bauern an die Unterweser und Unterelbe zogen. Mit ihrer Erfahrung im Deichbau und bei Entwässerungsarbeiten kultivierten sie hier Sumpfland. Um die Mitte des 12. Jahrhunderts drangen sie über die Elbe-Saale-Linie in slawische Gebiete vor, vor allem nach Mecklenburg. Auch Siedler aus anderem deutschen Stämmen folgten dem Zug nach Osten: (Nieder)sachsen siedelten in Brandenburg und Pommern, Franken drangen am Rand des Erzgebirges vor, weiter nördlich Thüringer. Bis zum Ende des 12. Jahrhunderts war von den Alpen bis zur Ostsee ein Streifen von 80—100 km Tiefe besiedelt. Im 13. Jahrhundert wurde Schlesien erreicht. Seit 1231 begründete der Deutsche Ritterorden (vgl. C, IV, 3) am Unterlauf der Weichsel einen Staat, der um 1300 im östlichen Pommern Anschluß an die vom Westen und Süden her sich vorschiebende Spitze der deutschen Bauernsiedler gewann.

Kaiser Lothar von Supplinburg (gest. 1137), der als Sachsenherzog mit den Verhältnissen im Osten vertraut war, schaffte günstige Voraussetzungen für die Ostkolonisation. Er kämpfte erfolgreich gegen Liutizen und Abodriten und stellte seine Oberhoheit über Polen, Dänemark und Böhmen wieder her. Der Herzog von Polen, der Pommern und Rügen erobert hatte, mußte diese Gebiete als Lehen des Reiches anerkennen. Ferner setzte Lothar an der Ostgrenze tüchtige Fürsten ein: Graf Adolf von Schauenburg erhielt Holstein, Konrad von Wettin die Mark Meißen und dazu später die Lausitz. Der Askanier Albrecht der Bär wurde mit der Nordmark belehnt und erbte von dem christlichen, kinderlosen Hevellerfürsten Pribislaw Brandenburg, von wo aus er seine Herrschaft über die Havellande und die Priegnitz ausdehnen konnte. Jetzt kam für die Nordmark die Bezeichnung „Mark Brandenburg" auf (1157). Nördlich davon baute Heinrich der Löwe seine Herrschaft

Herrschaftl. Dorfgründung, Heidelberger Bilderhandschrift des Sachsenspiegels, Anf. des 14. Jahrhunderts. Ein Grundherr legt in der Wildnis ein Dorf an. Links überreicht er dem Bauermeister oder Locator den besiegelten Leihebrief, auf dem der Anfang des Urkundentextes zu erkennen ist: „Ego dei gratia do . . ."

„Wo gebure ein nuwe dorf besiczen von wilder worczeln, den mac des Dorfes herre wol geben erbeczinsrecht an dem güte, alleine ensin si czû dem güte nicht geborn."

über die Abodriten im westlichen Mecklenburg aus. Nach Lothars Tod wurden diese Fürsten die Träger der Ostbewegung. Das Königtum widmete sich anderen Aufgaben.

Die Ansiedlung

Die Ansiedlung deutscher Bauern erfolgte planmäßig, zum Teil in schon bestehenden Ortschaften, zum Teil in Neugründungen „aus wilder Wurzel" (wie z. B. die Orte auf -hagen, -walde, -rode, -holz, -horst). Eine wichtige Funktion hatte der sogenannte „Lokator", auch „burmeister" oder „possessor" (= Besetzer der Bauernstellen) genannt. Er war Mittler zwischen den Landes- oder Grundherren und den Bauern. Im Auftrag des Grundherrn vermaß und verteilte er den Boden, führte die Trecks heran und leitete die Kultivierung des Bodens (Rodung, Entwässerung, Wegebau etc.). Als Entgelt für seine Leistungen erhielt er das Schulzenamt mit der Dorfgerichtsbarkeit (ein Drittel der Strafgelder durfte er behalten) und sonstige Rechte, wie Mühl-, Schank- oder Braurecht. Die Siedler waren persönlich frei. Ihre Höfe wurden reichlich mit Land ausgestattet und zu Erbrecht verliehen. Dienste und Abgaben waren wesentlich geringer als im Westen. Allerdings kamen die Bauern auch nicht ohne Besitz, sondern brachten Vieh, Geräte und oft Bargeld (aus dem Verkauf ihrer alten Güter) mit.
Die Ostbewegung erfaßte neben Bauern und Adeligen auch Handwerker und Kaufleute. Planmäßige Stadtgründungen ergänzten die Landsiedlung, und zwar so, daß Stadt und Land einen einheitlichen Wirtschaftsraum bildeten.
Vorhandene Fernhandelsplätze, wie z. B. Breslau oder — an der Ostseeküste — Danzig, Memel, Riga u. a., wurden zu Städten im Rechtssinn, d. h. mit eigenem Recht und eigenen Privilegien, ausgebaut. Sie nahmen in den meisten Fällen das Magdeburger oder Lübecker Recht an. Der Aufschwung der Städte spiegelt sich in den Bauten. Neben mächtigen Backsteinkirchen erstanden repräsentaive Rathäuser, Tortürme und Bürgerhäuser.
Auf dem Lande setzte sich das höherentwickelte deutsche Recht und mit ihm die deutsche Sprache durch. Die slawische Bevölkerung, die zunächst unter eigenem Recht und in wirtschaftlicher Unfreiheit lebte, nahm an der Entwicklung teil und ging allmählich in der deutschen Bevölkerung auf. Dies galt nicht für Polen, Böhmen und Ungarn, wo schon eine eigene staatliche Organisation bestand. Hier kam es später zu antideutschen Reaktionen, besonders von seiten des Adels, der seine Stellung bedroht sah.

Der Begriff der „Kolonisation"

Der Begriff „Kolonisation" darf bei der Ostbewegung nur mit Einschränkung benutzt werden; er hat mit überseeische Kolonisation der Neuzeit nichts zu tun. Er bedeutete bei den Überseekolonien Herrschaft zum Zwecke wirtschaftlicher Ausbeutung. Das traf für die Ostsiedlung nicht zu. Im Gegenteil: Die Siedler investierten Vermögen und Arbeitskraft, ohne daß der Nutzeffekt ins Ausgangsland zurückgeflossen wäre. Auch eine zentrale Leitung des Mutterlandes fehlte. Die Planung lag in den jeweils erfaßten Landschaften selbst, bei den slawischen oder deutschen Fürsten, dem einheimischen oder zugewanderten Adel und bei der Kirche.

Die Ostsiedlung vollzog sich im 12. und 13. Jahrhundert durchweg friedlich. Der Wendenkreuzzug von 1147 paßte schon nicht mehr in die Gesamtentwicklung. Die slawischen Fürsten, selbst christlich und durch Heiraten mit dem deutschen Hochadel eng verbunden, riefen Siedler ins Land, weil deren kulturelle und technische Überlegenheit wirtschaftlichen Vorteil brachte (Bergbau, Obst- und Gartenkultur, Bewässerungstechnik; Eisenpflug ermöglichte gegenüber dem hölzernen Hakenpflug eine intensivere Bearbeitung und machte auch schwere Böden bebaubar). Von den eingewanderten adeligen Dienstmannen erhofften sich die Fürsten Schutz gegenüber der Adelsopposition im eigenen Land (so die Piasten in Schlesien, die Przemisliden in Böhmen, die Arpaden in Ungarn).

Obgleich um 1300 der Zuzug aus dem Westen nachließ und manche Orte wieder aufgegeben werden mußten (sie wurden zu sogenannten „Wüstungen"), hielt im ganzen die Aufwärtsentwicklung der Ostgebiete an. Der Schwerpunkt des Reiches verlagerte sich im Spätmittelalter zeitweilig nach Böhmen, wo Kaiser Karl IV. 1348 in Prag die erste deutsche Universität gründete.

3. Der Staat des Deutschen Ritterordens

Die Eroberung Preußens

Um 1225 rief Herzog Konrad von Masowien den Deutschen Ritterorden gegen die kriegerischen Einfälle der Preußen zu Hilfe. Diese bildeten — zusammen mit den Litauern, Letten, Liven und Esten — eine letzte Insel des Heidentums im Nordosten Europas. Ähnlich wie früher bei den Elbslawen kam es in den folgenden Jahren hier zu einer gewaltsamen Missionierung, die nicht frei von Rückschlägen war.

Dem Hochmeister Hermann von Salza kam der Hilferuf gelegen. Er suchte ein neues Betätigungsfeld für den Orden, dessen Wirkungsmöglichkeit durch die abendländi-

schen Mißerfolge im Heiligen Land eingeschränkt worden war. Ein Versuch, im siebenbürgischen Burzenland Fuß zu fassen, war am Widerstand des ungarischen Königs gescheitert.

Herzog Konrad hatte dem Orden als Gegenleistung für seine Hilfe das Kulmerland versprochen. Als weitblickender Politiker erreichte Hermann von Salza jedoch eine weitergehende Sicherung des geplanten Ordensstaates: Mit der Goldbulle von Rimini **1226** (1226) übertrug Kaiser Friedrich II. dem Orden die Herrschaft über das Kulmerland und über jene Gebiete, die die Ritter im Kampf gegen die Heiden noch gewinnen würden. Der Hochmeister erhielt alle landesherrlichen Hoheitsrechte, brauchte aber keine Dienste für das Reich zu leisten. Damit nahm der Ordensstaat eine Sonderstellung ein. Er galt als Teil des Reiches, war aber unabhängig. 1234 bestätigte der Papst dem Orden den freien und ewigen Besitz des Landes, das er zugleich „Recht und Eigen des hl. Petrus" nannte.

Die Eroberung Preußens unter Leitung des Landmeisters Herman Balk zog sich von 1231 bis 1283 hin, da die Preußen heftigen Widerstand leisteten. (Preußenaufstände 1242 und 1260—1273). Zur Sicherung des eroberten Landes wurden Burgen angelegt und oft durch sofortige Ansiedlung deutscher Bürger zu Städten ausgebaut (Thorn 1231, Kulm 1232, Marienwerder 1233, Memel 1253, Königsberg 1255). Mit der „Kulmer Handfeste" von 1233 gab Hermann von Salza dem Ordensstaat eine Rechtsordnung (ältestes bekanntes Landrecht). Beeinflußt vom Magdeburger Stadtrecht, war sie ursprünglich nur für die Städte Kulm und Thorn bestimmt, galt später aber im ganzen Land (sogenanntes Kulmer Recht). Sie gab den Städten weitgehende Selbstverwaltung. Gegen Ende des 13. Jahrhunderts wurde auch das flache Land von Deutschen besiedelt (Rheinländer, Westfalen, Thüringer, Schlesier). Das Kulmer Recht gewährte ihnen persönliche Freiheit, Besitzrecht an Grund und Boden, Erbrecht, mäßige Abgaben, und Kriegsdienst nur im Notfall. Die besiegten Altpreußen lebten unter dem wesentlich ungünstigeren „Preußischen Recht". Als Gesinde oder abhängige Bauern mußten sie „ungemessene Frondienste" lei-

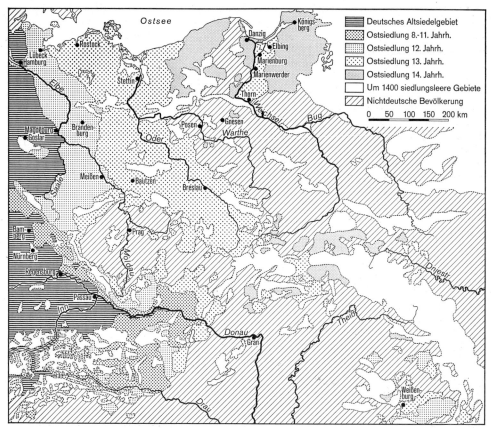

Die deutsche Ostsiedlung im Mittelalter

sten. Aufenthalt und Ansiedelung in den Städten war ihnen verboten. Erst im 15./16. Jahrhundert, als auch die deutschen Bauern sozial absanken, trat ein Verschmelzungsprozeß ein. Die preußische Sprache erlosch Anfang des 17. Jahrhunderts.

Die Organisation des Ordensstaates

Die verhältnismäßig hohe Sicherheit, die der Orden bot, und die straffe, zentrale Verwaltung förderten zunächst den Ausbau des Staates. Es gab schon eine Art Fachressorts (Kriegswesen, Bekleidung, Finanzen, soziale und karitative Aufgaben, allgemeine Ordensverwaltung), an deren Spitze jeweils ein sogenannter „oberster Gebietiger" stand. Die einzelnen Siedlungsgebiete wurden durch Ordenshäuser (= Komtureien, mit mindestens 12 Ritterbrüdern) verwaltet. Die straffe, einheitliche Oberherrschaft des Ordens ließ Raum für eine weitgehende Selbst-

verwaltung der Städte und Dörfer. Die Ritter, weder durch eigenen Besitz noch durch eine eigene Familie belastet, widmeten sich ganz ihren Aufgaben, wobei militärische, wirtschaftliche und politische Aspekte in den Vordergrund traten. Der Orden zog Mönche ins Land (besonders Zisterzienser), gründete Schulen und Spitäler, schaffte Verkehrswege, ein ausgebildetes Postwesen (sogenannte Briefschweiken) und bemühte sich um einheitliche Maße und Gewichte.

Schon durch seine Gründung hatte der Orden ein enges Verhältnis zu den Lübecker Kaufleuten, die auch bei den Städtegründungen an der Ostsee kräftig mitgewirkt hatten. Die Städte, allen voran Danzig, traten später der Hanse (vgl. D, III, 1) bei und wurden schnell reich. Die Seestädte unterhielten mit Skandinavien, England und Flandern Handelsbeziehungen, die Binnenstädte mit Polen, Ungarn und Rußland. Gehandelt wurde vor allem Weizen, Holz, Felle, Honig — aus eigener Landesproduktion oder im Osten aufgekauft. Vom Westen wurden Tuche, Gewürze, Salz, Wein eingeführt. Der Orden förderte die Städte, trieb aber selbst Eigenhandel mit Landesprodukten (aus den Überschüssen der Naturalabgaben) und mit Bernstein, dessen Gewinnung ihm allein vorbehalten war. Unter Einsatz staatlicher Machtmittel dehnte der Orden im 14. Jahrhundert diesen Eigenhandel aus (Kapitalverleih, Unterbietung der Preise, Direktverkauf an den Westen). Damit entwickelte er sich zum Konkurrenten der Städte. Es kam zu Auseinandersetzungen, in deren Verlauf die städtische Selbstverwaltung eingeschränkt wurde.

Nach dem Fall von Akkon (1291) verlegte die Zentrale des Deutschen Ordens ihren Sitz nach Venedig und von dort 1309 in die Marienburg, die als mächtiger Prachtbau an der Nogat errichtet, aber erst 1398 fertig wurde. Unter dem Hochmeister Winrich von Kniprode (1351—1382) erreichte der Ordensstaat den Höhepunkt seiner Macht. Er erstreckte sich entlang der Ostsee von Pommerellen (1309 erworben) bis Estland (1346) und umschloß neben dem eigentlichen Preußen (zwischen Weichsel und Memel) auch Kurland und Livland. Litauen blieb unbesiegt und ragte als heidnischer Keil in das Ordensland hinein.

Niedergang

Seit 1400 zeigte sich ein gewisser Niedergang des Deutschen Ritterordens. Die Ideale von Rittertum und Heidenkampf verblaßten. 1386 hatte Großfürst Jagiello von Litauen die polnische Königstochter Hedwiga geheiratet und mit der Krone Polens zugleich das katholische Christentum für sich und seine litauischen Untertanen angenommen (als Wladislaw II. von Polen). Damit war der letzte Rest von Heidentum verschwunden. Der Orden, der seinen Nachwuchs aus dem Reich erhielt, wurde immer mehr zu einer Versorgungsanstalt für adelige Söhne. Die Stände — Städte und weltlicher Adel — empfanden die geistliche Herrschaft als Druck und forderten Teilhabe an der Regierung. So bildete sich ein Gegensatz zwischen Ständen und Orden aus, der verhängnisvoll wurde, als dem Ordensstaat

in dem polnisch-litauischen Großreich ein gefährlicher Gegner erstand, der Zugang zur Ostsee suchte. In der Schlacht von Tannenberg (1410) unterlag der Orden, von der kulmischen Ritterschaft im Stich gelassen. Heinrich von Plauen, der die Marienburg zwei Monate lang verteidigt hatte, rettete im 1. Thorner Frieden (1411) die Gebiete der Ordensherrschaft. Als er aber eine energische Reform des Ordens betrieb, wurde er abgesetzt und von seinem Nachfolger 10 Jahre lang gefangengehalten. Adel und Städte schlossen sich im „Preußischen Bund" gegen den Orden zusammen und riefen bei einem Aufstand den König von Polen zu Hilfe. Der Hochmeister mußte aus Geldnot seinen Söldnern die Marienburg verpfänden. Im 2. Thorner Frieden (1466) verlor der Orden alles Land westlich der Weichsel und Nogat an Polen, einschließlich des Kulmerlandes, Marienburgs, Elbings, und des Ermlandes, Ordenssitz wurde Königsberg. In weiterer Kämpfen mit Polen blieb die erhoffte Hilfe aus dem Reich aus. — 1525 wandte sich der Hochmeister Albrecht von Brandenburg der Reformation zu und verwandelte das Ordensland Preußen in ein weltliches Herzogtum, das er vom polnischen König zu Lehen nahm.

Das Territorium des Deutschen Ordens in Preußen

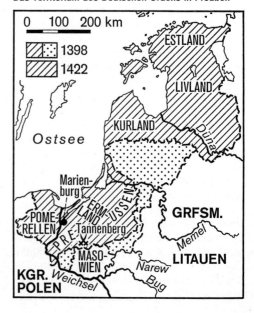

V. Europa im 12. und 13. Jahrhundert

1066	Schlacht von Hastings	1265	Erstes Gesamtparlament in England
1066—1087	Wilhelm I. der Eroberer		
1086	Domesday-Book	987—1328	Herrschaft der Kapetinger in Frankreich
1154—1399	Haus Anjou-Plantagenet in England		
1154—1189	Heinrich II., König von England	1180—1223	Philipp II. Augustus, König von Frankreich
1157—1182	Waldemar I. der Große, König von Dänemark	1226—1270	Ludwig IX. der Heilige, König von Frankreich
1189—1199	Richard Löwenherz, König von England	1397	Kalmarische Union zwischen Dänemark, Schweden und Norwegen
1199—1216	Johann I. („ohne Land"), König von England	1241	Mongoleneinfall
1215	Magna Charta libertatum	1333—1370	Kasimir III., der Große, König von Polen
1216—1272	Heinrich III., König von England	1462—1505	Iwan III., der Große, „Zar von ganz Rußland"

1. Deutschland

Reichsfürstenstand

In Deutschland vollzog sich unter den Staufern der Übergang von der Stammes- zur Gebietsherrschaft, d. h., vom Stammesherzogtum zum Territorialfürstentum (Österreich, Thüringen, Zerschlagung des welfischen Besitzes nach dem Sturz Heinrichs des Löwen). Die weltlichen und geistlichen Territorialfürsten schlossen sich nach 1180 allmählich zum sogenannten Reichsfürstenstand zusammen, um ihre Rechte gegenüber dem Königtum besser zu wahren. Damit trat zugleich eine gewisse Abschließung dieses Standes nach unten ein. Vor 1180 hatte jeder als Reichsfürst gegolten, der Inhaber eines höheren Amtes oder Lehens war, gleichgültig, ob er es vom König oder von einem anderen Fürsten empfangen hatte. Nun aber war Reichsfürst nur derjenige, der vom König unmittelbar ein Lehen trug. Daneben durfte er von keinem anderen weltlichen Herrn ein Lehen annehmen, nur von der Kirche. Daher standen in der Heeresschildordnung die geistlichen über den weltlichen Fürsten (siehe Skizze). Außerdem mußte, wer Reichsfürst sein wollte, über eine Gebietsherrschaft mit bestimmten Hoheitsrechten verfügen (z. B. Gerichtshoheit, Zoll, Münze etc.). Allerdings konnte die Lehensnahme von ausländischen Fürsten nicht verboten werden, da diese außerhalb des deutschen Rechtes standen.

Heerschildordnung

Dieses lehensrechtliche System schlug sich in der sogenannten Heerschildordnung nieder, die in den Rechtsaufzeichnungen des 13. Jahrhunderts (Sachsenspiegel, Schwabenspiegel) überliefert ist, allerdings in unterschiedlicher Form.

**Heerschildordnung
nach dem Schwabenspiegel**

1. König	
2. geistl. Fürsten	Reichsfürsten
3. welt. Fürsten	
4. Grafen und freie Herren	Hochadel, von einem Fürsten belehnt
5. Mittelfreie	
6. Ministerialen	niederer Adel
7. Ritterbürtige	

„Heerschild" bedeutete ursprünglich das Heeresaufgebot, d. h., das Recht, Vasallen aufzubieten und zu befehligen, später die Stellung innerhalb der Lehenspyramide und das Recht, Vasallen bestimmter Art zu belehnen.

Der 2. und 3. Heerschild war dem König gegenüber gleichwertig. Der 4. Heerschild bestand aus den großen Grundherren, die der fürstlichen Landesherrschaft untergeordnet worden waren (= mediatisiert). Sie nahmen ihr Lehen in der Regel vom Fürsten. Die Grafen waren also nicht mehr königliche Amtsträger, sondern der König wurde von diesen und den nachfolgenden Heerschilden durch den Reichsfürstenstand getrennt. Nur in Ausnahmefällen und durch besonderen Rechtsakt stiegen Grafen in den Reichsfürstenstand auf, so Graf Baldewin von Hennegau (1184), der Landgraf von Hessen (1292) und andere.

Die Gruppe der „Mittelfreien" bestand aus dem einfachen Adel, war aber immer persönlich frei, während der 6. und 7. Heerschild sich aus Unfreien entwickelte.

Die Reichsministerialen waren ursprünglich Unfreie, die zur Verwaltung des Reichsgutes herangezogen wurden und selbst nicht lehensfähig waren. Da sie wichtige Dienste verrichteten, hob sich ihre soziale Stellung, die Unfreiheit verschwand, und sie konnten Lehen nehmen, auch von Grafen und Herren. Das führte dazu, daß die Ministerialen ihre Dienste den Fürsten und Grafen zuwendeten und am Reich immer weniger Interesse zeigten. Im Spätmittelalter verschmolz ihr Stand mit dem der „Mittelfreien".

Es galt der Grundsatz, daß man von einem Standesgenossen kein Lehen annehmen durfte, ohne auf die nächst niedrige Heerschildstufe abzusinken. Die Inhaber des siebten Heerschildes besaßen nur passive Lehensfähigkeit, d. h., sie konnten nur Lehen annehmen, nicht ausgeben, und hatten infolgedessen keine Gefolgsleute.

Die Heerschildordnung begünstigte die Abschnürung des Königs von den unteren Lehensträgern, um so mehr, als sich im 12. Jahrhundert der sogenannte „Leihezwang" herausgebildet hatte: Der König mußte Fürstenlehen binnen Jahr und Tag wieder ausgeben, durfte sie also nicht zur Vermehrung des Reichsgutes einbehalten. Mit dieser Entwicklung hatte Deutschland eine andere Richtung eingeschlagen als die Monarchien Westeuropas.

2. England und Frankreich

Das Angevinische Reich

Gegen Ende des 11. Jahrhunderts war das französische Königtum immer noch auf ein kleines Gebiet um Paris und Orléans, die sogenannte Île de France, beschränkt. Die Kronvasallen, weitgehend unabhängig, achteten den König als obersten Lehensherrn, soweit sich dies mit ihren politischen Interessen vereinbaren ließ.

Die Eroberung Englands durch Herzog Wilhelm von der Normandie stellte eine engere Verbindung zwischen England und Frankreich her. Durch Heiraten und Erbansprüche weitete das Haus Anjou seine ausgedehnten Besitzungen in Mittelfrankreich nach Süden hin aus (Aquitanien, Gascogne) und brachte im Norden die englisch-normannische Herrschaft an sich. Heinrich von Anjou bestieg 1154 als Heinrich II. den Thron von England und wurde der Begründer des Hauses Plantagenet. Für seine französischen Besitzungen blieb er Vasall des französischen Königs. Das sogenannte Angevinische Reich umfaßte mehr als die Hälfte Frankreichs und reichte von Schottland bis zu den Pyrenäen. Das Kronland drohte von dieser Macht erdrückt zu werden, und die französischen Könige bemühten sich, durch Vermehrung des Krongutes ihre Machtbasis zu erweitern.

Erst Philipp II. Augustus (1180—1223) durchbrach die angevinische Umklammerung, indem er den Streit zwischen Heinrich II. von England und seinen Söhnen ausnutzte. Johann I. („ohne Land"), der 1199 Richard Löwenherz auf den englischen Thron folgte, erhielt die französischen Lehen nur mit Philipps Hilfe, verlor sie aber schon bald wieder in einem Lehensprozeß, der dem Barbarossas gegen Heinrich den Löwen ähnelte: Auf die Klage eines Untervasallen hin wurde Johann vor das Hofgericht geladen und, da er nicht erschien, aller seiner Lehen für verlustig erklärt. Die Schlacht von Bouvines (1214) brachte den endgültigen Sieg Philipps über Johann von England und begründete damit die Vormachtstellung des französischen Königs gegenüber seinen Lehnsbaronen. Allerdings zog sich der Streit um die angevinischen Besitzungen noch lange hin. Erst im Frieden von Paris (1259) gab England die Normandie, Touraine, Maine, Anjou und Poitou preis und behielt nur Aquitanien als französisches Lehen.

Obgleich es in Frankreich keinen „Leihezwang" gab, verteilte der König den größten Teil der eingezogenen Ländereien wieder.

Parlament. Auf dem Thron König Philipp VI. von Frankreich (1328—1350). Ihm zur Seite die Könige Karl von Navarra und Johann von Böhmen beim Gericht über Robert III. von Artois, der sich auf die Seite der Engländer geschlagen hatte, obwohl er Vasall des französischen Königs war. Aus den „Actes du Procès de Robert d'Artois", 1332, Paris, Bibliothèque Nationale

Er versuchte, die Untervasallen direkt an sich zu binden und damit die scharfe Trennung zwischen König und Untervasallen, wie sie in der deutschen Heerschildordnung deutlich wird, zu vermeiden.

Ausbau der Verwaltung in Frankreich

Beim Ausbau der Verwaltung machte sich Philipp die Einrichtungen der straff organisierten angevinisch-normannischen Herrschaft zunutze.

Das Land wurde in Verwaltungsbezirke (Balleien = baillages) eingeteilt, in denen königliche Beamte (baillis) im Namen des Königs Gericht hielten, Abgaben einzogen und für die Burgen (Kastelle) verantwortlich waren. Sie gehörten meist dem niederen Adel und dem Bürgertum an, die beide vom

König gegen die großen Vasallen unterstützt wurden.

Mittelpunkt der Verwaltung war der Königshof (curia regis), wo die Baillis jährlich erscheinen mußten, um Rechenschaft abzulegen und über die Lokalverwaltung zu berichten. Am Hof begannen in steigendem Maße Räte einfacher Herkunft, meist Juristen, eine Rolle zu spielen und den Einfluß des Hochadels zurückzudrängen.

Ludwig IX., der Heilige (1226—1270), stärkte durch seine maßvolle und gerechte Regierung das Ansehen der Krone so sehr, daß sich die königliche Rechtsprechung durchsetzte. Das aus der curia regis abgespaltene Hofgericht (1239 zum ersten Mal „Parlament" genannt) wurde zur obersten Berufungsinstanz gegenüber den lokalen Gerichten der Lehensfürsten. Das Königsgesetz begann allmählich, die regionalen Gesetze zu verdrängen.

Die Einnahmen steigerten sich, da sie nach normannischem Vorbild von einem obersten Rechnungshof überwacht wurden. So konnte der König das Lehensheer allmählich zu einem Söldnerheer umgestalten. Die Dienstpflicht der Vasallen wurde immer mehr durch Abgaben ersetzt.

Damit war Frankreich am Ende des 13. Jahrhunderts auf dem Wege zu einem vereinheitlichten Staatswesen. Die Krone genoß hohes Ansehen als Hüterin der Gerechtigkeit und des inneren Friedens. Der König verfügte über eine eigene Verwaltung und war nicht mehr auf den Adel angewiesen, da seit 1223 unbestritten das Erbrecht der Krone galt.

England nach der normannischen Eroberung

Nach der Schlacht bei Hastings war England von den normannischen Eroberern unterworfen worden. Die militärische und richterliche Gewalt ging an den Sieger über, der Grundbesitz an die Kriegsgefährten des Königs. Entsprechend der schrittweisen Eroberung der Insel erhielt jeder Baron Lehen in verschiedenen Teilen des Landes, so daß die Stellung des Königs zunächst stark war. Ein Beweis der königlichen Macht bildete die Landaufnahme von 1086, das Domesday-Book. „So genau ließ er das Verzeichnis anlegen, daß nicht das kleinste Stück Feld fehlt, ja — man schämt sich, es zu sagen, aber er schämte sich nicht, es zu tun — jeder Ochse, jede Kuh, jedes Schwein war darin aufgezählt" (aus einer englischen Chronik). Das Verzeichnis diente als Grundlage für die Steuererhebung und gab dem König, der oberster Lehensherr jeden Morgen Landes im ganzen Königreich war, einen genauen Überblick über Macht und Einkünfte seiner Vasallen.

Das altenglische Amt des Sheriffs blieb erhalten. Der Sheriff vertrat den König in Verwaltung und Rechtsprechung. Als das Amt später erblich und von den Ständen abhängig wurde, schränkte der König seine Befugnisse ein. Die Polizeigewalt ging 1361 an den „Friedensrichter" über.

Neben dem König stand die Curia Regis, der Rat der großen Vasallen, aus dem sich später ein kleinerer Rat für die praktische Verwaltung herausbildete.

In England gab es nach 1066 keinen alteingesessenen Geburtsadel mehr. Die soziale Stellung hing von der Beziehung zum König und von der Lehensverleihung ab. Neben den Baronen stand ein ritterlicher Kleinadel, der die Beamten stellte und im Heer Dienst tat. Da die Heerdienstpflicht aber mit Geld abgelöst werden konnte, wurden auch viele Angehörige des niederen Adels Grundherren, so daß sich eine verhältnismäßig einheitliche Adelsschicht bildete, die in ihren Interessen leicht zusammenfand. Das war eine Voraussetzung für die Entstehung des späteren Parlamentes.

Die Thronkämpfe, die der Regierung Heinrichs II. vorausgingen, schwächten das Königtum, obgleich einige Einrichtungen — so das königliche Schatzamt — weiterarbeiteten.

Heinrich II. (1154—1189) brachte gegenüber den Baronen die königlichen Rechte, vor allem die königliche Gerichtsbarkeit, wieder zur Geltung. Als er auch die Geistlichkeit besteuern und der weltlichen Gerichtsbarkeit unterordnen wollte (Constitutionen von Clarendon), traf er auf den erbitterten Widerstand seines ehemaligen Freundes Thomas Becket, Erzbischofs von Canterbury. Die Ermordung des Erzbischofs in der Kathedrale von Canterbury durch königliche Ritter fügte dem Ansehen der Krone schweren Schaden zu. Ebenso der Streit Heinrichs mit seinen Söhnen und der Söhne untereinander.

Die Magna Charta

Die englische Niederlage bei Bouvines (1214) führte zur offenen Opposition der Barone gegen das strenge und oft ungerechte Regiment Johann Ohnelands. Er hatte willkürlich Steuern erhoben und Strafen verhängt. Außerdem fühlten sich die großen Vasallen dadurch in ihrem Ansehen geschädigt, daß der König aus politischen Gründen die Lehenshoheit des Papstes über England anerkannt hatte. Wenn der König selbst Lehensträger wurde, sanken alle nachfolgenden Vasallen um eine Stufe in der Lehenspyramide.

Auf diesem Hintergrund muß man die **1215** Magna Charta libertatum sehen, die die Kronvasallen 1215 vom König erzwangen.

Sie war zunächst eine Verbriefung feudaler Rechte, schützte aber auch die nichtfeudalen Schichten vor Rechtsunsicherheit, da es im Interesse des Adels lag, die Wirtschaft zu schützen. Freiheit und Eigentum wurden gegen königliche Willküakte gesichert. Steuern durften nur noch mit Zustimmung der Kronvasallen erhoben, kein freier Mann ohne gesetzliches Urteil verhaftet, enteignet oder gebannt werden. — Die Barone sollten aus ihrer Mitte 25 Personen auswählen, um darüber zu wachen, daß die Bestimmungen der Magna Charta eingehalten würden. Bei Verstößen hatten sie das Recht, auch Zwangsmittel gegen den König anzuwenden. Der Ausschuß selbst ist nicht sehr wirksam geworden. Wichtig und in die Zukunft weisend war aber der Gedanke, den König durch eine Art „Institution" zu kontrollieren. Trotz dieser Neuerung hielt sich die Magna Charta in den Grenzen des geltenden Lehensrechts, das auch das Widerstandsrecht kannte (in der Form der Treueaufkündigung, wenn der Lehensherr sich Übergriffe gegen das Recht erlaubte). Sie ist also kein revolutionäres Dokument, das das Königtum unverhältnismäßig stark einschränken wollte.

Das englische Parlament

Heinrich III. (1216—1272) regierte wieder weitgehend absolut, indem er die Hofämter zu Trägern der Verwaltung machte. In sie berief er Leute seines Vertrauens, darunter viele Ausländer. Als er über das Hofamt der „wardrobe" (ursprünglich Privatkasse, die aber immer mehr zur Staatskasse wurde) die alleinige Verfügungsgewalt über die Staatseinkünfte zu erlangen suchte, kam es zu einer erneuten Adelsopposition unter Führung Simon de Montforts. Dieser berief nun auch Vertreter der Ritterschaft und der Städte zu einem Parlament zusammen, das aber noch getrennt vom Rat der Großen (Parlament) tagte (1265).

Edward I. (1272—1307) unterwarf Wales (seitdem trägt der englische Kronprinz den Titel „Prince of Wales") und kämpfte gegen Frankreich und Schottland. Aus Geldnot berief er 1295 das sogenannte „Model Parliament" (Musterparlament). Es umfaßte neben dem hohen Adel und der Geistlichkeit je zwei Ritter aus den einzelnen Grafschaften und je zwei Bürger (Citizens) aus den Städten (Cities). Ritter und Bürger, die gemeinsam als „Commons" den dritten Stand bildeten, blieben allerdings noch außerhalb des Parlamentes, d. h., jenseits der Schranke (bar) und hatten nichts zu entscheiden, sondern nur auf Fragen zu antworten. — Von nun an trat neben das „Common Law", das sowohl altes Volksrecht als auch Lehensrecht umfaßte, das sogenannte „Statute Law", d. h., geschriebenes, auf Parlamentsbeschlüsse zurückgehendes Recht.

Die englischen Könige bauten die von ihnen abhängigen Hofbehörden zu einer Art zweiter Staatsverwaltung aus. Da sie aber, besonders durch die Kriege mit Frankreich, in Geldnot waren, mußten sie dem Parlament große Zugeständnisse machen. Im Verlauf des 14. Jahrhunderts trennte sich das Unterhaus (House of Commons) allmählich vom Oberhaus (House of Lords), und die Mitsprache bei Gesetzgebung und Steuerbewilligung bildete sich heraus. Seit 1430 wurden die Mitglieder des Unterhauses gewählt. Wahlberechtigt waren die Landbesitzer mit mehr als 40 Schilling versteuertes Jahreseinkommen. Seitdem fühlten sie sich als die wahren Vertreter des Landes im Gegensatz zu den ernannten oder geborenen Lords. Zu Beginn des 15. Jahrhunderts wurden Finanzgesetze zuerst ihnen vorgelegt als denjenigen, die die Hauptlast der Steuern zu tragen hatten (Budgetrecht).

3. Skandinavien

Die drei skandinavischen Reiche Norwegen, Schweden und Dänemark erkannten seit der Mitte des 11. Jahrhunderts gegenseitig ihre Selbständigkeit an. Dennoch waren sie durch die Ähnlichkeit ihrer sozialen und politischen Struktur eng miteinander verbunden. Sie waren überwiegend Agrarländer. Ihre Bauernschaft verfügte über ein ausgeprägtes rechtliches und politisches Bewußtsein, so daß das Volk in seiner breiten Masse überall an der politischen Willensbildung beteiligt blieb. Es entwickelte sich zwar eine grundbesitzende adelige Oberschicht, aber keine Grundherrschaft mit Abhängigkeiten und bäuerlichem Hofrecht. Das Königtum konnte sich nur mit Mühe gegen diese stark betonte Volksfreiheit durchsetzen.

In Norwegen bildete sich ein Erbkönigtum heraus. Der geburtsständische Volksadel wurde zum Dienstadel und verwaltete das Land im Auftrag des Königs, der ein Amt aber jederzeit entziehen konnte. Der einheimische Klerus unterstützte diese Entwicklung, weil sie Frieden und geregelte Einnahmen sicherte. 1152 wurde das erste norwegische Erzbistum gegründet. In Dänemark und Schweden wurde der König gewählt. Wahlkapitulationen (Versprechungen des Königs bei seiner Wahl), sogenannte „Handfesten", schränkten die Königsgewalt ein. Sie garantierten — ähnlich wie in der englischen Magna Charta — bestimmte Adelsrechte und führten zu einer allmählichen Stärkung des Adels gegenüber dem König und den unteren Ständen.

In Schweden war der König weitgehend vom Reichsrat, bestehend aus den Spitzen des Adels und der Geistlichkeit, abhängig. Auf Reichstagen berieten die vier Stände — neben Adel und Geistlichkeit Bürger und Bauern — getrennt, trafen bei wichtigen Fragen aber eine gemeinsame Entscheidung. Das Wirtschaftsleben Skandinaviens war wesentlich durch die Agrarstruktur bestimmt, daneben spielten der Fischfang (Heringsfang) und der Handel eine Rolle. Ausgeführt wurden Rinderhäute, Talg, Fisch und Pelze, eingeführt Luxuswaren, wie feine Stoffe (vor allem Seide), Gewürze, Hopfen, aber auch Salz und nach Norwe-

gen später sogar Korn. Die fremden Handelsniederlassungen nahmen zu und entwickelten sich im 14. Jahrhundert zu Städten mit eigenem Recht. Die Königsgewalt bot dem Handel Frieden und Rechtssicherheit und erhielt dafür Einnahmen (Steuern, Zölle etc.). Waldemar I., der Große (1157—1182) von Dänemark bekämpfte zusammen mit Heinrich dem Löwen die Seeräuberei der Wenden und Pommern. Nach Heinrichs Sturz behauptete er für etwa 50 Jahre eine dänische Vormachtstellung über die Ostsee.

Im späten Mittelalter machte sich ein wirtschaftlicher Niedergang bemerkbar. In Schweden und Dänemark geriet der Handel immer stärker in die Hände lübischer Hansekaufleute. Adel und Kirche hatten ihre Privilegien so erweitert, daß die Bauern verarmten. Im Lauf des 15. Jahrhunderts trat an die Stelle der freien Bauern eine Art Grundherrschaft, die in Zinsabhängigkeit bestand und nicht zu persönlicher Unfreiheit oder Gerichtshoheit des Herrn führte. Bauernunruhen waren die Folge. — Erst die Kalmarer Union (1397), in der sich die drei Reiche zusammenschlossen, führte wieder zu größerer politischer Bedeutung.

4. Osteuropa zwischen Mittelalter und Neuzeit

Böhmen

In Osteuropa trat im 12./13. Jahrhundert eine Machtverschiebung zugunsten des Adels ein.

In Böhmen allerdings konnte sich die Zentralgewalt zunächst behaupten, obgleich der Adel für seinen Grundbesitz Immunität erlangte. Die Erblichkeit der Krone hatte sich durchgesetzt. Der Königstitel war vom Reich anerkannt, der König von Böhmen galt als der erste der weltlichen Reichsfürsten und wirkte bei der deutschen Königswahl mit. König Ottokar II. (1253—1278) erweiterte die Machtstellung Böhmens durch eine straffe innere Verwaltung nach dem Vorbild Siziliens. Begünstigt durch das Interregnum in Deutschland erwarb er Österreich, nachdem Herzog Friedrich der Streitbare, der letzte Babenberger, im Kampf gegen die Ungarn gefallen war

(1246). Unter Ottokar erlebte Böhmen-Österreich eine wirtschaftliche und kulturelle Blüte. Er förderte die deutsche Kolonisation, gründete Städte und unterhielt selbst einen glänzenden Hof. Seine Hoffnung auf die deutsche Königskrone erfüllte sich jedoch nicht. Im Kampf um das usurpierte Reichslehen Österreich, das der zum deutschen König gewählte Rudolf von Habsburg zurückforderte, unterlag er auf dem Marchfeld (östlich von Wien) 1278. Österreich wurde ein Teil der habsburgischen Hausmacht, Böhmen kam nach dem Aussterben der Przemysliden (1306) an das Haus Luxemburg und wurde für einige Zeit Mittelpunkt des Reiches.

Ungarn

Ungarn hatte sich der Lehenshoheit des deutschen Reiches entzogen und seine Macht über Kroatien und Dalmatien bis an die Adria ausgedehnt. Durch die Kreuzzüge war es in engeren Kontakt zu Westeuropa getreten und durch dessen Lehensrecht beeinflußt worden.

Dem König stand ein starker Hochadel (Magnaten) gegenüber, während der niedere Adel — vergleichbar etwa mit den deutschen Ministerialen — beim König Anlehnung suchte, um nicht in die Abhängigkeit der Magnaten zu fallen. In der „Goldenen Bulle" (1222), die eine gewisse Ähnlichkeit mit der englischen Magna Charta aufweist, bestätigte König Andreas die Rechte des Adels, u. a. Steuerfreiheit, Befreiung von der Pflicht, königliche Beamte zu beherbergen oder an Kriegszügen über die Landesgrenze hinaus teilzunehmen. Besonders wichtig war das Recht auf bewaffneten Widerstand gegen den König, falls dieser das Recht brach.

Der Mongoleneinfall (1241) verwüstete das Land. Durch deutsche Besiedelung (Siebenbürgen) konnten die Verluste nur zum Teil ausgeglichen werden. — Die Erblichkeit der Lehen setzte sich durch. Neben den König trat das sogenannte große Consilium (Rat), in dem die Magnaten persönlich Sitz und Stimme hatten, während der niedere Adel durch einige gewählte Vertreter repräsentiert wurde. Aus diesem Consilium entwickelte sich später das Parlament. Die Stärke des ungarischen Adels zeigte sich darin, daß Ungarn bis 1687 eine Wahlmonarchie blieb.

Polen

Polen zerfiel, seit Boleslav III. das Land unter seine Söhne geteilt hatte (1338), in selbständige Teilreiche (Großpolen, Kleinpolen, Schlesien, Masovien etc.). Pommerellen geriet an den Deutschen Orden, Schlesien an Böhmen. Die festgefügte adelige Sippe (szlachta = Geschlecht) verhinderte eine fürstliche Verwaltung. Der Adel beherrschte die Burgen und hielt Landtage in den Teilreichen ab. Ein Lehensverhältnis zum König bestand nicht. Widerstandsrecht und Wahlrecht setzten sich immer stärker durch, da das Erbrecht undurchsichtig war und Anlaß zu dauernden Streitigkeiten gab. Erst mit der Thronbesteigung der litauischen Jagellonen wurde Polen wieder zu einer Großmacht. 1319 gelang es Wladislaw, Groß- und Kleinpolen unter seinem Königtum zu vereinigen. Damit begann der Aufstieg Polens und der Kampf mit dem deutschen Orden um den Zugang zum Meer, der zunächst ergebnislos verlief. Polen mußte auf Schlesien und Pommerellen verzichten und dehnte sich nach Osten aus (Galizien, Wolhynien).

Kasimir der Große (1333—1370) förderte den Aufstieg Polens durch Städtebau (Universitätsgründung Krakau 1364) und Ansiedlung deutscher Kolonisten.

Der eigentliche Durchbruch zur Großmachtstellung erfolgte durch die Eheschließung der polnischen Prinzessin Hedwig mit Jagiello von Litauen (1386), der zum katholischen Glauben übertrat und Polen und Litauen in seiner Hand vereinigte. Er besiegte den deutschen Orden bei Tannenberg, 1410, konnte den Sieg aber wegen der Spannungen, die zwischen Polen und Litauen bestanden, nicht richtig ausnutzen. Sein Sohn erwarb zu der polnischen Königskrone noch die ungarische, so daß das polnisch-litauische Großreich von der Ostsee bis zum Schwarzen Meer reichte. 1466 verlor der Deutsche Orden das Weichselgebiet und Ermland und mußte die polnische Lehnshoheit anerkennen. Mit dem Ende des 15. Jahrhunderts ergab sich aber eine neue Gefahr: das aufstrebende Rußland.

Rußland

In Rußland war das Reich von Kiew in Teilreiche zerfallen, die eine leichte Beute der

Der Mongoleneinfall in Europa

Mongolen wurden. Temüdschin hatte als Dschingis Chan (= vollkommener Herrscher) die mongolischen Stämme geeint und ein Reich gebildet, das bei seinem Tod bis zur Wolga reichte. Seine Söhne und Enkel drangen weiter nach Westen vor: 1240 fiel Kiew, die Mongolen drangen in Ungarn, Schlesien und Polen ein und schlugen 1241 bei Liegnitz das polnisch — deutsche Ritterheer. Damit war der Weg in das westliche Abendland frei, aber als der Großchan starb, zogen sich die Mongolen überraschend an die Wolga zurück und beherrschten von dort aus das ehemalige Großfürstentum Kiew. Die Mongolenherrschaft (1238—1480) isolierte das östliche und mittlere Rußland vom Westen und von Byzanz und hatte, auch wegen hoher Tributzahlungen an die Tataren, einen wirtschaftlichen Niedergang zur Folge. Von der Ostsee wurde Rußland abgeschnitten. Hier entwickelten sich Nowgorod und Pleskau in enger Verbindung mit der Hanse zu unabhängigen, blühenden Handelsstädten. Erst das Polnisch-litauische Großfürstentum befreite das Dnjeprgebiet im 14. Jahrhundert von der Mongolenherrschaft.

Entscheidend wurde der Aufstieg Moskaus etwa um die gleiche Zeit. Die Stadt war 1150 gegründet worden. Iwan III. (1462—

1505) zog die Bojaren (Adel) in seine Dienste und machte sie abhängig, indem er sie von ihrem angestammten Besitz und von ihren lokalen Verbindungen löste. Er scheute dabei auch nicht vor Zwangsumsiedlungen zurück. Die bisherige Freizügigkeit des Adels und der Bauern wurde eingeschränkt. Da Rangordnung und Interessen des Moskauer Adels sehr unterschiedlich waren, gab es zunächst keine ständische Solidarität, die, wie beispielsweise in Polen, adelige Privilegien hätte erkämpfen können. Auch der Rat (Duma) des Großfürsten hatte nicht mehr die frühere Bedeutung.

Iwan unterwarf die anderen Teilfürsten. Im Norden brach er die Sonderstellung Nowgorods (1478) und beseitigte durch die Schließung des Hansekontors den deutschen Einfluß.

1480 konnte er dem Chan der „Goldenen Horde" die Tributpflicht aufsagen, da das Mongolenreich schon im Zerfall begriffen war. Es setzte dem moskowitischen Ausdehnungsdrang im Osten und Süden nur noch wenig Widerstand entgegen. Im Westen allerdings hemmte das katholische (lateinische) Polen-Litauen ein weiteres Vordringen und schnitt Rußland auch weiterhin vom westlichen Abendland ab.

Von besonderer Bedeutung für die Entwicklung Rußlands war der Fall von Byzanz, das 1453 durch die Türken erobert worden war (vgl. D, III, 5). Schon 1448 hatte der Moskauer Metropolit den Anspruch erhoben, alleiniger Hort des rechtgläubigen (orthodoxen) Christentums zu sein. Nun fühlte sich Iwan, seit 1472 mit Sophie, einer Nichte des letzten Kaisers von Byzanz vermählt, als religiöser Erbe und weltlicher Nachfolger der oströmischen Kaiser. Er übernahm das byzantinische Hofzeremoniell, das den Herrscher hoch über alle anderen Fürsten stellte, führte das byzantinische Symbol des Doppeladlers ein und begann, den Titel „Zar" (= Car = russische Bezeichnung für den byzantinischen Kaiser sowie für den Mongolenchan) zu führen. Auch kulturell trat Moskau das byzantinische Erbe an, da viele Maler und Baumeister vor den Türken nach Moskau flohen. Im 16. Jahrhundert erhielt der Metropolit von Moskau die Würde des Patriarchen, des Oberhauptes der russisch-orthodoxen Kirche.

VI. Wirtschaft, Gesellschaft und Kultur im 12. und 13. Jahrhundert

1. Produktion und Handel

Landwirtschaft

Das 13. Jahrhundert in Europa war eine Zeit wirtschaftlichen Wohlstandes. Die Bevölkerung hatte sich kräftig vermehrt, und die landwirtschaftliche Produktion nahm durch weitere Verbreitung der Dreifelderwirtschaft und Vergrößerung der Anbauflächen (Rodung, Trockenlegung von Land, Ostkolonisation) und Viehweiden zu. Die ersten technischen Abhandlungen über Landwirtschaft erschienen in England und Italien. Auch Eisenwerkzeuge und die Nutzung der Wasserkraft fanden weitere Verbreitung. Wenn es dennoch durch Witterungseinflüsse zu Mißernten kam, half Getreideimport aus den Ostgebieten.

Gewerbe

Im 13. Jahrhundert verwendete man zunehmend Stein statt Holz als Baumaterialien, vor allem für Kathedralen, Klöster und andere repräsentative Bauten. Beim Bau der Zisterzienserabtei Vale Royal in England wurden zum Beispiel 35 448 Wagenladungen mit 35 000 Tonnen Steinen aus einem 8 Kilometer entfernten Steinbruch herangefahren. Man brauchte dazu drei Jahre. — Eisen wurde vor allem in Spanien und in der Lombardei gewonnen. Um 1280 gab es in Mailand mehr als 100 Werkstätten, in denen Panzer und alle Arten von Waffen hergestellt wurden. Auf den Märkten der norddeutschen Hansestädte wurden Eisenerze aus Schweden angeboten. Kupfer führte man von Ungarn ein.

Die Metallverarbeitung spielte eine wichtige Rolle im städtischen Gewerbe. Die Messing-, Bronze- und Zinngießer stellten Tischgeschirr für Kirche, Adel und höheres Bürgertum her. In der Eisenbearbeitung traten besonders die „Messerer" (Hersteller von eisernen Messern), die Hersteller von Kettenhemden und die „Plattenschläger", die ein Lederwams mit kleinen Eisenplatten beschlugen, als größere Gruppen hervor. Einer der wichtigsten Gewerbezweige war die Tuchherstellung. 1327 gab es in England etwa 120 durch Wasser angetriebene Walkmühlen. Das Spinnrad ersetzte seit dem Ende des 13. Jahrhunderts Rocken und Handspindel und arbeitete fünfmal schneller. Der horizontale Trittwebstuhl mit Pedalen webte den Stoff schneller und dichter. Allerdings verbreitete sich die Mechanisierung nur langsam: Florenz verbot das mechanische Walken, Speyer den Gebrauch von Spinnrädern. Luxustuche, besonders berühmt durch ihre schöne Färbung, wurden in Norditalien und Flandern hergestellt. Gefärbt wurde mit pflanzlichen und mineralischen Farbstoffen, mit denen man in Deutschland erst im 14. Jahrhundert umzugehen lernte.

Im 13. Jahrhundert breitete sich auch die Seidenindustrie aus. Vorher wurden Seidenstoffe aus Byzanz und der arabischen Welt eingeführt. 1146 sollen griechische Arbeiter die Seidenindustrie nach Palermo gebracht haben. Lucca und Venedig wurden zu Zentren der Seidenindustrie. Der Anbau von Maulbeerbäumen zur Seidenraupenzucht folgte nach. Um 1300 stellte man Seide auch in Frankreich und Süddeutschland (Augsburg, Ulm) her.

Von den Moslems kam das Papier nach Spanien und Sizilien. Die erste kaiserliche Urkunde auf Papier stammt aus dem Jahre 1228; kurz darauf allerdings verbot der Kaiser die Verwendung von Papier für die amtlichen Kanzleiakten. Um 1300 waren die Papiermühlen schon bis Norditalien vorgedrungen.

Die Bauhandwerke nahmen durch das Anwachsen der Städte an Bedeutung zu. Auf den großen Baustellen der gotischen Dome entwickelte man neue technische Geräte: die Schubkarre, die Schraubenwinde zum Anheben schwerer Lasten und die hydraulische Säge zur schnelleren Bearbeitung des Holzes. Da die Bauleute oft von einer Bauhütte zur anderen durch ganz Europa wanderten, fanden die Werkzeuge schnelle Verbreitung und wurden auch bei Profanbauten verwendet. Betriebe, die die finanziellen und technischen Möglichkeiten des einzelnen überschritten, wurden von den Städten unterhalten, wie etwa Kalkbrennereien, Ziegeleien oder Bauhütten. Straßburg z. B. hatte ein dauerndes Anstellungsverhältnis mit einem Pflastermeister. Mit anderen Handwerkern schloß die Stadt Werkverträge ab. So verpflichteten sich die Armbrustmacher von Hamburg innerhalb bestimmter Zeit eine bestimmte Menge von Armbrusten zu liefern. Feste Verträge dieser Art waren aber nicht die Regel. In den meisten Fällen produzierte der Handwerker auf eigenes Risiko für den Markt.

Zünfte

Einen gewissen Schutz bot der genossenschaftliche Zusammenschluß in der Zunft. Die ältesten deutschen Zünfte waren (wahrscheinlich) die Mainzer Weber (1099), die Wormser Fischhändler (1106/7) und die Würzburger Schuhmacher (1128). Die Zunft unterstützte die Mitglieder bei Krankheit oder sonstigen Katastrophen, ihr leistete man die Abgaben, die der Stadt- oder Marktherr vom Umsatz verlangte, sie traf Preis- und Lohnabsprachen, wobei sittliche und religiöse Vorstellungen noch eine starke Rolle spielten: der Preis hatte „gerecht" zu sein. Je weiter die Spezialisierung voranschritt, desto mehr Zünfte entstanden. In Paris gab es um 1260 etwa 130, davon allein 22 für die Eisenbearbeitung. Die Zunft führte auch eine Gewerbeaufsicht, um das Ansehen des Handwerks zu schützen. Sie war zunächst frei organisiert. Jeder konnte eintreten, besondere Prüfungen gab es nicht, auch keine Gegenüberstellung von bevorrechteten Meistern auf der einen und abhängigen Gesellen auf der anderen Seite. Erst in den nachfolgenden Jahrhunderten entwickelte sie sich zum Kartellverband mit einer starren Hierarchie, die die Überlegenheit der Meister sichern sollte.

Handel und Verkehr

Der Zunahme und Verfeinerung der handwerklichen Produktion entsprach eine Belebung des Handels, der auch durch die Stabilisierung der Staaten gefördert wurde. Die Landesherren waren mächtig genug, für sichere Verkehrswege zu sorgen. 1237 verbesserte eine neue Straße über den Gotthardpaß die Verbindung zu den lombardischen Städten. Auch der Transport zu Wasser nahm zu. Seit 1190 ist der Gebrauch des Kompasses in Europa bezeugt, Seekarten kamen in Gebrauch, die Schiffe wurden vergrößert. Im Norden verdrängte die Kogge, mit ihrem hochgezogenen Bug und gewölbten Bauch ein ausgesprochenes Transportschiff (Fassungsvermögen ca. 200 Tonnen), das schlanke Wikingerschiff. Venezianische Schiffe konnten sogar bis zu 500 Tonnen laden.

Die großen Zentren des Fernhandels lagen im 12./13. Jahrhundert noch am Rand Deutschlands, wurden aber in steigendem Maße von deutschen Kaufleuten besucht. Große Bedeutung hatten die flandrischen Städte, ferner Köln und die Messen in der Champagne. Die italienischen Städte beherrschten den Orienthandel. Während Pisa und Genua etwas zurücktraten, entwickelte sich Venedig zur Großmacht als eine aristokratische Republik. Seit dem 8. Jahrhundert führte ein auf Lebenszeit gewählter „Doge" die Regierung. Neben ihm stand der „Große Rat", der sich 1297 gegen die unteren Stände erbrechtlich abschloß. Venedig beherrschte Kreta, Korfu und Gebiete in Dalmatien und breitete später seine Macht auch in Oberitalien aus. Mailand hatte gegen Ende des 13. Jahrhunderts etwa 200 000 Einwohner und verfügte über 200 Kirchen, 10 Hospitäler, 300 Bäckereien, 440 Metzger, 1000 Tavernen, 150 Herbergen, 80 Schmiede, 40 Buchschreiber — so berichtet jedenfalls der Chronist Bonvesin della Ripa (1288).

Der deutsche Handel dieser Zeit war vor allem Export und Transithandel. Exportiert wurden Tuche, Glas, Schwerter und andere Handwerkserzeugnisse, daneben Wein. Der Durchgangshandel führte vom Westen über die süddeutschen Städte, vor allem nach Rußland. Umgeschlagen wurden Wachs, Häute, Getreide, Wein, aber auch Silber, Pfeffer, Schuhe und Handschuhe.

Seit der 2. Hälfte des 12. Jahrhunderts nahm der Heringsfang in Schonen zu und führte zum Aufstieg Lübecks. Die deutschen Kaufleute schafften leere Heringstonnen und Lüneburger Salz nach Norden und transportierten die Heringe in die Niederlande und zu Land bis nach Süddeutschland.

Der Import stieg vergleichsweise langsam an. Neben Adel und Kirche als Abnehmer von Luxusgütern traten die städtischen Kaufleute, deren Wohlstand zunahm.

Geldwirtschaft

Durch die Kreuzzüge hatte sich das Verhältnis zu den Juden verschlechtert. Sie waren aus dem Warenhandel fast ganz verdrängt und verliehen Geld zu hohen Zinsen (oft bis 40%). Als erste Christen, die sich um das Zinsnahmeverbot der Kirche nicht mehr kümmerten, erschienen italienische Geldhändler auch in Deutschland. Das 13. Jahrhundert brachte ein entscheidendes Vordringen der Geldwirtschaft, ermöglicht durch neue Silberfunde und intensiveren Abbau (so in Freiberg/Sachsen, Kärnten, Südschwarzwald, Elsaß, Böhmen und Oberschlesien). Neben den königlichen entstanden viele lokale Münzstätten, die sich in ihren Prägungen wenig unterschieden. Es setzte sich der „Heller" (nach seinem ersten Prägeort Schwäbisch-Hall genannt) und als etwas größere Einheit der Silbergroschen (lat. grossus = dick) durch. Er wurde auch als Dickpfennig bezeichnet. Als besonders stabil galt der Kölner Pfennig, der von der Ottonenzeit bis um 1280 seinen Silbergehalt von ca. 1,3 g Silber behielt. Die meisten anderen Pfennige reduzierten ihren Silbergehalt zwischen 1000 und 1300 um etwa die Hälfte auf 0,5 g. Im 13. Jahrhundert tauchten erstmalig im Abendland wieder Goldprägungen auf (vgl. E, II, 2). Bisher hatte es an Goldprägungen nur den islamischen Dinar und den byzantinischen Besant gegeben. Allerdings waren die Goldstücke so wertvoll, daß sie vorerst im Handel nur wenig Verwendung fanden.

Die Zahlungsbilanz Deutschlands gegenüber den anderen Gebieten war im 13. Jahrhundert günstig, nicht nur durch den Export, sondern auch durch die Silbereinnahmen der Staufer aus den Regalien der oberitalienischen Städte. Auch während des Interregnums brachten die ausländischen Thronprätendenten Geld nach Deutschland. Besonders beliebt war der stabile englische Sterling.

2. Aufschwung der Städte

Anfänge bürgerlicher Selbstverwaltung

Im 13. Jahrhundert wurden die Städte in der Regel noch von Stadtherren regiert, jedoch

Hansekogge

brachten die Bürger immer mehr Rechte an sich.

Die Einwohner einer Stadt, bestehend aus Kaufleuten, Handwerkern und Ministerialen des Stadtherrn, schlossen sich zur städtischen Eidgenossenschaft zusammen, d. h., sie waren untereinander Schwurbrüder und Genossen. Mit zunehmendem Einfluß schützten sie auch die von außen zuziehenden Unfreien, so daß diese nach Jahr und Tag frei wurden (Stadtluft macht frei). Vorher war es so, daß der Stadtherr sie als Eigenleute betrachtete (Luft macht eigen).

Die Bürger übernahmen wichtige Aufgaben: Wahrung des Stadtfriedens, Verteidigung, Sicherung des Finanzwesens. Rathaus, Stadtsiegel, Stadtglocke (die die Bürger bei wichtigen Angelegenheiten zusammenrief), wurden zum Symbol der freiheitlichen Stadtgemeinde, aus der sich immer stärker die wohlhabenden Kaufleute als führende Schicht heraushoben (Patrizier).

Sie stellten als die „ratsfähigen Familien" auch den Stadtrat, der seit dem 13. Jahrhundert die Hoheitsrechte der Stadt übernahm (Zoll, Münze, Marktrecht und schließlich auch die Gerichtshoheit). Damit waren die Städte zu selbständigen Körperschaften mit

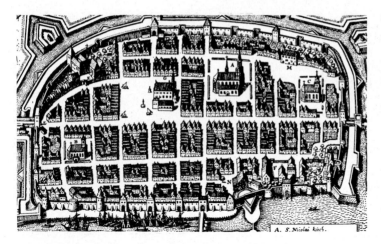

Greifswald nach einem Kupferstich von Matth. Merian d. Ä., erste Hälfte des 17. Jahrhunderts. Die pommersche Hanse- und Universitätsstadt erhielt Stadtrecht im Jahre 1250. Der Grundriß zeigt die rechtwinklig-regelmäßige Anlage der Kolonialstädte des 13. Jahrhunderts.

eigenem Stadtrecht und selbständiger Verwaltung geworden.

Das städtische Wehrwesen beruhte auf dem Gedanken der allgemeinen Wehrpflicht. Wieweit die Bürger beim Mauerbau und Wehrdienst mitwirken mußten, hing von ihrer Vermögenslage ab. Die Patrizier dienten zu Pferd, die Handwerker zu Fuß. Nach Ausschaltung des Stadtherrn entschied der Rat über Krieg und Frieden und ernannte den Stadthauptmann. Später, als die Kriege zunahmen, stellte er auch Söldner ein.

Schriftlichkeit und Geldwirtschaft ermöglichten eine fortschrittliche Verwaltung. Das städtische Steuerwesen kannte direkte Steuern auf Vermögen oder Einkommen und indirekte Verbrauchssteuern, das sogenannte Ungeld (später Akzise). Hauptausgabeposten war das Wehrwesen (Köln verwandte 1379 80% seiner Ausgaben darauf), aber auch um Kranken- und Armenpflege, Bauaufsicht (Einhaltung der Baufluchten, Feuersicherung) und Verkehrswege hatte sich die Stadt zu kümmern. Bei der Einrichtung städtischer Schulen kam es zu Auseinandersetzungen mit der Kirche, die das Recht auf Erziehung für sich beanspruchte. Friedrich II. verlieh der Stadt Wien 1237 ein Schulprivileg (Kaiserliches Privileg für Wien). Später gründeten Städte auf Grund päpstlicher Privilegien Universitäten, so Köln (1388), Erfurt (1392) und Basel (1460).

Die städtische Bürgerschaft nahm auch Einfluß auf Leben und Verwaltung der Kirche und brachte zu ihrem Bau und Unterhalt große Mittel auf. Die gewaltigen und zahlreichen Kirchenbauten — besonders der Gotik — sind ein Zeugnis dafür. In Freiburg/Breisgau stellte der Rat einen eigenen Münsterpfleger an.

Städte und Reichsgewalt

Bei den zahlreichen planmäßigen Stadtgründungen im 12. Jahrhundert (durch die Staufer auf Reichsland und durch die verschiedenen Landesherren) erhielten die Städte oft weitgehende Freiheiten als Privileg, die älteren Städte mußten sie gegen die Stadtherren erkämpfen, gelegentlich mit Waffengewalt. Obgleich Friedrich II. aus politischen Gründen gezwungen war, die Landesherren gegen die Städte zu unterstützen (Reichsspruch gegen die Eidgenossen der Bürger von 1231; Gesetz gegen die Gemeinschaften der Bürger; Gesetz zugunsten der Landesherren 1231/32), konnten einige von ihnen die Stadtherrschaft ganz beseitigen (Worms, Speyer, Regensburg, Mainz, Basel, Straßburg, Lübeck, Augsburg, Köln, Magdeburg, Konstanz u. a.). Sie wurden im 14. Jahrhundert zu freien Reichsstädten, die unmittelbar dem Reich unterstanden und nur diesem gegenüber beschränkte Leistungen (Dienste und Steuern) zu erbringen hatten. Den Gegensatz dazu bildeten die Landesstädte, die zu einem Landesherrn gehörten. Im 14./15. Jahrhundert kam es zu zahlreichen Kämpfen zwischen Städten, die ihre Unabhängigkeit erstrebten, und Landesherren, die sie mediatisieren (= „mittelbar" machen, der Landeshoheit unterwerfen) wollten. Auch innerhalb der Städte kam es zu Auseinandersetzungen zwischen den ratsfähigen Patriziern und den Handwerkerzünften, die Beteiligung am Stadtregiment forderten.

Die Frage, welcher Faktor entscheidend zur Stadtwerdung beigetragen hat, ist umstritten. Die neuere Forschung sieht die genossenschaftliche Einung der Bürger als entscheidend an, die ältere das Marktrecht. Ob bei Gründungsstädten die Initiative des Stadtherrn im Vordergrund stand oder eine Gruppe von Kaufleuten (ein „Gründerkonsortium", wie man es für Lübeck annimmt), ist ebenfalls strittig.

Die freien Reichsstädte erwarben später Sitz und Stimme auf den Reichstagen, die Landesstädte auf den Landtagen der einzelnen Territorien. Um ihren Einfluß zu stärken, schlossen sie sich zu Städtebünden zusammen. Der erste bedeutende Zusammenschluß dieser Art war der Rheinische Städtebund während des Interregnums (1254). Allerdings kam die Blütezeit der Städtebünde erst im 14./15. Jahrhundert.

Der Zerfall der Reichsgewalt begünstigte einerseits die Entwicklung städtischer Unabhängigkeit, führte andererseits aber auch dazu, daß die Städte bei der Reichsgewalt kaum Schutz vor territorialen Machtbestrebungen fanden.

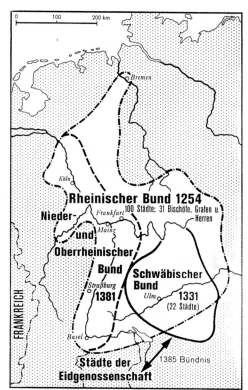

Deutsche Städtebünde im Mittelalter

3. Kunst und Wissenschaft

Dichtung

Die lateinische Dichtung des Mittelalters ahmte nicht sklavisch die klassische Dichtung nach, sondern entwickelte eigenständig Reim und Akzent statt der Quantität (= Länge und Kürze der Silben, nach denen das klassische Versmaß gemessen wurde). Bedeutend sind die Hymnen des 12. und 13. Jahrhunderts („Dies irae" von Thomas von Celano, „Stabat mater" von Jacopone da Todi) und die weltlichen Vagantenlieder der umherziehenden Schüler und Studenten (clerici vagantes). Die berühmteste Sammlung sind die „Carmina Burana" (um 1230).

Die nationalsprachige Epik des Mittelalters begann mit Anfang des 12. Jahrhunderts in Frankreich mit den „Liedern großer Taten" (chansons de geste), die noch von Geistli-

chen verfaßt waren. Sie wurden ins Deutsche übersetzt oder nachgedichtet („Rolandslied" des Pfaffen Konrad, „Alexanderlied" des Pfaffen Lamprecht).

Von Südfrankreich aus, beeinflußt von den spanischen Mauren, breitete sich der Minnesang aus, getragen von den „Troubadours" (frz. trouvères), den adeligen Sängern. Das Minnelied wurde zum konventionellen Mittelpunkt höfischen Ritterdienstes. Walter von der Vogelweide schaffte eine eigene, ausdrucksstarke Lyrik, die neben der Liebe auch Politik und Religion zum Gegenstand hatte. Daneben entstand das Heldenepos (Nachdichtungen alter Heldenlieder, wie z.B. das Nibelungenlied) und das höfische Epos. Die Verfasser gehörten dem ritterlichen Adel an (Chrestien de Troyes, Wolfram von Eschenbach, Hartmann von Aue u.a.). Gottfried von Straßburg, der „Meister" genannt wird und daher wahrscheinlich ein Bürgerlicher war, bildete eine Ausnahme.

Wissenschaft

Eine neue Entwicklung zeigte zu Beginn des 13. Jahrhunderts die Entstehung zahlreicher Universitäten an, zunächst außerhalb Deutschlands. Nach Bologna (1119) erhielt die Universität zu Paris ihre ersten Privilegien (1174), dann Oxford (1214), Padua (1222), Neapel als Gründung Kaiser Friedrichs II. (1224), Montpellier (1239), Salamanca (1254).

Die Universitäten waren Genossenschaften, deren Mitglieder besondere Vorrechte genossen, wie eigene Gerichtsbarkeit, das Monopol, Universitätsgrade zu erteilen und das Recht auf Abwanderung von Lehrern und Schülern (die Universität Padua ist durch Abwanderung aus Bologna entstanden, Cambridge durch Abwanderung aus Oxford). Die Studenten waren in Landsmannschaften organisiert, die ihnen sozialen Schutz gewährten. Sie hatten weitgehendes Mitspracherecht bei Festlegung der Lehrstoffe und der Satzungen, in Bologna führten sie regelrecht die Universität.

Die Universität war in fünf Fakultäten eingeteilt. Die meisten Studenten gelangten über die „Artistenfakultät", die als Grundstudium etwa 6 Jahre dauerte und Latein, Philosophie und Arithmetik umfaßte, nicht hinaus. Die „höheren" Fakultäten waren Medizin, bürgerliches Recht und kanonisches Recht (je 6 Jahre) und Theologie (etwa 8 Jahre). Nach der Magisterwürde durfte man schon lehren, die Doktorwürde erreichte man kaum vor dem 35. Lebensjahr. Die Schüler kamen allerdings sehr jung (mit 13—15 Jahren) zur Universität, unter ihnen kaum Angehörige des Adels, meist Bürgerliche, auch der unteren Schichten. Der Unterricht war unentgeltlich. Die Lehrer waren Kleriker und wurden aus kirchlichen und später auch öffentlichen Mitteln bezahlt. In den sogenannten Bursen konnten die Studenten umsonst leben, allerdings unter strenger Aufsicht.

Die Wissenschaft der Zeit wurde von der Scholastik beherrscht, die eigentlich eine „Methode" war. Der „lectio" (Lektüre eines Textes) folgte die „quaestio" (Herausstellung eines Problems), das dann in streng logischen Schritten diskutiert wurde (disputatio) und eine Schlußfolgerung ergab (determinatio, eigentlich: geistige Entscheidung).

Als Autorität galt Aristoteles. Einer der berühmtesten Scholastiker war Thomas von Aquino (1225—1274), der die Lehren der christlichen Kirche mit der Philosophie des Aristoteles zu verbinden suchte, dabei aber als erster eine deutliche Trennung zwischen Glauben und Wissen zog.

Während man sich in Bologna vorwiegend mit der Jurisprudenz, in Paris mit der Theologie und in Montpellier mit der Medizin befaßte, wurde Oxford zur Hochburg der Naturwissenschaft und Mathematik, wenngleich man diese zunächst auch noch der Theologie unterordnete. Roger Bacon und Robert Grosseteste lehrten hier. Sie erkannten als erste den Zusammenhang zwischen Naturwissenschaft und Mathematik und sahen die Bedeutung des Experimentes. Beide befaßten sich schon mit Problemen der Optik.

Im 15. Jahrhundert entartete die scholastische Methode und wurde zu einer Disputation um ihrer selbst willen nach starren Regeln.

Baukunst

Die romanische Kirche stellte ein geschlossenes, in sich ruhendes, stabiles Raumgebilde dar, mit einem weiten, repräsentativen, aber nüchternen Innenraum. Der gotische Raum verwandelte die Starrheit in dynamische Bewegung, die die Flächen auflöste und im Spiel von Licht und Schatten den Blick des Beschauers in die Höhe zog. Es bestand ein enger Zusammenhang mit der Scholastik: Die Strukturen waren rational durchdacht. Trotz der scheinbar labyrinthischen Fülle des Zierats und der schmückenden Figuren hatte alles seine Funktion im Zusammenhalt eines schwerelos erscheinenden Ganzen. Ein wesentlicher Schritt zum gotischen Stil war die Verwendung von Rippen entlang den Graten des Kreuzgewölbes, so daß die Gewölbe dünner und leichter gebaut werden konnten, und die Erhöhung des Gewölbes durch die Spitzbogen. Damit wurden die vertikalen Linien, d. h., die Höhendimensionen, stärker betont.

Der neue Stil entstand in Frankreich, der Begriff „Gotik" war abfällig gemeint und tauchte in Italien auf, wo man schon um 1400 wieder auf die Antike zurückgriff. Die Gotik war eng verbunden mit dem städti-

Die Philosophie und die sieben Künste. Allegorische Miniatur aus dem „Hortus deliciarum" der Herad von Landsberg (1185 vollendet)

schen Bürgertum (Notre Dame in Paris, Amiens, Chartres, Reims), fand in Deutschland zunächst nur zögernd Verbreitung. Gotische Hallenkirchen in Süd- und Westdeutschland, die Backsteingotik in Nord- und Ostdeutschland und auch zahlreiche gotische Profanbauten, wie Rathäuser und Schlösser, bestimmten bis ins 16. Jahrhundert hinein die Bautätigkeit, wobei allerdings seit dem 14. Jahrhundert zahlreiche Projekte unvollendet blieben. Das mag weniger am nachlassenden Eifer der Bürger, als an einer Übersteigerung der Dimensionen, die schließlich über die materiellen Möglichkeiten der Bürgerschaft hinausgingen, gelegen haben.

D. Das Spätmittelalter

I. Hausmachtpolitik als Neuansatz königlicher Machtausübung

1273—1291	Rudolf I. von Habsburg	1338	Kurverein von Rhense
1278	Sieg Rudolfs auf dem Marchfeld über Ottokar von Böhmen; Bildung der Habsburgischen Hausmacht Österreich, Steiermark, Krain	1347—1378	Karl IV. (Haus Luxemburg)
		1348	Gründung der Universität Prag
		1356	Goldene Bulle
		1386	Sieg des eidgenössischen Bauernheeres über Herzog Leopold III. von Österreich bei Sempach
1291	Zusammenschluß der Waldstätte Uri, Schwyz und Unterwalden zum „ewigen Bund"		
1292—1298	Adolf von Nassau	1476	Sieg der Eidgenossen bei Grandson und Murten über Karl den Kühnen von Burgund
1298—1308	Albrecht I. (Habsburg)		
1308—1313	Heinrich VII. von Luxemburg	1499	Anerkennung der Unabhängigkeit der Schweizer Eidgenossenschaft
1314—1347	Ludwig der Bayer (Haus Wittelsbach) ⎫ Doppel-		
1314—1330	Friedrich von Österreich (Habsburg) ⎭ wahl		

1. Rudolf I.
begründet die habsburgische Hausmacht

1273 1273 wählten die Kurfürsten einstimmig Rudolf, Graf von Habsburg, zum deutschen König. Dies geschah auch auf Drängen des Papstes, der ein wiedererstarktes Kaisertum wünschte, um neue Kreuzzugspläne zu verwirklichen und um der französisch-angevinischen Vorherrschaft in Italien entgegentreten zu können. Rudolf gehörte nicht dem Reichsfürstenstand an, verfügte aber im Südwesten des Reiches über ausgedehnte Besitzungen. Obgleich er als tapferer und erfahrener Kämpfer galt, lag seine besondere Fähigkeit auf dem Gebiet der Verwaltung und der Wirtschaft.
Das deutsche Königtum befand sich in einer mißlichen Lage. Die Reichskirche war keine Stütze mehr und das Reichsgut zum größten Teil in die Hände des Adels und der Städte geraten. Eine königliche Verwaltung, wie sie sich in England und Frankreich herauszubilden begann, fehlte. Die deutsche Vormachtstellung in Italien war zusammengebrochen. Im Westen hatte Frankreich deutsches Reichsgebiet längs der Schelde, Maas, Saône, Rhône unter seinen Einfluß gebracht. Lyon, Avignon und das Bistum Viviers waren dem Reich verlorengegangen. In

Savoyen und der Freigrafschaft Burgund trat der französische König als Schiedsrichter auf. Im Osten hatte König Ottokar von Böhmen seine Herrschaft auf Österreich, Steiermark, Kärnten und Krain ausgedehnt und verweigerte Rudolf die Huldigung. Die Kurfürsten ließen sich alle „Wahl- und Krönungskosten" reichlich vergüten und ihren augenblicklichen Besitz (also einschließlich des okkupierten Reichsgutes) bestätigen. Durch geschicktes Entgegenkommen gewann Rudolf zunächst die Unterstützung der Kurfürsten: Ohne ihre Zustimmung konnte er nicht über Reichsgüter verfügen; als unrechtmäßig angeeignetes Reichsgut galt, was nach 1245 (Absetzung Kaiser Friedrichs II.) *ohne* Zustimmung der Kurfürsten erworben worden war. In diesem Sinne befand sich auch Ottokar von Böhmen unrechtmäßig im Besitz Österreichs. Die Rückforderung dieser Güter und Rechte des Reiches (Revindikation) brachte wenig Erfolg. Rudolf mußte sich auf die Steuerkraft der Reichsstädte und auf sein eigenes Hausgut stützen, das er nun zu einer Hausmacht ausbaute.
1276 zwang er Ottokar von Böhmen zur Unterwerfung, indem er den Widerstand des österreichischen und böhmischen Adels gegen dessen strenge Herrschaft ausnutzte. Es kam zu der berühmten Szene im Feldla-

ger zu Wien. Rudolf saß im einfachen Lederwams auf einem Holzschemel, und vor
ihm kniete in prächtigen Gewändern der
Böhmerkönig und leistete die Huldigung.
Er behielt Böhmen und Mähren als Lehen,
mußte aber auf die Herzogtümer Österreich, Steiermark, Kärnten, Krain und das
Egerland verzichten. — Eine erneute Erhebung Ottokars wurde gefährlich, weil auch
die Kurfürsten Rudolfs Machtgewinn mißtrauisch betrachteten. Auf dem Marchfeld
1278 (bei Wien, 1278) besiegte der Habsburger Ottokar, der auf der Flucht ermordet wurde. In kluger Mäßigung beließ er
Böhmen und Mähren Ottokars kleinem Sohn
Wenzel. Die Herzogtümer verwaltete er einige Jahre persönlich, und zwar so geschickt,
daß er den Adel auf seine Seite brachte. 1282
konnte er die Belehnung seiner Söhne mit
Österreich, Steiermark und Krain gegenüber
den Kurfürsten durchsetzen, nicht aber ihre
Nachfolge im Reich sichern.

Rudolf I. v. Habsburg. grabplatte im Dom von Speyer,
1280–90. Unten: **Peter von Aspelt,** Erzbischof von Mainz
(1306–20). Grabplatte im Mainzer Dom, 14. Jahrh.

Rudolf zog nicht nach Italien, obgleich er
die Kaiserkrönung anstrebte, weil er von ihr
eine Erleichterung der Erbfolge im Reich erhoffte. Sein Romzug scheiterte mehrmals an
Geldmangel (er mußte den Papst um Geld-
hilfe für den geplanten Zug bitten!) und am
plötzlichen Tod einiger Päpste. — Im Westen trat Rudolf französischen Expansionsbestrebungen nur zögernd entgegen und
verzichtete weitgehend darauf, entfremdete
Reichsgebiete zurückzugewinnen. In richtiger Einschätzung seiner Machtmittel und
der veränderten politischen Verhältnisse in
Europa ließ er von den Zielen mittelalterlicher Kaiserpolitik ab.

2. Die Übermacht der Kurfürsten

Adolf von Nassau

Nach Rudolfs Tod (1291) wählten die Kurfürsten nicht dessen Sohn Albrecht, der über
das gesamte habsburgische Erbe verfügte,
sondern den schwachen Grafen Adolf von
Nassau zum Nachfolger, dem nicht einmal
die ganze Grafschaft Nassau gehörte. Der
Erzbischof von Köln, der in seinen territo-
rialpolitischen Kämpfen einige Niederlagen
erlitten hatte, setzte die Wahl durch, um dabei auf Kosten des Reiches möglichst viel
für sein Erzbistum herauszuschlagen. In den

Wahlbedingungen mußte sich Adolf verpflichten, der Kölner Kirche 25 000 Silbermark zu zahlen (für Auslagen „im Dienste des Reiches"), ihr Reichsburgen und Reichsstädte (Dortmund, Duisburg) zu überlassen und dem Erzbischof Hilfe gegen die Kölner Bürger und andere Feinde zu leisten. Erfüllte er seine Zusagen nicht, sollte er sein Thronrecht verwirken. Auch die politische Richtung bestimmte der Erzbischof von Köln: Er brachte Adolf von Nassau dazu, von England Geld zu nehmen, um dafür gegen Frankreich zu kämpfen. Das Ansehen der Krone wurde dadurch gemindert. Als König Adolf versuchte, eigene politische Wege zu gehen und sich in Thüringen und Sachsen, wo es zu Erbstreitigkeiten gekommen war, eine eigene Hausmacht zu schaffen, setzten ihn die Kurfürsten ab und wählten Albrecht I. von Habsburg. Es war das erste Mal, daß die Fürsten einen deutschen König absetzten, der *nicht* vorher vom Papst gebannt worden war. In der Schlacht auf dem Hasenbühl bei Göllheim (Pfalz) besiegte Albrecht König Adolf, der im Kampf getötet wurde.

Albrecht I.

Mit Albrecht I. (1298—1308) schien es noch einmal möglich, die habsburgische Hausmacht für ein starkes deutsches Königtum zu nutzen. Als die vier rheinischen Kurfürsten — Hauptgegner einer starken Zentralgewalt — seine Absetzung planten, warf er sie militärisch nieder, nachdem er vorher durch Aufhebung der Rheinzölle die Städte gewonnen hatte. Die Ermordung Albrechts durch seinen Neffen Johannes Parricida (wegen privater Erbansprüche) lieferte das Reich den Territorialinteressen der wiedererstarkenden Kurfürsten aus.

3. Das Reich unter Heinrich VII. und Ludwig dem Bayern

Wiederaufnahme der alten Kaiserpolitik

Heinrich VII. (1308—1313) versuchte, die alte Kaiserpolitik noch einmal aufzunehmen. Als Graf von Luxemburg verfügte auch er nur über geringe Mittel, erlangte aber durch Heirat seines Sohnes mit der Přemyslidin Elisabeth Böhmen als Hausmacht. 1310 zog er mit einem kleinen Heer und wenig Geld nach Italien. Hier fehlte seit dem Untergang der Staufer und der Übersiedlung des Papstes nach Avignon (1309, vgl. D, IV, 1) eine politische Führungsmacht. In Nord- und Mittelitalien hatten sich die Städte zu souveränen Stadtstaaten entwickelt, die ständig Krieg gegeneinander führten. Gleichzeitig kämpften in den einzelnen Stadtstaaten die aufstrebenden Volksschichten (Kaufleute, Handwerker) mit den herrschenden Adelsgeschlechtern um die Macht. In Süditalien hatte ein Aufstand (1282, sogenannte Sizilianische Vesper) Karl von Anjou aus Sizilien vertrieben. Sizilien war unter spanische Herrschaft (Peter III. von Aragon) gekommen, während das Königreich Neapel beim Hause Anjou verblieb, das in enger Anlehnung an Frankreich seinen Einfluß auch in Rom und Mittelitalien zu erweitern suchte. Obgleich sich die politischen Ziele geändert hatten, benutzte man noch die alten Bezeichnungen aus der Zeit der Stauferkämpfe: Guelfen (= Welfen) nannten sich die Parteigänger des Papstes und der angevinisch-französischen Macht, Ghibellinen (nach der Stauferburg Waiblingen) jene, die noch auf Unterstützung durch ein deutsches Kaisertum hofften. Als Heinrich VII. in Italien erschien, war allerdings der Wunsch nach Frieden so groß geworden, daß alle Parteien ihre Hoffnung zunächst auf den Kaiser setzten. Dante, der Dichter der „Göttlichen Komödie", der, wie viele seiner Zeitgenossen, aus seiner Vaterstadt (Florenz) verbannt war, feierte die Ankunft Heinrichs als Beginn einer Zeit des Friedens und der Gerechtigkeit. Zunächst erschien Heinrich tatsächlich als Friedensbringer, der über den Parteien stand. Aber schon in Mailand, wo er sich zum lombardischen König krönen ließ, kam es zu einem Aufstand, weil der König Geld zur Besoldung seines Heeres fordern mußte. Die alten Gegensätze brachen auf, der König galt als Haupt der Ghibellinen. Sein Hauptgegner, König Robert von Neapel, unterstützte den Widerstand der Guelfenstädte. Heinrich reagierte mit Härte, ohne aber seine Gegner endgültig niederwerfen zu können. Nur auf Umwegen erreichte er Rom und ließ sich im Lateran von zwei päpstlichen Legaten zum Kaiser krönen. Pe-

Die Königswahl nach der Heidelberger Bilderhandschrift des Sachsenspiegels, Anfang des 14. Jahrhunderts. In der oberen Reihe die drei geistlichen Kurfürsten, der Erzbischof von Mainz — als der erste der Wähler — und die Erzbischöfe von Köln und Trier. Darunter drei weltliche Kurfürsten bei der Ausübung der Erzämter. Vor dem König der Pfalzgraf bei Rhein mit einer Schüssel als Erztruchseß, dann der Herzog von Sachsen als Erzmarschall mit Marschallstab und der Markgraf von Brandenburg mit einem Wasserbecken als Erzkämmerer. Der vierte der weltlichen Kurfürsten, der König von Böhmen (als Erzmundschenk) fehlt, da Eike von Repgow ihm das Kurrecht bestritt, weil er nicht deutsch wäre. In der unteren Reihe die Fürsten des Reiches insgesamt, geistliche und weltliche, mit Wahlgebärde beim Vollzug ihres Kurrechtes in der Nachfolge der zur ersten Kur Berufenen.

Romfahrt und Kaiserkrönung nach der Dresdner Bilderhandschrift des Sachsenspiegels, Anfang des 14. Jahrhunderts.
Die oberen Bilder beziehen sich auf die lehnsrechtliche Heeresfolgepflicht des Vasallen allgemein. Sechs Wochen hat der Lehnsmann an der Heerfahrt teilzunehmen, wobei er sich selbst versorgen muß. Sechs Wochen vor und nach dem Aufgebot genießt er Reichsfrieden und „Schaftruhe", d. h. Befreiung vom Lehnsdienst. Darunter werden Romfahrt und Kaiserkrönung gezeigt: Die drei geistlichen und wieder nur drei weltlichen Kurfürsten sollten nach dem Sachsenspiegel den König begleiten, der in Rom vom Papst die Weihe empfängt. Ein Jahr, sechs Wochen und drei Tage vor der Romfahrt müssen die Vasallen dazu aufgeboten werden. Jeder, der Reichsgut zu Lehen hat, hat entweder Folge zu leisten (mit Rüstung und Schwert) oder aber die Folgepflicht durch eine Heersteuer, ein Zehntel seiner Lehenseinkünfte, abzulösen.

tersdom und Engelsburg waren von angevi-
nischen Truppen besetzt. — Nach seiner
Krönung nahm Heinrich den Kampf um die
Wiederherstellung der imperialen Rechte in
Italien auf, unterstützt von König Friedrich
III. von Sizilien (dessen Mutter war eine
Staufertochter) und den ghibellinischen
Städten. Von Pisa aus brach er nach Neapel
auf, wo König Robert schon seine Flucht in
die Provence vorbereitete. Da starb Heinrich VII. überraschend in Siena an Malaria.
Damit brach seine Politik in Italien zusammen. Ob er bei längerem Leben Erfolg gehabt hätte, mag fraglich erscheinen. Die
Idee des Kaisertums war aber erneut in das
Bewußtsein der Zeitgenossen gerückt worden und führte in den nächsten Jahrzehnten
zu ausgedehnten theoretischen Auseinandersetzungen. Die politischen Gegner impe-
rialer Ansprüche waren vor allem der Papst
und der französische König.

Wandel des staatsrechtlichen Denkens

Mit der Doppelwahl von 1314 kam der
habsburgisch-luxemburgische Gegensatz im
Reich offen zum Ausbruch: Neben dem
Habsburger Friedrich von Österreich (Sohn
Albrechts I.) setzten die Luxemburger die
Wahl Ludwigs des Bayern (Haus Wittelsbach) durch. Im Kampf um die Macht siegte
schließlich Ludwig, da die Habsburger
durch die Auseinandersetzung mit den Eidgenossen (vgl. D, I, 5) geschwächt waren. In
der Schlacht von Mühldorf (1322) nahm
Ludwig, unterstützt vom Böhmenkönig Johann, Friedrich von Österreich gefangen
und zwang ihn zum Thronverzicht.
Unter Ludwig dem Bayern kam es zu einem
langdauernden Streit mit dem Papsttum in
Avignon (vgl. D, IV, 1). Dabei ging es um
eine Abgrenzung zwischen Staats- und Kir-
chenmacht. Das neue staatsrechtliche Denken setzte sich schließlich durch.
Ein maßgeblicher Vertreter der neuen Ideen
war der Philosophieprofessor und Berater
König Ludwigs, Marsilius von Padua (um
1280—1342/43). Beeinflußt von der Staatslehre des Aristoteles und von den politischen Verhältnissen der italienischen Stadtstaaten entwickelte er in seiner Schrift „De-
fensor pacis" eine moderne, stark weltlich
ausgerichtete Staatstheorie. Nicht mehr vom
göttlichen Auftrag her, sondern nur noch

aus der Natur des Menschen wird das Wesen des Staates begründet. Danach tritt das
souveräne Volk als Gesetzgeber auf und
wählt den Fürsten. Dieser hat den Frieden
zu sichern und für den Vollzug der Gesetze
zu sorgen. Ihm steht die Kirchenaufsicht zu
(Einsetzung der Priester, Verfügung über
das Kirchengut). Aufgabe der Priester ist
nur noch Verkündung des Evangeliums und
Sakramentenspendung. Damit wird der
Staat im weltlichen Bereich über die Kirche
gesetzt. Einen prinzipiellen Unterschied
zwischen Klerikern und Laien lehnt Marsilius ab, ebenso die hierarchische Struktur
der Kirche und damit auch den Primat des
Papstes. Er überträgt die Vorstellung von
der Gesetzgebungsgewalt des Volkes auf die
Kirche. Höchste Instanz zur Entscheidung
von Glaubensfragen ist das Generalkonzil,
bestehend aus gewählten Klerikern und
Laien. — Marsilius von Padua trug wesentlich zur Ausbildung der konziliaren Idee
(vgl. D, IV, 2) bei und beeinflußte das
staatskirchliche Denken der Reformationszeit und des aufgeklärten Absolutismus.
Ludwig der Bayer versuchte, die Italienpolitik
seiner Vorgänger fortzusetzen. In Rom ließ
er sich unter großem Jubel von einem Vertreter des römischen Volkes zum Kaiser krönen
und verkündete die Absetzung des Papstes,
der sich weigerte, von Avignon nach Rom zu-
rückzukehren. Doch wie schon zur Zeit der
Ottonen schlug die Stimmung in Rom schnell
um, als der Kaiser Geldforderungen stellte.
Ohne bleibenden politischen Erfolg kehrte er
nach Deutschland zurück (1330). Die neue
Staatsauffassung fand ihren Niederschlag im
Kurverein von Rhense.

Der Kurverein von Rhense

Da die Kurie sich nicht versöhnungsbereit
zeigte und immer neue Ketzerprozesse gegen den Kaiser anstrengte, schlossen sich
die Kurfürsten 1338 zur Wahrung
der Reichsrechte in Rhense (am
Rhein) zusammen. Sie stellten fest, daß ein
von den Kurfürsten mit Mehrheit gewählter
König keiner päpstlichen Bestätigung benö-
tige und daß sein Herrschaftsanspruch auch
in außerdeutschem Reichsgebiet Geltung
habe. Neu war das Mehrheitsprinzip bei der
Wahl. Vom Kaisertum sagten die Kurfürsten nichts. Dies holte Ludwig auf dem

1338

Frankfurter Fürstentag (1338) mit dem Gesetz „Licet juris" nach: Allein die deutsche Königswahl begründete den Anspruch auf das Kaisertum. Dem Gewählten standen alle kaiserlichen Rechte zu, auch ohne Billigung des Papstes. — Zu diesem Zeitpunkt standen die Fürsten fest hinter Ludwig, bereit, den päpstlichen Anschuldigungen und Einmischungsversuchen entgegenzutreten und die Reichsrechte zu verteidigen. Dies änderte sich, als der König mit fragwürdigen Methoden seine Hausmacht vergrößerte (Belehnung seiner Söhne mit Brandenburg und Tirol). Auf Betreiben Frankreichs und der Kurie wählte die Mehrheit der Kurfürsten den Luxemburger Karl, Sohn König Johanns von Böhmen, zum Gegenkönig. Er konnte sich im Reich zunächst nicht durchsetzen, da Frankreich, auf dessen Unterstützung er gebaut hatte, in der Schlacht von Crécy (gegen die Engländer, 1346) eine vernichtende Niederlage erlitt. Karl und der blinde König Johann von Böhmen, der sich als echter Ritter trotz seiner Blindheit in den Kampf führen ließ, nahmen teil. Johann fiel, Karl entkam mit knapper Not. Bevor aber der Kampf um die Macht im Reich begann, erlag Ludwig der Bayer auf der Bärenjagd bei München einem Schlaganfall.

4. Festigung der königlichen Macht durch Karl IV.

Böhmen als Zentrum des Reiches

Karl IV. (1347—1378) war ein kunstsinniger und gelehrter Mann, mit einem ausgeprägten Sinn für Wirtschaft und Finanzen. Zeitgenossen beklagten die „krämerhafte" Art, mit der er Reichssteuern einzog. Aufgewachsen am französischen Hof, hatte er in vielerlei politische Verhältnisse und Praktiken Einblick gewonnen. Schon als Prinz brachte er die finanziellen Verhältnisse Böhmens in Ordnung und lernte die Kräfteverhältnisse in Oberitalien kennen.
Von Anfang an widmete Karl IV. sich der Stärkung seiner Hausmacht. Er wollte Böhmen zum Mittelpunkt des Reiches machen. Der Plan, unter Ausnutzung der Wasserstraßen (Moldau, Elbe, Oder) einen einheitlichen, staatlich gesicherten Verkehrsweg zu schaffen, der von Venedig über Wien, Prag

bis Hamburg und Brügge führen sollte, scheiterte zwar, zeigt aber den Gedankenflug des Königs. Prag wurde ausgebaut (Dom, Burg Hradschin, steinerne Brücke über die Moldau) und erhielt 1348 die erste deutsche Universität, nach dem Vorbild von Paris. Karl IV. gelang es noch, die aufkommende tschechische Opposition gegen das deutsche Übergewicht in Wirtschaft und Geistesleben zu beschwichtigen. Später verschärfte sich der Gegensatz durch die hussitische Bewegung (Hus predigte in tschechischer Sprache) so sehr, daß sein Nachfolger König Wenzel den deutschen Einfluß beschränken mußte. Daraufhin verließen 1409 die deutschen Studenten unter Führung ihrer Professoren Prag. Friedrich von Meißen nahm sie auf und gründete die Universität Leipzig. Zu diesem Zeitpunkt bestanden schon Universitäten in Krakau (1364), Wien (1365), Heidelberg (1386), Köln (1388) und Würzburg (1402) — andere Gründungen folgten. — Auch die deutsche Sprache erfuhr unter Karl IV. eine Förderung. Sein Kanzler, Johann von Neumarkt, bemühte sich, die Ausdrucksmöglichkeiten der deutschen Sprache zu steigern. Nach den Vorbildern Dantes und Petrarcas, die in der italienischen Volkssprache dichteten, schuf er zunächst für seine Kanzlei ein Handbuch, das als Muster für einen neuen deutschen Stil dienen sollte. Er übertrug die lateinische Ausdrucksweise ins Deutsche. Dadurch erreichte er für seine Kanzleien eine neue Form des schriftlichen Ausdrucks (Kanzleistil). Dem gleichen Ziel, eine neue deutsche Prosa zu schaffen, dienten seine Übersetzungen lateinischer Schriftsteller. Seine Kanzleisprache wurde Grundlage für Luthers Bibelübersetzung, die schließlich die Vereinheitlichung unserer Schriftsprache brachte.

Außenpolitik Karls IV.

Bei seiner Erwerbspolitik ging Karl IV. kaum mit Waffengewalt vor, sondern mit Geld. Seine besondere Aufmerksamkeit galt den Nachbargebieten Böhmens. Am Ende seiner Regierungszeit gehörte zur Luxemburgischen Hausmacht neben den Herzogtümern Luxemburg und Brabant das Königreich Böhmen, die Markgrafschaften Mähren und Lausitz, das Herzogtum Schlesien,

das Kurfürstentum Brandenburg und kleinere Stützpunkte in der Oberpfalz, Franken
und dem Maingebiet.

1354 zog Karl nach Italien, ohne jedoch die
Kaiser- und Italienpolitik seiner Vorgänger
aufnehmen zu können. In richtiger Einschätzung seiner Möglichkeiten und der italienischen Verhältnisse erkannte er die Aussichts-
losigkeit, hier Frieden stiften oder verlorene
Reichsrechte wiedergewinnen zu wollen. So
begnügte er sich — zur Enttäuschung kaiser-
treuer Kreise — damit, den status quo anzuerkennen und Reichssteuern zu erheben. Ähnlich zurückhaltend verhielt er sich an der
Westgrenze. Zwar ließ er sich noch zum burgundischen König krönen, verzichtete aber
auf Dauphiné und Arelat, als er erkannte, daß
die französischen Einflüsse schon zu stark waren. Dafür löste er die Grafschaft Savoyen mit
dem wichtigen Paß Mont Cénis heraus und
schloß sie wieder an das Reich an.

Die Goldene Bulle

| 1356 | Mit dem Reichsgesetz von 1356, der
sogenannten Goldenen Bulle (wegen
der kostbaren Siegelung) knüpfte Karl IV.
an den Kurverein von Rhense an. Es bestätigte den Grundsatz der Mehrheitswahl und
legte genau die Wahlberechtigten fest (drei
geistliche Kurfürsten: Mainz, Köln, Trier;
vier weltliche Kurfürsten: Sachsen, Brandenburg, Pfalz und Böhmen). Die Macht
der Kurfürsten wurde gestärkt. Sie allein
wählten den König und vertraten ihn als
Reichsverweser. Für die Territorien, an denen nunmehr die Kurwürde haftete, erhielten sie weitere Privilegien. Neben dem
Burg-, Juden- und Zollregal erhielten sie das
Recht der Münzschlagung, des unbegrenz-
ten Gebietserwerbs und der Gerichtshoheit
durch das ius de non evocando und de non
appellando (die Landesangehörigen durften
weder vor ein fremdes Gericht gezogen werden noch bei einem anderen Gericht Berufung einlegen, außer im Fall der Rechtsverweigerung). Durch das Prinzip der Unteilbarkeit und Erblichkeit wurde der öffent-
lich-staatliche Charakter der Territorien
weiter verstärkt. Böhmen erhielt eine Sonderstellung: Es fiel beim Aussterben des
Kurhauses nicht ans Reich zurück, sondern
durfte eine eigene Königswahl abhalten.

5. Die Schweizer Eidgenossenschaft

Der Kampf
gegen die habsburgischen Landesherren

Die heutige Schweiz war im Mittelalter kein
geschlossenes Territorium, sondern zerfiel
in kleine Gebiete mit unterschiedlichen
Rechten. Stärker als im übrigen Reich hatten sich Reste bäuerlicher Selbstverwaltung
erhalten. Die sozialen Unterschiede zwischen Bauern, Städten und Landadel waren
verhältnismäßig gering. Durch die Erschließung des St. Gotthardpasses gewannen die
bisher abgelegenen Orte um den Vierwald-
stätter See an politischer Bedeutung. —

| 1291 | Nach dem Tod Rudolfs I. (August
1291) schlossen die drei Waldstätten
Uri, Schwyz und Unterwalden einen „ewigen Bund" gegen Gewalt und Unrecht, insbesondere gegen landfremde Richter. Uri
war zu diesem Zeitpunkt schon reichsunmittelbar, da es von Heinrich (VII.) 1231 den
Grafen von Habsburg abgekauft und an das
Reich gebracht worden war. Rudolf I. hatte
für Uri die Reichsfreiheit bestätigt, nicht
aber für Schwyz, das 1240 von Friedrich II.
die Reichsfreiheit erhalten hatte. Hier
machte Rudolf nur das Zugeständnis, keine
Unfreien (Ministerialen) als Richter zu berufen. Unterwalden war habsburgisch. Offenbar wollte der Bund für alle drei Orte
fremde Richter ausschalten zugunsten der
gewählten „Landammänner" und einer
strengeren Ausübung der landesherrlichen
Gewalt, wie sie von dem energischen Albrecht zu erwarten war, entgegenwirken. An
eine eigene Staatsbildung dachte man wohl
noch nicht (Tell und Rütlischwur sind nicht
belegt). — In den Auseinandersetzungen um
die deutsche Königskrone fanden die Eidgenossen beim Reich Rückhalt gegen die
Habsburger. König Adolf von Nassau und
König Heinrich VII. verbrieften die Reichsfreiheit aller drei Waldstätten. Als diese
nach der Doppelwahl von 1314 zu Ludwig
dem Bayern hielten, versuchte Herzog Leopold, der Bruder Friedrichs von Österreich,
ihren Widerstand mit Waffengewalt zu brechen. Sein schwerfälliges Ritterheer unterlag den eidgenössischen Bauern in der
Schlacht bei Morgarten (1315). Damit hatten sich die Waldstätten von der habsburgischen Territorialhoheit befreit, König Lud-

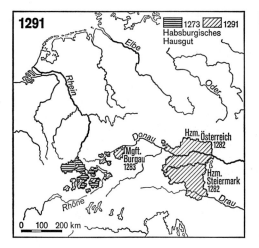

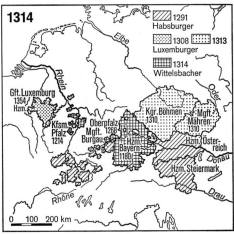

Hausmachtbildung im spätmittelalterlichen Reich

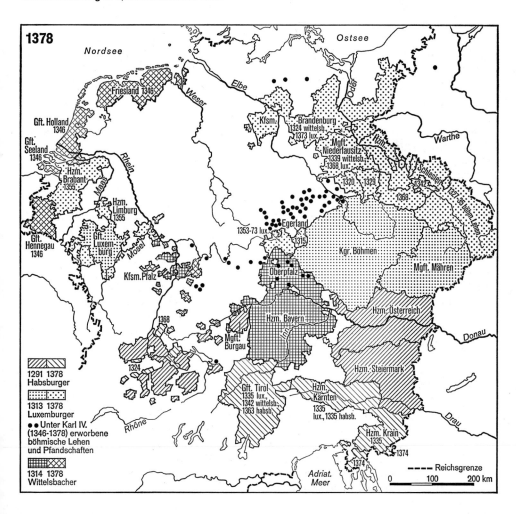

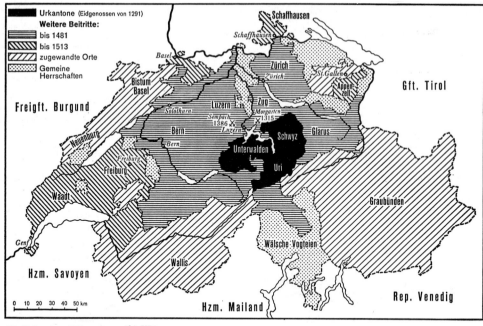

Die Schweizer Eidgenossenschaft

wig bestätigte ihre Reichsunmittelbarkeit. Seit 1330 wurde der Name des führenden Ortes „Schwyz" für das Gebiet der gesamten Eidgenossenschaft üblich. Bis 1353 traten fünf weitere Städte (Luzern, Zürich, Glarus, Zug, Bern) dem Bund bei. Der Versuch Herzog Leopolds III. von Österreich, die habsburgischen Rechte über die Schweiz

| 1386 |

wiederherzustellen, scheiterte in der Schlacht von Sempach (1386). Sein Ritterheer wurde von dem leichtbewaffneten Fußvolk der eidgenössischen Bürger und Bauern, die nach einer neuen, beweglicheren Taktik vorgingen, vernichtend geschlagen. Die Stärke des Bundes lag in einer ständigen Waffenbereitschaft: 1393 gab er sich eine gemeinsame Kriegsordnung (Sempacherbrief), die einen engeren politischen Zusammenschluß zur Folge hatte.

Abkehr vom Reich

Mit dem endgültigen Übergang der Kaiserkrone an die Habsburger (1438) begann für die Eidgenossen die Abkehr vom Reich. Sie nahmen nicht mehr an Reichsversammlungen teil und entzogen sich der kaiserlichen Gerichtshoheit. Ohne Erfolg nahm Kaiser Friedrich III. den Kampf gegen die Schweiz

wieder auf, die ihrerseits zu einer offensiven Politik überging und ihren Einfluß nach Süden und Norden ausdehnte. Der Bund unterschied „vollberechtigte Orte", „zugewandte Orte" mit geringerem Recht und „gemeine Herrschaften", d. h. eroberte Gebiete, die als allgemeiner Besitz galten. Ohne Unterstützung durch das Reich setzten sich die Eidgenossen gegen Karl den Kühnen von Burgund zur Wehr, der ihre

| 1476 |

Selbständigkeit bedrohte (1476 Sieg bei Grandson und Murten).
Als Kaiser Maximilian die Schweizer dem Landfrieden und der Kammergerichtsordnung von 1495 unterwerfen wollte, schlossen sie sich mit Rätien und Graubünden zusammen und leisteten in einem blutigen Krieg (sogenannter Schwabenkrieg 1497/98) erbitterten Widerstand. Der Basel-

| 1499 |

er Friede (1499) erkannte das Ausscheiden der Schweiz aus dem Reichsverband de facto an, indem er die strittigen Punkte unerwähnt ließ. Die formelle Bestätigung der eidgenössischen Unabhängigkeit erfolgte im Frieden von Münster und Osnabrück (1648 — E, VII, 3).

II. England und Frankreich

1285—1314	Philipp IV., der Schöne, König von Frankreich	1431	Jeanne d'Arc als Ketzerin verbrannt
1328—1350	Philipp VI. (Haus Valois), König von Frankreich	1461—1483	Ludwig XI., König von Frankreich
1339—1453	Hundertjähriger Krieg	1455—1485	Krieg der Rosen in England
1356	Sieg der Engländer bei Maupertuis	1399—1461	Haus Lancaster ⎫
1415	Sieg der Engländer bei Azincourt	1461—1485	Haus York ⎬ in England
		1485—1603	Haus Tudor ⎭
1422—1461	Karl VII., König von Frankreich	1467—1477	Karl der Kühne, Herzog von Burgund

1. Frankreich unter Philipp IV. dem Schönen

Unter Philipp IV. (1285—1314) erreichte Frankreich eine zeitweilige Vormachtstellung in Europa. Ohne große Kriege, durch Prozesse, Geldzahlungen und Schutzversprechen dehnte Philipp seinen Einfluß nach Osten aus. Im Inneren vermehrte er das Krongut und ließ durch königliche Beamte auch in den immer noch zahlreichen Feudalherrschaften die königlichen Rechte (besonders Gerichtsbarkeit) zur Geltung bringen. Am römischen Recht geschulte Juristen, die sogenannten „Legisten" (von lat. lex = das Gesetz) unterstützten den Machtanspruch der Krone und vertraten die Auffassung, daß das Königtum keiner irdischen Macht unterworfen und der König zugleich höchster Richter und Gesetzgeber sei. Diese Gedanken setzten sich später im Absolutismus durch.

Der König, um eine Vereinheitlichung des Staates bemüht, bekämpfte die Sonderstellung der Kirche. Er griff in ihre Gerichtsbarkeit ein und forderte Abgaben und Unterordnung unter die Krone. Als Papst Bonifaz VIII. dem in schroffer Form widersprach und die Oberhoheit des Papsttums über jede weltliche Gewalt beanspruchte, kam es zu einem Konflikt (vgl. D, IV, 1), aus dem schließlich König Philipp als Sieger hervorging. Ihm war es gelungen, die Generalstände (états généraux), zu denen außer den Vertretern des Adels und der hohen Geistlichkeit erstmals auch Vertreter der Städte gehörten, gegen den Papst zu mobilisieren und das Bewußtsein von einer national bestimmten „Gallikanischen Kirche" zu

wecken. Der Streit endete mit dem französischen Überfall auf Anagni und der Gefangennahme des Papstes, der kurz darauf starb. Seine Nachfolger gerieten in französische Abhängigkeit und schlugen ihre Residenz in Avignon auf. Sie mußten die Unterordnung der französischen Geistlichkeit unter die Krone hinnehmen.

Auch gegen den Templerorden ging Philipp vor. Unter Verletzung des Kirchenrechtes klagte er den Orden wegen Ketzerei an, ließ alle Templer in Frankreich verhaften und die Güter des reichen Ordens beschlagnahmen. Viele Ritter starben auf der Folter. 1308 zwang der König den Papst zur Eröffnung eines kirchlichen Prozesses, der aufgrund erpreßter Aussagen zur Aufhebung des Ordens führte. Der Hochmeister und zahlreiche Templer wurden auf Befehl des Königs, gegen den Willen der prozeßführenden Kardinäle, verbrannt. Der tiefere Grund für das Vorgehen des Königs war wohl der große Reichtum, den der Orden angesammelt hatte.

2. Der Hundertjährige Krieg zwischen England und Frankreich

Entstehung

1328 starb der Hauptstamm der Capetinger in Frankreich aus. Die Frage der weiblichen Erbfolge war umstritten. Da die französischen Stände sie ablehnten, bestieg eine Nebenlinie der Capetinger den französischen Thron: Philipp VI. aus dem Hause Valois. Eduard III. von England, dem bei Anerkennung der weiblichen Erbfolge der französische Thron eher zugestanden hätte, fügte

sich zunächst und leistete Philipp den Lehenseid für die englischen Festlandsbesit-
zungen. Zum Konflikt kam es um Flandern.
Flandern erkannte die französische Lehenshoheit an, stand aber durch seine hochentwickelte Tuchproduktion und die dadurch
bedingte bürgerlich-städtische Sozialstruk-
tur England näher. Andererseits war Flandern für England ein großer Wollabnehmer
und ein wichtiger Stützpunkt auf dem Festland (besonders Calais als Stapelplatz).
Durch den starken Einfluß Frankreichs
drohten in Flandern wirtschaftliche Beschränkungen (Einfuhrzölle). Indem nun
Eduard III. von England die Wollausfuhr
sperrte und damit Arbeitslosigkeit und Aufruhr in den flandrischen Städten verursachte, zwang er die Grafen von Flandern
zum Anschluß an England. Um aber auch
rechtmäßig ihr Oberherr sein zu können,
nahm er zugleich den Titel eines Königs von
Frankreich an (1340). Ein weiterer Streit-
punkt war die englische Besitzung Guyenne,
reich an großen Weinbaugebieten, die durch
Prozesse und Revindikationen (Zurückfor-
derungen) der französischen Krone geschädigt wurde.

Verlauf bis 1375

In der nun folgenden schweren Auseinandersetzung erschien Frankreich, dessen wirtschaftliche, politische und soziale Struktur
noch ganz feudal-ritterliches Gepräge hatte,
als der unterlegene Teil. Auch England war
noch ein Feudalstaat, aber der reiche Handel eröffnete der Krone zusätzliche Einnahmen, und das Heer bestand schon zum großen Teil aus Fußvolk (Armbrust- und Bogenschützen), das als Flankendeckung für
die Ritter eingesetzt wurde. Die Reihe der
englischen Erfolge begann mit dem Seesieg
bei Sluys (1340). Es folgte der Sieg bei
Crécy (1346), die Einnahme von Calais
(1347), und unter Führung des englischen
Thronfolgers, des „Schwarzen Prinzen",
schließlich der entscheidende Sieg bei Mau-
pertuis in der Nähe von Poitiers (1356), wo
der französische König in englische Gefangenschaft fiel. Darauf brach in Frankreich
eine schwere Krise aus. Die Kronvasallen
suchten das Königtum in ihre Gewalt zu
bringen; in Paris hatte der Vorsteher der
Kaufmannschaft, Etienne Marcel, die

Macht an sich gerissen. Auf dem Lande erhoben sich die Bauern, die jahrelang die
Hauptlast des Krieges zu tragen hatten, gegen den Adel (Aufstand der Jacquerie =
Jacques Bonhomme = Spottname für das
französische niedere Volk). In dieser be-
drohlichen Situation scharte sich der Adel
um die Krone, um die Aufstände niederzuschlagen. Der Dauphin konnte nach Paris
zurückkehren. Im Frieden von Bretigny
(1360) verzichtete Eduard III. auf die französische Krone, erhielt dafür aber Guyenne,
Calais, Poitou, Gascogne und Guines als
unabhängigen Besitz ohne Lehenspflicht zugesprochen (etwa ein Viertel des französischen Staatsgebietes; vgl. auch Skizze). Ein
solcher Friede konnte nur vorläufig sein.
König Karl V. von Frankreich (der Weise,
1364—1380) gewann zielstrebig die königliche Machtstellung zurück. Er vermied eine
Einberufung der Generalstände und reorganisierte das Heer (Unterstellung der adeligen Soldritter unter eine klare Befehlsge-
walt, Bogen- und Armbrustschützen als
Fußvolk, Anfänge einer Belagerungsartille-
rie). Der Krieg begann wieder, als beide
Mächte in einen kastilianischen Thronstreit
eingriffen. Die französische Partei setzte
sich in Spanien durch, und das französisch-
kastilianische Bündnis gefährdete die englische Stellung auf dem Festland. Zahlreiche
Große sagten sich von England los, selbst
Flandern war nicht mehr auf den Handel
mit England angewiesen, da es seine Wolle
nun aus Kastilien beziehen konnte. In hin-
haltenden Kämpfen gelang es den Franzosen, die englische Kampfkraft zu schwächen. 1375 hatte England bis auf Calais und
einen schmalen Küstenstrich mit Bordeaux
und Bayonne alle französischen Besitzungen
verloren.

Innere Krisen

In den folgenden Jahren machten beide Länder schwere innere Krisen durch.
In England kam es zu religiösen und sozialen Unruhen im Zusammenhang mit John
Wiclif (1324—1384, vgl. S. 165). Schon unter Papst Bonifaz VIII. hatte das englische
Parlament Eingriffe der Kurie in englisches
Kirchengut abgelehnt. Es verbot Zahlungen
nach Rom und appellierte gegen den Papst
an ein allgemeines Konzil. Der Kampf ge-

gen Frankreich verschärfte den Widerstand gegen das französisch bestimmte Papsttum in Avignon. John Wiclif, Professor in Oxford, stellte sogar kirchliche Glaubenssätze in Frage und bestritt die Sonderstellung des Klerus und die Berechtigung einer priesterlichen Hierarchie. 1381 kam es unter Wat Tyler zu einem Aufstand des Landvolkes, das, durch die Pest und durch Kriegslasten in Not geraten, Minderung seiner Abgaben und Aufhebung der Leibeigenschaft verlangte. Der Aufstand wurde blutig niedergeschlagen und John Wiclif zur Last gelegt, der daraufhin seine Professur verlor. Seine als ketzerisch verurteilten Lehren nahm später Johann Hus (D, IV, 2) in Prag wieder auf.

Die Minderjährigkeit König Richards II. (1377—1399) führte zu Rivalitätskämpfen der Magnaten. Im Parlament (vgl. C, V, 2) trat das Unterhaus (seit 1376 mit eigenem Sprecher) stärker hervor, wo der niedere Adel und die Städte, die „Commons" (communitates) das Steuerbewilligungsrecht handhabten. 1404 stellten sie die Bedingung, daß die aufkommenden Steuern von einem parlamentarischen Ausschuß verwaltet werden sollten. Auch auf die Zusammensetzung des ständigen königlichen Rates suchten sie Einfluß zu gewinnen, an deren Zustimmung der Herrscher künftig bei seinen Regierungshandlungen gebunden sein sollte. Dieser erste Versuch einer parlamentarischen Vorherrschaft scheiterte an den Lords im Oberhaus, die ihre Machtstellung gefährdet sahen. Mit Heinrich V. (1413—1422) kam ein fähiger Herrscher auf den Thron. Er entstammte dem Hause Lancester, einer Nebenlinie der Plantagenets; sein Vater, Heinrich IV. hatte mit Hilfe des Parlamentes den Thron usurpiert. Er nahm den Krieg gegen Frankreich wieder auf und gewann dazu die Unterstützung des Parlamentes.

In Frankreich hatte die Macht der Krone erneut einen Tiefpunkt erreicht. Die „Prinzen von Geblüt" (die nächsten Blutsverwandten des Königshauses) kämpften um die Vorherrschaft. Besonders erbitterte Gegner waren der Herzog von Orléans, der sich auf die westlichen und südlichen Landesteile stützte, und der Herzog von Burgund, dessen Territorium fast völlige Unabhängigkeit

erreicht hatte und der außerdem in Paris und den nordfranzösischen Städten Rückhalt fand. Er verband sich mit Heinrich V. von England, der die alten englischen Ansprüche auf die französische Krone wieder geltend machte. Nach dem englischen Sieg bei Azincourt (1415), dem die Eroberung der Normandie folgte, kam es zum Vertrag von Troyes (1420). Heinrich V., der schnell noch eine Tochter des französischen Königs, Katharina, geheiratet hatte, wurde zum Erben der französischen Krone erklärt. Er sollte nach dem Tod Karls VI. von Frankreich England und Frankreich in Personalunion regieren. Der Dauphin wurde von seinen Eltern verstoßen und für enterbt erklärt. Er zog sich nach Südfrankreich zurück und leistete von dort aus Widerstand. Es kam zu einer Art Doppelherrschaft: Im Norden besaß die englisch-burgundische Partei die Macht, südlich der Loire der Dauphin, gestützt vom Herzog von Orléans. Dennoch schien das langerstrebte Ziel des englischen Königtums, als König über Frankreich zu herrschen, in greifbare Nähe gerückt. Da starb König Heinrich V. unerwartet, erst 35 Jahre alt. Wenige Jahre später (1429) gab Jeanne d'Arc (Johanna von Orléans) den Anstoß zur Rettung der Krone von Frankreich.

Erfolge Frankreichs

Jeanne d'Arc, ein Bauernmädchen, hatte schon seit ihrem 13. Lebensjahr religiöse Erscheinungen gehabt und war der Überzeugung, daß sie jene Jungfrau sei, die nach dem Volksglauben ihrer Heimat zur Erretterin Frankreichs werden sollte. Nach Überwindung vieler Schwierigkeiten drang sie bis an den Hof des Dauphin vor, und es wurde ihr gestattet, an den Kämpfen teilzunehmen. Ihre Entschlossenheit und Begeisterung riß die Truppen mit, die Engländer mußten ihre Belagerung Orléans aufgeben. Dann führte sie in einem großen Marsch den zögernden Dauphin in die alte französische Krönungsstadt Reims, wo er zum König von Frankreich gekrönt wurde (Karl VII., 1422 bis 1461). Das Ereignis machte größten Eindruck und fügte der englischen Herrschaft schweren Schaden zu. Der König blieb aber zunächst untätig. Als Johanna mit geringem Gefolge versuchte, den Kampf im Norden

Frankreichs fortzusetzen, geriet sie in die Gefangenschaft eines burgundischen Ritters, der sie an die Engländer verkaufte. In einem nach damaligem Recht korrekt geführten Prozeß wurde sie verurteilt und als rückfällige Ketzerin, Hexe und Zauberin verbrannt (1431). König Karl VII. hatte nichts zu ihrer Rettung unternommen.

In Frankreich mehrten sich die Stimmen für die nationale Befreiung und der Widerstand gegen die englische Herrschaft nahm zu. Das führte zur Sprengung des englisch-burgundischen Bündnisses (1435 Friede von Arras zwischen Karl VII. und Philipp von Burgund). Der König konnte nun seine Kraft gegen die Engländer wenden. Trotzdem dauerte es noch fast 20 Jahre, ehe sie aus Frankreich vertrieben wurden. 1453 ging der Hundertjährige Krieg ohne förmlichen Friedensschluß zu Ende. Den Engländern blieb nur Calais. Nutznießer war das französische Königtum, das gestärkt aus diesem Kampf hervorging, während in England der Bürgerkrieg (Rosenkrieg, D, II, 4) ausbrach.

3. Frankreich
nach dem Hundertjährigen Krieg

Ausbau der Verwaltung

Nach dem Tod der Jungfrau von Orléans begann die französische Krone, gestützt auf die königsfreundliche Stimmung im Land, die inneren Verhältnisse umzugestalten. Mit Hilfe bürgerlicher Ratgeber ordnete König Karl VII. Rechtsprechung, Heer und Finanzen. 1436 wurde das Parlament von Paris neu errichtet und je zur Hälfte mit weltlichen und geistlichen Richtern besetzt. Es war oberstes Gericht, und seiner Rechtsprechung unterstanden die großen Lehensträger. Da aber alle königlichen Erlasse (ordonnances) vom Parlament registriert werden mußten, um rechtsgültig zu werden, ging seine Kompetenz weit über die eines obersten Gerichtes hinaus. Es konnte gegen einen königlichen Erlaß „remonstrieren" (Einwände erheben). Der König allerdings hatte daraufhin die Möglichkeit, in einer Sitzung persönlich anwesend zu sein und die Registrierung des umstrittenen Erlasses zu befehlen. Es kam zunächst nicht zu größeren Spannungen zwischen König und Parlament, da dieses für eine Stärkung der königlichen Gewalt (royauté absolue) eintrat und sich lediglich monarchischer Willkür (royauté dissolue) widersetzte. Damit besaß das Parlament dem König gegenüber eine stärkere Stellung als die Generalstände, die nur unregelmäßig einberufen wurden. Sie bekamen ihre Beratungsgegenstände vom König vorgeschrieben und durften ihre Beschwerden erst vorbringen, nachdem die vom König geforderten Steuern bewilligt waren.

1444 wurde aus Freiwilligen eine straff organisierte Reitertruppe aufgestellt, die sogenannten gens d'armes (auch als compagnies d'ordonnances bezeichnet). Sie war zunächst nur für den Kampf gegen England bestimmt, entwickelte sich aber bald zum ersten stehenden Heer in Europa. Jede Kompagnie bestand aus hundert „Lanzen". Zu einer „Lanze" gehörten sechs Mann: Ein schwergepanzerter Reiter, drei berittene Bogenschützen, ein Knappe und ein Page. Bis ins 16. Jahrhundert wurden die Reiter vom Adel gestellt, der damit weiter Waffendienst ausübte, jedoch nicht mehr in ritterlicher Unabhängigkeit, sondern im Solddienst des Königs. Eine Art bürgerlicher Miliz (Bogenschützen zu Fuß) ergänzte das Reiterheer. Sie mußte sich selbst ausrüsten und genoß daher Steuerfreiheit, wurde aber nach 1500 von Söldnereinheiten (Landsknechte, meist Schweizer) verdrängt, die mit Stichwaffen ausgerüstet waren.

Die Einkünfte des Königs flossen im alten feudalen Frankreich fast ausschließlich aus dem königlichen Domänenbesitz und reichten für die gesteigerten Finanzbedürfnisse des Hundertjährigen Krieges nicht aus. Unter Karl VII. bewilligten die Generalstände als direkte königliche Steuer die „taille", eine gemischte Grund- und Personensteuer, deren Höhe jährlich neu festgesetzt wurde (1484 betrug sie 1,5 Millionen livres, 1543 das Dreifache, um 1500 machte sie zwei Drittel der königlichen Einnahmen aus). Adel und Geistlichkeit waren generell von ihr befreit, auch andere Personen (z. B. königliche Beamte, Professoren, Studenten, gelegentlich ganze Städte), so daß man von einer Einheitlichkeit der Steuererhebung noch nicht sprechen kann. Neben der direkten Steuer gab es indirekte Steuern, die „aides" (Beihilfen), insbesondere als Abgaben bei jedem Kauf und Verkauf (besonders hoch bei Wein und Schlachtvieh) und Binnenzölle. Die indirekten Steuern und Domäneneinkünfte waren meist an Steuerpächter vergeben, die zwar das Geld an den König schnell zahlten, dann aber oft erheblich mehr eintrieben und dabei reich wurden. Dieses Finanzsystem blieb in seinen Grundzügen bis zur französischen Revolution (1789) erhalten.

Karl VII. hatte Frankreich von der englischen Fremdherrschaft befreit, verhindert, daß das Land in einzelne souveräne Teile auseinanderbrach und den Grund zu einem zentralistischen Heer und Finanzwesen gelegt. Die Macht der Prinzen von Geblüt (Burgund, Orléans, Anjou, Bourbon) hatte er nicht brechen können. Sie blieben — vor allem Burgund — eine Gefahr für das französische Königtum.

Festigung der Königlichen Gewalt

König Ludwig XI. (1461—1483) von Frankreich, Sohn Karls VII., baute auf den Grundlagen, die sein Vater geschaffen hatte, weiter. Er erhöhte die Staatseinnahmen aus der Taille von 1,2 Mill. Pfund (1462) auf 4,6 Mill. (1481), verdoppelte das Heer und ergänzte es durch eine für seine Zeit hervorragende Artillerie. Über die Kirche herrschte er fast unbeschränkt, die Inquisition wurde als Eingriff in die königliche Gerichtsbarkeit angesehen und daher untersagt.

Schwieriger war die Auseinandersetzung mit den großen Feudalherren, die gegen den König die „Ligue du bien public" (Vereinigung für das öffentliche Wohl) schlossen. Es kam zur militärischen Auseinandersetzung, wobei sich Ludwig auf die kleinen Vasallen, die Kirche und vor allem auf die Städte stützen konnte, deren kommunale Selbständigkeit er zwar einschränkte, die aber durch den Aufschwung des Handels reich entschädigt wurden. Der König mußte seinen Gegnern gelegentlich nachgeben, brach aber seine Zusagen bedenkenlos, wenn ihm dies politisch ratsam erschien. Schließlich ging er als Sieger aus den Kämp-

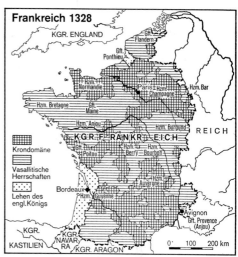

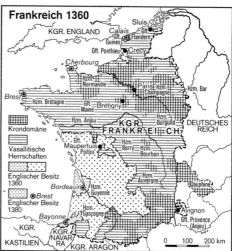

Frankreich im Hundertjährigen Krieg

fen hervor, wobei ihm auch das Glück zu
Hilfe kam: Sein Bruder Karl, Herzog von
Berry, der als Thronrivale gefährlich war,
starb (1472); sein stärkster Gegner, Herzog
Karl der Kühne von Burgund, fiel im
Kampf, so daß das Herzogtum Burgund als
erledigtes Lehen an Frankreich zurückfiel
(vgl. D, II, 5); die jüngere Linie des Hauses
Anjou starb aus (1480/81) und brachte ihre
Besitzungen (Anjou, Maine, Herzogtum
Bar, Provence) wieder zurück an die Krone.
Am Ende seiner Regierung hatte Ludwig die
französische Monarchie eindeutig über die
Macht der Provinzen und großen Adelsher-
ren erhoben und damit einen geeinten Staat
geschaffen, der auch unter seinem Nachfolger funktionstüchtig blieb.
Nach außen hin war Ludwig XI. mehr
durch diplomatische Intrigen und Geld als
durch militärische Eingriffe aktiv. In
Deutschland und Spanien machte er seinen
Einfluß geltend, in dem politisch zerrissenen Italien gewann er eine Art Schiedsrichterstellung.
Ludwig starb auf seinem befestigten Schloß
Plessis-les-Tours, wohin er sich krank, mißtrauisch und menschenscheu zurückgezogen
hatte, „der schrecklichste König, den Frankreich je gehabt hat", wie nach seinem Tod
gesagt wurde. Er hatte nichts Gewinnendes
in seinem Wesen, sondern war grausam,
treulos und intrigant, dabei aber lebhaft und
scharfsinnig. An politischen Zielen hielt er
zäh fest. In jüngeren Jahren reiste er mit
kleinem Gefolge ständig durch Frankreich,
um sich persönlich zu informieren. Ohne
Vorurteil zog er geeignete Ratgeber in seinen Dienst, auch wenn er sie seinen Gegnern durch Bestechung abspenstig machen
mußte.

4. Der Krieg der Rosen in England
1455—1485

Während sich Frankreich unter Karl VII.
und Ludwig XI. zu einer gefestigten Staatsmacht entwickelte, brach in England ein
blutiger Adelskrieg zwischen den Familien
der Lancaster (Rote Rose) und der York
(Weiße Rose) aus.
Heinrich VI. (Lancaster, 1422—1461) war
ein schwacher König, körperlich und geistig

krank. Die englischen Mißerfolge im Hundertjährigen Krieg, die königliche Finanznot und ein starker französischer Einfluß
bei Hof (Heinrich war mit Margarete von
Anjou verheiratet) führten zu Unruhen. Ein
Vetter des Königs, Herzog Richard von
York, trat an die Spitze der Bewegung. Wegen Krankheit des Königs wurde er zweimal
zum Protektor des Reiches ernannt und erhob schließlich selbst Erbansprüche auf den
Thron. Königin Margarete, die entschlossen
Widerstand leistete, besiegte ihn in der
Schlacht von Wakefield (1460, Richard fiel),
konnte aber nicht verhindern, daß Richards
Sohn als Eduard IV. (Haus York,
1461—1483) zum König ausgerufen wurde.
Es folgten Jahre blutiger Auseinandersetzungen. Königin Margarete und die Lancaster suchten Anlehnung bei Frankreich, das
Haus York bei Karl dem Kühnen von Burgund. Der Versuch König Eduards IV., den
Krieg noch einmal auf den Kontinent zu
tragen, blieb ohne Erfolg. Als er mit einem
großen Heer in Calais landete (1475), stieß
er auf ein geeintes Frankreich. Durch Geldzahlungen erreichte der finanzkräftige König Ludwig XI. von Frankreich den Abzug
der Engländer, die sich von nun an endgültig auf eine insulare Politik beschränkten.
Auf Eduard IV. folgte sein Bruder Richard
III. (1483—1485), der sich den Weg zum
Thron, wahrscheinlich nach Ermordung seiner beiden jugendlichen Neffen, ebnete. Er
wurde bald besiegt von Heinrich Tudor,
Earl of Richmond, einem Angehörigen des
Hauses Lancaster, der als Heinrich VII.
(1485—1509) den Thron bestieg. Durch
Heirat mit Elisabeth von York, Tochter
Eduards IV., stärkte er seinen eigenen
Thronanspruch und beendete den Konflikt
der beiden Adelshäuser.
Obgleich die Städte in die Kämpfe mit hineingezogen worden waren — besonders das
Haus York hatte bei ihnen Unterstützung
gesucht — blieb der Rosenkrieg in erster Linie ein Krieg des Hochadels, geführt von
adeligen Privatarmeen. Der Aufstieg des
städtischen Bürgertums zu Wohlstand und
Ansehen wurde durch den Krieg nicht auf-
gehalten. — Das Parlament, hineingezogen
in die Parteikämpfe, erfuhr eine Schwächung, da Eduard IV. das Steuerbewilligungsrecht umging. Er regierte mit gesetz-

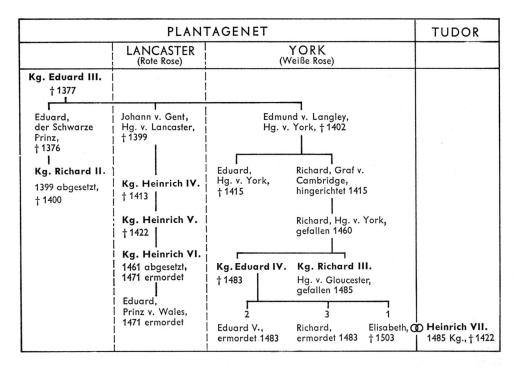

PLANTAGENET			TUDOR
LANCASTER (Rote Rose)		**YORK** (Weiße Rose)	

Kg. Eduard III. † 1377

- Eduard, der Schwarze Prinz, † 1376
  - **Kg. Richard II.** 1399 abgesetzt, † 1400
- Johann v. Gent, Hg. v. Lancaster, † 1399
  - **Kg. Heinrich IV.** † 1413
    - **Kg. Heinrich V.** † 1422
      - **Kg. Heinrich VI.** 1461 abgesetzt, 1471 ermordet
        - Eduard, Prinz v. Wales, 1471 ermordet
- Edmund v. Langley, Hg. v. York, † 1402
  - Eduard, Hg. v. York, † 1415
  - Richard, Graf v. Cambridge, hingerichtet 1415
    - Richard, Hg. v. York, gefallen 1460
      - **Kg. Eduard IV.** † 1483
      - **Kg. Richard III.** Hg. v. Gloucester, gefallen 1485
        - (2) Eduard V., ermordet 1483
        - (3) Richard, ermordet 1483
        - (1) Elisabeth, † 1503 ⚭ **Heinrich VII.** 1485 Kg., † 1422

Stammbaum der englischen Herrscher während der Rosenkriege (Auszug)

lich nicht bewilligten Abgaben von Einzelpersonen und Körperschaften (sogenannten Benevolences = Schenkungen), durch Konfiskation von Gütern und mit den Geldern, die ihm König Ludwig von Frankreich zahlte. So zeichnete sich als Folge der Rosenkriege eine Stärkung der Krone ab, um so mehr, als der Hochadel stark geschwächt war und keine Gefahr für die Krone mehr werden konnte.

5. Burgund

Burgund stellte im Mittelalter kein in sich geschlossenes Reich dar. Auf dem Boden Altburgunds bildeten sich im Lauf der Geschichte verschiedene Herrschaftskomplexe heraus (siehe auch die Karte auf S. 147). Der westliche Teil, das Herzogtum Burgund (um Dijon), auch Bourgogne genannt, gehört seit 843 unbestritten zu Frankreich. Der übrige Teil, das Königreich Burgund (auch Arelat genannt), wurde zunächst selbständig und kam 1033 unter die Oberhoheit des deutschen Reiches.
Als nach der Stauferzeit die Macht des Reiches sank, zerfiel das Königreich in Territorien, die allmählich der kaiserlichen Ober-

Das Herzogtum Burgund

Legende:
- ▨ Herzogtum Burgund
- ▨ Erwerbungen bis 1451
- ▨ Vorübergehender Besitz
- ▦ Geistliche Gebiete
- ▬▬▬ Reichsgrenze

DEUTSCHLAND · Rhein · Brügge · Gent · HZM Löwen · GFT Brüssel · FLANDERN BRABANT · PICARDIE · HZM LUXEMBURG · KGR. · FRANKREICH · LOTHRINGEN · FRGFT Besançon · HZM Dijon BURGUND · GFT NEVERS BURGUND · Beaune

0   100 km

hoheit entglitten: Der Ostteil schloß sich der Schweizer Eidgenossenschaft an, Savoyen wurde selbständig, die Dauphiné fiel an Frankreich (seit 1378 als Apanage des französischen Kronprinzen), desgleichen die Provence (allerdings erst 1481). Die Franche Comté (Freigrafschaft Burgund) konnte bis 1678 eine gewisse Selbständigkeit zwischen der französischen Krone und dem deutschen Reich wahren (ihre Grafen waren häufig zugleich französische und deutsche Vasallen), kam dann aber auch an Frankreich.

Die territoriale Machtstellung, die Burgund im 14./15. Jahrhundert vorübergehend einnahm, ging vom Herzogtum Burgund aus, das der französische König Johann der Gute 1363 seinem jüngsten Sohn Philipp zu Lehen gab. Philipp der Kühne von Burgund (1363—1404) erweiterte durch Heirat seinen Besitz um Flandern und die Franche

Herzog Karl d. Kühne von Burgund (1433 bis 1477), nach einem Gemälde von Rogier van der Weyden, um 1460; Berlin, Preußischer Kulturbesitz, Gemäldegalerie. Er versuchte vergeblich, den burgundisch-niederländischen Länderkomplex seines Vaters zu einem lebensfähigen Königreich auszubauen.

Comté (als Reichslehen), seine Nachfolger erwarben Hennegau, Holland, Seeland mit Friesland, die Markgrafschaft Namur, die Herzogtümer Luxemburg und Geldern. Zwischen den nördlichen und südlichen Landesteilen Burgunds bestanden erhebliche Strukturunterschiede. 1382 erhoben sich die Städte Gent, Ypern und Brügge (Anführer Jakob van Artevelde) im Einvernehmen mit England, weil sie ihre wirtschaftlichen Interessen nicht hinreichend berücksichtigt fan-

den. Von daher wird auch das burgundisch-englische Bündnis während des Hundertjährigen Krieges verständlicher. Philipp der Gute von Burgund (1419—1467) erzwang sogar die Lehensunabhängigkeit vom französischen König, allerdings nur für seine Lebzeit.

Unter Karl dem Kühnen (1467—1477) erreichte Burgund seinen Höhepunkt an Glanz und Macht, in einer seltsamen Verbindung von mittelalterlichen und modernen Zügen: neben einer überfeinerten Ritterkultur stand eine zentralisierte Verwaltung mit strenger Arbeitsordnung und neben feudalen Wirtschaftsstrukturen ein bürgerliches Unternehmertum in den Städten.

Der Versuch, mit Unterstützung von England und Habsburg (Karls Tochter Maria heiratete Maximilian von Habsburg) eine souveräne burgundische Großmacht zu schaffen, scheiterte jedoch. Anders als sein Vater hatte es Karl der Kühne mit einem innerlich gefestigten Frankreich und in König Ludwig XI. mit einem skrupellosen und zielstrebigen Gegner zu tun, dem die diplomatische Isolierung Karls gelang. Als dieser danach strebte, seine verstreuten burgundischen Landesteile durch den Gewinn Lothringens zu verbinden und seine Herrschaft über Savoyen und Oberitalien auszudehnen, stieß er auf den Widerstand von Kaiser und Reich. Im Kampf gegen die mit Frankreich verbündeten Eidgenossen fiel Karl der Kühne 1477.

Nach seinem Tod gewann Frankreich das Herzogtum Burgund und die Picardie zurück, während alle übrigen Länder als Erbe der Maria von Burgund an Habsburg fielen. Durch den Erwerb des burgundischen Erbes war die habsburgische Umklammerung Frankreichs eingeleitet.

Die daraus entstehende Feindschaft der Häuser Habsburg und Valois bestimmte das deutsch-französische Verhältnis der nächsten zweihundert Jahre.

III. Die politischen Verhältnisse im übrigen Europa

1282	Sizilianische Vesper beendet die Herrschaft des Hauses Anjou in Süditalien	1523—1560	Gustav I. Wasa, König von Schweden
1340—1375	Waldemar IV. Atterdag, König von Dänemark	1455	Friede von Lodi
		1504	Königreich Sizilien — Neapel
		(—1713)	unter spanischer Herrschaft
1387—1412	Margarete, Königin von Dänemark, Norwegen und Schweden	1469	Isabella von Kastilien heiratet Ferdinand von Aragon
1397—1520	Kalmarische Union	1453	Eroberung Konstantinopels
1523—1654	Haus Wasa in Schweden		durch die Türken

1. Die deutsche Hanse und die Staaten Nordeuropas

Die Hanse

Das Wort „hansa" bezeichnete ursprünglich eine Schar, seit dem 12. Jahrhundert auch eine Abgabe, ein Recht, meinte also bei den Kaufleuten zunächst eine Vereinigung von heimatgleichen Kaufleuten, die unter einem gemeinschaftlichen Recht und gemeinschaftlicher Abgabe standen. Seit ca. 1356 trat die große „dudesche hanse" als Städtebund auf. — Genossenschaftliche Zusammenschlüsse von Fernhandelskaufleuten zu gegenseitiger Unterstützung hatte es schon lange gegeben. Auch Städtebünde waren um die Mitte des 14. Jahrhunderts nichts Neues. Neben dem Zusammenschluß der Eidgenossen gab es einen Schwäbischen und einen Rheinischen Städtebund mit vorwiegend politischer Zielsetzung: Die Städte kämpften um ihre politische Unabhängigkeit von Adel und Fürsten. Anders die Hanse. Für sie standen die wirtschaftlichen Interessen immer im Vordergrund. Die Mehrzahl ihrer Mitglieder bestand aus Territorialstädten. Da aber ein starker politischer Rückhalt an Kaiser und Reich oder an einem besonders mächtigen Landesherrn fehlte, mußte der hansische Städtebund zur Durchsetzung seiner wirtschaftlichen Ziele in die Politik eingreifen. Dies wurde besonders nötig in der Auseinandersetzung mit den skandinavischen Staaten.

Die Hanse verband den englisch-niederrheinischen Wirtschaftsraum mit dem ostelbisch-baltischen. Der dichtbesiedelte, wirtschaftlich höher entwickelte Westen lieferte feine und grobe Tuche und Luxusgüter, wie Wein, Südfrüchte und alle Erzeugnisse des Orienthandels nach Osten, während dieser, gestützt auf ein weites Hinterland, Rohstoffe ausführte (Holz, Getreide, Flachs, Pelze). Die nordischen Staaten — Norwegen, Schweden, Dänemark — sowie Polen und Rußland wurden in das Handelssystem einbezogen, dessen Träger fast ausschließlich deutsche Kaufleute waren. Den Fischfang überließ die Hanse den Einheimischen, übernahm selbst nur die Verarbeitung und den Vertrieb. In Norwegen wurde Stockfisch (auf Stangen getrockneter Dorsch) produziert. Auf der dänischen Halbinsel Schonen fanden während einiger Herbstwochen im Anschluß an den Heringsfang große Fischmessen statt. Da der Fisch getrocknet oder eingesalzen haltbar und als Fastenspeise begehrt war, verkaufte man ihn bis nach Norditalien.

Bald entstanden feste Stützpunkte des Verkehrs: In London (Stalhof), in Brügge und Gent für Flandern, in Bergen für Norwegen, Wisby auf Gotland, Nowgorod (Peterhof) für Rußland. Diese sogenannten Kontore umfaßten große Warenniederlagen, stellten aber zugleich eine korporative Zusammenfassung der deutschen Kaufleute im Ausland dar, die ihren gesamten dortigen Handelsverkehr weitgehend autonom regelten. Nach außen boten sie das Bild festorganisierter — oft befestigter — Wohnquartiere mit gewählten „Älterleuten" an der Spitze. Grundlage dieser Organisation waren Privilegien der fremden Landesherren. Der einzelne Kaufmann mußte sich einfügen, dafür vertrat das Kontor seine Interessen nach außen, vor allem Sicherheit der Verkehrswege und Rechtsschutz.

Zu der Haupthandelslinie zwischen Ost und West entwickelten sich drei Handelslinien:

von England zum Niederrhein (Köln), von Skandinavien (Bergen, Schonen, Dänemark) nach Lübeck—Hamburg und weiter nach Mittel- und Süddeutschland, von Schweden nach Rußland (Nowgorod). Wohl wegen seiner Lage trat Lübeck immer stärker in den Vordergrund und wurde zunächst zur Führerin der sogenannten wendischen (oder slavischen) Städte (Rostock, Wismar, Stralsund, Greifswald, Stettin u.a.), während sich die sächsischen Städte um Hamburg, die rheinisch-westfälischen um Köln enger zusammenschlossen. Die preußischen Städte (Danzig, Thorn, Elbing, Königsberg, Memel u.a.) nahmen unter dem Schutz des Deutschen Ordens eine gewisse Sonderstellung ein. Erst der Kampf mit Dänemark führte die bisher nur lose verbundenen Städtegruppierungen zu einem festeren Bund.

Skandinavien

Skandinavien war zu Beginn des 14. Jahrhunderts in dynastische Streitigkeiten und in Kämpfe zwischen Königtum und Adel verwickelt. Die dänische Großmachtstellung, einst von Waldemar I. dem Großen errichtet, war in der Schlacht von Bornhöved (1227, Sieg des Erzbischofs von Bremen, der Herzöge von Sachsen und von Schauenburg, der mecklenburgischen Fürsten und der Stadt Lübeck) zusammengebrochen. Die norddeutschen Städte hatten sich seither ungehindert entfalten können.

Nun aber erwuchs in dem zielstrebigen und angriffslustigen Dänenkönig Waldemar IV. Atterdag (1340—1375) eine neue Bedrohung. Sie erschien besonders gefährlich, weil Waldemar seine Tochter Margarete mit Haakon, Sohn des Königs Magnus von Schweden und Norwegen (seit 1318 vereint) vermählte. Eine Vereinigung der drei skandinavischen Reiche war für die Zukunft somit nicht auszuschließen.

Als Waldemar im Handstreich Wisby (auf Gotland) nahm, entschlossen sich die „wendischen" Städte zum Kampf, erlitten aber eine Niederlage. Erst als Lübeck die Kölner Konföderation, die auch die westlichen Städte einschloß, zustande brachte, siegte die Hanse. Im Frieden von Stralsund (1370) wurden ihr die dänischen Privilegien voll bestätigt und die ungehinderte Durchfahrt durch den Sund zugesichert. Der dänische

Reichsrat sollte nach Waldemars Tod auch keinen König ohne die Zustimmung der Städte annehmen. Damit stand die Hanse auf dem Höhepunkt ihrer Macht.

Der klugen und tatkräftigen Königin Margarete (1387—1412) gelang nach dem Tod ihres Mannes und ihres Sohnes tatsächlich die Vereinigung der drei Reiche, erst durch ihre Person (in Norwegen galt Erbrecht, in Dänemark und Schweden Wahlrecht), dann durch den Vertrag der Kalmarischen Union **1397** (1397). Danach sollten die Reiche zwar ihr eigenes Recht behalten, aber einen gemeinsamen König wählen und gemeinsame Politik betreiben. — Stockholm hatte der Königin mit Hilfe der Hanse jahrelang Widerstand geleistet und war dabei von einer Genossenschaft von Seefahrern mit Lebensmitteln versorgt worden, die sich wahrscheinlich danach „Vitalienbrüder" (= Viktualienbrüder) nannten. Sie setzten den Kaperkrieg auf eigene Faust fort, erst in der Ostsee, dann in der Nordsee, bis Hanseflotten ihre Anführer Klaus Störtebeker und Godeke Michels gefangennahmen. Sie wurden als Seeräuber hingerichtet.

Der Niedergang der Hanse

Während sich Königin Margarete stets um gutes Einvernehmen mit der Hanse bemüht hatte, suchten ihre Nachfolger die deutschen Kaufleute zugunsten der Holländer und Engländer zurückzudrängen. Seit 1417 wurden die Hansestädte in einen langwierigen Krieg gezogen, den Dänemark gegen die Grafen von Holstein um Schleswig führte. Die Hanse erzwang schließlich die Bestätigung ihrer alten Vorrechte durch Dänemark. Schleswig blieb bei Holstein. Die Auseinandersetzung ließ aber die unterschiedlichen Interessen der Städte deutlich werden. Trotz der energischen und geschickten Führung durch Lübeck machten sich auch Anzeichen einer Schwächung bemerkbar: In vielen Städten kam es zu Machtkämpfen zwischen den Zünften und den ratsberechtigten Patrizierfamilien. Der kühne Unternehmergeist wich einer mehr konservativ-bewahrenden Haltung. Das Eindringen der holländischen Kaufleute in die Ostsee war nicht mehr aufzuhalten. Auch der Heringsfang verlagerte sich von Schonen (seit 1479 nicht mehr rentabel) vor

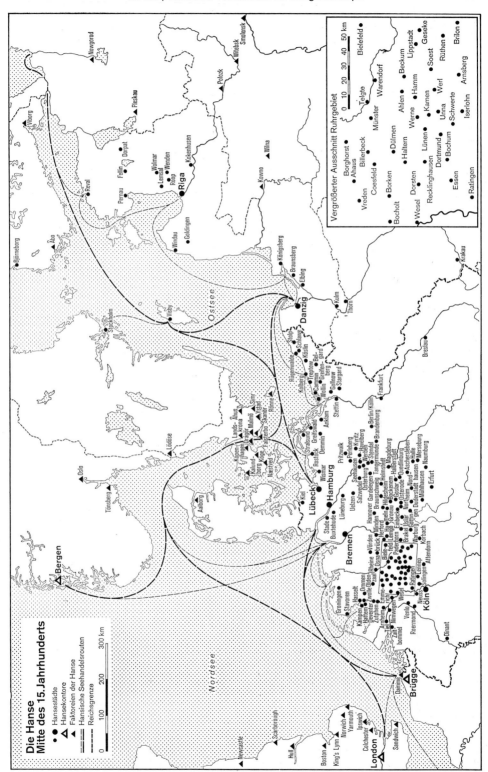

Die Hanse
Mitte des 15. Jahrhunderts

• Hansestädte
⬤ Hansekontore
▲ Faktoreien der Hanse
━━━ Hansische Seehandelsrouten
╍╍╍ Reichsgrenze

0   100   200   300 km

Vergrößerter Ausschnitt Ruhrgebiet

0 10 20 30 40 50 km

die holländische Küste. Die englischen Kaufleute suchten — unter Ausschaltung Lübecks — den direkten Handel mit den Städten im Osten: Schon um 1428 erwarben sie in Danzig ein eigenes Haus. 1468 wurde der Londoner Stalhof geschlossen, seine Waren beschlagnahmt, die Kaufleute gefangengesetzt. Durch Kämpfe und Verhandlungen konnte die Hanse im Utrechter Frieden (1474) ihre bedrohten Rechte noch für längere Zeit sichern. Das war nur möglich geworden, weil das Unionskönigtum im Norden auf so schwachen Füßen stand, daß es sich auf keine weitere Auseinandersetzung mit der Hanse einlassen konnte. Die Union zerbrach schließlich und in den vielerlei Kämpfen hatten hansische Städte Gelegenheit, sich einzumischen. — 1460, nach dem Tod des letzten Schauenburgers in Holstein, kamen Schleswig und Holstein, „dat se bliven ewich tosamene ungedelt", in Personalunion an Dänemark (bis 1863).

In Schweden kam es seit 1464 zu Aufständen gegen die Union. Aus der Reichsverweserschaft des Sten Sture entwickelte sich unter seinem Neffen König Gustav I. Wasa (1523—1560) eine nationale, auf breite Schichten der Bürger und Bauern gestützte Monarchie. Er errang die Krone im Kampf gegen den dänischen Unionskönig mit Hilfe Lübischer und Danziger Schiffe. Die Hoffnung der Hanse auf Bestätigung ihrer Privilegien erfüllte sich jedoch nicht.

Die Hanse wurde nie aufgelöst, aber sie zerfiel allmählich, weil ihr ein staatlicher Rückhalt fehlte (vgl. F, II, 1). Gegenüber den aufstrebenden Handelsmächten England und den Niederlanden, die Produktion und Handel (vor allem Tuche) in einer Hand vereinigten, gelang es der Hanse nicht, eine eigene Güterproduktion aufzubauen und dadurch ihre Stellung im Handel zu halten. Die erstarkenden Landesherren eroberten innerhalb ihrer Territorien selbständige Städte und zwangen sie, aus der Hanse auszutreten. Schon 1494 hatte der Moskauer Großfürst Iwan III. das Hansekontor in Nowgorod aufgehoben. Hinzu kam eine Verlagerung der Handelszentren: Die süddeutschen Städte gewannen an Bedeutung, Leipzig wurde anstelle Lübecks zur Pelzmetropole, und die Entdeckung neuer Erdteile und Seewege lenkte den Handel in neue Bahnen.

2. Die Pyrenäenhalbinsel

Die christliche Wiedereroberung (Reconquista) in Spanien schritt mit wechselndem Erfolg voran. Französische, burgundische und normannische Ritter unterstützten den Kampf der spanischen Christen. Cluny trug durch Klostergründungen zur religiösen Erneuerung bei (San Juan de la Pena 1025, Sahagun 1079). Spanische Bischofsstühle wurden häufig mit cluniazensischen Mönchen besetzt. Papst Alexander II. erhob die Reconquista 1063 zum Kreuzzug, indem er denjenigen Ablaß versprach, die in Spanien gegen die Ungläubigen kämpften.

Der Sieg der Christen bei Navas de Tolosa über die Mohammedaner (1212) leitete den Sieg der Reconquista ein. 1230 vereinigte Ferdinand III. von Kastilien Leon mit seinem Reich. Er nahm den Kampf gegen die Araber wieder auf und eroberte Cordoba. Weitere Eroberungen folgten. Ferdinand III. starb, während er eine neue Expedition zur Eroberung Marokkos vorbereitete. Mit seinem Tod trat in der Reconquista für fast zweieinhalb Jahrhunderte eine Pause ein, so daß sich die Araber — zurückgedrängt auf einen schmalen Küstenstreifen im Süden Spaniens mit Granada als Residenz — bis 1492 halten konnten.

Die politische Zersplitterung der iberischen Halbinsel hatte auch Ferdinand III. von Kastilien nicht überwinden können. Navarra fiel an Philipp IV. von Frankreich und schied zunächst aus der Geschichte Spaniens aus. Portugal, seit 1139 unabhängig, schloß seine Reconquista mit der Eroberung der Provinz Algarve ab und entwickelte sich zu einem selbständigen Königreich. Aragon, seit 1157 mit Katalonien vereinigt, wurde durch Erbteilungen erneut zersplittert.

In den christlichen Staaten führten die Könige den Kampf um die Macht mit den Feudalgewalten. Adel und Klerus (Cortes) vertraten auf den Reichstagen ihre Ansprüche. Sehr bald gelang es den Städten, eigene Vertreter in den Reichstag zu schicken. Sie wurden die stärksten Stützen des Königs im Kampf gegen die Feudalgewalten. Der König verlieh den Städten besondere Privilegien und sicherte ihnen damit eine selbständige Entwicklung.

Spaniens Kernland, die kastilische Hochflä-

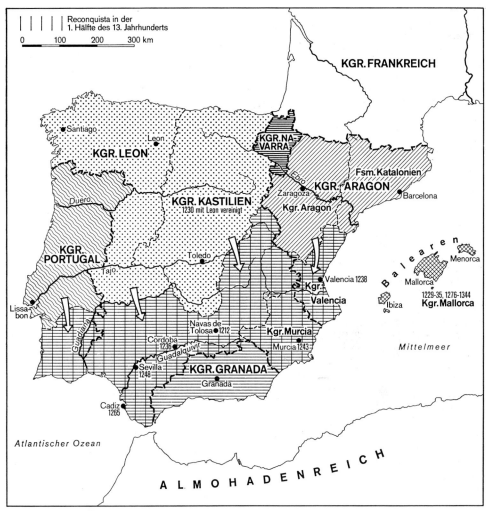

Reconquista in der
1. Hälfte des 13. Jahrhunderts

0 100 200 300 km

Die iberische Halbinsel nach 1200

Die spanischen Territorien um 1479

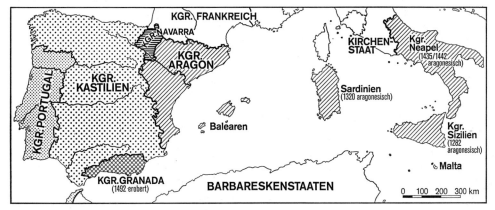

che, war dünn bevölkert und nach der Vertreibung der Araber verödet. Seitdem das Fußvolk in den Schlachten an Bedeutung gewann, wandten sich viele Männer dem Militärdienst zu. Während Kastilien seine Hauptaufgabe im Landkrieg sah, gingen Portugal und vor allem Katalonien auch zur See auf Erwerbungen aus. So setzte sich Katalonien-Aragon in Montpellier fest und erlangte die Krone von Sizilien (1282), Sardinien (1324) und Neapel (1443).

Durch die Ehe Ferdinands von Aragon und Isabellas von Kastilien (1469) wurden — Portugal ausgenommen — alle christlichen Länder der Halbinsel vereinigt. Dieser vereinigten Macht erlagen die Mauren in Granada (1492). Juden und Mauren wurden zum Empfang der Taufe oder zur Auswanderung gezwungen. Damit war ganz Spanien wieder in Händen der Christen. Die

Isabella von Kastilien (1451—1505) und **Ferdinand II. von Aragon** (1479 bis 1516), die „Katholischen Könige", nach dem Münzbild einer zeitgenöss. Goldmünze (4 Excelentes; Durchmesser 35 mm). München, Staatl. Münzsamml.

christlich gewordenen Mauren (Moriscos) und Juden (Marranos) vermischten sich vielfach mit den Spaniern, so daß im Süden ein stärkerer maurischer Einschlag erhalten blieb. Die Verfolgung der Moriscos und Marranos durch die Inquisition und ihre schließliche Ausweisung (1609) beraubte Spanien des fleißigsten Teiles der Bevölkerung. Die spanische Inquisition war von vornherein ein wirksames Mittel der staatlichen Zentralisationsbestrebungen, da sie unter Kontrolle der Krone stand. Sie wurde auf Verlangen Isabellas von Kastilien vom Papst zugelassen. Das Vermögen der Verurteilten verfiel größtenteils dem König. Die Inquisition hat das Land schwer belastet, be-

wahrte Spanien aber andererseits vor den zermürbenden Glaubenskämpfen der Reformationszeit, so daß alle Kräfte für die außenpolitischen Aufgaben (Kolonien, E, I, 4) eingesetzt werden konnten.

3. Italien

Allgemeine Entwicklung

Nach dem Zusammenbruch der Stauferherrschaft (1268) und mit der Übersiedlung des Papstes nach Avignon (1309—1377) und dem anschließenden Schisma (vgl. D, IV, 1) begann in Italien ein Kampf aller gegen alle. Besonders die Städte in Oberitalien, die, gestützt auf wirtschaftliche Überlegenheit, schon zur Zeit der Staufer um ihre politische Unabhängigkeit gekämpft hatten, entwickelten sich zu souveränen Stadtstaaten, die untereinander um die Vorherrschaft stritten. Gleichzeitig kam es innerhalb der einzelnen Stadtstaaten zu Machtkämpfen zwischen den aufstrebenden Volksschichten — vorwiegend aus dem Kaufmanns- und Handwerkerstand — und den herrschenden Adelsgeschlechtern. Allmählich bildeten sich einige Machtzentren heraus, die in Aufbau, Verwaltung und Politik Vorbild für die modernen europäischen Nationalstaaten wurden. Der Staat fand seinen Ursprung nicht mehr in Gott, sondern folgte seinen eigenen rationalen Zwecken. Er war nur noch Instrument der Ordnung und die Ordnung war nicht mehr von Gott vorgegeben, sondern mußte vom Menschen erfunden und erhalten werden. Ohne religiöse und moralische Hemmungen hatte der politisch Handelnde die Macht des Staates zu stärken, damit dieser seine Aufgaben wahrnehmen konnte. Diese Diesseitsbezogenheit des Staates hing eng mit einer neuen Auffassung vom Menschen und seiner Stellung in der Welt zusammen (Renaissance und Humanismus, E, I, 1). Am konsequentesten vertrat Niccolò Machiavelli (1469—1527), Politiker und Geschichtsschreiber in Florenz, in seinen beiden Werken „Discorsi" und „Il Principe" diese Auffassung vom Staat, die im Zeitalter des Absolutismus sich durchsetzte. — Um die Mitte des 15. Jahrhunderts trat eine gewisse Stabilisierung der Machtverhältnisse ein.

Süditalien

Anders als im Norden hatte sich im Süden Italiens — geprägt durch die Normannenherrschaft — eine stark feudalistische Struktur erhalten: Unter dem Landesherrn standen adelige Großgrundbesitzer. Die Städte waren politisch bedeutungslos, so daß eine Machtkonzentration in einer Hand hier eher möglich schien. Ein Aufstand (Sizilianische Vesper 1282) hatte die Herrschaft des Hauses Anjou und damit den französischen Einfluß auf das Festland zurückgedrängt (Königreich Neapel). Versuche, die Insel zurückzugewinnen, scheiterten. Sie kam unter spanischen Einfluß. Nach langen dynastischen Kämpfen gelang es König Alfons V. von Aragon, einem glänzenden Renaissancefürsten, seine Macht auch auf das Festland auszudehnen und das Königreich Neapel wieder mit Sizilien zu vereinen (1442). Dieser Teil Italiens blieb von Einzelkämpfen verschont. 1504 kam Sizilien-Neapel an die Krone Spaniens (bis 1713).

Der Kirchenstaat

Der Kirchenstaat war im 14. Jahrhundert der Auflösung nahe. In Rom herrschten große Adelsgeschlechter (Orsini, Colonna, Frangipani), gegen deren Macht sich das Volk vergeblich aufzulehnen versuchte. Auch die phantastische Unternehmung des Cola di Rienzo (1313—1354), der, mit Unterstützung der Päpste, als „Volkstribun" in Rom eine Volksherrschaft errichten und von dort aus die Welt und das römische Imperium erneuern wollte, scheiterte nach anfänglichen Erfolgen. Auf dem Land und in den Städten bildeten sich Baronien und Signorien (Signoria = Staatsrat, oberster Rat einer Stadt, nach venezianischem und florentinischem Vorbild). Das führte vor allem in den Städten der Romagna, der Pentapolis und der Mark Ancona zur Loslösung von der päpstlichen Herrschaft. — Eine besondere Bedrohung stellten die Söldnerführer (Condottieri) dar, die sich aufgrund ihrer militärischen Macht in die Politik einschalten konnten (Colleoni in Venedig, Francesco Sforza in Mailand). Auch als Papst Martin V. (gest. 1432) begann, die päpstliche Macht wiederherzustellen, gelang ihm dies nur mit Hilfe des Condottiere Bracchio von Montone und seiner guten Familienverbindungen (er war ein Colonna).

Mailand

In Mailand hatte sich nach langen Kämpfen die Adelsfamilie der Visconti durchgesetzt, deren Herrschaft der Rat der Stadt 1349 für erblich erklärte. Als sie ihre Macht auch über Bologna und Genua ausdehnten, fühlten sich die übrigen Städte bedroht und schlossen einen Gegenbund (Venedig, Mantua, Ferrara, Verona, Padua und Florenz). Dem bedeutendsten Visconti, Gian Galeazzo I. (1385—1402), gelang es aber, den Bund zu sprengen und seine Herrschaft über Verona, Padua, Pisa, Perugia und in die Lombardei auszudehnen. 1395 kaufte er die Herzogswürde vom deutschen König Wenzel. Er war einer jener Staatsmänner

Niccolò Machiavelli (1469—1527) nach einem zeitgenöss. Gemälde

neuen Stils, die politisch erfolgreich waren, bedenkenlos veraltete Formen abschafften und für ihre Ziele jedes Mittel einsetzten. Gian Galeazzo errichtete zentrale Behörden und einheitliche Münze, gründete die Universität Pavia und begann den Bau des Mailänder Doms. Wahrscheinlich wollte er sich zum König Italiens machen, starb aber vorher an der Pest.
Nachdem das Geschlecht der Visconti erloschen war, machte sich der Söldnerführer Francesco Sforza (verheiratet mit der Tochter des letzten Visconti) durch Staatsstreich zum Herzog von Mailand. Es gelang ihm noch einmal, eine geordnete Verwaltung aufzubauen und Einmischungen ausländischer Fürsten fernzuhalten. Im Frieden von Lodi (1455) wurde er auch von den anderen italienischen Städten anerkannt.

Florenz

In Florenz hatte sich im 14. Jahrhundert die Republik halten können. Die Macht lag in den Händen der mittleren besitzenden Bürger, des sogenannten „fetten Volkes" (populo grasso), das in den sieben Zünften der Notare, Tuchmacher, Wechsler, Ärzte, Kürschner, Wollweber und Seidenweber organisiert war. Ihre gewählten Vertreter bildeten die oberste Stadtbehörde (Signoria), an ihrer Spitze das auf Zeit gewählte Stadtoberhaupt (Gonfalonere della giustizia), das an die Stelle des früheren Podestà getreten war. 1343 erzwangen die kleinen Leute (populo minuto) ein weitgehendes Mitwirkungsrecht. Weitergehende Versuche in dieser Richtung, die die unteren Schichten der Webereiarbeiter und Wollkämmerer unternahmen, scheiterten jedoch an dem reichgewordenen Bürgertum. Sein Wohlstand gründete sich vor allem auf Tuchgewerbe (Verfeinerung und Handel) und Bankgeschäfte: Florentinische Banken und Kontore gab es Ende des 14. Jahrhunderts nicht nur in den italienischen Städten, sondern auch in England, Frankreich, Spanien, Tunis bis hin nach Kleinasien, Syrien und China. Zur Sicherung ihrer Herrschaft verfügten die sieben Zünfte weitere Maßregeln: Fühlten die Regierenden sich bedroht, konnten sie die Bürgerversammlung berufen und sich — notfalls unter dem Druck ihrer Waffen — diktatorische Vollmacht (balia) erteilen lassen. Außerdem konnte jeder Bürger wegen Nichtentrichtung von Steuern oder sonstiger Vergehen von öffentlichen Ämtern ausgeschlossen werden. Das führte schließlich dazu, daß politische Gegner sich gegenseitig ruinierten (durch Steuerdruck, Verbannung etc.).
Gestützt durch das Volk, kam um 1400 die Bankiersfamilie der Medici hoch. Durch kluges Taktieren, Zurückhaltung und Reichtum brachten sie ihre Anhänger in alle wichtigen Stellen und übten eine kaum verdeckte Alleinherrschaft aus. Es gelang den Mediceern, Florenz zwischen Mailand und Venedig unabhängig zu halten und zu einem geistigen und kulturellen Mittelpunkt zu machen. Lorenzo der Prächtige (il Magnifico, 1449—92) übernahm mit zwanzig Jahren die Herrschaft. Er galt als Verkörpe-rung des machtbewußten, lebensfrohen und kunstliebenden Renaissancefürsten (vgl. E, I, 1).

Venedig

In Venedig hatte sich die Republik erhalten. Der Versuch des Dogen Marino Falieri, eine Tyrannis nach Art anderer italienischer Städte zu errichten (1354), war am Widerstand der Aristokratie gescheitert. Begünstigt durch die geographische Lage und die Kreuzzüge, beherrschte die Stadt den Orienthandel. Im 14. Jahrhundert dehnte sie ihre Macht aber auch auf das Festland aus (Terra ferma). Um 1450 erstreckte sich die venezianische Herrschaft in Italien über Padua, Verona, Brescia bis Bergamo, im Osten über Dalmatien, Korfu, Kreta bis Cypern (1489 erworben). Diese Machterweiterung ging nicht ohne wechselvolle Kämpfe mit den italienischen Städten einerseits und Österreich und Ungarn andererseits vor sich. Seit etwa 1400 wurden die vordringenden Türken (vgl. D, III, 5) zum Hauptgegner. Zwar konnte Venedig seine griechischen Besitzungen zunächst halten. Die Einnahme von Byzanz durch die Türken (1453) kündigte aber für die Zukunft neue Gefahren an.

Italien nach dem Frieden von Lodi 1455

Der Friede von Lodi kam unter Einwirkung des Papstes zustande und unter dem Schrekken, den der Fall Konstantinopels (Byzanz) ausgelöst hatte. Er beendete vorerst die Kämpfe der oberitalienischen Städte und ermöglichte für etwa fünfzig Jahre eine Zeit relativer Ruhe in Italien. Aus den vielen kleinen Mächten hatten sich einige größere Machtzentren herausgebildet: Neapel, Florenz, Mailand und Venedig. Auch in Rom hatte sich die päpstliche Macht gefestigt, indem sie sich auf die großen Geschlechter stützte und mit rein politischen Mitteln in das italienische Kräftespiel eingriff. Das führte einerseits zu Nepotismus (Vetternwirtschaft) und Verweltlichung des Papsttums, andererseits aber auch zur höch-

S. 157

Oben: **Das venezianische Handelsimperium im Mittelmeerraum**

Unten: **Italien im Spätmittelalter**

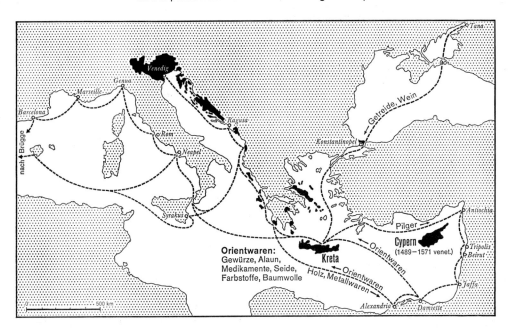

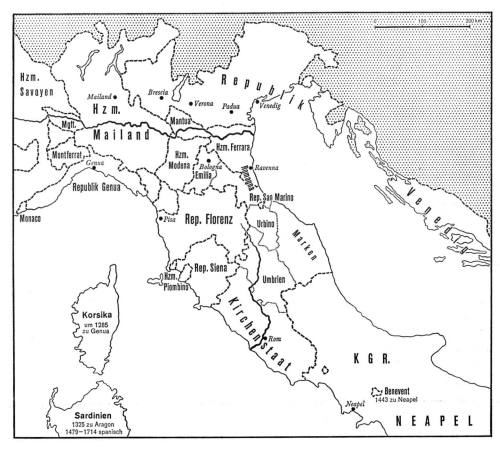

sten Entfaltung von Kunst und Wissenschaft (Renaissance und Humanismus, E, I, 1) in Rom. Im übrigen Italien ermöglichte diese Zeit der Entspannung eine kulturelle Blüte, auch an den kleineren Höfen wie Ferrara, Modena u. a. In Florenz wurde die mediceische Herrschaft getrübt durch das Auftreten des dominikanischen Bußpredigers Girolamo Savonarola (1452—1498). Er wollte die Menschen zu einem sittlich-religiösen Lebenswandel zurückführen und wurde politisch wirksam als Führer der Volkspartei. Nach dem Tode Lorenzos des Prächtigen gewann er für kurze Zeit die Herrschaft in Florenz. Die Medici wurden vertrieben, kehrten aber 1512 zurück. Vorher war Savonarola auf Druck seiner politischen Gegner vom Papst gebannt und als Ketzer verbrannt worden.

4. Das byzantinische Reich zwischen 1200 und 1400

Versuch einer Kirchenunion

Der 4. Kreuzzug (vgl. C, II, 5) hatte 1204 zur Eroberung Konstantinopels durch die Kreuzfahrer und zur Errichtung eines lateinischen Kaiserreichs geführt. Dabei war das byzantinische Reich zerteilt worden: Viele Küstenstriche und Inseln kamen an Venedig, Balduin von Flandern als Kaiser erhielt nur ein kleines Gebiet um Konstantinopel, ein griechisches Kaisertum hielt sich in Nicäa, Epiros bildete eine eigene griechische Herrschaft, der Markgraf von Montferrat wurde König von Thessalonike (Saloniki), das übrige Reich zerfiel in kleine Herrschaften italienischer und französischer Ritter. Auf dem nördlichen Teil des Balkans wuchs die Macht der Serben und Bulgaren.
In Nicäa bewahrte man die byzantinischen Traditionen. Von hier aus gelang es Michael VIII. Palaiologos (1258—1282), Konstantinopel einzunehmen und die griechische Herrschaft wiederherzustellen — nicht jedoch die Reichseinheit. Die Dynastie der Palaiologen beherrschte Byzanz bis zu dessen Untergang. Michael VIII. traf auf westlichen Widerstand. Der Papst forderte die Union der beiden Kirchen bei Unterordnung der Ostkirche unter Rom (Primatsan-

spruch des Papstes). Er verband sich mit Karl von Anjou und den Gegnern der Byzantiner auf dem Balkan (Serbien, Bulgarien). Um Handlungsfreiheit zu erlangen, stimmte Michael den päpstlichen Forderungen zu, unterstützte aber zugleich diplomatisch die Gegner des Hauses Anjou. Das Ergebnis war der Aufstand der Sizilianischen Vesper (1282). Damit war die Bedrohung von Westen beseitigt. Die Union kam nicht zustande. Michael VIII. hatte diplomatisch und militärisch noch einmal Großmachtpolitik betrieben, dabei aber die Kräfte des Reiches überanstrengt. Die innere Schwäche wurde unter seinen Nachfolgern sichtbar.

Innerer Zerfall

Das hierarchisch gegliederte zentralistische Verwaltungssystem des byzantinischen Staates zerfiel immer mehr. Die Provinzen hingen nur noch lose mit der Zentralgewalt zusammen. Durch die Einflüsse des lateinischen Kaisertums war der Feudalisierungsprozeß gefördert worden. Der nichtprivilegierte Besitz von Bauern und Kleinadel ging an die hochprivilegierten Großgrundherrschaften über, die kaum Steuern zahlten und durch vielerlei Immunitäten das Land dem staatlichen Eingriff entzogen. Das hatte zur Folge, daß die Steuereinnahmen rapide sanken. Das Heer — früher von landbesitzenden „Stratioten" gestellt — wurde zu einem Söldnerheer, das den Staatshaushalt schwer belastete. Unter Michael VIII. betrug die Streitmacht noch mehrere Zehntausende, unter seinen Nachfolgern nur einige Tausend. Die Verarmung breiter Schichten hatte wirtschaftliche Folgen. Durch Beimischung minderwertigen Metalls verschlechterte sich die byzantinische Goldmünze um die Hälfte ihres Wertes (etwa in der Zeit zwischen 1200 und 1300). Teuerung und Hungersnöte brachen aus. Das Leben in den Städten stagnierte und wurde nur von der dünnen Schicht des Hochadels getragen.
Je mehr die Macht des Kaiserreiches sank, desto stärker stieg der Einfluß der byzantinischen Kirche in Kleinasien, über den Balkan bis nach Moskau. Obgleich sich eine asketische Richtung durchgesetzt hatte, brach eine Epoche geistigen, künstlerischen und auch materiellen Aufschwungs an. Die Klö-

ster am Athosberg wurden ein Mittelpunkt religiösen Lebens.

Während die Macht der Serben auf dem Balkan wuchs und in Kleinasien die osmanischen Türken vorrückten, kam es zu einer Spaltung des Reiches unter Johannes V. Palaiologos (1341—1391) und Johannes VI. Kantakuzenos (1347—1354). Die Auseinandersetzung verband sich mit religiösen und sozialen Strömungen und weitete sich zum Bürgerkrieg aus. Erst die Bedrohung Konstantinopels durch die Türken führte 1354 zur Wiedereinsetzung des legitimen Johannes V. Doch auch dieser konnte den Zerfall des Staates in Teilherrschaften nicht mehr aufhalten.

Die Bürgerkriege hatten die Wirtschaft ruiniert. Ackerbau und Handel bestanden kaum noch. Die Bevölkerung konnte keine Steuern mehr entrichten, folglich gab es keinen geregelten Staatshaushalt. Bei größeren Ausgaben war die Regierung auf Unterstützung des Adels und des Auslands oder auf Anleihen angewiesen. Zu Beginn des Bürgerkrieges hatte Kaiserin Anna schon ihre Kronjuwelen in Venedig verpfänden müssen — die Juwelen wurden nie mehr eingelöst. Eine fromme Gabe des russischen Großfürsten zur Renovierung der Hagia Sophia verwendete man für die Anwerbung türkischer Hilfstruppen, die Trinkbecher Kantakuzenos' waren nicht mehr aus Gold und Silber, sondern aus Blei und Ton. Hinzu kam 1348 die Pestepidemie, die auch Konstantinopel schwer traf.

5. Das Vordringen der Türken

Die Gründung des osmanischen Reiches

Seit Jahrhunderten waren türkische Nomadenstämme aus den weiten Gebieten Turkestans gegen Westen vorgedrungen und in verschiedenen Gruppen auf Persien, die islamischen Reiche und Ostrom gestoßen. Die seldschukischen Türken hatten im 11. Jahrhundert den Kalifen in Bagdad von sich abhängig gemacht und Kleinasien erobert, wo sie bis gegen Ende des 13. Jahrhunderts herrschten.

Um 1300 trat eine neue Hordenbildung unter Osman I. (1288—1326) hervor. Die osmanischen Türken eroberten Kleinasien und griffen unter Osmans Nachfolgern in die europäischen Balkankämpfe ein. Auf dem Balkan hatte Stephan Dusan (1331—1355) ein starkes serbisches Reich errichtet, das nach seinem Tod wieder in einzelne Fürstentümer zerfiel.

In Byzanz war das Doppelkaisertum nicht in der Lage, die Osmanen zurückzudrängen. Kantakuzenos wies einer Türkenschar die Halbinsel Gallipoli als Wohnsitz an (1353). Von nun an dehnte sich die türkische Herrschaft schnell aus. Auch Familienverbindungen zwischen byzantinischen und osmanischen Herrschern konnten den türkischen Eroberungswillen nicht ablenken.

Murad I. (1358—1389) wurde zum eigentlichen Begründer des osmanischen Reiches auf europäischem Boden. Unter Umgehung von Konstantinopel stieß er nach Westen vor (1362 fiel Adrianopel).

Das eroberte Gebiet wurde als kriegerisches Lehen an die Osmanen verteilt und die alte Bevölkerung versklavt. In den Janitscharen schuf er sich eine stehende Elitetruppe, die weitgehend aus geraubten und zu Muslim erzogenen Christenknaben bestand.

Nachdem Johannes V. Palaiologus vergeblich in Ungarn, Rom und Venedig um militärische und finanzielle Hilfe gegen die Türken gebeten hatte, mußte er die Oberhoheit der Türken anerkennen. Das bedeutete Tributzahlungen und Heeresfolge: Der Kaiser von Byzanz mußte den Türken helfen, byzantinische Städte zu erobern. Dafür unterstützte ihn Murad gegen seine zahlreichen inneren Feinde.

Ausbreitung der türkischen Herrschaft

Der serbische Fürst Lazar vereinigte die Südslawen zum Widerstand. In der Schlacht auf dem Amselfeld (Kossovo, 1389) fiel Murad, aber sein Sohn rettete den türkischen Sieg. Der serbische Adel wurde vernichtet, Lazar gefangen und ermordet. Nach dieser Niederlage entschloß man sich in Europa nun doch zur Hilfe. Unter Führung des Ungarnkönigs Sigismund, des späteren deutschen Königs und Kaisers, rückte ein Kreuzheer heran, bestehend aus ungarischen, deutschen und französischen Rittern. Venedig half durch eine Flotte. Das Unternehmen scheiterte völlig (1396), wohl weil das Heer in sich zu uneinheitlich war. Bulgarien, bisher tributpflichtig, wurde türkische Provinz. Die Einnahme Konstantinopels schien nur noch eine Frage der Zeit zu sein. Da unterbrach der unerwartete Einfall der Mongolen unter Timur Lenk die türkische Machtausdehnung.

Timur hatte, ausgehend von Samarkand als Hauptstadt, unter großen Grausamkeiten Persien, Irak, Syrien und Teile Rußlands unterworfen und erschien in Kleinasien, wo er 1402 in der Schlacht von Angora (Ankara) die Türken besiegte und den Sultan gefangennahm. In Europa meinte man, die Türkengefahr sei damit gebannt. Das war ein Irrtum. Das osmanische Reich wurde zwar von inneren und äußeren Krisen erschüttert, aber nicht vernichtet. Als nach dem Tode Timurs (1405) die Mongolenherrschaft zerfiel, konnte Sultan Murad II. (1421–1451) die türkische Eroberungspolitik wieder aufnehmen: 1422 griff er Konstantinopel an, 1430 nahm er den Venezianern Saloniki ab.

Die Eroberung Konstantinopels 1453

Auch Kaiser Manuel II. von Byzanz (1391 bis 1425) suchte wie sein Vater im Westen Hilfe. Er bereiste Venedig, Rom, Paris und London (1399–1402). Seine Persönlichkeit erregte Bewunderung, doch mehr als unverbindliche Versprechungen erhielt der Kaiser nicht.

Manuels Nachfolger versuchte noch einmal, Hilfe im Westen zu finden, indem er die Unionsverhandlungen in Ferrara und Florenz wieder aufnahm. Trotz des erbitterten Widerstandes, den der Metropolit Markos Eugenikos von Ephesus leistete, wurde die Union am 6. Juli 1439 in der Kathedrale von Florenz in griechischer und lateinischer Sprache verlesen. Dem Satz von der päpstlichen Oberhoheit gab man nur eine vage Formulierung: in allen anderen Streitfragen hatte aber Rom seine Auffassung durchgesetzt. Deshalb wurde die Union für den byzantinischen Kaiser ein Fehlschlag. Das Volk lehnte die Abmachungen ab. In der slawischen Welt, wo der Kaiser kaum noch Prestige besaß, die Kirche hingegen in höchstem Ansehen stand, sprach man von „Verrat". Rußland wählte seitdem seinen eigenen Metropoliten. Rußland war damit verloren,

das Volk gespalten, der Sultan mißtrauisch gemacht, ohne daß Rom in der Lage gewesen wäre, wirksame Hilfe zu leisten. Diese kam unerwartet von Ungarn, das durch die türkischen Erfolge auf dem Balkan beunruhigt war. Unter Führung des Vojvoden Johannes Corvinus-Hunyadi erfochten die Ungarn mehrere Siege, die nun auch den Westen mobilisierten, der ein Heer von 25 000 Mann schickte. Da auch auf der Peloponnes noch griechische Stützpunkte bestanden (Morea, Trapezunt), sah sich Murad II. in die Defensive gedrängt und schloß 1444 einen für die Balkanvölker recht günstigen Waffenstillstand auf 10 Jahre. Auf Betreiben des päpstlichen Legaten brach König Wladislaw von Polen-Ungarn diesen Frieden jedoch und erlitt bei Varna eine schwere Niederlage (1444).

Weder der persönliche Mut noch die Energie des jungen Kaisers Konstantin XI. Dragases (1448–1453) konnten das byzantinische Reich vor dem Untergang bewahren. Seine Wiederherstellung lag nicht im unmittelbaren Interesse der europäischen Staaten und wohl auch nicht mehr im Interesse Roms, da die geplante Union der beiden Kirchen sich als undurchführbar erwiesen hatte. Umgekehrt aber lag den Osmanen viel an der Eroberung Konstantinopels, da es als Fremdkörper die asiatischen und europäischen Teile ihres Reiches trennte. So begann Murads Sohn, Mehmed II., im April 1453 mit der Belagerung der Stadt.

Auf byzantinischer Seite standen etwa 5000 griechische und 2000 fremdländische Verteidiger, dazu 700 Genuesen, die kurz vorher als Hilfe eingetroffen waren. Die Angreifer waren an Zahl etwa zehnmal stärker. Die Stärke der Griechen bestand in der günstigen strategischen Lage der Stadt und in der Befestigung. Der Kaiser hatte das Goldene Horn durch eine schwere Kette sperren lassen, deren Sprengung den Türken nicht gelang. Nachdem die türkische Flotte von den kaiserlichen Schiffen geschlagen worden war, ließ Mehmed II. eine große Anzahl Schiffe über Land in das Goldene Horn schleifen, so daß er die Stadt von Land und See her beschießen lassen konnte. Der türkischen Artillerie hatten die Griechen nichts Gleichwertiges entgegenzusetzen. Nach sieben Wochen Belagerung wies die Mauer starke Breschen auf. Am Abend des 28. Mai hielten die Griechen und Lateiner gemeinsam einen letzten Gottesdienst in der Hagia Sophia. Am 29. Mai begann der Generalangriff der Türken von drei Seiten. Er wurde mehrmals abgeschlagen. Der persönliche Einsatz des Kaisers verbreitete Entschlossenheit und Einsatzbereitschaft. Da setzte der Sultan als letzte Reserve Janitscharen ein, denen es schließlich gelang, die Mauer zu stürmen. Kaiser Konstantin kämpfte bis zuletzt und fiel. In der dreitägigen Plünderung der Stadt gingen wertvolle Kunstschätze verloren.

Konstantinopel wurde die neue Hauptstadt des osmanischen Reiches.

1456 fiel auch Athen — der Parthenon wurde türkische Moschee. 1460/61 mußten die letzten griechischen Stützpunkte auf der Peloponnes geräumt werden. Auf dem Boden des oströmischen Reiches war von Mesopotamien bis zur Adria ein festgefügtes türkisches Reich entstanden.

Erhalten blieb die orthodoxe Religion. Rußland betrachtete sich religiös und kulturell als Erbe Ostroms. Künstler und Gelehrte, die Byzanz verließen, brachten antike Überlieferungen (griechische Dichtung, Philosophie, Wissenschaft) in den Westen, wo sie zur geistigen und künstlerischen Erneuerung beitrugen (Humanismus und Renaissance, E, I, 1).

IV. Die kirchliche Entwicklung vor der Reformation

1294—1303	Papst Bonifaz VIII.	1369—1415	Johann Hus
1302	Bulle „Unam sanctam"	1414—1418	Konzil von Konstanz
1309—1377	Päpste in Avignon (Babylonische Gefangenschaft der Kirche)	1431—1449	Konzil von Basel
		1438	Pragmatische Sanktion von Bourges bestätigt die gallikanischen Freiheiten
1378—1415	Schisma		
1320/30 bis 1384	John Wiclif		

1. Das Papsttum

Papst Bonifaz VIII.

Am Ende des Mittelalters vertrat Bonifaz VIII. (1294—1303) noch einmal kompromißlos den Anspruch auf päpstliche Alleinherrschaft und Oberhoheit in geistlichen und weltlichen Angelegenheiten. Damit traf er auf den Widerstand der aufstrebenden Nationalstaaten. Sein Hauptgegner wurde König Philipp der Schöne von Frankreich (vgl. D, II, 1). Der Interessengegensatz entzündete sich an der Besteuerung der Geistlichkeit.

Seit dem 3. Laterankonzil (1179) hatte sich die Steuerfreiheit der geistlichen Güter gegenüber dem Staat herausgebildet. Nur in äußersten Notfällen durfte der Herrscher mit Zustimmung des Papstes eine außerordentliche Abgabe verlangen. Da seit dem 13. Jahrhundert der Geldbedarf der weltlichen Mächte zunahm (stehendes Söldnerheer, Ausbildung der Verwaltung), wurde bei der wachsenden Masse der kirchlichen Besitzungen die Lücke in den öffentlichen Einnahmen untragbar. Dies führte zu Auseinandersetzungen zwischen Staat und Kirche, die bis zur französischen Revolution (1789) andauerten.

Mit seiner Bulle „Clericis laicos" (1296) verbot Bonifaz VIII. bei Strafe des Bannes für Weltliche und Geistliche, ohne Erlaubnis des Papstes Steuern von Kirchengut an den Staat zu zahlen. Vor den Gegenmaßnahmen König Philipps (Verbot, Gold und Silber aus Frankreich auszuführen und mit der Kurie Geldgeschäfte zu machen) wich der Papst zunächst zurück, da er in italienische Streitigkeiten verwickelt war: Aus Familieninteresse führte er einen Krieg gegen die mächtige Familie Colonna, deren Kardinäle

er schließlich vertrieb. Auch Florenz wurde der päpstlichen Partei unterworfen. 1302 flammte der Streit mit König Philipp IV. von Frankreich wieder auf. Bonifaz befahl König und französische Geistlichkeit vor eine römische Synode, um über eine Reform der französischen Kirche und des französischen Königtums zu beraten. Im Einverständnis mit den Generalständen verbot Philipp den Besuch der Synode und bestrafte später jene vier Erzbischöfe und 35 Bischöfe, die der Einladung nach Rom gefolgt waren. Auf der Synode drohte der Papst Philipp mit Absetzung und veröffentlichte die Bulle „Unam sanctam ecclesiam catholicam", in der er die Unterordnung aller weltlichen Dinge unter den Papst biblisch begründete und als Voraussetzung für die ewige Seligkeit bezeichnete (1302). Dieser Höhepunkt päpstlichen Machtanspruches war zugleich ein Wendepunkt. Auf einer Versammlung der Generalstände im Louvre ließ Philipp den Papst wegen Ketzerei anklagen und forderte ihn auf, sich vor einem allgemeinen Konzil zu verantworten. Zugleich schickte er seinen Kanzler Wilhelm von Nogaret nach Italien mit dem Auftrag, den Papst gefangenzunehmen. Dies geschah in Anagni. Die Aufforderung, abzudanken, lehnte der Papst ab. Nach einigen Tagen wurde er durch einen Wandel der Volksstimmung befreit, starb aber kurz darauf in Rom.

Die Auseinandersetzung zwischen geistlicher und weltlicher Gewalt hatte sich immer stärker zu einem wirtschaftlich-politischen Interessenkonflikt entwickelt. Das Papsttum hatte eine schwere Niederlage erlitten, das Zeitalter päpstlicher Weltherrschaft war vorbei. In den Vordergrund des politischen Geschehens traten nun die europäischen Staaten.

Das Papsttum in Avignon

Nach dem Tode Papst Bonifaz VIII. setzte König Philipp der Schöne von Frankreich die Päpste unter Druck und erzwang den Prozeß gegen den Templerorden (vgl. D, II, 1). Papst Clemens V., selbst Südfranzose, verlegte 1309 den Sitz der Kurie nach Avignon, so daß das Papsttum noch mehr der Übermacht der französischen Krone ausgeliefert war (Babylonische Gefangenschaft, 1309—1377).

Die Abwesenheit von Rom bedrohte die geistigen Wurzeln des Papsttums und fügte seinem universalen Ansehen schweren Schaden zu.

Die materielle Grundlage des frühen Papsttums war der Kirchenstaat. Sonstige Abgaben (Schutzgelder, Lehenszinsen) gingen unregelmäßig und spärlich ein. Erst durch die Kreuzzugssteuern, die seit Ende des 12. Jahrhunderts in Form von außerordentlichen Abgaben vom gesamten Klerus erhoben wurden, erhielt die Kurie regelmäßige und hohe Einnahmen (Ende des 13. Jahrhunderts dreimal so hoch wie die Einnahmen der Französischen Krone).

Da während des Exils in Avignon der Kirchenstaat verlorenging, mußte man neue Einnahmequellen erschließen. Dies geschah durch die Besetzung der höheren Kirchenämter für Geld. Voraussetzung dafür war die unantastbare päpstliche Obergewalt (plenitudo potestatis), die von den päpstlichen Theoretikern begründet und von Bonifaz VIII. schroff vertreten worden war. Der Papst war nicht mehr „primus inter pares", der als Bischof von Rom nur größere Autorität in Glaubensfragen besaß, sondern er stand unmittelbar unter Gott und war die alleinige Quelle jeder kirchlichen Gewalt. Damit kam ihm allein die Besetzung der kirchlichen Ämter zu. Die im kanonischen Recht festgelegte Wahl der Bischöfe und Äbte trat — obgleich zäh verteidigt — dahinter zurück. — Der hohe Klerus (Bischöfe, Äbte) hatte als Antrittsgeld ein Drittel des Jahreseinkommens der Diözese zu zahlen, das sogenannte „Servitium". Niedere Pfründen kosteten ein halbes Jahreseinkommen (Annaten). Die Gelder gingen zur Hälfte an den Papst, zur Hälfte an die Kardinäle. Daneben entwickelte der feingegliederte päpstliche Finanzapparat im 14. Jahrhundert eine Fülle von Gebühren und Abgaben aller Art.

Die zentralisierte Ämterbesetzung hatte große Nachteile. Pfründenjäger strömten zur Kurie. Reiche kauften Stellen, die sie durch schlechtbezahlte niedere Geistliche verwalten ließen, während sie selbst ein glanzvolles Leben in Avignon oder Rom führten. Obgleich der Papst durch Kardinallegaten eine Art Kontrollsystem aufzubauen versuchte, war er nicht in der Lage, das Stellenwesen der gesamten Kirche zu überblicken, so daß es zu Fehlbesetzungen und Verwirrungen kam: Ämter wurden mehrfach verkauft, viele gerieten in die Hände von Ausländern, besonders Italienern und Franzosen, die ihre Diözese oft gar nicht kannten. Nur auf diesem Hintergrund sind die Bestrebungen der Reformkonzilien und des Tridentinums (vgl. E, V, 1) zu verstehen.

Papst Bonif. VIII.
(um 1235—1303) nach einer Marmorbüste von Arnolfo di Cambio, um 1300; Rom, Museo Petriano. Die Politik Bonifatius VIII. stellte den Höhepunkt kurialen Herrschaftsanspruches dar. Doch konnte die Suprematie über die weltlichen Mächte nicht durchgesetzt werden.

1377 verlegte Papst Gregor XI. seinen Sitz zurück nach Rom. Das war möglich geworden, weil Frankreich durch den hundertjährigen Krieg geschwächt war und Kaiser Karl IV. die Rückkehr unterstützte. In Italien hatte der spanische Kardinal Ägidius Albornoz den Kirchenstaat wieder unter päpstliche Herrschaft gebracht. Um diese neugewonnene Macht zu behaupten, war die Anwesenheit des Papstes in Italien nötig. Die Kardinäle und Bischöfe verzichteten ungern auf das angenehme Leben in Avignon, einige blieben dort.

Am 27. März 1378 starb Gregor XI. in Rom. Auf Verlangen des römischen Volkes, das nach sieben französischen endlich wieder einen italienischen Papst forderte, aber trotzdem in freier Wahl, die auch von den in Avignon zurückgebliebenen Kardinälen anerkannt wurde, wählte das Kardinalskollegium am 9. April 1378 den Erzbischof von Bari als Urban VI. zum Papst. Am 20. September des gleichen Jahres wählten dreizehn französische Kardinäle in Fondi Kardinal Robert von Genf als Klemens VII. zum Papst. Die Wahl Urbans erklärten sie als nichtig, weil angeblich unter Druck zustande gekommen.

Die Zeitgenossen waren entsetzt, daß innerhalb weniger Monate ein Teil der Kardinäle zwei verschiedene Päpste wählte. Der tiefere

ken zu bewegen. Diese, im Bewußtsein ihrer Allgewalt, lehnten jede Verhandlung ab.

In der Erkenntnis, daß die Spaltung der Kirche schadete, brachten die Kardinäle beider Lager schließlich eine Synode in Pisa zustande (1409), die das Schisma beseitigen sollte. Sie tagte mit dem Ergebnis, daß in Alexander V. ein dritter Papst gewählt wurde, der seinen Sitz in Pisa aufschlug, anerkannt von England, Frankreich, Ungarn und einigen deutschen Bischöfen.

Die Forderung nach einem allgemeinen Konzil zur Beseitigung der kirchlichen Wirren verstärkte sich.

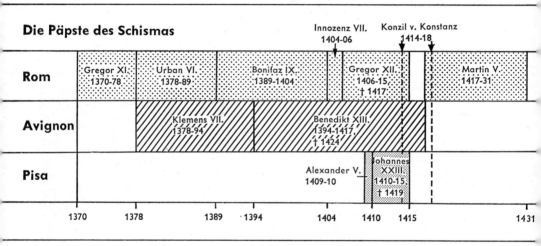

Die Päpste des Schismas

Grund waren italienisch-französische Gegensätze. Außerdem schwelte seit längerer Zeit ein Kampf zwischen Kardinälen und Papsttum um die oberste Macht in der Kirche, der durch das schroffe und selbstherrliche Auftreten Urbans verschärft worden war.

Es kam zu militärischen Auseinandersetzungen, die damit endeten, daß Klemens VII. nach Avignon ging (Frankreich und Spanien traten auf seine Seite) und Urban VI. in Rom blieb, anerkannt von Deutschland, England und dem größten Teil Italiens.

In der Folgezeit nutzten die Kardinäle das Schisma, um ihre eigene Macht innerhalb der Kirche zu erweitern, versuchten andererseits aber auch, die Päpste zum Einlen-

2. Die Konzilien von Konstanz und Basel

Die konziliare Idee

Unter der konziliaren Theorie versteht man die im 14. Jahrhundert ausgebildete Lehre von der Oberhoheit des ökumenischen Konzils über den Papst. Schon Marsilius von Padua (vgl. D. I, 3) und Wilhelm von Ockham hatten bestritten, daß Papst und Kardinäle von Christus eingesetzt seien — ihre Stellung in der Kirche habe sich historisch entwickelt. Träger der kirchlichen Gewalt sei die „Versammlung der Gläubigen", repräsentiert im allgemeinen Konzil, das folglich über allen Gliedern der Hierarchie, einschließlich des Papstes, stehe. — Das Schisma hatte der konziliaren Idee starken

Auftrieb gegeben. In vielen Streitschriften wurde König Sigismund aufgefordert, ein Konzil zu berufen und die Einheit der Kirche wiederherzustellen. Er erreichte schließlich, daß Papst Johannes XXIII. ein allgemeines Konzil nach Konstanz (1414 bis 1418) berief. Es sollte das Schisma beenden (causa unionis), die innerkirchlichen Zustände verbessern (causa reformationis) und die Ketzerei abstellen (causa fidei). Sigismund, der als König von Ungarn Einblick in die politischen Verhältnisse auf dem Balkan hatte, erhoffte außerdem die Union mit der byzantinischen Kirche und Hilfe gegen die Türken.

Das Konzil von Konstanz

In Konstanz traf eine glänzende Versammlung ein: Neben Papst Johann und König Sigismund erschienen zahlreiche Vertreter auswärtiger Mächte, deutsche Fürsten, Abgesandte von Städten, Universitäten und Orden (über hundert Doktoren der Theologie und der Rechte), dazu die Prälaten mit persönlichem Stimmrecht (29 Kardinäle, 3 Patriarchen, 33 Erzbischöfe, 300 Bischöfe und Äbte) und viele niedere Kleriker und Laien.

Um das zahlenmäßig starke Übergewicht der päpstlichen Partei und der Italiener auszugleichen, erzwangen Engländer und Deutsche eine Änderung der Abstimmungsordnung: Nicht mehr nach Köpfen, sondern nach Nationen (England, Frankreich, Deutschland, Italien, seit 1416 auch Spanien) sollte abgestimmt werden. Vorbild war wohl die landsmannschaftliche Gliederung der Universitäten. Innerhalb der einzelnen Nationen wurde mit einfacher Mehrheit entschieden. Stimmberechtigt waren neben den Prälaten auch die Gelehrten und die geistlichen Abgesandten der Fürsten. Durch diese Regelung trat der Einfluß der meist wenig reformfreudigen Kardinäle zurück. Die Beschlüsse des Gesamtkonzils mußten von den Nationen einstimmig gefaßt werden.

Die Beendigung der Kirchenspaltung gelang. Das Konzil beanspruchte für sich die oberste Gewalt in der Kirche, setzte zwei Päpste ab (der dritte trat zurück) und wählte einstimmig einen neuen Papst (Martin V.). Die Überordnung des Konzils über den Papst erkannte Martin V. nicht an.

Eine grundlegende Reform der Kirche an „Haupt und Gliedern" scheiterte an den unterschiedlichen Interessen der einzelnen Nationen. Der Papst, an einer baldigen Auflösung des Konzils interessiert, schloß mit ihnen Einzelverträge ab (hier erstmals Konkordate genannt), in denen er das päpstliche Stellenbesetzungsrecht einschränkte und besonders krasse Mißstände abzustellen suchte. Die Konkordate begünstigten die Entwicklung der Landeskirchen. In der causa fidei einigte man sich schnell. Der Tscheche Johann Hus, Anhänger Wiclifs und seit 1412 im Bann, wurde als Ketzer verurteilt und — da er nicht widerrufen wollte — verbrannt.

Johann Hus

Johann Hus (1369—1415) war ein Anhänger des englischen Theologen John Wiclif (gest. 1384), dessen Lehren er weitgehend übernahm. Wiclif hatte die Bibel ins Englische übersetzt und sie zur alleinigen Glaubensnorm erhoben. Er bekämpfte weltliche Herrschaft und Hierarchie der Kirche und bestritt ihren Heilscharakter. Nicht gute Werke und die Vermittlung der Kirche führten zu Gott, sondern nur die Vorherbestimmung Gottes (Prädestination). Das Abendmahl betrachtete er als Gleichnis und leugnete den Vorgang der Wandlung (Transsubstantiation). 1382 wurde ein Teil der Lehrsätze als ketzerisch verurteilt. Böhmische Studenten brachten Wiclifs Lehren an die Universität Prag, wo tschechische Professoren und Studenten die Kritik an Kirche und Klerus begeistert aufnahmen. Hus, Universitätslehrer und Volksprediger, wurde der Führer der Bewegung und verband sie mit tschechisch-nationalen Bestrebungen. Sie richteten sich gegen den deutschen Einfluß innerhalb der böhmischen Kirche und der Prager Universität, deren Pfründen überwiegend von Deutschen besetzt waren. Als der König dem tschechischen Drängen nachgab, verließen die deutschen Professoren und Studenten Prag und gründeten in Leipzig eine neue Universität (1409). Der tschechische Klerus distanzierte sich von den Lehren Wiclifs, als sich der Gegensatz zwischen Hus und der Kirche zuspitzte, Volk und hoher Adel hielten weiter an Hus fest. 1412 wurde er gebannt. 1414 folgte er der Ladung vor das Konstanzer Konzil, um seine Rechtgläubigkeit zu beweisen. Da er nicht widerrief, waren seine Verurteilung und Hinrichtung nach damaligem Recht unvermeidlich.

Hus war kein eigenständiger Denker, er hat seine Ideen von Wiclif übernommen. Bis zum Schluß hielt er sich für rechtgläubig. Anders als die großen Reformatoren der Lutherzeit kam Hus über eine bloße Verneinung der katholischen Kirche nicht hinaus. Eine andere, neue Lehre konnte er ihr nicht entgegensetzen.

Die Hussitenkriege

In Böhmen rief das Vorgehen des Konzils große Unruhe hervor. Es bildeten sich zwei Parteien: Die Utraquisten, die die Erteilung des Abendmahles in beiderlei Gestalt (sub utraque specie) zum Hauptmerkmal ihres

Die Verbrennung des Jan Hus auf dem Scheiterhaufen. Kolorierte Zeichnung aus dem „Concilienbuch" des Ulrich von Richenthal, Augsburg 1483

Glaubens machten, und die radikalere Partei der Taboriten (Berg Tabor, Mt 17,1), die Mönchswesen, Heiligenverehrung und allen Prunk ablehnten und die Heilige Schrift zur alleinigen Grundlage ihres Lebens und Glaubens machten. Sie hielten strenge Sittenzucht und versuchten, in Anlehnung an das Urchristentum, kommunistisches Gemeinschaftsleben zu verwirklichen. Die gemäßigten Utraquisten, zu deren Anhängern auch der Adel und die Gelehrten der Universität gehörten, formulierten ihr Programm in den vier Punkten der „Prager Artikel": 1. Gottes Wort soll in Böhmen frei gepredigt und 2. das heilige Abendmahl in beiderlei Gestalt gereicht werden, 3. sollen

dem Klerus weltliche Herrschaft und irdisches Gut genommen und 4. alle Sünden und öffentliche Unordnung von der zuständigen Obrigkeit gerichtet werden. — Es kam zu militärischen Auseinandersetzungen. Die Taboriten, meist Bauern, hatten unter Johann Ziska, später unter Prokop, eine Heeresorganisation mit eigener Taktik (Kampf im Schutz ihrer Wagenburg) gebildet, die sich jahrelang behauptete und mehrere Reichsheere in die Flucht schlug.

Auf dem Konzil von Basel kam es gegen den Willen der Taboriten schließlich zu einer Einigung: Das Abendmahl sollte in Böhmen jedem, der danach verlangte, in beiderlei Gestalt gereicht werden. Das Kirchengut wurde geschützt.

Als Folge dieser Entwicklung war das Königtum in Böhmen geschwächt, die Deutschen weitgehend aus dem Land vertrieben und die Macht der katholischen Kirche gebrochen. Gewinner war der böhmische Adel, der an Macht und Besitz zugenommen hatte. Die Bauern befanden sich durch die langen Kriege in einer schlechten Lage.

Das Konzil von Basel

Das Konzil von Basel (1431—1449) nahm die Reformziele wieder auf. Es waren nur wenige Bischöfe anwesend (unter 600 Teilnehmern 20 bis 30). Das Stimmrecht wurde auf den niederen Klerus erweitert, so daß eine gewisse Demokratisierung eintrat. Obgleich nicht mehr nach Nationen, sondern nach Sachkommissionen abgestimmt wurde, behielten die Nationen politisches Gewicht. Das Konzil erließ eine Anzahl von Reformdekreten, die das sittliche und religiöse Leben der Kleriker betrafen und die Rechte des Papstes einschränkten (Aufhebung der Annaten, Palliengelder und anderer Abgaben bei Besetzung der Kirchenämter; Bestimmungen über die Zahl der Kardinäle und die Papstwahl; der neugewählte Papst sollte durch einen Eid die Konzilshoheit anerkennen). Als Papst Eugen IV. 1438 das Konzil nach Ferrara verlegte und ihm nur ein kleiner Teil der Konzilsväter dorthin folgte, kam es zum Bruch. Das Restkonzil in Basel verschärfte seine Lehre, daß das Konzil über dem Papst stehe, und setzte Papst Eugen als Simonisten und Ketzer ab. Es konnte sich damit aber nicht mehr durchsetzen, sondern zerfiel in dogmatischen Streitigkeiten und löste sich schließlich auf. Das Konzil von Basel war zugleich Höhe- und Wendepunkt der konziliaren Idee.

Stärkung des Papsttums

Das Papsttum war schon mit Martin V. (1417—1431), der den Kirchenstaat reorganisierte, in ein neues Stadium getreten. Papst Eugen IV. festigte in Ferrara seine Stellung weiter durch die — allerdings nur kurzlebige — Union mit der griechischen Kirche (vgl. D, III, 4). Er führte die Abstimmung nach kirchlichen Ständen wieder ein und befriedigte durch weitere Konkordate die Interessen der einzelnen Nationen. 1438 bestätigte er Frankreich in der sogenannten Pragmatischen Sanktion von Bourges die „gallikanischen Freiheiten": Bischofswahl durch die Geistlichen der französischen Kirche; nur Franzosen durften Bischof werden; Bestätigungsrecht des Königs. In Deutschland schlossen die Territorialfürsten Konkordate ab, in denen sie sich die Verfügungsgewalt über Landesbistümer und andere Pfründen, Aufsichtsrechte über Klöster und eine Einschränkung der geistlichen Gerichtsbarkeit übertragen ließen. Das damit entstehende landesherrliche Kirchenregiment bildete eine wichtige Stütze der territorialen Entwicklung und macht die große Bedeutung der Landesherren für die lutherische Reformation verständlich.

3. Religiosität im späten Mittelalter

Während bei der Geistlichkeit, gefördert durch das Pfründenwesen, eine gewisse Verweltlichung eintrat, vertiefte sich die Frömmigkeit des Volkes. Die Erschütterung durch die langen Kriege in England und Frankreich und die Pestepidemien (zwischen 1347 und 1350), denen vermutlich mehr als ein Drittel der europäischen Bevölkerung zum Opfer fiel, trugen dazu bei. Andererseits führten Wohlstand und Bildung in den Städten dazu, daß breitere Laienkreise lesen und schreiben konnten und am geistig-religiösen Leben teilnahmen. Schon um 1300, im Zeitalter der scholastischen Gelehrsamkeit, hatten sich die Dominikaner um religiöse Bildung der Ungelehrten bemüht. Daraus erwuchs die deutsche Mystik, deren Hauptvertreter Meister Eckhart von Hochheim (gest. 1327), Heinrich Seuse (Suso, gest. 1366) und Johannes Tauler (gest. 1361) — alle Dominikaner — waren. Die Mystik strebte nach dem persönlichen Gotteserlebnis, nach der ekstatischen Vereinigung mit Gott („Unio Mystica") und bewegte sich damit an der Grenze der Rechtgläubigkeit (einige Lehren Eckharts wurden von der Kurie verworfen). Die Volkssprache begann im geistlichen Leben eine größere Rolle zu spielen, und neben die Predigt traten zahlreiche Schriften. Diese Art von Religiosität fand vor allem in Nonnenklöster und Städte Eingang. Bürger schlossen sich zu frommen Laiengemeinschaften zusammen, so zum Beispiel die „Brüder des gemeinsamen Lebens" unter Gert Groote in Deventer („Devotio moderna"), die dem Armutsideal folgten.

Die Pest verstärkte das Bewußtsein von menschlicher Schuld und göttlicher Strafe und brachte einen Zug von Hektik in das religiöse Leben. Geißlergruppen zogen zu Tausenden durch das Land. Ihre bizarren Bußübungen waren Ausdruck der Angst. Auch Heiligenverehrung, Wundergläubigkeit und Ablaßwesen nahmen übersteigerte Formen an. Auf der Suche nach Schuldigen, die man für alles Unglück verantwortlich machen konnte, fand man die Juden. Durch ihre abgesonderte Lebensweise waren sie der mittelalterlichen Gesellschaft stets verdächtig gewesen. Außerdem legte man ihnen den Tod Christi zur Last. Daher kam es an vielen Orten zu Judenverfolgungen, in der Hoffnung, damit das göttliche Strafgericht abzuwenden.

Andererseits brachte der Drang nach religiöser Betätigung und Heilsgewißheit auch eine Bereicherung des kirchlichen und gesellschaftlichen Lebens. Die zahlreichen Stiftungen von Kapellen, Altären und Spitälern regten besonders die Volkskunst an.

V. Das deutsche Reich im 15. Jahrhundert

1410—1437	Sigismund	1438—1740	Haus Habsburg
1415	Kaiser Sigismund belehnt Friedrich IV. von Hohenzollern, Burggraf von Nürnberg, mit der Mark Brandenburg	1440—1493	Friedrich III.
		1493—1519	Maximilian I.
		1495	Reichsreformen (Reichskammergericht), Ewiger Landfriede

1. Kaiser und Reich

Während im Westen und Norden Europas Erbmonarchien entstanden, die ihre staatlichen Einrichtungen ausbauten (stehendes Heer, Verwaltung, regelmäßige Steuereinnahmen, Gerichtshoheit der Krone), gelang es dem deutschen Reich nicht, sich zu einem Staat moderner Prägung weiterzuentwickeln. Die Macht der Städte und Landesfürsten nahm zu, die des Königs beruhte nur noch auf seiner Hausmacht. Dem Kaisertum, das seit der Goldenen Bulle dem gewählten deutschen König zustand (1452 letzte Kaiserkrönung in Rom), fehlte eine eigene Machtgrundlage. Allerdings genoß der Kaisertitel Ansehen und konnte in Verbindung mit einer starken Territorialmacht politisch ins Gewicht fallen. Als um 1500 in Deutschland nationale Tendenzen sich regten, hofften besonders die unteren Stände (Bauern, Ritter) auf eine Verbesserung ihrer Lage durch den Kaiser. Die Bezeichnung des Reiches änderte sich im späten Mittelalter: Aus dem „römischen Reich" wurde das „heilige römische Reich deutscher Nation".

Das Reich bestand aus Herrschaftsformen, die in Größe, Struktur und Bedeutung unterschiedlich waren:

Die Reichsstände hatten das Recht bzw. die Pflicht, auf den Reichstagen zu erscheinen, wo sich allmählich drei Kollegien herausbildeten, die getrennt tagten. Zu ihnen gehörten die Kurfürsten (Kurfürstenkollegium), die Reichsfürsten, Grafen und Herren (Reichsfürstenrat) und die Reichs- und Bischofsstädte (Städtekollegium). Daneben gab es andere reichsunmittelbare Stände, die nicht zu den Reichsständen gehörten (Reichsritter, Reichsdörfer und sonstige Reichsgüter).

Die Reichstage hatten sich seit dem 13. Jahrhundert aus den früheren Hoftagen entwickelt. Gewohnheitsrechtlich war ihre Zustimmung erforderlich bei Kriegen, Sondersteuern, Verträgen, Errichtung von Reichsfürstentümern. Außerdem befaßten sich die Reichsstände mit akuten Problemen, die das gesamte Reich betrafen (Münzwesen, Türkenkriege, Glaubensfragen etc.). — Da das Reich selbst keine eigenen Exekutivorgane ausgebildet hatte, war der Kaiser bei der Durchführung von Gesetzen und Beschlüssen auf die Territorien und Reichsstädte angewiesen, die ihrerseits rationell arbeitende Verwaltungen auszubilden begannen.

Das Nebeneinander kleiner und großer reichsunmittelbarer Gebiete hatte zur Folge, daß die größeren Territorien versuchten, Reichsstädte und kleinere Herrschaften ihrer Landeshoheit zu unterwerfen. Um 1500 bildeten sich einige größere Landesfürstentümer heraus: Neben den habsburgischen Ländern Bayern, Kursachsen und Brandenburg (1415 von Kaiser Sigismund an den Burggrafen von Nürnberg, Friedrich VI. von Hohenzollern, übertragen).

2. Versuche, das Reich zu reformieren

Im Zusammenhang mit den Reformbestrebungen der Kirche verstärkte sich der Ruf nach Reichsreformen. Ein Versuch in dieser Richtung scheiterte auf dem Nürnberger Reichstag (1438) am Gegensatz zwischen Kaiser und Kurfürsten. Der Kaiser wollte die Städte und den niederen Adel stärken, die Fürsten ihre Landeshoheit ausbauen. Erst 50 Jahre später wurden die Reformversuche wieder aufgenommen, und da Kaiser Maximilian (1493—1519) die Unterstützung der Fürsten für die Stärkung seiner Hausmacht brauchte, kam er ihren Wünschen entgegen. Auf den Reformreichstagen von

1495 Worms (1495) und Augsburg (1500) stimmte er der Einrichtung eines Reichskammergerichts und der gesetzlichen Verkündung eines unbefristeten („Ewigen") Landfriedens zu. Der Landfrieden war eine wichtige Voraussetzung für die staatliche Entwicklung. Erst wenn das Fehderecht des Adels abgeschafft war, erhielt der Staat das Gewaltmonopol, d. h. seine Exekutivorgane allein durften zur Aufrechterhaltung von Gesetz und Ordnung Gewalt einsetzen. — Das Reichskammergericht sollte bei Landfriedensbruch und Rechtsverweigerung zuständig sein und als Berufungsinstanz für die landesherrliche Rechtsprechung dienen (falls der Fürst nicht schon das „ius de non appellando" besaß). Es wurde zur Hälfte mit Adeligen, zur Hälfte mit Juristen besetzt und erhielt einen festen Sitz in Frankfurt/Main (seit 1693 in Wetzlar). Die Einrichtung des Reichskammergerichts förderte die Übernahme des römischen Rechtes. Allerdings wurde die Tätigkeit des Gerichtes durch Geldmangel gehemmt, denn die zu seinem Unterhalt bestimmte Reichssteuer („der Gemeine Pfennig") konnte nicht eingetrieben werden.

Nach langem Zögern stimmte Maximilian der Bildung eines Reichsregimentes zu. Es sollte aus 20 Mitgliedern bestehen und eine reichsständische Regierungs- und Verwaltungsinstanz darstellen, an deren Zustimmung der Kaiser in allen Reichsangelegenheiten gebunden werden sollte. Das Reichsregiment scheiterte — wie auch die Erhebung des „Gemeinen Pfennigs" — daran, daß keine Verwaltungsorgane des Reiches vorhanden waren. Bestand hatte die Einteilung des Reiches in Reichskreise (Franken, Schwaben, Bayern, Oberrhein, Westfalen, Niedersachsen, später kamen Burgund, Österreich, Kurrhein und Obersachsen dazu). Ihnen wurde die Wahrung des Landfriedens übertragen, nach ihnen richtete sich auch die Heeresverfassung des Reiches.

3. Die Stärkung
der habsburgischen Hausmacht

Kaiser Friedrich III. (1440—1493, aus dem Hause Habsburg) trat den Reichsständen nicht entgegen, solange diese seine Territorialpolitik nicht behinderten, wohl in der Erkenntnis, daß die ständische Struktur des Reiches nicht mehr aufzuhalten war. Auch sonst setzte er sich kaum für Belange des Reiches ein. Er legte aber durch seine zielstrebige Hausmachtpolitik den Grund für ein starkes deutsches Königtum. Durch geschickte Heirats- und Erbvertragspolitik leitete er die Konsolidierung der Habsburgischen Macht ein. Sein Nachfolger (Kaiser Maximilian, 1493—1519) setzte diesen Weg fort.

Mit Albrecht II. von Österreich (1438—1439) war das Haus Habsburg wieder auf den Kaiserthron gekommen (bis 1740). Als Schwiegersohn Kaiser Sigismunds (vgl. Stammtafel) war er diesem auch als König von Ungarn und Böhmen gefolgt, aber schon nach einjähriger Herrschaft gestorben. Durch seinen Tod drohte das Haus Habsburg zu zerfallen, da er nur eine Tochter hinterließ, Elisabeth (verh. mit Kasimir von Polen) und einen nachgeborenen Sohn, Ladislaus (genannt Posthumus = nachgeboren). Die deutschen Erbländer waren zu diesem Zeitpunkt zersplittert und Objekt ständiger Familienstreitigkeiten, die jahrzehntelang anhielten, die Landstände stärkten und die Wirtschaft ruinierten.

Friedrich III. von Innerösterreich (Steiermark, Kärnten, Krain und Görz), Vetter Albrechts II., übernahm die Vormundschaft für Ladislaus und Albrechts Nachfolge im Reich als deutscher König und Kaiser. Nach Kämpfen und zähen Verhandlungen vereinigte er die deutschen Länder Habsburgs wieder in einer Hand.

In Böhmen und Ungarn wurde der junge Ladislaus zwar formell als König anerkannt, konnte sich aber nicht durchsetzen. Die tatsächliche Herrschaft errang in Böhmen Georg Podiebrad, Führer der nationaltschechischen Partei der Utraquisten, in Ungarn Matthias Corvinus, Sohn des ruhmreichen Türkenbesiegers Johann Hunyadi. Beide wurden 1458 (nach dem Tode Ladislaus' Posthumus) zu Königen gewählt. Nach ihnen kam mit Hilfe der Stände in Ungarn und Böhmen Wladislaw IV. auf den Thron, Sohn Elisabeths von Polen und damit Enkel Albrecht II. Mit ihm vereinbarte Kaiser Maximilian 1515 eine Doppelheirat: Seine Enkelin Maria sollte Wladislaws Sohn Ludwig (später König von Ungarn und Böhmen) heiraten und sein Enkel Ferdinand (später deutscher König) Wladislaws Tochter Anna. Damit begründete er — aufbauend auf Erbverträgen seines Vaters — den habsburgischen Erbanspruch auf Ungarn und Böhmen. Der Erbfall trat 1526 ein, als König Ludwig im Kampf gegen die Türken fiel (Schlacht bei Mohács).

Im Westen erreichte Kaiser Friedrich III. einen Machtzuwachs durch die Vermählung seines Sohnes Maximilian mit Maria von Burgund, Tochter Karls des Kühnen, der 1477 im Kampf gegen die Eidgenossen fiel. Die niederländischen Stände schlossen zwar ein Bündnis mit Ludwig XI. von Frankreich gegen die habsburgische Herrschaft, unterlagen aber nach wechselvollen Kämpfen in der Schlacht von Salins (1493). Im Frieden von Senlis gewann Maximilian das gesamte niederländische Territorium mit Flandern, die Freigrafschaft Burgund und Teile der Grafschaft Artois. Die Picardie und die Bourgogne (Herzogtum Burgund) fielen an Frankreich.

Durch eine weitere Heirat begründete Maximilian die Erbanwartschaft seines Hauses auf Spanien: Er verheiratete seinen Sohn Philipp den Schönen (gest. 1506) mit Johanna der Wahnsinnigen, Königin von Kastilien und Aragon. Aus dieser Ehe gingen Karl V. und Ferdinand I. hervor (vgl. Stammtafel).

Kaiser Maximilian I. (1459—1519) nach einem Holzschnitt von Albrecht Dürer, um 1519

Er begründete durch geschickte Heiratspolitik die habsburgische Machtstellung in Spanien, den Niederlanden, Böhmen und Ungarn. In Italien konnte er sich trotz jahrelanger Kämpfe gegen Franzosen und Venezianer nicht durchsetzen. Weil die geplante Kaiserkrönung verhindert wurde, nahm er mit Zustimmung des Papstes den Titel eines „erwählten Römischen Kaisers" an, den seine Nachfolger beibehielten.

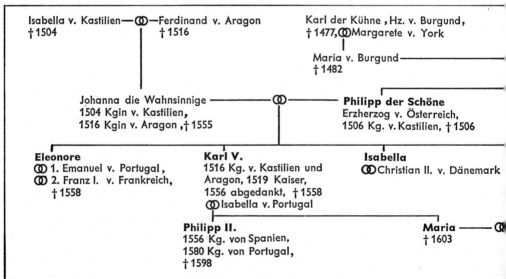

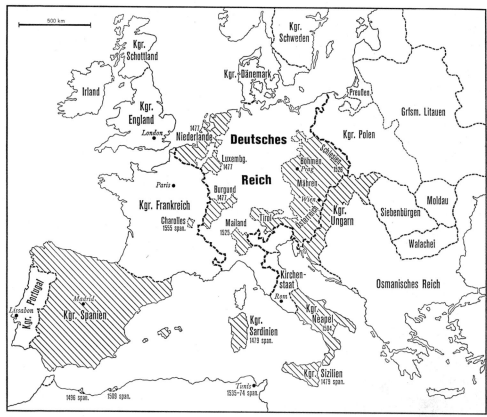

Das Reich Karls V., zu dem außer den europäischen Besitzungen die spanischen Kolonien, vor allem Süd- und Mittelamerika, gehörten. Nach der Abdankung Karls V. fielen Spanien, die Kolonien, die Niederlande und das burgundische Erbe an Karls Sohn, Philipp II., die Kaiserwürde und die deutschen Erblande an Karls Bruder Ferdinand I. Als nach Aussterben des portugiesischen Königshauses 1580 Portugal und seine Kolonien in Personalunion mit Spanien verbunden wurden, erreichte Spanien den Höhepunkt seiner Macht.

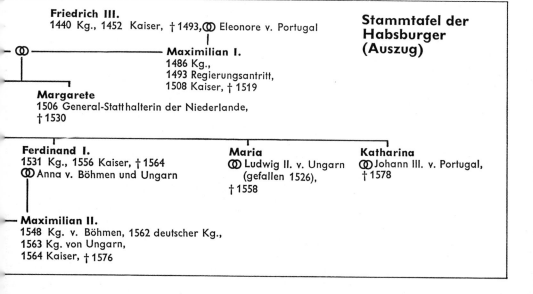

Friedrich III.
1440 Kg., 1452 Kaiser, † 1493, ⚭ Eleonore v. Portugal

Stammtafel der Habsburger (Auszug)

⚭────────────────
Maximilian I.
1486 Kg.,
1493 Regierungsantritt,
1508 Kaiser, † 1519

Margarete
1506 General-Statthalterin der Niederlande,
† 1530

Ferdinand I.
1531 Kg., 1556 Kaiser, † 1564
⚭ Anna v. Böhmen und Ungarn

Maria
⚭ Ludwig II. v. Ungarn
(gefallen 1526),
† 1558

Katharina
⚭ Johann III. v. Portugal,
† 1578

Maximilian II.
1548 Kg. v. Böhmen, 1562 deutscher Kg.,
1563 Kg. von Ungarn,
1564 Kaiser, † 1576

E. Beginn der Neuzeit

I. Kräfte einer neuen Zeit

1. Humanismus und Renaissance

Geistiger Wandel in Italien

Um die Mitte des 14. Jahrhunderts setzte in Italien ein geistiger und künstlerischer Wandel ein, der nach und nach auch das übrige Europa ergriff. Die frühe italienische Stadtkultur mit ihrer Existenzunsicherheit (S. 154) und Dynamik, die den Ordnungsvorstellungen des Mittelalters zuwiderlief, führte zu einer neuen geistigen Orientierung. Sie fand ihren Ausdruck in der Renaissance als künstlerischer und im Humanismus als literarischer Bewegung. Für beide war die Antike das Mittel zur Loslösung von der mittelalterlichen Welt. Die Bezeichnung

Erasmus von Rotterdam
(1466?—1536), Medaille von Quentin Matsys, um 1519; München, Staatl. Münzsammlung. Erasmus erstrebte als Humanist in den Auseinandersetzungen der Reformation eine Position der Toleranz jenseits der Parteiungen.

„Rinascimento" tauchte erstmals im 16. Jahrhundert in Italien auf und meinte die Wiedergeburt der Antike und den Gegensatz zur Kunst des Mittelalters, die als unvollkommen empfunden wurde. Erst im 19. Jahrhundert erhielt der Begriff „Renaissance" eine umfassendere Bedeutung als Epochenbezeichnung für die Zeit von 1350—1600.

Der neue Geist erwuchs nicht aus einem abrupten Bruch mit den mittelalterlichen Vorstellungen, sondern entwickelte sich aus Ansätzen des 12. und 13. Jahrhunderts. Er führte zu einer Änderung des Bewußtseins, die sich auf allen Gebieten (Wissenschaft, Kunst, Politik, Wirtschaft) auswirkte. Ziel war eine Verbindung von Antike und Christentum, Natur und Offenbarung.

Der italienische Humanismus

In Italien und Frankreich war das Wissen um die Antike und die Kenntnis römischer Literatur während des Mittelalters nie ganz verlorengegangen. Der erste bedeutende Repräsentant des neuen Lebensgefühls war der Dichter und Humanist Francesco Petrarca (1304—1374). In der strengen Form der Sonette und Kanzonen brachte er — neu für seine Zeit — persönliche Bekenntnisse und Gefühle zum Ausdruck. 1341 wurde er auf dem Kapitol in Rom zum Dichter gekrönt. Unter Berufung auf Cicero entdeckte er den Brief als Kunstgattung. Als einer der ersten empfand er die römische Antike als nationales Erbgut und gab seiner nationalen Begeisterung Ausdruck in einem lateinischen Epos „Africa", in dem die Heldentaten Scipios des Älteren dargestellt werden. Auf Reisen durch Frankreich und Belgien suchte Petrarca nach Handschriften alter Klassiker. Wie die meisten seiner geistigen Nachfolger stand er fest auf dem Boden des Christentums. Für ihn waren auch die antiken Weisheiten von Gott offenbart und befanden sich in Einklang mit der Bibel. Die Beschäftigung mit der Literatur des Altertums diente ihm zur Bildung des Geistes und der Seele im christlich-humanen Sinn. Dieses Vertrauen in die Bildung, die zu einer höheren Menschlichkeit führen sollte, wurde ein Merkmal des Humanismus. Byzantinische Gelehrte lenkten den Blick auch auf das Griechische, vor allem auf Plato. In Florenz gründete der humanistisch gebildete Cosimo Medici 1459 eine „platonische Akademie" als Erneuerung der Philosophenschule Platos.

Im Ergebnis führte der italienische Humanismus zu einer kritisch-philologischen Beschäftigung mit der antiken Literatur und zur Wiederentdeckung vergessener antiker Schriften. Auch andere Texte wurden mit der neuen philologischen Methode untersucht. So wies Lorenzo Valla (1407—1457) nach, daß die Konstantinische Schenkung eine Fälschung sei und die lateinische Übersetzung des Neuen Testamentes (Vulgata) Fehler enthalte.

Bei der Vielgestaltigkeit des italienischen Humanismus läßt sich kein einheitliches Weltbild aufzeigen. Übereinstimmung ergab sich in der Hochschätzung antiker Bildung und im Vertrauen auf die „ratio": Man sah den Menschen als fähig an, sich nach eigenem Willen selbst zu gestalten und zu einem höheren göttlichen Bereich aufzusteigen (Giovanni Pico della Mirandola, 1463—1499). Diese Ideen führten zu einem neuen Selbstbewußtsein und zu einer stärkeren Ausrichtung auf das Diesseits. Der Renaissancemensch fühlte sich autonom und ordnete sein Leben nach den Einsichten der Vernunft. Klugheit, Wagemut, kühle Überlegung, Erfolg und Lebensfreude wurden entscheidende Werte. Sie begünstigten die Entfaltung starker Einzelpersönlichkeiten in Wissenschaft, Kunst, Wirtschaft und Politik. Die von den Renaissancemachthabern begründete neue, auf das Diesseits ausgerichtete Staatsauffassung formulierte Machiavelli in seiner Schrift vom Fürsten, „Il Principe" (vgl. auch D, III, 3).

Träger des Humanismus war das Bürgertum der nord- und mittelitalienischen Städte, das durch einen starken wirtschaftlichen Aufschwung in der Lage war, diese neue Bewegung zu tragen und selbst Anteil daran zu nehmen, wie etwa Cosimo und Lorenzo Medici in Florenz, oder die Kirche (z. B. Papst Pius II., 1458—1471). Die wirtschaftliche Existenz vieler humanistischer Gelehrter wurde dadurch gesichert, daß Städte oder auch die Kurie ihnen eine Stellung als Kanzler, Sekretär oder Notar einräumten. Das hatte zur Folge, daß der Humanismus auch politisch wirksam wurde, besonders auf den großen Reformkonzilien.

Der deutsche Humanismus

In Deutschland verbreitete sich der Humanismus erst nach der Mitte des 15. Jahrhunderts (Wimpfeling, Beatus Rhenanus, Celtis). Wie in Italien suchte man auch hier das klassische Latein in Rhetorik und Dichtung nachzuahmen und zu übertreffen. Die Wiederentdeckung verschollener deutscher Literaturdenkmäler (Schriften der Roswitha von Gandersheim) und Geschichtsquellen führte zur Beschäftigung mit Geschichte und zu einem neuen Nationalbewußtsein. Es richtete sich vor allem gegen Frankreich und das päpstliche Rom und trug so zur Reformation bei (Ulrich von Hutten, 1488—1523). — Zu einer scharfen Auseinandersetzung zwischen Humanisten und Scholastikern kam es, als Johann Reuchlin (1455—1522), angeregt durch das Studium des Griechischen und Hebräischen, sich mit der außerbiblischen Literatur des Judentums befaßte. Anonym, wohl unter Mitwirkung Huttens, erschienen 1515 die „Dunkelmännerbriefe" (Epistolae obscurorum virorum), in denen die scholastischen Gegner als „Dunkelmänner" lächerlich gemacht wurden.

Der bedeutendste deutsche Humanist war Erasmus von Rotterdam (1466—1536), berühmt geworden durch seine Schrift „Lob der Narrheit", eine Satire, in der alle Stände

Ulrich v. Hutten (1488 bis 1523) in Rüstung und mit dem Lorbeer des Poeta laureatus nach einem Hans Weiditz zugeschriebenen Holzschnitt aus Huttens „Invectivae", Straßburg 1521.
Hutten unterstützte Luther mit lateinischen und deutschen Streitschriften, sah in ihm jedoch in erster Linie einen Vorkämpfer für geistige und nationale Freiheit.

und Berufe ironisch kritisiert werden. Erasmus wollte mit der antiken Bildung die menschliche Vernunft — für ihn die höchste Gabe Gottes an den Menschen — stärken. Er erstrebte ein vernünftiges und gereinigtes Christentum und ging deshalb auf die Kirchenväter (Hieronymus, Origines) und den Urtext des Neuen Testamentes zurück. Praktische Nächstenliebe (caritas) stellte er höher als Dogmatik, Askese und kirchlichen Zeremoniendienst. Erasmus hatte starke Berührungspunkte mit der Reformation, hielt sich aber — wie die meisten Humanisten — aus deren Kämpfen heraus. Die Reformation trug revolutionäre Züge, der Humanismus war evolutionär: Man erwartete eine Besserung der kirchlichen Zustände durch Bildung und Konzilien und setzte große Hoffnungen auf das Wirken des kunstliebenden und gelehrten Papstes Leo X. (1513—1521), Sohn Lorenzos von Medici.

Die Kunst der Renaissance

Das neue Bewußtsein veränderte auch die Kunst. Man betrachtete das Mittelalter als eine Zeit der Barbarei und der Dunkelheit und wollte die Kunst von den „schlechten gotischen Einflüssen" befreien. Vorbild war die Antike, deren Kunstwerke man nachahmte und zu übertreffen suchte. Hinwendung zur Natur und Ausgeglichenheit der Proportionen galten als neue Ideale. Um 1400 beherrschte der Maler Masaccio als erster die perspektivische Verkürzung. Die stärkere Diesseitigkeit und das Selbstbewußtsein des städtischen Großbürgertums spiegelten sich in der Kunst. Neben die Heiligendarstellung trat das Porträt. Die Madonnenfiguren trugen stark weltliche Züge, der Heiligenschein verschwand allmählich.

In der Architektur wurde die waagerechte Linie betont, so daß die Gebäude fest und sicher auf der Erde zu ruhen schienen. Die nach oben weisenden gotischen Türme wichen dem Kuppelbau (Petersdom in Rom, Dom in Florenz). Die strenggegliederten, fast schmucklosen Fassaden der Paläste in Rom und Florenz vermittelten den Eindruck kühler Rationalität (Palazzo Medici in Florenz, Palazzo Farnese in Rom), wiesen innen aber großen Prunk auf (mit Säulengängen ausgestaltete Innenhöfe, Skulpturen, Wand- und Deckengemälde).

Auffallend ist die Vielseitigkeit der Künstler dieser Zeit. Leonardo da Vinci (1452 bis 1519) war Maler (Mona Lisa, Abendmahl), Baumeister, Bildhauer, Ingenieur (Flugmaschinen, Geschütze, Drehbühne), Naturwissenschaftler (Studien über die Anatomie, den Vogelflug und die Gesetze der Bewegung), Astronom und Kunsttheoretiker. Raffael Santi (1483—1520) war Maler (Sixtinische Madonna), Baumeister (Weiterbau des Petersdomes) und Leiter der altrömischen Ausgrabungen in Rom und Umgebung. Michelangelo Buonarotti (1475 bis 1564) war Bildhauer (Pietà, Moses, David), Architekt (Kuppel des Petersdomes) und Maler (Deckengemälde der Sixtinischen Kapelle im Vatikan). Bramante (1444 bis 1514), Maler und Baumeister, entwarf den Plan

zur Peterskirche. Die Maler in Venedig (Tizian, Veronese, Tintoretto) erreichten besonders starke Farb- und Lichtwirkungen bei ihren Bildern.

Eine so breite Entfaltung der Kunst war nur möglich durch ein zahlreiches und kunstverständiges Mäzenatentum (die Medici in Florenz, die d'Este in Ferrara, die Visconti und Sforza in Mailand, die Päpste in Rom). Als erster großer Förderer von Kunst und Wissenschaft auf dem päpstlichen Stuhl trat der humanistisch gebildete Papst Nikolaus V. (1447—1455) hervor, der Gründer der Vatikanischen Bibliothek. Paul II. erbaute den Palazzo Venezia, um seine Kunstsammlungen darin aufzustellen. Julius II. legte den Grundstein zum Bau der Peterskirche (1506) und machte Rom zum Mittelpunkt der Hochrenaissance, wo Bramante, Raffael und Michelangelo tätig waren. Sein Nachfolger Leo X. setzte dieses Mäzenatentum fort.

Nach Deutschland kam die Renaissance über Süddeutschland und die Niederlande. Selbstbewußte Bürger bauten Rathäuser mit Arkaden und Hallen (Konstanz, Bremen, Braunschweig, Köln) und große Privathäuser, ohne sich dabei jedoch ganz von den gotischen Formen zu lösen. Das großartigste Bauwerk der deutschen Renaissance ist das Heidelberger Schloß. — Malerei und Skulptur gingen in Deutschland eigene Wege. Albrecht Dürer (1471—1528) war mehrmals in Italien. Das Vorbild der Antike wirkte nicht so stark wie die Hinwendung zum Porträt, zur Naturwahrheit und Einfachheit in der deutschen Kunst. Neben Dürer sind besonders Hans Holbein, Lucas Cranach, Hans Baldung Grien, Matthias Grünewald und der Holzschnitzer Tilmann Riemenschneider zu nennen.

2. Erfindungen

Die Beschäftigung mit antiker Philosophie und das neuerwachte Interesse an der Natur führten zu naturwissenschaftlichen Forschungen. Durch Beobachtung und Experiment suchte man die Geheimnisse der Natur zu ergründen. Magie, Alchimie und Astrologie dienten dem gleichen Ziel und waren noch nicht eindeutig von der Wissenschaft zu trennen. Paracelsus (Theophrastus von Hohenheim, 1493—1541), Philosoph, Naturforscher und Arzt, begründete die neuere Heilmittellehre. — Das Schießpulver wurde an mehreren Stellen Europas gleichzeitig neu erfunden (bekannt war es schon im alten China) und hatte die Entwicklung verschiedenartiger Schußwaffen zur Folge. — Die Verbesserung des Kompasses, die Weiterentwicklung der Glaslinse zum Fernrohr und zum Mikroskop waren Schritte zur Erforschung und Beherrschung der Umwelt.

Eine der wichtigsten Erfindungen war der Buchdruck. Voraussetzung für seine Entstehung war das wohlhabende und gebildete Bürgertum in den Städten. Es nahm an den geistigen und religiösen Auseinandersetzungen seiner Zeit teil und verlangte nach geschriebenen Texten. Der Handel konnte die Nachfrage nach Handschriften kaum befriedigen. Seit 1390 wurde — aus Italien übernommen — in Nürnberg Papier hergestellt. Es war billiger als Papyrus und Pergament und schuf somit eine technische Voraussetzung für die Massenherstellung von Texten. Man druckte zunächst mit festen Unterlagen (Holzschnitte, Stempeldrucke), bis Johann Gutenberg (etwa um 1455) die beweglichen Buchstaben erfand. Damit war der Druck schneller, in größeren Mengen und billiger möglich, denn die aus Metall gegossenen einzelnen Buchstaben konnten immer neu zusammengesetzt und verwendet werden. Teuer waren die Investitionen für die Apparatur (Metall und Formen für die Buchstaben, Schmelzöfen, Druckerpresse etc.), die Gutenberg nur mit Hilfe von Geldgebern aufbringen konnte. Obgleich an mehreren Orten mit Buchdruckerei experimentiert wurde, scheint es doch Gutenbergs Verfahren gewesen zu sein, das — nachdem es durch einen Gerichtsprozeß bekanntgeworden war — schnell Verbreitung fand, zunächst in Deutschland (Straßburg 1459, Köln 1465, Nürnberg 1470, Lübeck 1473, Magdeburg 1480, Leipzig 1481), dann durch deutsche Buchdrucker auch im Ausland (Italien 1467, Frankreich nach 1470). Gedruckt wurden vorwiegend theologische Reformschriften, Texte des klassischen Altertums und juristische Schriften. Für die Reformation war die Buchdruckerei eine entscheidende Voraussetzung.

3. Entdeckungen

Seit dem Vordringen der Türken und der Eroberung Konstantinopels lag die islamische Welt wie eine Barriere zwischen Europa und dem Orient. Die alten Handelswege waren weitgehend gesperrt und der Handel erschwert. Dies führte dazu, daß man den direkten Seeweg nach Indien suchte. Vom fernen Osten — Indien und China — wußte man kaum etwas, Amerika und Australien waren unbekannt. Augenzeugenberichte, wie die des Venezianers Marco Polo (1254—1324), der jahrelang in China am Hofe des Kublai Khan gelebt hatte, waren Ausnahmen.

Die Südfahrt an der afrikanischen Westküste entlang entwickelte sich schon im frühen 14. Jahrhundert. Portugiesen und Genuesen entdeckten die Kanarischen Inseln, die Madeirainseln und die Azoren. Der portugiesische Prinz Heinrich (der Seefahrer, 1394—1460) begann zuerst mit einer planmäßigen Organisation der Entdeckungsfahrten. Sie waren zunächst noch stark geprägt vom Kreuzzugsgedanken und den Kämpfen gegen die Mauren, doch bald schon traten wirtschaftliche Interessen in den Vordergrund (Sklaven, Gold, Gewürze). 1487 erreichte Bartolomeo Diaz die Südspitze Afrikas. Der Genuese Christoph Kolumbus versuchte im Dienste der Königin Isabella von Kastilien auf dem Westweg **1492** nach Indien zu gelangen. 1492 erreichte er Amerika (erste spanische Kolonie San Domingo auf Haiti). Drei weitere Reisen folgten, ohne daß Kolumbus erkannte, daß er einen neuen Kontinent berührt hatte. Diese Erkenntnis kam erst dem Florentiner Amerigo Vespucci, der als Teilnehmer einer portugiesischen Expedition weite Strecken der südamerikanischen Küste befuhr. Die aufkommende Rivalität zwischen Portugal und Spanien führte zum Vertrag von Tordesillas (1494), der den Meridian 370 Meilen westlich der Cap Verdischen Inseln als Demarkationslinie festsetzte. Deshalb kam Brasilien später in den Besitz der Portugiesen (1500 von Cabral entdeckt), die das Gebiet östlich dieses Meridians zugesprochen erhielten. Den Seeweg nach Ostindien um Afrika herum fand der Portugiese Vasco da Gama (1498). Ferdinand Magalhaes, auch Portugiese, umsegelte erstmals die Erde (1519—1522).

Die Entdeckungsfahrten waren eine Mischung aus Missionsgeist, Abenteuerlust, Handelsinteressen, Machthunger und wissenschaftlichem Erkenntnisdrang. Alle Schichten nahmen teil, da man sozialen Aufstieg erhoffte.

4. Die Entstehung der Kolonialreiche in Amerika

Seit 1500 trat das Bedürfnis in den Vordergrund, die Landnahme — besonders in Amerika — rechtsgültig zu gestalten und damit abzusichern. Als allgemeine Begründung galt der Missionsauftrag. Wichtiger aber wurde die Tatsache, daß die Landnahme neue Rechtszustände schuf. Der

Christoph Kolumbus
(1451—1506) nach einem Medaillon von G. Mazzini

Rechtsakt der Landnahme mußte von allen seefahrenden Nationen anerkannt werden und wurde deshalb formal gestaltet. Nicht nur Geistliche, sondern auch königliche Notare begleiteten die Expeditionen. Typisch für diesen Vorgang ist die „Indianerproklamation" (1513), die bei allen spanischen Landnahmen verlesen wurde und juristisch die Herrschaftsübernahme begründete. Sie besagte, daß Spaniens Herrschaft über die neue Welt unmittelbare Herrschaft Gottes bedeute und begründete damit eine weitestgehende Einheit von geistlichem und weltlichem Regiment. Die Proklamation wurde auch zum Vorbild bei den Landnahmen anderer Mächte.

Bei der Eroberung durch die Spanier wurden die hochentwickelten Indianerkulturen zerstört (Aztekenreich in Mexiko durch Cortez 1521; Inkareich in Peru durch Pizarro 1534). Als durch wirtschaftlichen Niedergang, Versklavung und eingeschleppte Epidemien (Pocken) die indianische Bevölkerung bedrohlich zurückging, wurden Negersklaven nach Amerika eingeführt. Allmählich gelang es einer planmäßigen Verwaltung, geordnete Zustände herzustellen. Einiges von der geistigen Überlieferung der altmexikanischen Kulturen konnte gerettet werden (Pater Sahagun in Mexiko ließ alte Mythen aufschreiben). Mittel- und Südamerika wurden christianisiert und europäisiert. Eine Ausrottung der Indianer wie später in Nordamerika wurde vermieden.

Das portugiesische Kolonialreich bestand mit Ausnahme Brasiliens, das unmittelbar von der Krone beherrscht wurde, vorwiegend aus Handelsstützpunkten entlang den Küsten Afrikas und Indiens. Die spanischen Kolonien waren Bestandteil der spanischen Monarchie und mit den gleichen Rechten ausgestattet wie das Mutterland. Darin unterschieden sie sich von späteren Kolonialgründungen der Holländer und Engländer.

Als Folge der Entdeckungen begann die Europäisierung der Erde. Damit waren die Grundlagen für eine moderne Weltpolitik und Weltwirtschaft gelegt. Die unmittelbaren Auswirkungen bekam der Handel zu spüren. Der Überseehandel trat in den Vordergrund, Ostsee und Mittelmeer verloren an Bedeutung, mit ihnen die Hansestädte und die alten italienischen Seehandelsplätze. Auch die Araber verloren ihre Mittelstellung im Orienthandel. Lissabon, Antwerpen, Amsterdam und London entwickelten sich zu neuen Wirtschaftszentren. Der Zustrom an Edelmetallen beschleunigte den Übergang zur Geldwirtschaft in Europa. Überseeische Erzeugnisse beeinflußten die Lebensweise der Europäer (Kaffee, Tabak, Kakao, Kartoffeln, Baumwolle). Die europäischen Seemächte erlebten einen wirtschaftlichen und machtpolitischen Aufschwung, wobei Spanien/Portugal gegen Ende des 16. Jahrhunderts durch Holland und England abgelöst wurde (1588 Untergang der spanischen Flotte).

Eine weitere Folge der Entdeckungen war geistiger Art: Die mittelalterliche Ordnung war nun auch räumlich gesprengt. Neue Erkenntnisse in Geographie und Naturkunde

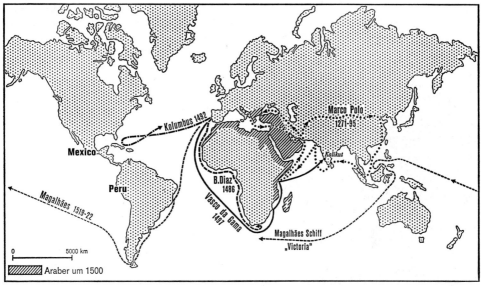

Europäische Entdeckungsreisen

veränderten die Vorstellungen von der Erde. Ihre Kugelgestalt und Umdrehung war bewiesen. Martin Behaim (1459—1507) konstruierte den ersten Globus (1492). Die Bereitschaft, die Umwelt zu erforschen, nahm zu. Ein neues Weltbild kündigte sich an.

5. Die Ablösung des ptolemäischen Weltbildes

Im Mittelalter galt das Weltbild des Ptolemäus (87—165 n. Chr.), das auf Aristoteles fußte: Die Welt war als Kugel gedacht. In ihrer Mitte stand unbewegt die Erde, um die herum sich Sphären drehten, an denen Sonne und Sterne befestigt waren (vgl. Skizze). Nikolaus Kopernikus (1473—1543) begründete in seiner Schrift „Von den Umdrehungen der Himmelskörper" unser modernes Weltbild. Nicht die Erde, sondern die Sonne steht im Mittelpunkt der Welt. Aber auch für Kopernikus war die Welt noch eine Hohlkugel, die durch die äußeren Sphären des Fixsternhimmels begrenzt wurde. Erst der Dominikaner Giordano Bruno (1544 bis 1600) zog die Konsequenzen und vertrat in seiner Schrift „Von der Unendlichkeit, dem Universum und den Welten" die Unendlichkeit des Weltalls. Da er nicht zum Widerruf zu bewegen war,

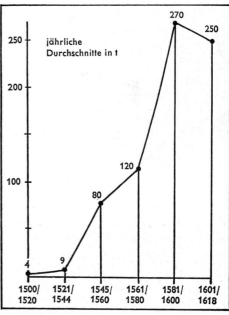

Die europäischen Silbereinfuhren aus Amerika
(1500—1618). Die Zahlen sind teilweise umstritten. (Nach F. W. Henning)

wurde er als Ketzer verbrannt. Durch Verbesserung der Berechnungen und Beobachtungsinstrumente entwickelte der Däne Tycho Brahe, Hofastronom Kaiser Rudolfs II., und sein Schüler Johannes Kepler

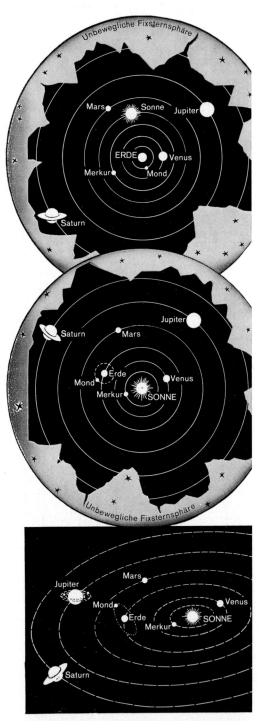

(1571—1630) die Lehre des Kopernikus weiter. Kepler erkannte, daß die Planeten sich in Ellipsenbahnen bewegen. Galileo Galilei (1564—1642) war Physiker und bezog das physikalische Experiment verstärkt in seine astronomischen Untersuchungen ein. Er baute das um 1600 in Holland erfundene Fernrohr so um, daß es zu Himmelsbeobachtungen genutzt werden konnte, und entdeckte u. a. die Zusammensetzung der Milchstraße, die Jupitermonde, die Sonnenflecken und daß die Planeten keine selbstleuchtenden Himmelskörper sind. Von großer Bedeutung war die neue wissenschaftliche Methode, die sich im Verlauf der astronomischen und physikalischen Forschungen herausgebildet hatte. Sie bestand in der systematischen Anwendung des Experimentes, mit dessen Hilfe man Gesetzmäßigkeiten suchte und fand. Erfahrung verband sich mit mathematisch-logischem Denken. Nicht mehr die „Autorität" war entscheidend, sondern die Beweisbarkeit, nicht mehr Metaphysik, sondern Berechenbarkeit und Gesetzmäßigkeit. Damit trennte sich die Naturwissenschaft von der Theologie. Dieser Emanzipationsvorgang wirkte sich auch auf andere Wissenschaften aus (Medizin, Jurisprudenz) und führte dazu, daß der mittelalterliche Zusammenhang der Wissenschaften zerbrach.

Die Ablösung des ptolemäischen Weltbildes durch das kopernikanische (Mitte) und dessen Weiterbildung, vor allem durch Galilei.

II. Wirtschaft und Gesellschaft zu Beginn der Neuzeit

1. Bevölkerungsentwicklung und Wirtschaft

Seit der Jahrtausendwende hatte die Bevölkerung in Europa kräftig zugenommen. Das hatte Landesausbau und Ostkolonisation ermöglicht.

Im 14. Jahrhundert setzte ein merklicher Bevölkerungsrückgang ein, verursacht durch Hungersnöte, Kriege (besonders in England und Frankreich) und vor allen Dingen durch die Pest, die Mittel- und Westeuropa verheerte und ein Drittel der Bevölkerung dahinraffte. Man schätzt, daß die Einwohnerzahl in Deutschland um 1340 etwa 14 Millionen betrug und bis 1470 auf etwa 10 Millionen zurückging. Seit Beginn des 16. Jahrhunderts erfolgte eine Zunahme, um 1560 etwa dürfte der Bevölkerungsstand des Jahres 1340 wieder erreicht worden sein und bis zum Dreißigjährigen Krieg um weitere 2 bis 3 Millionen zugenommen haben. Der Bevölkerungsrückgang hatte Folgen für die Wirtschaft: Es entstanden „Wüstungen", d. h., Siedlungen wurden verlassen, Ackerland blieb ungenutzt liegen, der Wald drang vor. Menschen und damit Arbeitskräfte waren knapp. Die Löhne stiegen und mit ihnen die Preise für gewerbliche Erzeugnisse. Zugleich nahm der Wohlstand in Deutschland zu, denn die gleiche Menge Güter (Boden, Produktionsmittel, Kapitalien) verteilte sich auf weniger Menschen. Besonders in den Städten stand einer starken Kaufkraft eine durch Arbeitskräftemangel verringerte Produktion gegenüber. Das führte zu weiterem Preisauftrieb. Entgegengesetzt verlief die Entwicklung auf dem Agrarsektor. Hier führte der Bevölkerungsrückgang zu einem Rückgang der Nachfrage. Da zugleich gute Ernten eingebracht wurden, kam es zu einer Überproduktion an Getreide, die ab 1375 einen langandauernden Preisabstieg zur Folge hatte. In der Hoffnung auf bessere Verdienstmöglichkeiten wanderte ein großer Teil der Landbevölkerung in die Städte ab. Da aber auf dem Land Arbeitskräfte auch knapp waren, konnten Bauern und Landarbeiter ihre Lebensbedingungen weitgehend verbessern. Die eigentlich Geschädigten waren die kleinen Grundherren, die ihren noch verbliebenen Arbeitskräften Konzessionen machen mußten (Verringerung der Abgaben und Dienste).

Der erneute Bevölkerungsanstieg im 16. Jahrhundert führte zu einer Verknappung des Landes und zur Rekultivierung wüstgewordener Äcker. Die Wälder gingen durch Rodungen so stark zurück, daß ihr Bestand durch „Waldordnungen" der Landesherren geschützt werden mußte. Um 1570 führte der sprunghafte Anstieg der Getreidepreise (mitverursacht durch Mißernten) zu Teuerung und Münzverfall, brachte dem grundbesitzenden Teil der Bevölkerung aber höhere Gewinne, die sich bis in den Dreißigjährigen Krieg hinein hielten.

2. Gewerbe und Handel

Das Handwerk

Seit 1400 hatte auch in Deutschland die Zahl der Städte zugenommen. In den Städten erfuhr das Handwerk eine Differenzierung. Erfindungen und die Einführung bisher unbekannter Rohstoffe ließen neue Gewerbearten entstehen: Im Textilgewerbe die Seiden- und Barchentweberei (Barchent ist eine Mischung aus Baumwolle und Leinen), im Metallbereich die Produktion von Schießwaffen (Handbüchsen, Hinterlader, Geschütze), die aus Bronzeguß, Schmiedeeisen oder Gußeisen hergestellt wurden, samt den dazugehörigen Blei- und Eisenkugeln. Eine neue Berufsgruppe bildeten die Mechaniker. Sie bauten praktische Instrumente, wie Papiermühlen, Räderuhren mit Schlagwerk, Druckerpressen und Geschütze. Meist arbeiteten sie als Einzelhandwerker, oft durch Verträge an Städte oder Fürsten gebunden. So gab die Stadt Braunschweig 1411 16 % ihres Haushaltes für Investitionen im Geschützwesen aus.

Im Baugewerbe machte der Übergang von der Holz- zur Steinbauweise weitere Fortschritte. Nach der Pestzeit erlebte der Kirchenbau, noch vorwiegend in gotischen Formen, einen Aufschwung. Die Rathäuser wurden erweitert oder erneuert. Neben das bürgerliche Fachwerkhaus trat das repräsentative Patrizierhaus mit reichgeschmücktem

Giebel. Die alten Stadtmauern wurden durch neue Befestigungsanlagen ersetzt, die auch der Feuerwaffe standhielten. Daneben kam der Schloßbau auf (z. B. Heidelberger Schloß). Die Leitung übernahmen Architekten und Festungsingenieure, die oft aus Italien oder den Niederlanden kamen.

Im ganzen nahm die handwerkliche Produktion zu. In Nürnberg wurden zwischen 1430 und 1440 14 neue Leinwebermeister zugelassen, zwischen 1490 und 1500 betrug der Zugang 49. In St. Gallen und Umgebung wurden um 1400 ca. 2000 Leinentücher im Jahr produziert, um 1530 jährlich 10 000 Stück. Einen besonderen Aufschwung nahmen die Gold- und Silberschmiede, die prunkvolle Waffen und Gebrauchsgegenstände (Schalen, Trinkbecher, Kannen etc.) herstellten. Auch andere Kunsthandwerke wurden Nutznießer des Wohlstandes. Kunsttischler, Bildschnitzer, Maler (auch Glasmaler) schmückten Patrizierhäuser und Adelssitze.

Die Zünfte

Die meisten Gewerbezweige waren in Zünften organisiert. Der auf Freiwilligkeit beruhende genossenschaftliche Charakter der mittelalterlichen Zunft trat allmählich hinter obrigkeitliche Befugnisse der Zünfte zurück. Durch Statuten (Zunftordnungen, Zunftbriefe, Zunftrollen) wurde streng reglementiert, wer Meister werden konnte. Uneheliche Geburt machte zunftunwürdig. Die Zahl der zugelassenen Meister war begrenzt. Oft konnte ein Geselle nur Meister werden, wenn er die Tochter oder Witwe eines Meisters heiratete. An die gemeinsame Kasse waren Geldzahlungen zu leisten, dafür gewährte die Zunft Hilfe in Not und Krankheitsfällen. Durch gezielte Gewerbepolitik (bes. Markt- und Preisabsprachen) erhielten die Zünfte eine monopolähnliche Stellung: Einige wenige Familien übten ein bestimmtes Handwerk aus, beschränkten die Zahl der Lehrlinge und einigten sich über die Preise. Konkurrenz wurde auf diese Weise weitgehend vermieden. Bindende Vorschriften über die Herstellungstechnik konnten zum Hemmnis für eine Weiterentwicklung der Produktionstechnik werden. Da sich die Zünfte in den meisten Städten die ‚Ratsfähigkeit' erkämpft hatten

(d. h., sie regierten zusammen mit den reichen Kaufleuten im Stadtrat, S. 193), schritt kaum eine Obrigkeit gegen ihre Macht ein. Dies taten erst die Landesherren im Zuge einer merkantilistischen Wirtschaftspolitik im 17./18. Jahrhundert.

Trotz ihrer Zunftprivilegien und trotz der günstigen Gewerbepreise (im Vergleich zur Agrarproduktion) erwarb die Masse der Handwerker keine größeren Vermögen. Wenn dies in Ausnahmefällen doch geschah, dann nur in Verbindung mit Handel.

Oft schlossen sich Zünfte mehrerer Städte (jeweils eines Gewerbes) zu größeren Bünden zusammen. Sie trafen Absprachen über Qualität, Preise und Gesellenlöhne. Gesellen konnten oft nicht mehr Meister werden, so daß sie eine Art gewerblicher Facharbeiter wurden. Parallel zu den Zünften schlossen sie sich zu Gesellenverbänden zusammen (erste Anfänge um 1350) und verhandelten korporativ mit den Meistern, wobei es schon zu kollektiven Arbeitsniederlegungen kam. Grund für die Zusammenschlüsse war nicht wirtschaftliche Verelendung, sondern die sich anbahnende Ausschließung der Gesellen aus der Zunft, die von den Interessen der Meister bestimmt wurde. — Verglichen mit den Agrarpreisen und mit anderen Zeiten waren die Gesellenlöhne im 15. Jahrhundert hoch. Nimmt man allerdings die Gewerbepreise, die Aufwendung für Kleidung und Wohnung hinzu, so ändert sich das Bild, und es wird verständlich, daß ein Geselle wirtschaftlich kaum in der Lage war, eine Familie zu gründen.

Als im Verlauf des 15. Jahrhunderts depressive Tendenzen wirksam wurden, verminderten die Zünfte die Zahl der Meister: Die Zahl der Hamburger Böttcher zum Beispiel wurde von 200 (1437) auf 120 (1506) reduziert, in Frankfurt die Zahl der Weber von 272 (1437) auf 41 (1495). Außerdem versuchte man, das städtische Handwerk zu schützen, indem man sich gegen das ländliche Gewerbe abschloß und überhaupt Fremden den Absatz ihrer Waren gar nicht mehr oder nur unter erschwerten Bedingungen gestattete.

Das Verlagssystem

Neben den Zünften bildete sich das Verlagswesen aus. Es war eine neue Organisationsform des Handwerks, die sich in unterschiedlichen Ausprägungen entwickelte. Entscheidendes Merkmal für den Verlag war, daß ein Unternehmer (Verleger) an Handwerker (Meister, Gesellen, Arbeiter) feste Aufträge vergab und ihnen oft (aber nicht immer) Kredit gewährte (z. B. für die Anschaffung von Rohmaterialien). Die Produktionsmittel waren in der Regel Eigentum des Handwerkers. Allerdings gab es schon Gewerbezweige, deren mechanische Einrichtungen so hohe Investitionen erforderten, daß der Verleger einspringen mußte, wie etwa im Bergbau, bei der Metallverarbeitung und in der Buchdruckerei.

Vertragspartner des Verlegers war der selbständige Handwerksmeister (der seinerseits wieder Gesellen und Lehrlinge beschäftigte) oder ganze Zünfte, oder einfache Heimarbeiter bzw. Gesellen. Für die Gesellen, die oft nicht mehr Meister werden konnten, bot das Verlagswesen die Möglichkeit, zu Selbständigkeit und Sicherheit zu gelangen. — Die Produktion fand nach wie vor in der Form der alten handwerklichen Technik statt, die Qualität wurde von der Zunft überwacht. Zumindest die Meisterbetriebe produzierten außer für den Verleger auch noch für andere Kunden und für den Markt, so daß eine gewisse Selbständigkeit den Verlegern gegenüber gewahrt blieb.

Für die Entstehung des Verlagssystems gab es mehrere Gründe. Der wichtigste war wohl, daß der Handwerker kaum noch in der Lage war, den Markt zu überschauen. Das galt besonders für den Export (Textilherstellung, Metall- und Holzgewerbe). Die Handelsplätze lagen weit entfernt, oft im Ausland. Man mußte die Sprache beherrschen, Land und Leute kennen und sich in den vielfältigen Währungen zurechtfinden. Transporte über weite Entfernungen mußten sorgfältig kalkuliert werden, wollte man Verluste vermeiden. — Ein weiterer Grund war der, daß größere Mengen einheitlicher Güter gehandelt wurden, deren Produktion nur ein Verleger organisieren konnte, indem

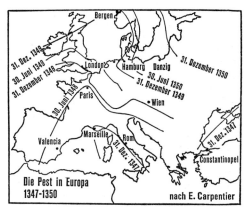

Die Pest in Europa 1347-1350

nach E. Carpentier

Die Pest, verursacht durch das Bakterium Pasterella pestis, wird durch Rattenflöhe übertragen, die unter bestimmten Bedingungen auf den Menschen übergehen und eine Infektion hervorrufen. Die Sterblichkeit der Infizierten liegt bei 75 %, zeit- und stellenweise bei nahezu 100 %. Die Seuche hält sich endemisch an begrenzten Zentren, von wo aus sie sich explosionsartig in epidemischen Wellen ausbreiten kann. Der „Schwarze Tod" von 1348—50 zog von den Häfen des Mittelmeeres und der Nordsee über ganz Europa bis nach Rußland. Etwa ein Drittel der Bevölkerung fiel ihm zum Opfer. Weitere Pestwellen folgten.

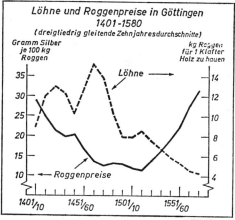

Typische Lohn- und Preiskurve des 15. und 16. Jahrhunderts (nach Abel).

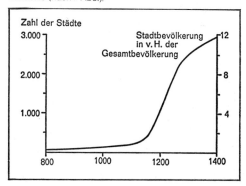

Zahl der Städte und Anteil der Stadtbevölkerung an der Gesamtbevölkerung von 800 bis 1400 in Deutschland (nach F. W. Henning)   ▷

er viele Handwerker beschäftigte. Es gab auch Fälle, in denen in Not geratene Handwerksbetriebe durch Darlehen am Leben erhalten wurden und dafür einen Teil der Produktion an den Kreditgeber abtraten.

Als Folge des Verlagswesens trat eine gewisse Trennung des Handwerks vom Markt ein und damit eine Einengung, die sich sozial in Abhängigkeit und kulturell in einer Beschränkung des Horizontes auswirkte. Andererseits entlastete der Verleger die Handwerker und gab ihnen die Möglichkeit, mehr und sicherer zu verdienen. Ein übermäßiger Gewinn des Verlegers war kaum möglich, solange der Handwerker als selbständiger Partner auftrat.

Der Verleger fühlte sich nicht als Produzent, sondern als Kreditgeber und Händler. Dennoch geriet das Handwerk auf längere Sicht gesehen in Abhängigkeit, jedenfalls in den Zweigen, in denen das Verlagssystem Fuß faßte. Wo es von den Produktionsmitteln her möglich war, trat an die Stelle des Handwerks die Heimarbeit, an der auch Frauen und Kinder teilnahmen (Spielzeugindustrie, Weberei, Spinnerei, Klöppelei), so daß man von einem ‚dezentralisierten Großbetrieb' sprechen kann. Obgleich im 17./18. Jahrhundert die Manufaktur als ‚zentralisierter handwerklicher Großbetrieb' eine größere Rolle spielte, blieb der Verlag bis weit ins 19. Jahrhundert hinein erhalten, allerdings beschränkt auf bestimmte Zweige (Textil-, Holz-, Papiergewerbe).

Bergbau und Hüttenwesen

Gegen Ende des Mittelalters war der Bergbau zurückgegangen. Viele Gruben waren unrentabel geworden, weil man gezwungen war, in größere Tiefen zu gehen. Im 15./16. Jahrhundert brachten erhöhte Nachfrage und technischer Fortschritt dem Bergbau neuen Aufschwung. Seit Ende des 15. Jahrhunderts kannte man den Bau von Stollen und Schächten. Durch Verbesserung der mechanischen Hilfsmittel (Winden, Aufzüge) konnte man Wasser und Erz schneller herausschaffen. Um 1550 ermöglichte die erste mit Wasserkraft getriebene Pumpe, die Schächte bis in eine Tiefe von 400 Meter vorzutreiben. Auch in der Verhüttung machte man Fortschritte: Durch das Saiger-

verfahren konnte man Kupfer und Silber scheiden und somit auch aus Kupfererzen Silber gewinnen. Verbesserte Blasebälge erlaubten die Entwicklung vom Stückofen zum Hochofen. Mit ihm konnte man größere Mengen Roheisen gewinnen. Auch die weitere Verarbeitungstechnik machte Fortschritte: In Nürnberg wurde die Drahtziehmühle erfunden; zur Herstellung von Blechen verbesserte man die Walzen (seit dem 14. Jahrhundert bekannt).

Abbau und Verhüttung der Metalle war standortgebunden, d.h., abhängig von Grundstoffen, Wasser und Holz. Zur Weiterverarbeitung wurden die Halbfabrikate dann oft weit transportiert. Zentren des metallverarbeitenden Gewerbes waren Nürnberg, Augsburg, Regensburg, Ulm, die flandrischen Städte, Solingen.

Während die Goldgewinnung in Deutschland eine geringe Rolle spielte, förderte man reichlich Silber (Harz, Erzgebirge, Tirol, Böhmen, Ungarn), Kupfer und Zinn. Silber wurde zu Münzen und Luxusgeräten verarbeitet, Kupfer zu Platten, Drähten, Pfannen, Kesseln. Kupfer mit Zinn legiert ergab Bronze (besonders zur Herstellung von Glocken und Geschützen), mit Galmei legiert, ergab es Messing. Die Metallproduktion wurde besonders durch den Überseehandel angeregt, da sie dem Austausch von Gewürzen, Seide u.a. Kolonialgütern diente. So zahlte das deutsche Handelshaus der Fugger (Liefervertrag aus dem Jahr 1548) an die Faktorei des Königs von Portugal (wahrscheinlich für Gewürze): 6750 Zentner Messingringe, wie sie Neger an Armen und Beinen trugen, weitere 750 Zentner Messingringe, 24000 Töpfe, 1800 Näpfe, 4500 Barbierbecken und 10500 Kochkessel — alles aus Messing. — Gegen Ende des 16. Jahrhunderts ging die europäische Silberproduktion stark zurück. Die Gruben waren zum Teil erschöpft und die amerikanischen Silberimporte begannen sich bemerkbar zu machen.

Bedeutung gewann der Abbau von Eisenerzen (Saarland, Siegerland, Sauerland, die Gegend um Amberg und Steyr). Das Roheisen wurde entweder gleich zu Tiegeln, Kesseln, Ofenplatten, Kanonenkugeln u.a. gegossen, oder in Hammerwerken als Schmiedeeisen zu Stäben und Drähten verarbeitet, die dann zur weiteren Verwendung an die Nagel-, Huf- und Waffenschmiede gingen. Im Mittelalter wurde der Bergbau genossenschaftlich betrieben. Die Bergleute („Gewerken') waren in einer sogenannten ‚Gewerkschaft' zusammengeschlossen. Jeder erhielt einen Anteil an der Ausbeute, mußte aber für Investitionen oder Verluste auch bestimmte Zahlungen leisten (‚Zubußen'). Da das Bergregal beim Fürsten lag, wurde ein Mitglied mit dem Bergbaurecht belehnt. Für die Anteile am Bergwerksvermögen (einschließlich der Verpflichtung zur Zubuße) gab es Wertpapiere, sogenannte „Kuxe", die vererbt und gehandelt werden konnten. Auf eine Grube fielen in der Regel 128 Kuxe (heute oft viele hundert). Als nun die Investitionen zu steigen begannen (etwa seit dem 15. Jahrhundert), wurde die Finanzierung des Bergbaus und damit die Anteile immer mehr von kapitalkräftigen Kaufleuten (und Landesfürsten) übernommen, die sich häufig in Kapitalgesellschaften zusammenschlossen. Die Bergleute erhielten keinen Gewinnanteil mehr, sondern wurden Lohnarbeiter. Das führte zu starken sozialen Spannungen. Es kam zu zunftähnlichen Zusammenschlüssen und Streiks. Neben dem hochqualifizierten Bergmann, der als Facharbeiter gut bezahlt und bis nach Amerika verpflichtet wurde, gab es das Heer der ungelernten Hilfsarbeiter (in den Gruben von Amberg z. B. ca. 40 % — 1595/96). Seit dem 16. Jahrhundert nahmen Wohnungsnot, Kinder- und Frauenarbeit zu, trotz verhältnismäßig fortschrittlicher „Bergrechte" (Arbeitsschutz) und gegenseitiger Hilfeleistung (z. B. durch Knappschaftskassen).

Verkehr und Nachrichtenwesen

Die zunehmende Mobilität der Gesellschaft (Umsiedler, Handwerksgesellen, Söldner, Studenten, Reisende aus Adel und Bürgertum) und die Intensivierung der Wirtschaft führten zu einer Verdichtung des Verkehrs. Der Straßenbau war nicht einheitlich geregelt und die Straßen entsprechend schlecht. Der Bischof von Merseburg z. B. bot Ablaß an für Spenden zum Straßenbau (1434). Die Städte versuchten, die Dörfer ihrer Territorien zum Straßenbau zu verpflichten. Verhältnismäßig gut war der Ausbau der Alpenstraßen, da die Paßbewohner am Transport-

Kehrrad zur Wasserförderung im Bergbau. Holzschnitt aus Georg Agricolas „De re metallica", Basel 1556

monopol interessiert waren. — Wegen der Unsicherheit der Straßen (Landstreicher, Raubritter) organisierten Landesherren und Städte Geleitsmänner, die die Warentransporte gegen Gebühr begleiteten. Oft konnte nicht der direkte Weg gewählt werden, weil man natürliche Hindernisse und Zollschranken umgehen mußte. Seit das Zollregal der Reichsmacht entglitten war, nahm die Zahl der Zollstellen zu. Ende des 12. Jahrhunderts gab es am Rhein 12 Zollstellen, im 15. Jahrhundert 60 und mehr (etwa alle 12—15 km eine). Sie erhoben sehr ungleiche Gebühren. — Im 15. Jahrhundert entwickelte sich ein eigenes Transportgewerbe, oft genossenschaftlich organisiert (Schiffergilden, Fuhrmannsbrüderschaften). Bald gab es neben den Fuhrleuten auch Speditionsfirmen. Der Fortschritt im Druckgewerbe förderte die Verbreitung von Landkarten. 1579/80 erschien der erste europäische Straßenatlas mit 83 Seiten (Itinerarium Orbis

Christiani). — Große Bedeutung hatte der Schiffstransport. Die Binnenschiffahrt wurde durch Kanalbauten und Schleusen erleichtert. In der Seeschiffahrt entwickelte man die Segeltechnik weiter, so daß man nun auch gegen den Wind kreuzen konnte. Zum Schutz gegen Freibeuter fuhren die Handelsschiffe oft mit bewaffnetem Geleit. Seit dem 14. Jahrhundert begann der Ausbau eines Nachrichtenwesens. Vereidigte städtische Boten (auch reitende Eilboten) übermittelten städtische Post und gegen Entgelt auch private Nachrichten. Um 1500 gab es in Venedig einen festen Botenlohntarif, gestaffelt nach Schnelligkeit. Auch andere große Handelsstädte (wie Nürnberg, Augsburg, Lübeck) und der Deutsche Orden entwickelten regelmäßige Poststrecken. Eine besonders wichtige Linie führte von Hamburg über Lübeck und Danzig nach Riga. Von Augsburg über den Brenner nach Venedig benötigte ein Eilbote 4 bis 6 Tage. 1505 schloß Franz von Taxis einen Vertrag mit Philipp dem Schönen von Spanien zum Betrieb einer Postverbindung zwischen Spanien, Frankreich, den Niederlanden und Deutschland. 1595 wurde Leonard von Taxis zum Kaiserlichen Generalpostmeister ernannt. Reichsstädte, Territorien und andere Staaten bauten eigene Postverbindungen aus. Um die gleiche Zeit erschienen auch die ersten Zeitungen, zunächst in Form von geschriebenen Nachrichten über wirtschaftliche, dann auch politische Ereignisse. Das Handelshaus der Fugger verschickte regelmäßig eine Zeitung dieser Art an die Fürsten.

Der Fernhandel

Seit Ende des 14. Jahrhunderts nahm der Fernhandel zu. Der Handelsraum dehnte sich später bis Indien und Amerika aus. Gehandelt wurden Konsumgüter, Luxuswaren, Rohstoffe und Halbfabrikate für die gewerbliche Fertigung sowie handwerkliche Fertigprodukte. Hinzu kamen Geld- und Kreditgeschäfte.

Die Dichte und Größe der Städte (über die Größe der Städte siehe E, II, 4) erlaubte es nicht mehr, sich ausschließlich aus dem Hinterland zu versorgen, um so weniger, als der Wohlstand und damit die Ansprüche an

die tägliche Versorgung gestiegen waren. Eine besonders dringende Aufgabe der städtischen Wirtschaftspolitik war die Versorgung mit Getreide, das vorwiegend auf dem Wasserweg transportiert wurde (z. B. aus Schlesien und Polen über Danzig nach den Niederlanden, Flandern, England; märkisches Getreide ging nach Hamburg). Große Rinderherden wurden aus Polen, Ungarn und dem Schwarzmeergebiet eingeführt, besonders nach Nürnberg u. a. mitteldeutschen Städten. Köln führte aus Westfalen und den Küstengebieten Schafe-, Schweine- und Rinderherden ein. Auf einer bürgerlichen Hochzeit in Augsburg (1578) wurden 30 383 Pfund Fleisch verzehrt. Ein Bäckergeselle, der zur Mühle geschickt wurde, hatte pro Tag 4 Pfund Fleisch zu erhalten (Berliner Verordnung von 1515). Der hohe Fleischkonsum war ein Spiegel des gestiegenen Lebensstandards. Ebenso der hohe Verbrauch an Bier und Wein. Wein kam aus dem Elsaß, von Rhein und Mosel, aus Ungarn, Frankreich, Italien, Tirol und Spanien. Gewürze waren teuer (um 1500 kostete ein Pfund Safran mehr als ein Pferd), wurden aber in allen Schichten der Bevölkerung verwendet. Auch Südfrüchte, Reis und Luxuswaren aus Indien und China (Edelsteine, Perlen, Korallen, Seidenstoffe und Porzellan) begannen im deutschen Import eine Rolle zu spielen.

In mehrfacher Hinsicht war der Textilhandel wichtig. Die Produktion war auf die Einfuhr von Rohstoffen angewiesen: Neben Baumwolle und Seide auch Wolle (aus England, den Niederlanden, Spanien, Ungarn) und Flachs (aus Osteuropa über Riga-Lübeck-Leipzig-Nürnberg nach Ulm und anderen süddeutschen Städten, oder über Danzig nach England, Flandern). Da durch Kleidervorschriften, Wechsel der Mode und Freude am Prunk die Nachfrage nach Textilien stieg, blühte nicht nur die Ein- und Ausfuhr, sondern auch der Binnenhandel. Selbst das flache Land versorgte sich nicht mehr ausschließlich selbst, sondern verlangte nach feineren Tuchen, die aus Flandern und England eingeführt wurden. Leinen war einer der Hauptexportartikel. Seiden- und Brokatweberei bürgerte sich in Köln und Straßburg ein. Der Metallwarenexport (besonders Kupfer- und Messingwaren) ging vor allem von Nürnberg aus und diente vorwiegend zur Bezahlung von Kolonialwaren.

Die Kaufmannschaft

Die Organisation des Handels änderte sich. Während im Mittelalter der Kaufmann selbst weite Fernhandelsfahrten unternahm, ging er jetzt dazu über, seine Geschäfte vom Kontor aus zu leiten. Voraussetzung dafür war die Verbreitung der Schriftlichkeit. Der junge Kaufmann arbeitete zwar immer noch für einige Jahre auf Außenstellen (Faktoreien), lernte aber außerdem Buchführung (die doppelte Buchführung kam auf, in der jeder Posten auf der Soll- und Habenseite verbucht wurde) und Rechnen (jede größere Stadt beschäftigte einen Rechenmeister). In steigendem Maße erschienen auch Schriften, die über die geographischen, wirtschaftlichen und kulturellen Verhältnisse fremder Länder Auskunft gaben.

Während in Norddeutschland der Einzelkaufmann vorherrschte, bildeten sich in Süddeutschland große Kaufmannsgesellschaften. Zusammenschlüsse von Kaufleuten für eine bestimmte Unternehmung hatte es schon früher gegeben. Nun wurden die Zusammenschlüsse dauerhafter und entwikkelten sich zu Kapitalgesellschaften, bei der eine mehr oder weniger große Anzahl von Teilhabern nur noch mit Kapitaleinlagen beteiligt war und entsprechend am Gewinn (oder Verlust) teilhatte.

Eine der bedeutendsten war die „Große Ravensburger Handelsgesellschaft". Sie bestand von 1380 bis 1530 und hatte bis zu 80 Teilhaber, die zumeist aktiv mitarbeiteten. Neben dem Hauptsitz in Ravensburg verfügte sie über Filialen in Italien, der Schweiz, Spanien, Frankreich, den Niederlanden, Köln, Nürnberg, Wien und Budapest.

Die Zusammenschlüsse führten häufig zu Preisabsprachen (Kartellen) und Monopolbestrebungen (besonders im Metall- und Gewürzhandel), die allerdings von seiten des Reiches bekämpft wurden.

Im 16. Jahrhundert lag der Schwerpunkt der deutschen Wirtschaft in Nürnberg und Augsburg. Hier bildeten einige Kaufmannsfamilien riesige Vermögen, indem sie den Warenhandel mit Bankgeschäften und Bergbau verbanden. Das Vermögen der Familie

Kaufmannsgewölbe. Holzschnitt des sog. Petrarca-Meisters, 1519/20, aus dem „Trostspiegel". Der Kaufherr erscheint als Repräsentant des von der „schweren Last vieler Geschäffte und Arbeit" bedrückten Menschen. Man beachte die Rechenmaschine auf dem Tisch. Als Kontrast im Hintergrund der freie Jäger, der durch eine schöne Landschaft wandert.

Handelsschiff des 15. Jahrhunderts. Relief am Hause des Jacques Coeur in Bourges, 1442—50

Fugger in Augsburg betrug 1546 5 Millionen fl. (Goldgulden) — das Gesellschaftsvermögen der Ravensburger Gesellschaft im Vergleich dazu ca. 132 000 fl. — Die Familie Welser beteiligte sich am Ostindienhandel und an Kolonisationsvorhaben in Venezuela, die jedoch scheiterten. — Die Paumgartner machten ihr Vermögen im Tiroler Kupferbergbau und hatten die Quecksilberminen von Idrai (bei Görz/Jugoslawien) in Pacht. — Die Höchstetter waren Bleicher und Gewandschneider gewesen und betrieben Großhandel mit Textilien, Metallen und Gewürzen. Diese und andere Familiengesellschaften gehörten zu den großen Geldgebern der Habsburger, aber auch der englischen und französischen Könige. Staatsbankrotte führten neben waghalsigen Unternehmungen und Spekulationen zum Zusammenbruch zahlreicher Handelshäuser in der

weiterhin, sofern er nicht im Verlag arbeitete oder Halbfabrikate lieferte. Den Einzelvertrieb der Fernhandelsgüter übernahm der „Krämer", der in einer sogenannten „Gemischtwarenhandlung" alle notwendigen Gebrauchsartikel anbot. In den größeren Städten trat allerdings schon im 15. Jahrhundert eine gewisse Spezialisierung ein: Der „Eisenkrämer" handelte mit Gebrauchsgegenständen aus Eisen und anderen Metallen, der „Spezereihändler" mit Gewürzen, Drogen und sonstigen Kolonialwaren, der „Schnittwarenhändler" mit Textilien (ausgenommen wertvolle Tuche), der „Kurzwarenhändler" mit zahllosen Kleinigkeiten (Gürteln, Schnallen, Spiegeln, Kämmen, Spielsachen etc.). Den Vertrieb von Büchern übernahm bald der „Buchhändler". Neben diesen zunftmäßig organisierten Einzelhändlern, die ihre Ware in festen Läden

Florentiner Goldgulden (Floren). Durchmesser 20,9 mm. Staatliche Münzsammlung, München. Vorder- und Rückseite mit dem Bild Johannes des Täufers und der Wappenlilie von Florenz.

2. Hälfte des 16. Jahrhunderts. Allein die Fugger verloren ca. 8 Millionen fl. an die Habsburger. Die neuere Forschung ist allerdings zu dem Schluß gelangt, daß trotz dieser Zusammenbrüche und inflationistischer Entwicklungen der Wirtschaftsaufschwung im ganzen gesehen bis zum Beginn des Dreißigjährigen Krieges anhielt. Anstelle weniger großer Vermögen nahmen die kleinen und mittleren an Zahl und Umfang zu.

Der Kleinhandel

Nicht übersehen werden darf der Einzelhandel. Er trat erst im 14./15. Jahrhundert als eigenständiger Berufszweig hervor. Vorher hatten die Fernhändler und die Handwerker unmittelbar an den Einzelkunden verkauft. Der Handwerker tat dies auch

anboten, gab es die sozial wenig angesehene Gruppe der „Höker", oft alleinstehende Frauen oder andere Angehörige der Unterschicht, die Lebensmittel und billige Gebrauchsgegenstände in kleinsten Mengen verkauften. Noch unter den Hökern standen die herumziehenden „Hausierer". Auf dem Land, wo sich feste Läden wegen der dünnen Besiedelung nicht lohnten, erfüllten sie trotz ihres geringen Warenangebotes eine wichtige wirtschaftliche Funktion.

Geld und Kredit

Geld als Rechnungseinheit und Zahlungsmittel war auch im Mittelalter bekannt. Von einer Geldwirtschaft kann man jedoch erst im 14./15. Jahrhundert sprechen. Seit der Einführung der Silberwährung durch Karl den Großen waren in Mittel- und Westeuropa Goldmünzen so gut wie unbekannt. Erst durch die Kreuzzüge kamen die italienischen Städte mit der orientalischen Goldwährung in Berührung, und 1252 nahm Florenz die Goldprägung wieder auf und schuf den „Florin" (fl.). Er bestand aus 3,537 g reinem Gold (1550 nur noch 2,48 g) und wurde in Deutschland unter dem Namen „Gulden" nachgeprägt. Den gleichen Goldgehalt hatte der venezianische „Dukaten". Als Ende des 15. Jahrhunderts in Deutschland das Gold knapp wurde, weil die Goldgruben und das Flußgold erschöpft waren, kehrte man wieder stärker zur Silberprägung zurück. So entstand als große deutsche Silbermünze der „Taler". Auch die „Mark" taucht um diese Zeit in verschiedener Form als Silbermünze auf. Im Mittelalter war sie eine Gewichtseinheit (um 230 g)

ten den Geldhandel und schließlich auch den bargeldlosen Verkehr. Die Geldwechsler, Bankiers genannt (da sie ihre verschiedenen Münzsorten auf einer Bank vor sich liegen hatten), machten große Vermögen durch die Gewinne beim Umwechseln des Geldes. Ausgehend von Italien, entstanden Bankhäuser, die in Verbindung mit Berufsgenossen in anderen Städten ein Gironetz entwickelten: In seinem Heimatort konnte der Händler Geld einzahlen und erhielt dafür einen Wechsel, den er am Zielort seiner Geschäftsreise einlösen konnte (etwa vergleichbar mit den heutigen Reiseschecks). Später konnte man gegen Ausstellung eines Wechsels auch Kredite von der Bank erhalten. Damit wurde der Wechsel zum Schuldpapier und erforderte ein ausgeprägtes Wechselrecht. — Die erste öffentliche Bank errichtete Venedig (Banci di Rialto, 1587),

Venezianischer Dukat.
Durchmesser 20,4 mm.
Staatliche Münzsammlung,
München

zur Bemessung von Silber gewesen, und die Reichsmünzordnung von 1524 setzte die „kölnische Mark" mit 233,856 g als Grundgewicht fest. Aus ihr prägte man dann eine bestimmte Anzahl Groschen, Heller, Pfennige etc.

Die Fülle der Münzsorten und ihr schwankender Gold- und Silbergehalt war verwirrend. Das königliche Münzregal befand sich weitgehend in den Händen von Landesherren und Städten, die es so selbständig handhabten, daß Münzen gleicher Bezeichnung unterschiedliche Werte hatten, je nachdem, wo und wann sie geprägt waren. „Münzbünde" und „Reichsmünzordnungen", die gegen diese Mißstände anzugehen suchten, hatten nur geringen Erfolg.

Die ungeordneten Münzverhältnisse förder-

1609 folgte Amsterdam, wenig später Hamburg. — Als regelmäßiger Markt für den Handel mit Geld und Wertpapieren bildete sich die Börse heraus (1531 Antwerpen, 1553 Köln, 1558 Hamburg). — Auch das Versicherungswesen, d. h. die vertragsmäßige Deckung des Risikos durch fremdes Kapital, begann sich durchzusetzen, zunächst für die Seeschiffahrt.

Inflationistische Tendenzen

Seit Mitte des 16. Jahrhunderts machten sich starke inflationistische Tendenzen bemerkbar. Einige Preise stiegen um 100—150%, vor allem die Getreidepreise (begünstigt durch Mißernten). Zugleich begann eine starke Münzverschlechterung. Spekulanten, genannt „Kipper und Wipper", verfälschten gutes Geld, indem sie es am Rand beschnitten oder abfeilten oder durch Betrug beim Wiegen zurückhielten. Dann schmolzen sie das Silber ein, legierten es mit Kupfer (oft weiß gesotten, damit man es für Silber hielt) und prägten daraus „schlechte", sogenannte Scheidemünzen. Trotz zahlreicher Reformversuche von seiten des Reiches und der Landesherren profitierten auch die Münzstätten an diesem Geschäft und nahmen an Zahl zu (um 1600 gab es allein in dem kleinen Braunschweig 40 Münzstätten). Das noch vorhandene gute Geld verschwand weitgehend und wurde gehortet. 1623 stieg der Taler auf das Zwanzigfache seines Nennwertes, angetrieben durch das gestiegene Geldbedürfnis zu Beginn des Dreißigjährigen Krieges und durch Verknappung des Silbers. Auch eine zehnprozentige Abwertung kraft kaiserlichen Mandates konnte die Entwicklung nur abschwächen. Eine gewisse Neuordnung des Münzwesens gelang erst nach dem Dreißigjährigen Krieg auf landesfürstlicher Ebene. Die Vielfalt der Geldsorten blieb allerdings bis ins 19. Jahrhundert hinein bestehen.

Die Inflation führte — jedenfalls vor 1618 — nicht zu einer Hemmung der Wirtschaft, wohl aber zu einer Umschichtung der Vermögen und Einkommen. Große Geldvermögen schmolzen zusammen, wenn nicht rechtzeitig die „Flucht in Sachwerte" gelungen war. Da die Anhebung der Gehälter hinter dem Kaufkraftschwund zurückblieb, wurden besonders die Festbesoldeten (Soldaten, Pfarrer, Beamte, Lehrer) betroffen und die niederen Volksschichten (Lohnarbeiter, kleine Händler und Handwerker), die am stärksten mit der geringen Münze in Berührung kamen. Großkaufleute zahlten mit Gold- und Silbermünzen, die von der Verschlechterung kaum erfaßt waren, oder gingen zur Bezahlung mit Gold- und Silberbarren über.

3. Landwirtschaft

Produktion und Bodennutzung

Der Bevölkerungsrückgang um 1400 führte sowohl zu einer Extensivierung der Landwirtschaft als auch zu einer Intensivierung. Die wüstgewordenen Äcker wurden entwe-

der von den Umwohnern als Außenfelder in einer ungeregelten Feld-Graswirtschaft oder als Viehweide genutzt. Angeregt durch starke Nachfrage nach Wolle, nahm vor allem die Schafzucht zu. Gleichzeitig kam es im Umkreis der Städte zu einer Intensivierung der Viehhaltung, um die Städte mit Milch, Butter und Fleisch zu versorgen. Auch die Fischzucht brachte gute Preise. Auf vielen unbebauten Äckern wurden Karpfenteiche angelegt (Fisch war eine begehrte Fastenspeise). Um 1460 kostete ein Pfund Karpfen etwa soviel wie zwei Kilogramm Rindfleisch. Ebenfalls guten Absatz fanden Obst und Wein. Dörrobst konnte man weit transportieren. Der Weinbau dehnte sich vom Rhein-Maingebiet über Mitteldeutschland bis nach Schleswig-Holstein und Ostpreußen aus, wobei der Wein häufig durch Honig, Gewürze und Kräuter verbessert wurde. Die Gemüseversorgung der Städte erforderte intensive Gartenwirtschaft. In Bamberg zählte man um 1470 siebzig Gärtnerfamilien. Gute Gewinne versprachen auch Sonderkulturen für die gewerbliche Verwertung, wie Flachs (Stoffe), Waid und Krapp (Farbstoffe), Hopfen (Bier), Raps (Öl).

Die Intensivierung der Bodennutzung darf aber nicht darüber hinwegtäuschen, daß die Grundlage der Landwirtschaft immer noch der Getreidebau war. Deshalb mußten Grund-, Gutsherren und Bauern durch den Rückgang der Getreidepreise Verluste hinnehmen, um so mehr, als die Löhne und Preise für landwirtschaftliche Gebrauchsgüter hoch waren. Die Getreideanbauflächen gingen zurück. Viele Grundherren zogen unbebautes Land ein. Auch Bauern und ganze Dorfgenossenschaften trieben ihr Vieh auf Ödland und „ersaßen" sich so ein Recht auf Nutzung, das später nur zum Teil wieder rückgängig gemacht werden konnte. Als um die Mitte des 16. Jahrhunderts die Getreidepreise stiegen und die Anbaufläche zunahm, wurde der Boden bald knapp und teuer. Bücher erschienen, die Anweisungen für eine möglichst intensive Landwirtschaft gaben (planmäßige Düngung mit Stallmist, Kompost, Kalk, Asche; Futtermittelanbau und Stallfütterung). Im dichtbesiedelten Nordwesten (dem heutigen Holland/Belgien) verschwand das Brachfeld fast ganz

(Anbau von Kohl, Bohnen, Klee, Flachs, verbunden mit hohen Düngergaben). Gemüsebau und Milchwirtschaft wurden beherrschend. Nach Osten schloß sich entlang der Nordsee eine extensive Weidewirtschaft an, während in Schleswig-Holstein eine intensive Koppelwirtschaft betrieben wurde (ein und dasselbe Feld ein Jahr als Weide, ein Jahr als Getreidefeld genutzt). So kam der gesamte Viehdung der Getreidewirtschaft zugute. Zum wichtigsten Getreidelieferanten wurde aber der Osten: Danzig verschiffte um 1600 jährlich 100 000 t Getreide, vorzugsweise nach Amsterdam.

Wandel der Grundherrschaft

In der Zeit zwischen 1350 und 1600 entwikkelte sich das Verhältnis zwischen Bauern und Herrschaft unterschiedlich. Während sich in den Ostprovinzen die Gutsherrschaft herausbildete, entstanden im übrigen Deutschland verschiedene Arten grundherrlicher Beziehungen, in die — anders als im Osten — auch die Landesherren einzugreifen begannen. Überwiegend verwandelte sich die Grundherrschaft in eine Rentengrundherrschaft: an die Stelle der alten Verbindung von adeligem Fronhof und abhängigen Bauernhöfen trat der selbständige bäuerliche Einzelbetrieb. Der Grundherr, der zumeist auf Eigenwirtschaft verzichtete, gab das Land den Bauern zur Pacht (auf Zeit oder vererbbar). Diese leisteten dafür Abgaben (Rente, Zins), und die Dienste traten dahinter zurück.

Durch den starken Bevölkerungsrückgang um 1400 gestaltete sich die Lage der Bauern günstig, weil man ihre Arbeitskraft benötigte. Bei der Wiederbesetzung von Wüstungen bildete sich ein sogenanntes „Ödrecht" heraus, das dem Bauern Vorteile gewährte (Freijahre, Zinsnachlässe, Aufbauhilfen). Die bäuerlichen Abgaben an das Kloster Tegernsee z. B. sanken zwischen 1350 und 1385 um mehr als die Hälfte. Grundherren konnten Wüstungen zwar einziehen, aber das Land war wenig wert: Ein Herr Werner von Zimmern kaufte 1453 ein ganzes Dorf für 650 Gulden. Zum Vergleich: Der Augsburger Kaufmann Lucas Rem gab — obgleich er nicht zu den reichsten Bürgern seiner Stadt gehörte — für seine Hochzeit (1518) 991 Gulden aus, wobei man aller-

Blütenpollen mit ihrer für viele Pflanzenarten charakteristischen und unter dem Mikroskop weitgehend bestimmbaren Gestalt bleiben in Mooren sehr lange erhalten. Der Paläobotaniker kann den Prozentanteil der einzelnen pollenspendenden Pflanzenarten am Gesamtbestand fossiler Pollen in jeder Moorschicht auszählen. Das nebenstehende vereinfachte Getreidepollendiagramm stammt vom Roten Moor in der Hochrhön (800 m). „Die geschlossene Getreidepollenkurve beginnt um etwa 500 n. Chr. Der Wind kann die Pollen aus weiterer Entfernung herangeweht haben. Die erste Zunahme des Pollenbefundes dürfte mit der Siedlungstätigkeit des Klosters Fulda (794) in Zusammenhang stehen. Dann folgte der steile Anstieg der hochmittelalterlichen Ausbauperiode und der lange und tiefe Abschwung im Spätmittelalter (der im Bild, das sich nur auf sehr grobschlächtige Zeitermittlungen stützte, zu früh einsetzte)." (Wilhelm Abel)

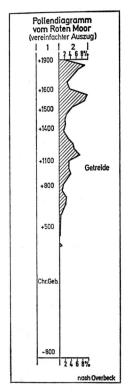

Pollendiagramm vom Roten Moor (vereinfachter Auszug)

Getreide

Chr.Geb.

nach Overbeck

dings einen gewissen Geldwertschwund zwischen 1453 und 1518 berücksichtigen muß. — Da Land billig, die Löhne aber hoch waren, hatten kleine und mittlere Bauern, die von fremden Hilfskräften unabhängig waren, eine gute Möglichkeit, ihre Höfe zu vergrößern. — Versuche der Grundherren, die Bauern mit Zwang und Drohung an der Abwanderung zu hindern, hatten wenig Erfolg.

Die ostelbische Gutsherrschaft

In den ostelbischen Gebieten verlief die Entwicklung anders. Hier war in der Siedlungszeit ein Nebeneinander von freien Bauern und ritterlichen Lehensgütern entstanden. Die Adelsgüter waren zwar nicht besonders groß, verfügten aber über bessere Rechte und damit über größere Expansionskraft. Als auch in Ostdeutschland große Wüstungen entstanden, wurde das wüste Land von den Rittern in Besitz genommen. Es war zunächst zwar wenig wert, ermöglichte aber eine Entfaltung der Großbetriebe, als im 16. Jahrhundert der Getreidepreis sprunghaft stieg und Land wieder knapp und teuer wurde. Andere Faktoren traten hinzu: Das Aufkommen der Söldnerheere befreite die Ritter vom Wehrdienst, so daß sie sich der Eigenbewirtschaftung ihrer Güter widmen konnten. Während im übrigen Reich die erstarkenden Territorialgewalten die Macht des Adels einschränkten, führte die Schwäche der Staatsgewalt im Osten dazu, daß wichtige Hoheitsrechte (Gerichtsherrschaft, Besteuerungsrecht) auf Ritterschaft und Städte übergingen. Das Besitzrecht der Bauern verschlechterte sich, bäuerliches Erbrecht ging weitgehend verloren. Da man für die Großbetriebe Arbeitskräfte brauchte, beschränkte man die Freizügigkeit der Bauern. Sie und ihre Familien wurden „an die Scholle gebunden" und galten als Zubehör des Gutes (Erbuntertänigkeit). Man nennt diese Form der Herrschaft Gutsherrschaft. Während die Grundherrschaft, ergänzt und flankiert von anderen Mächten (König, Graf, Landesherr, Dorfgenossenschaft), die bäuerlichen Rechte und Pflichten regelte, bildete der Gutsbezirk einen geschlossenen Bereich, eine Art Staat im Staate, an dessen Spitze der Gutsherr stand. Er war „Obrigkeit" (untere Verwaltungsbehörde, Träger der Polizeigewalt). Nur zu ihm standen die Gutsuntertanen in einem Abhängigkeitsverhältnis (anders bei der Grundherrschaft, wo ein Bauer auch mehreren Grundherren angehören konnte). Andererseits fielen dem Gutsherren auch Fürsorgepflichten zu. Bei Krankheiten, Mißernten, Krieg und sonstigen Katastrophen mußte er helfend eingreifen, und er haftete für die bäuerlichen Abgaben an den Staat. Da der Gutsherr sein Gut selbst bewirtschaftete, stand er zu seinem erbuntertänigen Bauern in persönlichem Kontakt. — Die Gutsherrschaft blieb bis ins 19. Jahrhundert hinein bestehen.

Die Verschlechterung der bäuerlichen Besitzrechte im Osten erleichterte das „Bauernlegen": In Sachsen z. B. verschwanden im 16. Jahrhundert 500 Bauernstellen, während 50 Rittergüter neu entstanden. Der Dreißigjährige Krieg, der neue Menschenverluste und Wüstungen brachte, beschleunigte diese Entwicklung.

In den Territorien westlich der Elbe bemühten sich Landesherren aus fiskalischen und militärpolitischen Gründen um eine Sicherung des Bauernlandes. Bäuerliches Land durfte nicht zum Gutsland geschlagen werden, Bauern durften nicht willkürlich vertrieben oder ihres Erbrechtes beraubt werden.

4. Die gesellschaftliche Entwicklung

Landesherr und Landstände

Während das Reich immer mehr an tatsächlicher Macht verlor, bauten die Landesherren ihre Stellung aus. Dafür war besonders wichtig, daß sie Hoheitsrechte wie Zoll, Münze, Gerichtsbarkeit, Wehr- und Steuerhoheit, die sich weitgehend in der Hand des Adels befanden, in die eigene Verfügungsgewalt bekamen.

Anders als der mittelalterliche König, dessen Herrschaft durch Königsheil und göttlichen Auftrag in besonderer Weise legitimiert war, besaß der Territorialfürst nicht mehr Recht auf Herrschaft als jeder andere adelige Grundherr. Deshalb mußte er mit dem Widerstand des alten Adels rechnen. Um ihre herausragende Stellung gegenüber den adeligen Standesgenossen deutlich zu machen, entfalteten die Fürsten große Pracht und suchten durch Errichtung von Universitäten und landesherrlichen Hof- und Obergerichten die Könige nachzuahmen. Ihr Streben, reichsfreie Städte, Adelige, Klöster und Bischöfe zu mediatisieren (dem Territorium einzufügen), führte zu Kämpfen, die, auf lange Sicht gesehen, meist zugunsten der Landesherren ausgingen. Dennoch bildeten sich kleine und kleinste Territorialherrschaften aus, die bis zum „Reichsdeputationshauptschluß" (1803, vgl. Bd. 3) bestehen blieben. Da viele Äbte und Bischöfe umliegendes Land vom König zu Lehen hatten, entstanden neben den alten Erzbistümern zahlreiche geistliche Territorien (wie Fulda, St. Gallen, Würzburg, Bamberg, Paderborn u. a.).

Das Bemühen der Landesherren, die Hoheitsrechte an sich zu bringen, gestaltete sich schwierig und kam erst im absoluten Fürstenstaat des 17. Jahrhunderts zu einem erfolgreichen Abschluß. — Die niedere Gerichtsbarkeit befand sich noch weitgehend in den Händen der Grundherren, die höhere zum Teil. Trotz zahlreicher Landfriedensordnungen gelang es erst Ende des 16. Jahrhunderts, das adelige Fehderecht abzuschaffen und Recht und Sicherheit allein durch landesherrliche Gewalt zu schützen. Damit war ein wichtiger Schritt auf dem Wege zur Souveränität getan.

Innerhalb der einzelnen Territorien traten dem Landesherrn die Landstände gegenüber, bestehend aus dem eingesessenen Adel, Vertretern der Städte und der Geistlichkeit. Sie waren aus der mittelalterlichen Lehenspflicht des Adels hervorgegangen, die vorschrieb, dem Landesherrn mit Rat zur Seite zu stehen. Aus dieser Pflicht wurde allmählich das Recht, bei Landesangelegenheiten mitzureden und hoheitliche Ansprüche des Landesherrn einzuschränken. Seit Ende des 15. Jahrhunderts bürgerte sich für ihre Zusammenkünfte der Begriff „Landtag" ein. Getagt wurde in drei Kurien: Prälaten, Grafen und Herren — Ritterschaft — Städte, wobei die Ritterschaft den meisten Einfluß besaß. Das wichtigste Machtinstrument der Stände war die Steuerbewilligung. Da die Ausgaben der Landesherren stiegen (zunehmende Verwaltungs- und Militärausgaben), mußten immer neue Steuern bewilligt werden, die häufig von den Landständen selbst verwaltet wurden. Das sogenannte „ständische Steuerwerk" trat neben die fürstliche Domänenverwaltung (auch einfach „fürstliche Kammer" genannt), die in den meisten Territorien bald hoffnungslos verschuldet war. Ferner brachten die Stände allgemeine Klagen vor („Gravamina") und erteilten politische Ratschläge, wobei sie in der Regel die Landesinteressen vor die große Politik setzten. Wenn die Kurfürsten in Reichsangelegenheiten oft schwerfällig reagierten, so lag dies wenigstens teilweise am Widerstand der Landstände. In Kursachsen z. B. mußte der Landesherr im 16. Jahrhundert Reichsleistungen aus der Kammer bezahlen (z. B. Türkensteuer).

Der Einfluß der Stände entwickelte sich in den einzelnen Territorien unterschiedlich, erreichte aber fast überall im 15./16. Jahrhundert seinen Höhepunkt. Die Fürsten versuchten mit Hilfe römisch-rechtlich geschulter Juristen, die als „geheime Räte" nur

dem Kurfürsten verantwortlich waren, die Mitsprache der Stände zu umgehen und sie allmählich der Landesherrschaft unterzuordnen. Der Augsburger Religionsfriede (1555, vgl. E, IV, 2) und der Friede von Münster und Osnabrück (1648, vgl. E, VII, 3), wurden wichtige Stationen auf dem Weg zu einer uneingeschränkten fürstlichen Landeshoheit.

Der Adel

Die aus den Reichsministerialen hervorgegangene Ritterschaft („Reichsritterschaft", zu unterscheiden von der nicht reichsfreien, landständischen Ritterschaft) gehörte nicht zu den Reichsständen, war aber reichsunmittelbar und widersetzte sich einer Mediatisierung durch die Landesfürsten. Die Lage der Ritter war wirtschaftlich und politisch ungünstig. Die wenigsten von ihnen besaßen Reichslehen, militärisch wurden sie durch die Söldner verdrängt, politisch durch die juristisch gebildeten bürgerlichen Räte. Um ihre Interessen zu vertreten und eigene politische Ziele zu verfolgen, schlossen sie sich zu Ritterbünden zusammen (besonders in Schwaben, Franken, am Rhein). In langen Fehden bekämpften sie die Landesherren und Städte und hofften vergebens auf Rückhalt beim Kaiser. Einer ihrer bedeutenden Führer war der pfälzische Ritter Franz von Sickingen (1481—1523), der aber letztlich scheiterte. Die Reichsritter erkannten nicht, daß Städte und Territorien die für die damalige Zeit fortschrittlichen Kräfte repräsentierten. Die Ritter vertraten demgegenüber die unzeitgemäß gewordenen ritterlichen Ideale, das „alte Herkommen", die „alte Freiheit". Viele wurden zu Raubrittern, die Kaufmannszüge überfielen und Lösegeld verlangten. Dem Widerstand der Städte und Territorien waren sie auf die Dauer nicht gewachsen, und das Verbot der Fehde entzog ihnen den Schein eines Rechtes.

Im 16. Jahrhundert trat der Adel — auch der landständische — wieder mehr in den Vordergrund. Viele Adelige studierten Jura und traten als Räte in fürstlichen Dienst. Manche wurden Söldnerführer. Als sich eine festere Gliederung des Militärs herausbildete, blieb die Reiterei (besonders die schwergepanzerten Kürassiere) dem Adel vorbehalten. Neben der Gutswirtschaft widmete er sich auch anderen Erwerbszweigen (Bergbau, Mühlenwirtschaft, Holzwirtschaft), wurde aber in seiner wirtschaftlichen Tätigkeit bald eingeschränkt: Schon 1536 verbot Kurfürst Joachim II. von Brandenburg dem Adel „die Kaufmannschaft".

Eine wichtige Versorgungsanstalt für den Adel waren die Domkapitel. 1567 verlangte Paderborn 8 ritterbürtige Ahnen für den Eintritt, 1580 schon 16. Die adeligen Kanoniker waren in der Regel keine geweihten Priester.

Der ältere Adel drängte auf Abschließung, ging aber zahlenmäßig zurück. Um 1430 gab es am Mittelrhein noch ca. 500 Familien des hochmittelalterlichen Adels, 1555 waren es nur noch 230—250 (Gründe: Absinken in den Bauernstand, kurze Lebenserwartung, Ehelosigkeit aus wirtschaftlichen Gründen). Daneben trat ein neuer Adel: Bürgerliche Juristen und reiche Patrizier wurden in den Adelsstand erhoben.

Humanistische Bildung beeinflußte auch die Erziehung des Adels. Neben Reiten, Fechten und Jagen trat die Ausbildung im Lesen und Schreiben.

Anschließend erfolgte der Besuch einer städtischen Lateinschule und vielleicht einer Universität. Als wünschenswert galt auch der Dienst als Page (oder Hoffräulein) am Fürstenhof, um feine Umgangsformen zu erlernen, und eine Kavaliersreise durch fremde Länder.

Die Bauern

Deutschland war zu Beginn des 16. Jahrhunderts überwiegend Agrarland. Die Lage der Bauern hatte sich unterschiedlich entwickelt. Das Ansteigen der Getreidepreise um 1500 verbesserte die bäuerlichen Einkünfte, hatte aber an manchen Orten auch eine Erhöhung der Dienste und Abgaben an die Grundherren zur Folge. Dennoch war die wirtschaftliche Lage der Bauern zufriedenstellend. Schwerer wog eine gesellschaftliche Deklassierung des Bauernstandes durch Adel und Bürger. Hinzu kam, daß dem Bauern mit der Ausbildung der Territorialgewalten eine neue Obrigkeit entgegentrat, die ihn mit Steuern belastete, Gerichtsbußen erhöhte und weitere obrigkeitliche Beschränkungen erließ (z. B. in der Nut-

zung von Gemeindewäldern, Jagd- und Fischereirechten). Der Bauer hatte es also nicht mehr nur mit seinem Grundherrn zu tun, sondern zusätzlich noch mit dem Landesherrn. Zwar schlossen sich die sogenannten freien Bauern oft in größeren Gerichtsgemeinden (auch Hofmarken oder Dorfmarken) zusammen und erhielten die niedere Gerichtsbarkeit, blieben aber von den Landständen und damit von der Teilnahme an Landtagen weitgehend ausgeschlossen.

Seit der Mitte des 15. Jahrhunderts kam es in Süddeutschland zu Bauernaufständen (Verschwörung des „Bundschuh" 1502, 1513, 1517 und des „armen Konrad" 1514), die im deutschen Bauernkrieg (1525, vgl. E, III, 5) ihren Höhepunkt fanden. Diese Unruhen standen in einem gesamteuropäischen Zusammenhang. In England und Frankreich waren im 14. Jahrhundert ähnliche Aufstände vorausgegangen. — Der Widerstand der deutschen Bauern richtete sich zunächst gegen Eingriffe der Grund- und Territorialherren. Sie bestanden in neuen Abgaben und Einschränkung der Dorfgerichtsbarkeit sowie in neuen Jagd-, Fischfang-, Wald- und Weideordnungen, die für eine geordnete Wirtschaft notwendig waren, wenn man Raubbau vermeiden wollte. Die Bauern lehnten den territorialen Umwandlungsprozeß ab. Sie hofften auf den Beistand des Kaisers und verlangten eine Wiederherstellung des „alten Rechtes". Aus dem „alten Recht" wurde schließlich die Formel vom „göttlichen Recht", unter dem man sich eine Art göttlich begründetes Naturrecht vorstellte.

Das Bürgertum

Zahl und Zusammensetzung der spätmittelalterlichen Stadtbevölkerung ist schwer zu berechnen, da das Quellenmaterial (vornehmlich Steuerlisten) unvollständig ist. Man schätzt die Einwohnerzahl der großen Städte im 15. Jahrhundert auf etwa 20 000 bis 30 000 Einwohner (zu ihnen gehörten Köln, Danzig, Straßburg, Lübeck, Nürnberg). Venedig, Mailand, Genf dürften allerdings schon auf 50 000 Einwohner gekommen sein. Aber auch Städte mit einer Einwohnerzahl zwischen 5000 und 10 000 (Frankfurt/Main hatte 9000, Göttingen 5000) zählten noch zu den größeren.

Die Stadtregierung, oft beschränkt auf einen kleinen Kreis „ratsfähiger" Familien, lag in den Händen wohlhabender Kaufleute. Seit Beginn des 14. Jahrhunderts kam es in zahlreichen Städten zu Unruhen, die allerdings unterschiedliche Ursachen hatten. Es gab Aufstände unterer Handwerkerschichten aus wirtschaftlicher Not. Häufiger kämpften aber gerade die wohlhabenden Zünfte um Beteiligung an der Stadtregierung. Sie erstrebten die Wahl des Rates durch Berufsgruppen (wie seit 1396 in Köln) oder durch Stadtteile (Bremen). Besonders in Städten, wo die Handwerker einen hohen Prozentsatz der Gesamtbevölkerung ausmachten, konnten die Zünfte eine Verfassungsänderung in ihrem Sinn erzwingen. Trotzdem blieb in der Praxis die Führungsrolle bei den Kaufleuten, weil nur sie über genügend materielle Unabhängigkeit und freie Zeit verfügten, um sich für die städtische Politik einsetzen zu können.

Auch die städtischen Oberschichten zeigten, ähnlich wie der Adel, eine Tendenz zur Abschließung, obgleich Vermögen den Aufstieg immer noch ermöglichte. Die Patrizier bildeten sich zu einer Art Stadtaristokratie aus, indem sie adeligen Lebensstil nachahmten (Ritterturniere, Festbankette, Erwerb von Grundherrschaften). — Der Anteil der einzelnen Schichten an der Gesamtbevölkerung ist sehr unterschiedlich und noch wenig erforscht. In Gent bestand schon im 14. Jahrhundert über die Hälfte der Bevölkerung aus Handwerkern (Webern und Walkern). In Lübeck betrug 1460 die Mittelschicht (Vermögen zwischen ca. 150 und 600 Mark) 38,3 % der steuerpflichtigen Bevölkerung, die Oberschicht 22,3 % (Vermögen über 600 Mark), die Unterschicht (Vermögen unter 150 Mark) 39,4 %. Steuerpflichtig war bewegliches und unbewegliches Vermögen. Eine Einkommensteuer (bzw. Lohnsteuer) gab es zunächst nicht, allerdings gelegentlich Kopfsteuern, die jeder zu zahlen hatte, und Verbrauchssteuern. Bei den angegebenen Zahlen sind somit die Besitzlosen (wahrscheinlich auch eine große Zahl von Gesellen) nicht erfaßt. Unter der Oberschicht wird man sich die größeren Kaufleute vorzustellen haben, unter der Mittelschicht die kleinen Händler und wohlhabenden Handwerker, die Unterschicht

Höfische Gesellschaft. „Der Mai", Buchmalerei der Brüder Limburg aus den „Très Riches Heures", dem Stundenbuch des Herzogs Jean de Berry, 1413 bis 1416. Musée Condé, Chantilly

Belagerung einer Stadt durch ein Landsknechtsheer mit Geschützen unter Kaiser Maximilian I.

wird vorwiegend aus kleinen Handwerkern bestanden haben. In Rostock betrug 1482 das Verhältnis Oberschicht 15,6 %, Mittelschicht 28,6 %, Unterschicht 55,8 %, Augsburg 1475 Oberschicht 8,5 %, Mittelschicht 5 %, Unterschicht 86 %.

Zwischen 1450 und 1550 nahm der Reichtum in den Handelsstädten zu. In Stralsund gab es im Jahr 1534 37 Vermögen über 5000 Mark, 237 Vermögen zwischen 1000 und 5000 Mark, 907 mit 75—1000, 996 unter 75 Mark. Im Vergleich dazu die extrem reiche Stadt Augsburg: Zwischen 1509 und 1540 erhöhte sich dort die Zahl der Steuerzahler von 4990 auf 6780. Im gleichen Zeitraum erhöhte sich die Zahl der Vermögen mit ca. 10 000—200 000 Gulden von 43 auf 104, mit ca. 200 000—600 000 von 36 auf 80, die von ca. 600 000 bis 2 000 000 von 3 auf 37, und die von 2 Mill. bis 3,4 Mill. von 0 auf 5. Nach 1556 verschwanden die Spitzenvermögen. Die These, daß mit dem Reichtum gleichzeitig die Armut zunahm, läßt sich nicht belegen. Im Gegenteil nahm in Augsburg mit den großen Vermögen zugleich die Zahl der Steuerzahler allgemein und die der kleinen Vermögen zu (unter 3600 Gulden von 4868 auf 6492 im angegebenen Zeitraum).

Randgruppen der Gesellschaft

Zur Gruppe der Besitzlosen gehörte das Gesinde, dessen Zahl um die Mitte des 15. Jahrhunderts in Nürnberg mit 18,6 % der Gesamtbevölkerung angegeben wird, in Basel mit 17 %, in Dresden mit 10 %. Es lebte im Hause des Arbeitgebers, erhielt Lohn und war wirtschaftlich versorgt. Anders die Gebrechlichen. In Frankfurt soll die Zahl der Blinden etwa fünfmal so groß gewesen sein wie heute. Neben der kirchlichen entwickelten sich in den Städten Ansätze einer weltlichen Sozialfürsorge (Einrichtung von Hospitälern, Stiften, Alten-, Armen- und Tollhäusern, Waisenhäusern). Verarmte alte und kranke Handwerker wurden in der Regel von der eigenen Zunft versorgt. In Frankfurt gab es eine Bruderschaft der Blinden und Lahmen, in Köln versuchte man, durch Überbesetzung städtischer Ämter (Träger, Wieger, Messer) möglichst viele Arbeitslose zu beschäftigen. Als Basel 1444 durch die Franzosen belagert und eine allgemeine Vorratshaltung angeordnet wurde, übernahm der Stadtrat die Vorratshaltung für die Besitzlosen (ca. 20 bis 30 % der Bevölkerung). — Auch der Aufbau eines städtischen Gesundheitswesens (Ratsapotheke, Stadtarzt, Straßenreinigung) war mit sozialen Aspekten verbunden.

Eine Randgruppe der Gesellschaft bildeten die — zum Teil recht wohlhabenden — Juden. Sie waren in Süddeutschland stärker vertreten als in Norddeutschland (in Regensburg machten sie um 1500 etwa 15 % der Gesamtbevölkerung aus). Nach 1348/49 waren sie vertrieben worden, weil man ihnen die Schuld an der Pest gab. Später kehrten sie zurück und erhielten von den Städten entziehbares, oft auch befristetes Bürgerrecht. In Mainz gab es ein besonderes Judenbürgerrecht. Da besonders die Handwerker bei den Juden oft hoch verschuldet waren, kam es immer wieder zu Plünderungen und Vertreibungen. Raubritter und Söldnerbanden spezialisierten sich gelegentlich auf den Überfall reisender jüdischer Kaufleute. Obgleich die Juden nicht nur Geldgeschäfte betrieben, begannen sie als Finanzberater und Geldgeber der Fürsten eine Rolle zu spielen. — In vielen Städten bildeten sich jüdische Gemeinden mit eigener interner Gerichtsbarkeit. Der Versuch König Ruprechts (1407), alle deutschen Juden unter einem Oberrabbiner zu vereinigen, scheiterte.

Ein besonderes soziales Problem stellte der Frauenüberschuß dar, weil viele Männer Geistliche wurden oder aus wirtschaftlichen Gründen nicht heiraten konnten (Gesellen, niederer Adel). Der Frauenüberschuß wird im 15. Jahrhundert mit ca. 20 % angegeben (zum Vergleich 1940 in Deutschland: 3,7 %). Im bäuerlichen Betrieb konnten ledige oder verwitwete weibliche Familienmitglieder leicht integriert werden, weil es vielerlei Arbeitsmöglichkeiten gab. Im städtischen Handwerk wurden Frauen — ursprünglich zunftfähig — herausgedrängt. Sie mußten, wenn sie nicht über eigenen Besitz verfügten, ihren Unterhalt als Magd, Lohnarbeiterin oder Hökerin verdienen oder traten in ein „Frauenhaus" ein, wo sie unter Aufsicht der Stadtverwaltung lebten und arbeiteten. In Klöster mußte man sich zumeist einkaufen. Da es viele unverheiratete Männer gab, war auch die Prostitution weit verbreitet und wurde von der Gesellschaft toleriert.

Die Ausprägung städtischer Kultur darf nicht darüber hinwegtäuschen, daß viele

Handwerker und kleine Kaufleute noch Akkerbürger waren. Sie hatten Ställe und Scheunen bei ihren Fachwerkhäusern, bestellten eigene Felder und nutzten städtische Weiden und Felder (Allmenden = zur allgemeinen Nutzung). Kleinstädte, obgleich in der Regel auch mit einer Mauer umgeben, hatten oft noch ausgesprochen dörflichen Charakter.

Bürger, die außerhalb der Stadtmauer, zwischen Befestigungsgräben (Pfahlgräben) wohnten, nannte man Pfahlbürger. Den gleichen Namen verwendete man auch für Leute aus der weiteren Umgebung, denen man zur Verstärkung der städtischen Wehrkraft das Bürgerrecht (meist auf Zeit) verliehen hatte. Oft wurden ganze Dörfer, Klöster, hohe Adelige Pfahlbürger einer Reichsstadt. Auf diese Weise dehnte sich der Einfluß der Städte aus. Geschlossene Territorien, wie die italienischen Stadtstaaten, haben die deutschen Städte jedoch nicht entwickelt.

Bürgerfrau. Holzschnitt von Hans Sebald Beham, 1541

Bauersfrau auf dem Weg zum Markt. Holzschnitt von Hans Sebald Beham, 1520

III. Die Reformation in Europa

1483—1546	Martin Luther	1509—1547	Heinrich VIII., König von Eng-
1484—1531	Huldrych Zwingli		land
1517	Thesenveröffentlichung Luthers	1534	Suprematsakte
1521	Reichstag zu Worms	1547—1553	Eduard VI., König von england.
1525	Deutscher Bauernkrieg		Gründung der Anglikanischen
1529	Marburger Religionsgespräch		Staatskirche
	zwischen Luther und Zwingli	1549	Book of Common Prayer
1509—1564	Johann Calvin	1553—1558	Maria die Katholische, Königin
1541	Reformation in Genf		von England

1. Europa vor der Reformation

Seit den Reformkonzilien des 15. Jahrhunderts war der Ruf nach kirchlicher Erneuerung nicht mehr verstummt (vgl. hierzu und zum weiteren D, IV). Das Papsttum hatte nach außen hin zwar seine Macht behauptet, konnte aber nicht verhindern, daß neue geistige Strömungen auftraten (Humanismus und Renaissance) und ein großer Teil der Gläubigen sich innerlich von der Kirche abwandte.

In England, Frankreich und Spanien, wo der werdende Nationalstaat materielle Macht und Hoheitsrechte in seine Hand zu bringen suchte, wurde auch die Kirche zu den Staatslasten herangezogen. Durch Konkordate mit der römischen Kurie entstanden Staatskirchen, die von Rom weitgehend unabhängig waren. In Deutschland verlagerte sich dieser Vorgang in die Territorien, ohne daß allerdings schon Landeskirchen entstanden wären. Die Landesherren beanspruchten aber, oft aus religiöser Verantwortung heraus, in steigendem Maße ein Aufsichtsrecht über die Kirche ihres Gebietes (Lebenswandel des Klerus, Verwaltung der Kirchengüter, Klosterreformen und Vergabe von Pfründen). Durch Konkordate erreichten die deutschen Territorialherren eine Beteiligung an den kirchlichen Einnahmen (Kirchengut, Kirchenzehnter, Ablässe u. a.), erkannten dafür aber prinzipell die Finanzansprüche der Kurie an. Diese hatte seit dem Exil in Avignon ihr ausgeklügeltes Einnahmesystem weiter ausgebaut, um den Geldbedarf der Renaissancepäpste decken zu können. Bautätigkeit, Kunstförderung, Verwaltung, Kriege, doch auch Vetternwirt-schaft und prunktvoller Lebenswandel der Päpste erforderten hohe Summen. Schon seit 1456 führten die Reichsstände in den „Gravimina deutscher Nation" Klage über die Korruption an der Kurie und die finanzielle Ausbeutung Deutschlands, die von der Publizistik zu einer leidenschaftlichen, nationalen, antikurialen Bewegung gesteigert wurde. Luther nahm diese Klagen in seiner Schrift „An den christlichen Adel deutscher Nation" wieder auf. Luther verhalf — zunächst unbeabsichtigt — der Reformation zum Durchbruch. Dieser Vorgang war die deutsche Ausprägung des Reformwillens, der seit über hundert Jahren versucht hatte, Kirche und Staat zu verändern. Viele Gedanken Luthers waren in der einen oder anderen Form schon in der konziliaren Bewegung, auch bei Wiclif und Hus, aufgetaucht. Trotz dieser Gegebenheiten bedurfte es der sprachgewaltigen und standhaften Persönlichkeit Luthers und auch bestimmter politischer Machtkonstellationen, um die Reformation zum Erfolg zu führen.

2. Luther
und die Reformation in Deutschland

Luthers Thesen

1517 Am 31. Oktober 1517 trat der Theologieprofessor Martin Luther mit 95 lateinischen Thesen gegen den Mißbrauch des Ablasses an die Öffentlichkeit. Anlaß war das Auftreten des Dominikaners Tetzel, der in besonders aufdringlicher Weise und in Zusammenarbeit mit den Fuggern einen Ablaß verkaufte, den Papst Leo X. zum Bau des Petersdoms ausgeschrieben hatte. In wenigen Wochen waren die Thesen — übersetzt und als Flugblatt gedruckt — in ganz Deutschland bekannt. Luther war darüber mehr bestürzt als erfreut.

In Wittenberg war Martin Luther zu diesem Zeitpunkt schon ein bekannter Mann. Er entstammte einem alten Bauerngeschlecht. 1483 in Eisleben geboren, gehörte er seit 1505 dem als besonders streng bekannten Orden der Augustiner-Eremiten an. Als Doktor der Theologie lehrte er an der Universität (gegründet 1502). Als Distriktsvikar hatte er die Aufsicht über zehn Klöster seines Ordens, außerdem war er als Prediger und Seelsorger an der Stadtkirche tätig.

Als junger Mönch unterzog sich Luther ungewöhnlich harten Bußleistungen, um einen gnädigen Gott zu finden, fühlte aber nie die Gewißheit der Sündenvergebung. Er war gewohnt, Gottes Gerechtigkeit darin zu sehen, daß Gott die Sünder straft. Deshalb habe er „diesen gerechten und strafenden Gott gehaßt" und sich über ihn entsetzt, berichtet Luther selbst in seinem autobiographischen Rückblick von 1545. Sein ausgeprägtes Bewußtsein der eigenen Sündhaftigkeit und das Streben, Gewißheit über den eigenen Gnadenstand zu erlangen, trieben ihn immer wieder zu intensivem Bibelstudium. „Tag und Nacht sinnend, mit Gottes Hilfe" fand er schließlich die Gewißheit: Allein durch den Glauben kann der Mensch vor Gott gerecht werden. Der Glaube aber ist keine menschliche Tat, sondern eine Gnadengabe Gottes. Um Christi willen nimmt Gott den sündigen Menschen aus Barmherzigkeit an. Darin sah Luther die „Gerechtigkeit Gottes" (justitia Dei). Diese Gerechtigkeit war also keine „strafende", sondern eine „schenkende" Gerechtigkeit. Ohne es zunächst zu merken, trat Luther mit seiner Auffassung in Widerspruch zur katholischen Kirche, die die Mitwirkung des Menschen an seinem Heil lehrt. Der freie menschliche Wille, Askese, gute Werke, aber auch die Gnadenmittel der Kirche verloren ihre Bedeutung. — Wann Luther zu dieser Erkenntnis, gewöhnlich das „Turmerlebnis" genannt, kam, ist nicht sicher, wahrscheinlich zwischen 1509 und 1515. Als er 1517 seine Thesen gegen den Ablaß verfaßte, geschah es aus Sorge, daß durch den leichtfertigen Ablaßhandel bei den Gläubigen eine falsche Heilgewißheit erzeugt würde, die sie von echter Buße abhielt.

Papst Leo X. betrachtete den Ablaßstreit zunächst als Mönchsgezänk und bat den Ordensgeneral der Augustiner, ‚diesen Menschen‘ (Luther) zu besänftigen. Auf Drängen der Dominikaner eröffnete er aber dann doch einen Ketzerprozeß. Luther erhielt am 7. August 1518 die Vorladung, binnen 60 Tagen in Rom zu erscheinen. Der Vorladung zu folgen, hätte wahrscheinlich ewige Klosterhaft oder Tod auf dem Scheiterhaufen bedeutet. Luther rief daher den Schutz seines Landesherrn an. Für den Fortgang der Reformation war es von entscheidender Bedeutung, daß Kurfürst Friedrich der Weise von Sachsen sich nun hinter Luther stellte und damit die ganze Angelegenheit auf eine politische Ebene hob. Er war kein

Martin Luther
(1483—1546) nach einem Holzschnitt von Lucas Cranach d. Ä. Luther, Bergmannssohn aus Eisleben, Augustinermönch in Erfurt, 1512 Professor der Theologie in Wittenberg, verfaßte 1517 zur Abwehr des Ablaßmißbrauches 95 Thesen und begann damit — ungewollt — die Reformation.

Anhänger Luthers, sah es aber als einen Akt landesväterliche Fürsorge an, in einer so wichtigen Angelegenheit erst nach gründlicher Prüfung zu entscheiden. Möglicherweise spielten auch schon politische Überlegungen eine Rolle. Ein Machtzuwachs in Kirchenfragen verbesserte die Stellung des Landesfürsten nach innen und außen. Kurfürst Friedrich erreichte, daß das Verhör Luthers in Deutschland stattfand. In Augsburg verlangte der päpstliche Legat Kardinal Cajetan, daß Luther seine „Irrtümer" widerrufe und sie nicht mehr lehre (1518). Luther lehnte den Widerruf ab. Da ein päpstlicher Befehl für seine Verhaftung schon ausgestellt war, floh er auf Anraten der kurfürstlichen Räte nach Nürnberg. Von hier aus appellierte er an ein allgemeines Konzil. — Das öffentliche Interesse an der Kirchenre-

Die Grundgedanken der katholischen Lehre:

1. Die Heilige Schrift und die Tradition sind die beiden Quellen, in denen die gesamte Offenbarung als „geschriebenes oder überliefertes Wort Gottes" enthalten ist.

2. Durch die Erbsünde ist die Natur des Menschen verwundet. Diese Verwundung besagt keine vollständige Zerstörung der Willensfreiheit, sie besteht in bloßer Schwächung der natürlichen Kräfte zum Guten.

3. Der auf die Rechtfertigung vorbereitende Glaube ist der inhaltlich bestimmte Bekenntnisglaube. Die guten Werke des Gerechtfertigten sind vor Gott wahrhaft Verdienste.

4. Die Rechtfertigung ist eine wahre Nachlassung und Austilgung der Sünden.

5. Die Priesterweihe überträgt dem Empfänger geistliche Gewalt, sie ist wahrhaft und eigentlich ein von Christus eingesetztes Sakrament.

6. Christus hat sieben Sakramente eingesetzt. Die Kirche ist nicht berechtigt, sie zu ändern. Christi Fleisch und Blut sind in der Eucharistie dauernd gegenwärtig.

Die Grundgedanken der lutherischen Lehre:

1. Die Bibel ist die einzige Glaubensquelle. Die kirchliche Tradition wird an ihr geprüft, nicht ihre Auslegung an der Tradition.

2. Durch die Erbsünde ist die menschliche Natur wurzelhaft verdorben. Der menschliche Wille vermag nichts aus eigener Kraft für das Heil der Seele zu tun.

3. Allein der Glaube, d. h. das Vertrauen auf Gottes Gnade ist für die Seligkeit erforderlich. Die guten Werke haben keinen rechtfertigenden Wert, sie sind Früchte des Glaubens.

4. Die Rechtfertigung bedeutet eine Nichtanrechnung der Sünden um der Verdienste Christi willen. Die Sünden werden zugedeckt, nicht ausgelöscht.

5. Infolge der Lehre von der Allursächlichkeit Gottes gibt es kein besonderes Priestertum. Zwischen Priestern und Laien ist kein anderer Unterschied als der des „Amtes".

6. Sakramente sind Taufe und Abendmahl. Christus ist nur im Empfang von Brot und Wein im Abendmahl gegenwärtig.

---

form wurde vorübergehend zurückgedrängt durch die neue Kaiserwahl. Maximilian I. war gestorben, und gegen den Willen der Kurie wählten die Kurfürsten einstimmig seinen Enkel, Karl von Habsburg — Kastilien — Aragon — Burgund — Sizilien zum Nachfolger (Kaiser Karl V., 1519—1556; vgl. E, IV).

Die Leipziger Disputation

Luther, wieder zurück in Wittenberg, betonte immer noch, daß er sich nicht von der Kirche trennen wolle, wurde aber durch die Maßnahmen seiner Gegner zu immer weitergehenden Äußerungen gedrängt. Zum offenen Bruch mit der Kirche kam es auf einer **1519** Disputation zu Leipzig (1519) zwischen Luther und dem Ingolstädter Professor Johannes Eck. Thema war der Primat des Papstes.

Luthers Katheder war mit dem Bild des heiligen Martin, das Ecks mit dem des heiligen Georg geschmückt. Luther vertrat die An-

sicht, die Kirche brauche kein irdisches Oberhaupt, der Fels, auf dem sie stehe, sei der Glaube, nicht das Papsttum. Eck erkannte sofort seine Chance und stellte Luther in eine Reihe mit Wiclif und Hus, die schon ähnliche Sätze aufgestellt hätten. Luther verbat sich zwar die Gleichstellung mit den Ketzern, kam aber im Verlauf der Auseinandersetzung zu der Einsicht, daß manches, was Hus vertreten habe, gut evangelisch und christlich sei, auch allgemeine Konzilien könnten irren und das Konstanzer habe im Falle Hus geirrt.

Die Leipziger Disputation wurde in ganz Deutschland bekannt. Breite Kreise stellten sich hinter Luther, doch mit unterschiedlichen Erwartungen: Ulrich von Hutten erstrebte den nationalen Kampf gegen Rom, die gelehrten Humanisten unterstützten Luthers Zurückgehen auf die Quellen der Heiligen Schrift, viele hatten vage Vorstellungen von einer Neugestaltung des gesamten Lebens. Aber auch Luthers Gegner sammelten sich. Am 15. Juni 1520 wurde in Rom die Bannandrohungsbulle „Exsurge, domine" ausgefertigt. Sie verwarf 41 Sätze Luthers als ketzerisch und bedrohte ihn mit dem Bann, falls er nicht innerhalb von 60 Tagen widerrufe.

Luthers Reformationsschriften

Luther verfaßte noch im selben Jahr drei Schriften, in denen er die Grundzüge seiner Lehre entwickelte: „An den christlichen Adel deutscher Nation von des christlichen Standes Besserung" ist eine Programmschrift mit stark nationalen Tönen, in der Luther die Laien aufforderte, die kirchlichen Verhältnisse zu bessern, nachdem der geistliche Stand versagt habe. Er lehnt die Überlegenheit der geistlichen über die weltliche Gewalt ab (Lehre vom allgemeinen Priestertum), ebenso das alleinige Recht des Papstes, die Bibel auszulegen und Konzilien einzuberufen. Er fordert Abschaffung des Zölibates (Ehelosigkeit der Priester), ein Verbot der Wallfahrten und wendet sich gegen die Mißstände in Rom.

Die lateinische Schrift „Über die babylonische Gefangenschaft der Kirche" brachte den entscheidenden Schritt in der dogmatisch-theologischen Auseinandersetzung. Nur Taufe und Abendmahl ließ Luther noch als biblisch begründbare Sakramente gelten, dazu die Buße. Das Sakrament ist ihm aber nur noch Symbol, nicht mehr Gnadenmittel der Kirche. Im Abendmahl bleiben nach seiner Überzeugung Brot und Wein, was sie sind, aber in diesen ist im Augenblick des Empfanges Christus gegenwärtig.

Die Schrift „Von der Freiheit eines Christenmenschen" stellt zwei Thesen in den Vordergrund:
1. Ein Christenmensch ist ein freier Herr über alle Dinge und niemandem untertan (nämlich im geistigen Bereich).
2. Ein Christenmensch ist ein dienstbarer Knecht und allen untertan (in christlicher Nächstenliebe und Dienstbereitschaft).
Am 10. Dezember verbrannte Luther die Bannandrohungsbulle, zusammen mit anderen Schriften seiner Gegner, vor dem Elstertor in Wittenberg. Diese revolutionäre Tat fand vor allem bei den Studenten begeisterte Zustimmung. Erasmus von Rotterdam und andere Humanisten wandten sich daraufhin

Titelholzschnitt der ersten der drei großen Reformationsschriften Luthers aus dem Jahre 1520. Das abgebildete Titelblatt stammt von einem Leipziger Nachdruck noch aus dem Jahre 1520. Herzog-Anton-Ulrich-Bibliothek, Wolfenbüttel.

von Luther ab. Der endgültige Bann, der im Januar 1521 ausgesprochen wurde, fand in Deutschland wenig Beachtung. Unterstützt von seinem Freund und Mitarbeiter, dem Humanisten Philipp Melanchthon, lehrte und schrieb Luther weiter.

3. Die Wahl Karls V.

1519 Nach dem Tode Kaiser Maximilians (1519) traten mehrere Bewerber um die Kaiserkrone auf: Maximilians Enkel Karl von Spanien und Burgund, König Franz I. von Frankreich und zeitweilig auch König Heinrich VIII. von England. Alle Bewerber suchten mit hohen Geldsummen die Stimmen der Wähler zu kaufen. Auch Karl nahm über 800 000 Gulden bei den Fuggern auf. Franz I., der vom Papst unterstützt wurde, fürchtete die habsburgische Umklammerung (Burgund — Deutschland — Spanien). Er konnte sich aber bei den Kurfürsten nicht durchsetzen, weil diese die zentralistisch ausgerichtete Macht des französischen Königtums fürchteten. Der daraufhin von der Kurie unterstützte Kurfürst Friedrich der Weise von Sachsen lehnte eine Kandidatur ab. So einigte man sich schließlich auf Karl. Wie schon sein Großvater Maximilian nannte er sich mit Zustimmung des Papstes sogleich nach der Königswahl „erwählter römischer Kaiser" (vgl. dazu D, I, 3: Licet iuris von 1338). Die Kaiserkrönung durch den Papst wurde 1530 in Bologna nachgeholt (letzte Kaiserkrönung in Italien). Seither ging der Kaisertitel bis zum Ende des Reiches (1806) mit der Wahl unmittelbar an den neugewählten deutschen König über.

Kaiser Karl V.
(1500—1558) nach einem Kupferstich von Barthel Beham, 1531. Der Kaiser, über dessen Reich „die Sonne nicht unterging", versuchte vergebens, die reformatorische Kirchenspaltung abzuwehren.

Die Wahlkapitulation, die Karl V. bei seiner Wahl anerkennen mußte, war eine Fortsetzung der Reichsreformbestrebungen (D, V, 2) und zeigte eine Konsolidierung der Reichsstände. Sie ließen ihre alten Privilegien und ihr Recht auf Mitsprache (Reichsregiment) bestätigen. Reichsgebiet durfte nicht gemindert werden, kein Reichstag außerhalb Deutschlands stattfinden. Die Zusage, bei Aufruhr der Untertanen (Adel und Volk) den Fürsten königliche Hilfe zuteil werden zu lassen, bedeutete eine erhebliche Stärkung des territorialen Prinzips. Reichs- und Hofämter durften nur mit Deutschen besetzt und ohne Zustimmung der Stände kein fremdes Kriegsvolk ins Reich geführt

werden. Wichtig für Luther wurde die Regelung, daß kein Deutscher von einem fremden Gericht abgeurteilt und ungehört in die Reichsacht erklärt werden durfte. Daß die Kurfürsten hier in hohem Maße deutsche Interessen vertraten, hängt damit zusammen, daß die habsburgische Hausmacht inzwischen weit über die deutschen Grenzen hinausreichte und entsprechend unterschiedliche Interessen verfolgte.

4. Der Reichstag zu Worms

1521 Im Januar 1521 berief Kaiser Karl V. seinen ersten Reichstag nach Worms. Aufgewachsen im niederländisch-burgundischen Kulturraum, stand er den deutschen Verhältnissen fremd gegenüber. Während die Stände von ihm eine Reform der Reichskirche erwarteten, verstand er sein Kaisertum als universale christliche Mission, das auch die Einheit von Glauben und Kirche zu schützen hatte. Im Augenblick jedoch standen für ihn dynastische Ziele im Vordergrund. Er benötigte die Hilfe des Reiches, um die habsburgische Macht in Italien und Spanien zu sichern und gegen Frankreich zu kämpfen (S. 210). Deshalb kam er den Reichsständen entgegen und lehnte ein sofortiges scharfes Vorgehen gegen Luther, wie es der päpstliche Nuntius Aleander gefordert hatte, zunächst ab.
Üblicherweise wäre auf den päpstlichen Bann automatisch die Reichsacht gefolgt. Die Fürsten — keineswegs alle von Luther überzeugt — erreichten unter Berufung auf die Wahlkapitulation die Anhörung Luthers vor Kaiser und Reich und freies Geleit für ihn. Dieser Vorgang war in doppelter Hinsicht von Bedeutung: Erstens wurde der päpstliche Urteilsspruch in Frage gestellt, indem sich die Fürsten eine Art „Überprüfung" vorbehielten. Zweitens schränkten sie die Macht des Kaisers weiter ein, indem sie ihre eigene Beteiligung in der Angelegenheit Luthers erzwangen. Die damit vollzogene Verbindung der religiös-kirchlichen mit der verfassungsrechtlichen Frage war eine wichtige Voraussetzung für den Durchbruch der Reformation.
Luthers Reise glich einem Triumphzug. In Worms wollte man keine Disputation, son-

dern nur Luthers Widerruf. Bei seinem ersten Auftreten vor Kaiser und Reich bat er um Bedenkzeit. In der Nacht arbeitete er eine lateinische Verteidigungsrede aus, in der er darlegte, warum er nicht widerrufen könne. Die Ruhe und Klarheit seines Vortrages am nächsten Tag beeindruckte viele Fürsten. Der Kaiser wollte gleich die Achterklärung aufsetzen lassen, doch die Stände widersprachen und verhandelten noch fast eine Woche mit Luther. Ein Widerruf war jedoch nicht zu erreichen. Daraufhin erließ der Kaiser das Wormser Edikt, das über Luther die Reichsacht aussprach, seine Bücher verbot und der Verbrennung auslieferte. Kurfürst Friedrich von Sachsen ließ Luther auf dem Heimweg „überfallen" und auf die Wartburg in Sicherheit bringen. Hier übersetzte Luther die Bibel. Er bediente sich dabei seines mitteldeutschen Dialektes, benutzte aber die Schreibgewohnheiten der sächsischen Kanzlei. Orientiert an der Lutherbibel, entstand später in Norddeutschland, wo bisher nur niederdeutsch (plattdeutsch) gesprochen wurde, die hochdeutsche Sprache.

Nach dem Wormser Reichstag verließ Karl V. Deutschland. Weltpolitische Auseinandersetzungen hielten ihn für neun Jahre fern. Sein Bruder Ferdinand blieb als kaiserlicher Statthalter zurück. Die Stände hatten sich durch die Errichtung des Reichsregimentes (Sitz in Nürnberg) die Mitregierung für die Zeit der Abwesenheit Karls V. gesichert. Das bedeutete die Behauptung des ständischen Prinzips neben der Reichsgewalt. Das Reichsregiment sollte auch die Durchführung des Edikts gegen Luther übernehmen. Doch schon hier zeigte sich, daß die Einheit der Reichsstände seit 1521 an der Glaubensfrage zerbrochen war. Die katholischen Stände, geschwächt durch die Abwesenheit der kaiserlichen Schutzmacht, bemühten sich um eine Durchführung des Edikts. In jenen Gebieten, die sich zu Luthers Lehre bekannten, wurden die Klöster säkularisiert, die Messe abgeschafft und die reine Wortverkündigung in den Mittelpunkt des Gottesdienstes gestellt.

Eine Gefährdung der Reformation erfolgte von innen her. In Wittenberg, wo der Lutheranhänger Karlstadt die Neuerungen vorantrieb, kam es zu schwärmerischen Aus-

wüchsen. Gewaltsamkeiten gegen Klöster und Meßgottesdienste, sowie die Zerstörung von religiösen Statuen und Bildern (‚Bildersturm') machten das Eingreifen des Kurfürsten nötig. In dieser Situation kehrte Luther von der Wartburg zurück. Entschlossen trat er gegen jede Gewaltanwendung auf und lehnte auch geistigen Zwang ab. Er bekam die Bewegung in Wittenberg wieder unter Kontrolle. Die Gefahr war jedoch noch nicht beseitigt: Auch anderwärts machten sich schwärmerische, sozialrevolutionäre und gewaltsame Tendenzen bemerkbar.

5. Der deutsche Bauernkrieg 1525

Die Forderungen der Bauern

Bauernaufstände hatte es schon lange vor der Reformation gegeben. Die Gründe waren verschieden. Überwiegend ging es um

Kurfürst Friedrich III., der Weise, von Sachsen (1463 bis 1525) nach einem Kupferstich von Albrecht Dürer, 1524. Der Kurfürst verzichtete 1519 auf die Kaiserwürde zugunsten Karls V.

die Wiederherstellung alten Rechtes gegen Eingriffe und Neuerungsbestrebungen der Landes- und Grundherren. Wirtschaftliche Nöte spielten gelegentlich eine Rolle, standen aber nicht im Vordergrund. Die Reformation stellte die bäuerlichen Aufstände und Forderungen in einen neuen Zusammenhang. Durch Flugschriften war das Volk — der ‚gemeine Mann' — in Erregung versetzt worden. Luther selbst hatte verkündet, daß die Armen und Verachteten für die reine Lehre eintreten müßten, wenn die Reichen und Mächtigen versagten. Verweigerung von Abgaben und Diensten war eine wirksame Form des Widerstandes gegen die alte Kirche geworden. Luthers Berufsethik, die jede Arbeit, auch die des Bauern, als Dienst für Gott verstand, hatte das bäuerliche Selbstbewußtsein gestärkt. Hinzu kam, daß — ähnlich wie in der Ritterschaftsbewegung (vgl. E, II, 4) — religiöse Vorstellungen Luthers schlagwortartig vereinfacht wurden, wie etwa der Begriff der Freiheit.

Der Bauernkrieg war keine durchorganisierte, geschlossene Erhebung, sondern eine Folge von regionalen Aufständen. Er konzentrierte sich auf den politisch zersplitterten Südwesten und auf Mitteldeutschland (Hessen, Thüringen). Die stärker durchgebildeten Territorien (Bayern, Kurbrandenburg) sowie die ostelbischen Gebiete und der Norden blieben verschont.

Die Forderungen der Bauern, u. a. in den „12 Artikeln der Bauernschaft in Schwaben" niedergelegt, waren maßvoll und zeigten

Thomas Müntzer (1489?—1525) nach einem Kupferstich von Christoph von Sichem aus: „Historische beschrijvinge ende auffbeeldinge der voorneemste Hooftketteren . . .", Amsterdam 1608

Verständigungsbereitschaft. Die evangelische Tendenz war deutlich erkennbar (freie Wahl des Gemeindepfarrers, Predigt des Evangeliums, Armenpflege und Unterhalt des Pfarrers sollten aus dem Zehnten bestritten werden). Die übrigen Forderungen knüpften an ältere an.

Radikalisierung der bäuerlichen Bewegung

Zunächst schien eine Verständigung möglich. Als die Verhandlungen sich zerschlugen, trat eine Radikalisierung der bäuerlichen Bewegung ein, die sich besonders in Mitteldeutschland auswirkte. Viele Schlösser und Klöster gingen in Flammen auf. Utopische Vorstellungen von einer totalen Neuordnung der Gesellschaft mit der Bibel als alleinigem Gesetzbuch verdrängten viel-

fach die gemäßigten Forderungen. Noch weiter ging der gelehrte und sprachgewaltige Theologe Thomas Müntzer (1489/90—1525). Er vollzog bewußt eine Wendung vom Kirchlich-Religiösen zum Politisch-Sozialen und geriet damit in Gegensatz zu Luther. Stark beeinflußt von mystischen Vorstellungen setzte er an die Stelle der Bibel die innere Erleuchtung durch Gott. Da für ihn das „wahre Wort" Gottes im menschlichen Herzen zu finden war, erklärte er Schriftauslegung und Schriftgelehrte für überflüssig und bekämpfte das organisierte Kirchentum. Er war erfüllt von dem Sendungsbewußtsein, das „Reich Gottes" schon auf dieser Erde errichten zu müssen, notfalls mit Gewalt. Gestützt auf die verarmten Schichten, gründete er in Allstedt (Sachsen) einen „Bund der Auserwählten", in dem es weder soziale noch Bildungsschranken gab. In seiner „Fürstenpredigt" (Juli 1524) forderte er die Fürsten auf, dem Bund beizutreten und sich an die Spitze der Revolution zu stellen. Als diese sich weigerten, proklamierte er das Widerstandsrecht des Volkes gegen die „unverschämte Tyrannei" der Obrigkeit. Gott durch seinen Knecht Müntzer „stößt die Gewaltigen vom Stuhl und erhebt die Nichtigen". Er agitierte an verschiedenen Orten mit unterschiedlichem Erfolg. März 1525 setzte er in Mühlhausen (Thüringen) eine radikal-demokratische Verfassung durch. Seine Anhänger zogen in Thüringen umher und zerstörten Burgen und Klöster.

Die Landesherren zeigten entschlossenen und einmütigen Widerstand, ohne Rücksicht darauf, ob sie sich zum alten oder neuen Glauben bekannten. Die Bauernheere waren ihnen militärisch eindeutig unterlegen. Ihre Führer waren meist wohlhabende Bauern, Handwerker oder Prediger. Politisch und militärisch erfahrene Leute wie der fränkische Ritter Florian Geyer und der hohenlohische Kanzler Wendel Hipler blieben Ausnahmen. Die Bauern wurden besiegt, Zehntausende von ihnen im Kampf oder im nachfolgenden Strafgericht getötet. Auch Müntzers Heer, inzwischen auf 6000 Mann angewachsen, erlitt bei Frankenhausen (Thüringen) eine blutige Niederlage. Müntzer selbst wurde gefangen und nach schweren Folterungen hingerichtet.

Titelblatt einer Flugschrift von Pamphilius Gegenbach;
Nachdruck Nürnberg 1514 (Erstausgabe Basel 1514)

Die 12 Artikel, Titelblatt des Zwickauer Druckes, 1525

Der Bauernkrieg (nach Günter Franz)

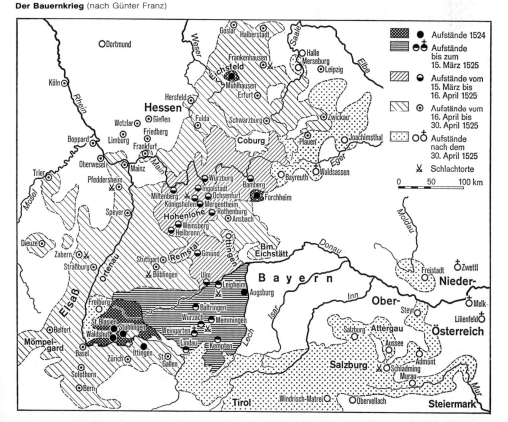

Luthers Haltung im Bauernkrieg

Luther, den die Bauern anfänglich als Schiedsrichter angerufen hatten, mahnte beide Seiten zur Verständigung, ging aber auf die 12 Artikel der Bauern nicht näher ein. Er lehnte Aufruhr und gewaltsame Selbsthilfe ab. Der Versuch, das soziale Leben von der Bibel her neu zu ordnen, mußte ihm unverständlich bleiben, da die Trennung des geistlichen und weltlichen Bereiches eine seiner Grundforderungen war. Als die Bauern den Landfrieden brachen und Gewalttaten verübten, rief er in seiner Schrift „Wider die mörderischen und räuberischen Rotten der Bauern" die Obrigkeit auf, die Bauern schonungslos niederzuschlagen. Dies sei ihr göttlicher Auftrag.

Nutznießer der Bauernkriege waren die Landesherren. Da durch die Zerstörung vie-

Ulrich Zwingli (1484—1531), Holzschnitt auf dem Titelblatt der Schrift Zwinglis „Von der Tauf. Von der Wiedertaufe", Zürich 1525. Der Schweizer Reformator u. Humanist, seit 1519 in Zürich, fiel im Kampf gegen die katholischen Kantone.

ler Burgen und Klöster die Macht der kleineren Grundherren gebrochen und die bäuerliche Selbstverwaltung zerstört war, konnten sie nun ungehindert ihre Landesherrschaft ausdehnen. Wirtschaftlich und rechtlich ergaben sich keine besonderen Nachteile für die Bauern, politisch spielten sie in den nächsten Jahrhunderten keine Rolle mehr.

Für die Reformation bedeutete der Aufstand einen tiefen Einschnitt: Sie hörte auf, eine Volksbewegung zu sein und wurde zu einer Angelegenheit der Landesherren. Luther — selbst schwer erschüttert von den Vorgängen — erfuhr von allen Seiten Kritik. Die Bauern fühlten sich verraten, viele wandten sich den „Täufern" zu (E, III, 7). Die Altgläubigen sahen in ihm den Urheber der revolutionären Gewaltsamkeiten, und viele

Fürsten nahmen ihm sein Sendschreiben übel, in dem er ihnen ihre Unbarmherzigkeit gegenüber den Besiegten vorhielt. — Luthers eindeutige Stellungnahme für die Obrigkeit ist in der Geschichte unterschiedlich beurteilt worden. Man wird jedoch nicht übersehen dürfen, daß sein Verhalten die Weiterführung der Reformation ermöglichte. Bei den Machtverhältnissen der damaligen Zeit waren nur die Landesherren in der Lage, den neuen Glauben gegen Papst und Kaiser zu verteidigen und ihm eine Organisation zu geben, in der er überdauern konnte. Dies geschah mit der Einrichtung der Landeskirchen.

6. Zwingli und die Reformation in der Schweiz

Zwinglis Lehre

In Zürich führte Huldrych Zwingli (1484—1531) die Reformation durch.

Zwingli, Sohn eines Amtmannes, hatte in Wien und Basel studiert. Er stand dem Humanismus näher als Luther und befaßte sich auch mit politischen Problemen seiner Zeit, wie zum Beispiel dem sogenannten „Reislaufen" (als Söldner in fremde Kriegsdienste treten, was besonders bei den Schweizern in dieser Zeit üblich war).

1519 wurde Zwingli zum Leutpriester am Großmünster in Zürich gewählt, wo er mit humanistischer Klarheit und unter starker Betonung des sittlichen Momentes die Heilige Schrift auslegte. Er betonte stets, daß er unabhängig von Luther zum Evanglium gekommen sei und sah in Luther einen Bundesgenossen, keinen Lehrmeister. — Zum Konflikt mit der Kirche kam es 1522. Anlaß waren Verstöße gegen das Fastengebot. In einer großen Disputation erklärte Zwingli die katholische Heilslehre und Kirchenverfassung für hinfällig. Wie Luther sah auch er im Glauben die einzige Möglichkeit für die Rettung des Menschen, betonte aber die freie Gnadenwahl Gottes stärker: Gott kann die Gnade des Glaubens schenken, wem er will, auch dem Heiden. Anders als Luther lehnte er eine Trennung des religiösen und weltlichen Bereiches ab. Er erstrebte eine totale Verchristlichung des Gemeinwesens und erreichte diese auch weitgehend, da der

Große Rat von Zürich, vor allem die Vertreter der Zünfte, ihn unterstützten. Was sich nicht von der Bibel herleiten ließ, wurde radikal beseitigt: Klöster, Bilder in den Kirchen, die Messe, Gesang und Orgelspiel. Der Gottesdienst bestand aus Gebet und Predigt und fand in einem schmucklosen Raum statt. Das Abendmahl war für Zwingli nur noch ein Erinnerungsmahl, bei dem sich die Gemeinde zu einem christlichen Lebenswandel verpflichtete. Um die Auffassung vom Abendmahl kam es später zu einer großen Auseinandersetzung zwischen Luther und Zwingli (Abendmahlsstreit). Luther lehnte die bloß symbolische Deutung ab und hielt an der tatsächlichen Gegenwart Christi fest. Die Einsetzungsworte beim Abendmahl faßten beide Reformatoren entsprechend unterschiedlich auf (Luther: „Das ist mein Leib"; Zwingli: „Das bedeutet mein Leib.") Auch ein Gespräch zwischen beiden, das von Landgraf Philipp von Hessen vermittelt wurde, brachte keine Einigung (Marburger Religionsgespräch 1529).

Entsprechend seiner Überzeugung bezog Zwingli das soziale Leben in seine reformatorische Neuordnung ein. Über die Ehe wachte ein „Ehegericht", bestehend aus geistlichen und weltlichen Mitgliedern, das später zu einem „Sittengericht" ausgeweitet wurde. Es kontrollierte den einwandfreien Lebenswandel der Bürger und den von der Obrigkeit verordneten obligatorischen Kirchenbesuch. Gegner, besonders Anhänger des alten Glaubens, entfernte man aus dem Rat und schreckte auch vor Todesurteilen nicht zurück. Wer dem Kirchenbann verfiel, wurde aus der bürgerlichen Gemeinde ausgestoßen.

Verbreitung des neuen Glaubens

Auch in Bern, Basel, St. Gallen und anderen Städten setzte sich die Reformation durch. Die „Alten Orte" jedoch (Uri, Schwyz, Unterwalden, Luzern und Zug), wo die etablierten Bauerngeschlechter stolz an ihren alten Traditionen festhielten, lehnten den neuen Glauben ab und suchten Unterstützung bei Österreich. Dies führte zu einer immer schroffer werdenden Konfrontation. Zwingli, politisch aktiver als Luther, hoffte, ein antihabsburgisches Bündnis zustande zu bringen, das alle protestantischen Fürsten und Reichsstädte in Europa umfassen sollte. Daß ein solcher Plan scheitern mußte, zeigte sich schon in Marburg, wo noch nicht einmal eine Einigung mit Luther erreicht werden konnte. Zwingli setzte daraufhin den Kampf in der Schweiz auf eigene Faust fort und sperrte — auch gegen den Willen vieler seiner Anhänger — den katholischen Kantonen die Warenzufuhr (Korn, Salz, Wein, Eisen). Vom Hunger bedroht, antworteten diese mit einer Kriegserklärung. Am 11. Oktober 1531 standen sich die Heere bei Kappel gegenüber. Die Züricher unterlagen. Zwingli, den der Rat zum Heer abgeordnet hatte, wurde erschlagen.

Der Tod Zwinglis führte zu einer Schwächung des Protestantismus in der Schweiz. Zwinglis Gedanken gingen aber nicht unter, sondern wurden von Johann Calvin (E, III, 8) aufgenommen und weiterentwickelt.

Johann Calvin (1509 bis 1564) nach einem zeitgenössischen Holzschnitt, Calvin mußte nach theol. und jur. Studium Frankreich verlassen, weil er in Konflikt mit der kirchlichen Lehrmeinung geraten war. Er entwickelte seit 1541 als Reformator in Genf eine „Theokratie" mit straffem Kirchen- und Stadtregiment.

7. Die radikale Bewegung der Täufer

Luthers Angriff auf die alte Kirche hatte viele religiöse Kräfte freigesetzt, die bisher durch Hierarchie und kanonisches Recht gebunden waren. Einigkeit bestand in der Kritik am Papsttum und in der Orientierung an Gottes Wort, nicht aber darin, wie Gottes Wort wahrnehmbar sei, ob im Buchstaben der Schrift oder als Eingebung im Menschen. Ebenso umstritten waren die Konsequenzen, die sich für die Neuordnung des religiösen und sozialen Lebens ergaben. Die Vielzahl der Erscheinungen umfaßte anarchistische, mystische, sozialrevolutionäre Strömungen bis hin zu den Spiritualisten, die nur noch eine subjektive Glaubensauslegung gelten ließen.

Von allen Splittergruppen fand die Bewegung der Täufer (von ihren Gegnern „Wiedertäufer" genannt) die weiteste Verbreitung. Von Sachsen-Thüringen und der Schweiz ausgehend, erfaßte sie ganz Deutschland. Aus Unzufriedenheit darüber, daß die Reformatoren nicht schnell und radikal genug päpstliche Mißbräuche beseitigten und statt der biblisch belegten urchristlichen Gemeinde neue kirchliche Institutionen errichteten, entwickelten die Täufer eigene religiöse Vorstellungen. Sie glaubten, daß Gott den bußfertigen Menschen in einem einmaligen Akt von allen Sünden befreie und in die Gemeinschaft der „Heiligen" aufnehme. Sichtbares Zeichen für diesen Vorgang war die Erwachsenentaufe. Kindertaufe lehnten sie ab, da ein Kind weder glauben noch Buße tun könne. Das ganze Leben der Gläubigen war darauf abgestellt, die erworbene Sündenlosigkeit zu erhalten und in enger Geistesgemeinschaft das bevorstehende Weltende zu erwarten. Eid, öffentliche Ämter, Kriegsdienst und überhaupt jede rechtliche und staatliche Ordnung lehnten sie ab. Gelegentlich kam es auch zu Gütergemeinschaft. In Mähren z. B. lebten die Hutterischen Brüder ohne Eigentum in Arbeitsgemeinschaften statt Familien. Die Gemeinde hielt sich etwa 100 Jahre.

Die Ablehnung der Eidleistung und die Weigerung, am öffentlichen Leben teilzunehmen, machte die Täufer verdächtig. Wo immer sie auftraten, drohte ihnen Ausweisung, Folter und Tod. Ihr Märtyrertum zog immer neue Anhänger an. Doch die ständige Verfolgung führte auch zu fanatischen Auswüchsen, so in den Niederlanden und Westfalen. In Münster, wo die unteren Schichten in einer Art Nachspiel zu den Bauernkriegen ihren bischöflichen Landesherrn verjagt hatten (1531), errichtete der täuferische „Apostel" Johann von Leiden eine Gewaltherrschaft mit Gütergemeinschaft und Vielweiberei. Ziel war, die Gottlosen auszurotten und ein Reich der Heiligen zu errichten. Schließlich rief er sich zum „König von Israel" aus. Die Allgemeinheit atmete auf, als Landesherren beider Konfessionen den Bischof unterstützten, nach langer Belagerung die Stadt einnahmen und den alten Glauben wiederherstellten. Nach diesem makaberen Zwischenspiel kehrten auch viele Täufer zur Bejahung staatlicher Ordnung zurück.

Luther bekämpfte alle diese Gruppen als „Schwärmer, Rotten und Sakramentierer" erbittert. Aus Sorge um eine neue Verfälschung des Evangeliums lehnte er biblisch fundierte Lehrmeinungen, die von seiner abwichen, als unevangelisch und nicht schriftgemäß ab. In vielen Fällen sah er sich auch genötigt, die kirchliche Institution zu verteidigen. Damit geriet er auf eine mittlere Linie zwischen konservativem Katholizismus und evangelischem Schwärmertum. Es entstand eine lutherische Version der reinen Lehre, d. h., eine neue Form der Rechtgläubigkeit, die nicht tolerant sein konnte, wenn sie sich behaupten wollte. In der Confessio Augustana (1530) fand sie erstmals ihren offiziellen Ausdruck. Im Zusammenhang damit fiel auch die Entscheidung g e g e n eine gemeindekirchliche Verfassung (Gemeinde regelt ihre kirchlichen Angelegenheiten selbst) f ü r ein obrigkeitskirchliches Prinzip, das von einem erweiterten Amtsbegriff ausging: Die christliche Obrigkeit habe ihr Amt direkt von Gott erhalten, und zwar mit dem Auftrag, kirchlich u n d weltlich zu regieren. Luther sah sehr wohl die Problematik dieser landesfürstlichen Auslegung und betrachtete sie als einen vorübergehenden Notbehelf, den er duldete, aus Furcht, daß die reine Lehre sonst in Zersplitterung und Chaos unterginge.

8. Calvin und die Reformation in Genf

Johann Calvin (1509—1564) gehörte zur zweiten Generation von Reformatoren. Er war Franzose. Seine vielseitigen theologischen, juristischen und philosophischen Studien brachten ihn sowohl mit dem Humanismus als auch mit der konservativen scholastischen Methode in Berührung. Um 1532/33 trat er auf die Seite der Reformation. Die näheren Umstände sind nicht ganz geklärt. 1536 erschien sein Hauptwerk „Unterricht in der christlichen Religion" (Institutio religionis christianae). Wie Luther ließ Calvin ausschließlich den Text der Bibel als Quelle gelten, wobei er dem Alten Testament mit seinem strengen Gesetz besondere Bedeutung beimaß. Was ihn von Luther trennte, war eine andere Auffassung vom Abendmahl (Calvin verstand die Gegenwart Christi nur geistig) und seine „Prädestinationslehre" (Vorherbestimmung des Menschen durch Gott). Danach setzte Gott von Anfang an fest, welche Menschen zum ewigen Heil, welche zur ewigen Verdammnis bestimmt waren. Warum Gott nicht alle zum Guten erwählt, bleibt — so Calvin — sein Geheimnis. Der Mensch hat danach nicht zu fragen, denn was Gott tut, ist von vornherein gerecht. Da man meinte, die von Gott Erwählten an ihrem gottgefälligen Lebenswandel erkennen zu können, führten die Calvinisten ein frommes, sittenstrenges und arbeitsames Leben, das sie bald zu hohem wirtschaftlichen Wohlstand führte.

Die Reformation in Genf stand in enger Verbindung mit dem Streben nach städtischer Freiheit. Im Kampf gegen die Machtansprüche des savoyischen Herzogshauses hatte man dessen Repräsentanten, die bischöflichen Stadtherren, verjagt (1533). Als Calvin 1537 in Genf erschien, waren hier schon reformatorische Kräfte tätig. Die volle Verfügungsgewalt des Rates über die Kirche wurde zum Symbol städtischer Freiheit.

1541 Erst bei seinem zweiten Aufenthalt in Genf gewann Calvin genug Einfluß (1541), um seine Vorstellungen verwirklichen zu können. Er schuf eine Kirchenordnung, bei der nicht das Amt, sondern die „Gemeinde" im Mittelpunkt stand. Sie wurde über den Rat wirksam, der die kirchlichen Organe wählte (Prediger, Diakone, Älteste, Lehrer). Das „Konsistorium", bestehend aus den 12 Ältesten und den 6 Geistlichen, überwachte den gesamten Lebenswandel des einzelnen.

An sich vertrat Calvin die Trennung von Kirche und Staat, wobei allerdings die Kirche dem Staat übergeordnet war und dafür zu sorgen hatte, daß die weltliche Macht nach dem Gebot Gottes regierte. Daraus ergab sich ein Widerstandsrecht der Gemeinde (nicht des einzelnen!) für den Fall, daß die weltliche Macht gegen Gottes Gebote verstieß.

Diese Auffassung vom Verhältnis der beiden Gewalten zueinander veranlaßte Calvin, starken Einfluß auf die Politik zu nehmen und Genf zu einer Art „Theokratie" (Got-

tesherrschaft) zu machen, deren Sittenstrenge, Frömmigkeit und Wohlstand bald berühmt wurden, deren fanatischer Glaubenseifer aber auch erschreckte: Abfall vom Glauben war Staatsverbrechen und wurde streng bestraft. Innerhalb von 5 Jahren fällte die Genfer Justiz 58 Todesurteile und sprach 76 Verbannungen aus.

Der Calvinismus breitete sich vor allem in Westeuropa aus, zunächst über die Schweiz, dann nach Frankreich (Hugenotten), die Niederlande, Westdeutschland (reformierte Kirche) und schließlich nach England und Nordamerika (Puritaner). Sehr gefördert wurde die Verbreitung durch die Genfer Akademie, mit deren Gründung Calvin eine zentrale Bildungsstätte für calvinistische Theologen geschaffen hatte.

9. Die Ausbreitung der Reformation im übrigen Europa

Frankreich

In Frankreich, wo Luthers Schriften um 1520 bekannt wurden, erwiesen sich die Pariser Universität und das Parlament von Paris als unnachgiebige Hüter des alten Glaubens. Sie verfolgten nicht nur die Lehren Luthers, sondern auch die des Erasmus von Rotterdam als Ketzerei. Ein wichtiger Grund dafür, daß die lutherische Reformation in Frankreich nicht Fuß faßte, bestand darin, daß die französische Kirche von Rom weitgehend unabhängig war, so daß der nationale Widerstand gegen den kurialen Fiskalismus wegfiel. Die Pragmatische Sanktion von Bourges (1438) war 1516 durch ein Konkordat ersetzt worden, das die finanziellen und jurisdiktionellen Ansprüche Roms stark beschränkte. König Franz I. von Frankreich (1515—1547) ernannte die hohe Geistlichkeit nach politischen Gesichtspunkten. Aus politischen Gründen unterstützte er auch die deutschen Protestanten gegen Kaiser Karl V., hielt aber am alten Glauben fest. Die Zustände in der französischen Kirche, die stark von politischen Interessen bestimmt wurde, ließen das religiöse Bedürfnis breiter Kreise unbefriedigt. Hierin mag ein Grund liegen, daß, etwa seit 1550, der Calvinismus mit seinen strengen religiösen Forderungen Verbreitung fand. In der 2. Hälfte des 16. Jahrhunderts kam es in Frankreich zu schweren Auseinandersetzungen zwischen den calvinistischen Hugenotten und den Katholiken (vgl. E, V, 2).

Skandinavien

Die skandinavischen Staaten waren die einzigen in Europa, die sich der Reformation lutherischer Prägung anschlossen. Die Abkehr vom alten Glauben wurde aus politischen Gründen von oben her durchgesetzt, gegen den Willen der Bauernschaft, die sich in mehreren Aufständen dagegen zur Wehr zu setzen suchte. Eine wichtige Rolle spielte die Verfügung über das Kirchengut (in Schweden besaß die Kirche etwa ein Fünftel des Grundbesitzes), die König und Adel gleichermaßen zugute kam. Besonders in den zahlreichen Kämpfen, die dem Bruch der Kalmarischen Union (D, III, 1) vorausgingen, war der König auf diese Hilfsmittel angewiesen. In Dänemark-Norwegen setzte König Christian III. (1534 bis 1559) die Reformation durch, in Schweden König Gustav I. Wasa (1523—1560), der 1523 mit der Unabhängigkeit Schwedens zugleich das Königtum erkämpft hatte. Auf dem Reichstag von Västeras 1527) erzwang der König mit der Drohung, sonst abdanken zu müssen, die Einführung der neuen Lehre, die mit der völligen Säkularisierung des Kirchengutes verbunden war. Den ‚Peterspfennig' hatte die Kirche künftig an die Krone zu entrichten, die auch bei der Wahl der Bischöfe Mitspracherecht erhielt. Der hierarchische Aufbau der Kirche blieb erhalten, nur stand jetzt der König an der Spitze. Damit war der Schritt zu einer nationalen Kirche getan. Der König ging in den nächsten Jahrzehnten auf diesem Weg weiter und schreckte auch vor Gewaltanwendung nicht zurück, um die immer wieder aufflammenden Widerstände gegen die Reformation zu brechen. Durch Stärkung der Zentralgewalt und Förderung der Wirtschaft legte er den Grundstein zu Schwedens Großmachtstellung im 17. Jahrhundert.

England

Einen recht eigenwilligen Weg beschritt England. Hier wünschte König Heinrich VIII. (1509—1547) die Scheidung von seiner ersten Frau, Katharina von Aragon

(Tante Kaiser Karls V.). Als der Papst den Ehedispens verweigerte, vollzog der König mit Hilfe des Parlamentes die Trennung der englischen Kirche von Rom und machte sich selbst zu deren Oberhaupt (Suprematsakte, **1534** 1534). Widerstand regte sich kaum, wurde aber, wo er auftrat, mit Gewalt gebrochen. So endete Thomas Morus, der berühmte Humanist und Kanzler Heinrichs, auf dem Schafott. Das säkularisierte Klostergut kam zum großen Teil der sozialen Mittelschicht (Gentry und höheres Bürgertum) zugute. Dogmatische Neuerungen waren mit der Loslösung von Rom nicht verbunden. Diese traten erst unter Heinrichs Nachfolger ein, der die Anglikanische Staatskirche unter Beibehaltung der bischöflichen Verfassung und äußerer Formen des katholischen Gottesdienstes gründete. Die Liturgie wurde neu geordnet im „Book of Common Prayer" (1549), das in seiner **1552** umgearbeiteten Form (1552) im wesentlichen bis heute erhalten geblieben ist. Im selben Jahr erhielt die Kirche durch die „42 Artikel" eine stark calvinistisch beeinflußte evangelische Dogmatik. Zu gleicher Zeit reformierte der Calvinist John Knox Schottland. Der Versuch einer Rekatholisierung Englands durch Königin Maria die Katholische (1553—1558, verheiratet mit Philipp II. von Spanien) führte zwar zur Hinrichtung von 300 Protestanten, hatte auf Dauer aber keinen Erfolg.

Das übrige Europa

Auch das östliche Mitteleuropa wurde von der Reformation erfaßt. Auffallend ist hier die Vielfalt neuer Glaubensformen, die zunächst nebeneinander existierten. Eine gewisse Rolle spielte dabei das Nebeneinander verschiedener Nationalitäten. So wandten sich die Deutschen im Baltikum, in Polen, Ungarn und Siebenbürgen fast ausschließlich der lutherischen Lehre zu, während Polen und Ungarn bei der alten Kirche blieben oder Calvinisten wurden oder sich Splittergruppen zuwandten. — Ähnliche Verhältnisse entstanden in Böhmen und Mähren, wo durch die Böhmischen Brüder die hussitische Tradition wachgehalten worden war. Da Luther sich mehrmals auf Hus berufen hatte, fand er hier schnell Eingang. Der Glaube begann zwischen Deutschen und

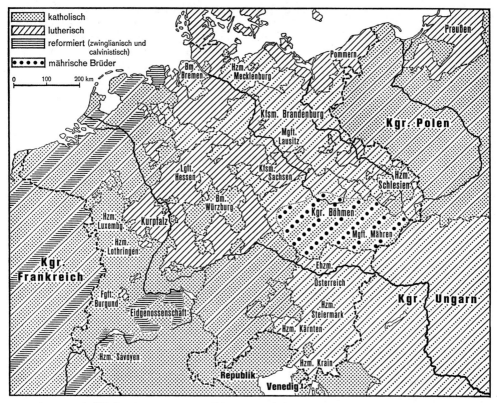

katholisch
lutherisch
reformiert (zwinglianisch und calvinistisch)
mährische Brüder

0   100   200 km

Preußen
Pommern
Bm. Bremen
Hzm. Mecklenburg
Kfsm. Brandenburg
Kgr. Polen
Mgft. Lausitz
Lgft. Hessen
Kfsm. Sachsen
Hzm. Schlesien
Bm. Würzburg
Kgr. Böhmen
Hzm. Luxembg.
Kurpfalz
Mgft. Mähren
Hzm. Lothringen
Kgr. Frankreich
Ehzm. Österreich
Fgft. Burgund
Kgr. Ungarn
Eidgenossenschaft
Hzm. Steiermark
Hzm. Kärnten
Hzm. Savoyen
Hzm. Krain
Republik Venedig

Die Reformation in Mitteleuropa

Tschechen verbindend zu wirken, und die selbstbewußten böhmischen Stände verteidigten in den folgenden Jahrzehnten ihren Glauben auch gegen die habsburgischen Landesherren.

In Südeuropa konnte die Reformation nicht Fuß fassen. In Spanien hatte Francisco Ximenes (1436—1517), Franziskaner, Kardinal und Großinquisitor, durch energische Reformen die Kirche gestärkt.

In Italien führte das Eindringen reformatorischer Ideen schon früh zur Abwehrmaßnahmen der Kirche. Sie hatten unter dem frommen Papst Hadrian VI. (1522—1523) keinen Erfolg, wurden aber von dem energischen Papst Paul III. (1534—1549) durchgesetzt. 1542 kam es in Italien zu einer Reorganisation der Inquisition.

Das Trienter Konzil (E, V, 1) leitete schließlich eine große Erneuerungsbewegung der katholischen Kirche ein.

IV. Das habsburgische Weltreich

1519—1556	Karl V.	1527	Sacco di Roma
1515—1547	Franz I., König von Frankreich	1529	Erste Belagerung Wiens durch
1521—1526	⎫		die Türken
1526—1529	⎬ Kriege Karls V. gegen	1531	Schmalkaldischer Bund
1536—1538	⎪ Franz I. von Frankreich	1546—1547	Schmalkaldischer Krieg
1542—1544	⎭	1521—1553	Herzog Moritz von Sachsen
1525	Schlacht von Pavia. Franz I. be-	1552	Passauer Vertrag
	siegt und gefangengenommen	1555	Augsburger Religionsfrieden

1. Karl V. und die europäische Politik bis zum Augsburger Reichstag 1530

Der Aufstand der „Comuneros" in Spanien

Während Karl V. in Worms seinen 1. Reichstag abhielt, tobte in Spanien der Aufstand der „Comuneros". Die kastilischen Städte hatten sich erhoben, weil der Landesherr zu häufig abwesend war, zu viele Fremde in Staatsämter einsetzte und zu hohe Steuern verlangte. Als der Aufstand sich zu einer sozialrevolutionären Bewegung der Armen gegen die Reichen radikalisierte, griff der kastilische Adel ein und rettete die Autorität der Krone (1521). In den folgenden Jahren gelang es Karl mit Hilfe seines Großkanzlers Gattinara unter kluger Berücksichtigung der spanischen Wünsche und Beschwerden, eine Zentralverwaltung aufzubauen. Sie schloß Kastilien, Aragon und die amerikanischen Besitzungen fester zusammen, stärkte die Krone und schränkte die Stände (Cortes) ein. Besondere Bedeutung erlangte der oberste Gerichthof (Consejo Real de Castilla), der durch vorbildliche Rechtsprechung in Fragen des privaten und öffentlichen Rechtes (z. B. Auslegung der Kronrechte) den beginnenden Absolutismus in Spanien als eine Herrschaft des Rechtes auswies.

Die habsburgischen Besitzungen in Deutschland überließ Karl seinem Bruder Ferdinand, der durch seine Heirat mit Anna von Ungarn auch die Erbanwartschaft auf Böhmen und Ungarn besaß.

Der habsburgisch-französische Konflikt

Der Gegensatz zwischen Frankreich und Habsburg wurde in Italien ausgefochten. Frankreich fühlte sich durch die habsburgische Übermacht bedroht. Karl V. seinerseits machte Rechtsansprüche auf die Herzogtümer Burgund (Bourgogne) und Mailand (1516 an Frankreich gefallen) geltend. Der Krieg in Italien (1521—1526) bereitete dem Kaiser große Geldsorgen. Zudem drangen erneut die Osmanen vor: August 1521 fiel Belgrad, ein Jahr später verlor der Johanniter-Orden den wichtigen Mittelmeerstützpunkt Rhodos. — In der Schlacht von Pavia (1525) wurde König Franz I. besiegt und gefangengenommen. Im Frieden zu Madrid (1526) verzichtete er auf Mailand und Burgund, widerrief aber alle Zugeständnisse, sowie er wieder in Freiheit war. Er brachte England, den Papst, Florenz, Venedig auf seine Seite und versuchte Polen, Böhmen und Ungarn gegen Habsburg zu mobilisieren. Auch nach Konstantinopel knüpfte er Verbindungen, wohl um die Türken zu einem Entlastungsangriff zu ermuntern. Diese Maßnahme zeigt, wie sehr die mittelalterliche Vorstellung einer Zusammengehörigkeit des christlichen Europa bereits in Frage gestellt war.

Die Türken drangen unterdessen weiter vor. In der Schlacht von Mohács (1526) unterlag das ungarische Heer, König Ludwig II. kam ums Leben. Damit trat für Habsburg der Erbfall ein: Ferdinand wurde König von Ungarn und Böhmen.

Zugleich brach in Italien der Krieg gegen Frankreich wieder aus (1526—1529). Die kaiserlichen Truppen, erbittert über ausgebliebene Soldzahlungen, plünderten eigenmächtig Rom und nahmen den Papst gefangen (Sacco di Roma, 1527). Der Krieg zog sich noch jahrelang hin. Geldnot auf beiden Seiten führte schließlich zum Frieden von Cambrai (1529): Frankreich behielt Burgund, entsagte aber allen Ansprüchen in Italien.

Während in Cambrai Friede geschlossen wurde, marschierte bereits eine gewaltige türkische Armee durch Ungarn. Sultan Suleiman II., der Prächtige, hatte das Ziel, das abendländische Imperium durch ein osmanisches Weltreich abzulösen. Septem- | **1529** | ber 1529 belagerte er Wien, zog aber überraschend wieder ab (Nachschubschwierigkeiten, nahender Winter). Einem Sturm oder einer langen Belagerung hätte die Stadt wohl kaum standhalten können (vgl. VI, 4).

Mit dem Abzug der Türken trat außenpolitisch für den Kaiser eine Ruhepause ein, so daß er sich wieder den deutschen Verhältnissen zuwenden konnte.

Der deutsche Protestantismus

In Deutschland hatten die lange Abwesenheit des Kaisers und der offene Krieg zwischen Kaiser und Papst die Ausbreitung der Reformation begünstigt. Auf dem ersten Reichstag zu Speyer (1526) hatten die Stände einen Kompromiß geschlossen: Die Landesherren sollten bis zur Abhaltung eines Konzils in religiösen Dingen nach eigener Verantwortung handeln.

Auf dem zweiten Reichstag zu Speyer (1529) legte Erzherzog Ferdinand eine kaiserliche „Proposition" vor, die Türkenhilfe verlangte und die Durchführung des Wormser Ediktes forderte. Die Mehrheit nahm die Proposition an. Die neugläubige Minderheit (Kurfürst Johann von Sachsen, Landgraf Philipp von Hessen, Markgraf Georg von Brandenburg, Herzog Ernst zu Braunschweig und Lüneburg, Fürst Wolfgang zu Anhalt sowie 14 Städte, darunter Straßburg, Ulm, Nürnberg) protestierten dagegen, bestanden auf der Regelung von 1526 und lehnten eine Majorisierung in Glaubensfragen ab (seither „Protestanten" genannt).

Danach kehrte Karl V. nach Deutschland zurück, um die Religionsfrage nun endlich beizulegen, wenn irgend möglich, mit friedlichen Mitteln, aber notfalls auch gegen den Willen des Papstes mit Hilfe eines Konzils.

Der Augsburger Reichstag

Am Augsburger Reichstag (1530) konnte | **1530** | Luther als Geächteter nicht teilnehmen. Melanchthon hatte auf Wunsch des sächsischen Kurfürsten eine Denkschrift ausgearbeitet, in der er den lutherischen Glauben darstellte und begründete (Augsburgische Konfession). Ziel war, sich von den Täufern zu distanzieren und nachzuweisen, daß man die von Gott gesetzte weltliche Obrigkeit anerkannte. Die Schrift wurde verlesen. Die altgläubige Partei antwortete mit einer Gegenschrift. In Ausschußsitzungen versuchte man erfolglos, einen Kompromiß auszuhandeln. Schließlich schlug der Kaiser vor: Einberufung eines Konzils, bis dahin Rückkehr zur alten Ordnung.

Die Protestanten lehnten hartnäckig ab, der Reichstagsabschied, der den kaiserlichen Vorschlag annahm, kam wiederum ohne sie zustande. Wichtig aber war, daß die alte Kirche unter den Schutz des Landfriedens gestellt wurde, so daß jene Stände, die am neuen Glauben festhielten, Gefahr liefen, als Landfriedensbrecher behandelt zu werden.

Damit war der konfessionelle Streit erneut zu einer Frage des Reichsrechtes geworden und machte eine politische Organisierung der protestantischen Reichsstände notwendig. Diese vollzog sich im Schmalkaldischen Bund (1531).

2. Karl V. im Kampf gegen Frankreich, die Türken und den deutschen Protestantismus

Vom Nürnberger Religionsfrieden zum Schmalkaldischen Krieg

Der Schmalkaldische Bund war eine Defensivmaßnahme (gegenseitiger Beistand der Protestanten) gegen die wegen Landfriedensbruch drohenden Kammergerichtsprozesse. Da Ferdinand gegen den Willen der Neugläubigen zum deutschen König gewählt worden war (1531), fürchtete man eine Verschärfung der Lage. Diese trat jedoch zunächst nicht ein, da der Kaiser von außen bedroht wurde (Türken, Frankreich). Als im Sommer 1532 erneut ein großes osmanisches Heer gegen die Erblande vorrückte, kam es zum Nürnberger Religions- | **1532** | frieden (1532): Der Kaiser versprach, bis zu einem Konzil die Prozesse ruhen zu lassen und sich aller gewaltsamen Aktionen „der Religion halber" zu enthalten. Die Stände erklärten sich zur Türkenhilfe bereit. Danach verließ Karl V. Deutschland wieder für fast ein Jahrzehnt. Die Türken wurden aufgehalten, aber nicht vernichtend geschlagen. Mit Franz I. von Frankreich, der mit den Gegnern Habsburgs zusammenarbeitete, kam es zum 3. und 4. Krieg (1536—1538 und 1542—1544). Erhebliche Machtverschiebungen traten nicht ein. Papst Paul III. schrieb auf Drängen des Kaisers zur Bereinigung der Religionsfragen schließlich ein allgemeines Konzil auf deutschem Boden aus, das 1545 zustande kam (Trienter Konzil, lat. „Tridentinum", 1545—1563, E, V, 1). Als die protestantischen Stände erfuhren, daß als wichtigste Aufgabe des Konzils die Ausrottung der Ketzerei bezeichnet wurde, lehnten sie ihre Teilnahme ab. Trotzdem hofften sie immer noch auf einen „gnädigen Kaiser" und eine

Kurfürst Moritz von Sachsen
(1521—1553), Holzschnitt, Kopie nach Lukas Cranach d.J. Moritz war seit 1541 Herzog, seit 1547 Kurfürst, 1553 wurde er, als Sieger in der Schlacht von Sievertshausen, tödlich verwundet.

Klärung der anstehenden Fragen auf einer deutschen Nationalversammlung. Ihre Lage war nicht günstig. Aus politischen und persönlichen Gründen begann ihre Einigkeit abzubröckeln. Die Nebenehe, die Landgraf Philipp von Hessen mit Zustimmung Luthers und Melanchthons geschlossen hatte, schadete dem Ansehen der Reformation. Eine geschickte kaiserliche Diplomatie suchte in Einzelverhandlungen auf die Fürsten einzuwirken. Zudem hatte sich das gegnerische Lager zu einer Liga der katholischen Reichsstände zusammengeschlossen (1538).

Der Schmalkaldische Krieg

Der Entschluß des Kaisers, die Glaubensspaltung und mit ihr die reichsständische Opposition gewaltsam zu beseitigen, fiel wahrscheinlich 1545, als die Protestanten öffentlich erklärten, sie würden dem Konzil fernbleiben, da es weder allgemein noch frei, noch christlich sei. Der Papst versprach 12 500 Mann Hilfstruppen und finanzielle Zuschüsse. Um den Rücken frei zu haben, schloß Karl mit den Türken einen auf anderthalb Jahre befristeten Waffenstillstand, verzichtete auf die in Ungarn verlorenen Gebiete und zahlte dem Sultan Tribut.

Im Reich gelang es dem Kaiser, die Bildung einer politischen Einheitsfront zu verhindern, indem er Brandenburg zur Neutralität bewog und die besonderen sächsischen Verhältnisse für sich nutzbar machte. Sachsen war 1485 durch Erbteilung der Wettiner in eine Ernestinische (Kurfürstentum Sachsen, einschließlich Thüringen) und in eine Albertinische (Herzogtum Sachsen) Linie zertrennt worden. Der politisch gewandte und ehrgeizige Herzog Moritz von Sachsen 1521—1553) entschloß sich ebenfalls zur Neutralität, als Karl V. ihm die noch im Besitz der ernestinischen Linie befindliche Kurwürde in Aussicht stellte.

Die für damalige Verhältnisse große militärische Auseinandersetzung begann Juli 1546 und brachte zunächst dem Kaiser Erfolge. Bei Mühlberg wurde Kurfürst Johann Friedrich von Sachsen besiegt und gefangengenommen und kurz darauf wegen Majestätsbeleidigung zum Tode verurteilt. Zwar ließ der Kaiser das Urteil nicht vollstrecken, zwang Johann Friedrich aber zum Verzicht auf sein Land und die Kurwürde, die an Moritz von Sachsen kam, und behielt ihn bis auf weiteres in Haft. — Auch Landgraf Philipp von Hessen ergab sich — offenbar in Verkennung der Situation — dem Kaiser, der ihn in wenig ritterlicher Weise als Gefangenen durch ganz Europa schleppen und öffentlich ausstellen ließ. Als Philipp schließlich heimkehrte, war er ein gebrochener Mann.

Die Fürstenopposition von 1552

Einen Umschwung brachte der Reichstag von Augsburg (1547/48), auf dem Karl V.

Pläne zu einer Reichsreform vorlegte, die die Stellung des Reichsoberhauptes gestärkt hätten. Sie scheiterten am einhelligen Widerstand der Landesherren, dem sich sogar die geistlichen Fürsten anschlossen. — In der Religionsfrage kam es zu keiner Klärung. Zwar konnte der Kaiser die geschwächten evangelischen Stände nun zur Teilnahme am Konzil zwingen, doch hatte ein persönlicher Konflikt zwischen Kaiser und Papst zur Suspendierung des Konzils geführt. Papst Paul wandte sich in Erbitterung gegen Karl V. Frankreich zu, so daß der Kaiser allein nach einer Lösung suchen mußte.

Aus dieser Situation heraus entstand das sogenannte „Interim", eine vorläufige Religionsordnung mit altgläubigem Charakter, aber evangelischen Zugeständnissen (Abendmahl in beiderlei Gestalt, verheiratete Priester durften verheiratet bleiben), das nur für die Protestanten galt. Die katholischen Reichsstände wurden in einer Reformationsformel aufgefordert, noch bestehende Mißstände abzustellen. Das Interim stieß auf Kritik von beiden Seiten und entzweite die evangelischen Stände.

Trotz der starken kaiserlichen Machtposition war es auf dem Augsburger Reichstag — abgesehen von einigen kleineren Erfolgen — nicht gelungen, in einer umfassenden Neuordnung die Glaubensspaltung zu überwinden und die reichsständische Opposition auszuschalten. Im Gegenteil. Die Oppositon verschärfte sich, weil entgegen der Wahlkapitulation von 1519 immer noch spanische Truppen im Land waren. Als bekannt wurde, daß Karl V. als Nachfolger für die Kaiserwürde seinen Sohn Philipp (von Spanien) und nicht den Sohn König Ferdinands, Maximilian, vorgesehen hatte, fürchteten die Stände eine Beschränkung ihrer Freiheit (Libertät). Kurfürst Moritz von Sachsen brachte im Winter 1551/52 eine antihabsburgische Koalition mehrerer protestantischer Fürsten mit König Heinrich II. von Frankreich (1547—1559) zustande. Als Lohn für seine Hilfe erhielt Frankreich das Reichsvikariat über die zum Reich gehörenden Städte Metz, Toul und Verdun. Der Kaiser, der alle Warnungen vor einer Fürstenopposition in den Wind geschlagen hatte, wurde vom Angriff der Verbündeten

Landsknechte. Holzschnitt von Hans Sebald Beham, 1543

überrascht. Nur mit Mühe entging er der Gefangennahme in Innsbruck.

1552 Im Passauer Vertrag (1552) beschlossen katholische und protestantische Fürsten freie Religionsübung, Religionsfrieden bis zum nächsten Reichstag und Aufhebung des Interims. Der Kaiser stimmte trotz erheblicher Bedenken zu, um die Hand freizubekommen für einen Zug nach Frankreich, der jedoch keinen Erfolg brachte.

In den folgenden Jahren überließ der Kaiser die Angelegenheiten in Deutschland ausschließlich seinem Bruder Ferdinand.

Der Augsburger Religionsfrieden (1555)

Auf dem Reichstag von Augsburg befanden sich die protestantischen Stände in der Minderzahl. Ihr politischer Führer, Moritz von Sachsen, war tot. Dennoch führte die allgemeine Friedenssehnsucht zu einer Einigung, die dem Reich für die nächsten Jahrzehnte Ruhe brachte.

Der Reichstagsabschied enthielt eine sogenannte „Exekutionsordnung" und einen „Religionsfrieden" — beides diente dem all-

gemeinen Landfrieden. In der Exekutionsordnung wurde den Reichsständen unter
Ausschaltung des Kaisers die Wahrung des
Landfriedens übertragen. — In der Religionsfrage erklärten sich die altgläubigen
Stände bereit, mit den Ständen der Augsburgischen Konfession friedlich zusammenzu-
leben. Calvinisten und Täufer blieben somit
ausgeschlossen. Die Freiheit der Wahl zwischen beiden Konfessionen stand nur den
Landesherren zu, die Untertanen mußten
die Religion ihrer Obrigkeit annehmen oder
auswandern („Cuius regio, eius religio"). In
den Reichsstädten durften beide Religionen
nebeneinander existieren. Zur Wahrung des
katholischen Besitzstandes diente ein sogenannter „geistlicher Vorbehalt": Wenn geistliche Fürsten protestantisch werden wollten,
sollten sie ihr Amt niederlegen. Kirchengut,
das vor 1552 säkularisiert worden war, blieb
im Besitz der protestantischen Fürsten oder
Städte.

Der Augsburger Religionsfriede orientierte
sich an den realen Verhältnissen. Er verzichtete auf die Religionseinheit im Reich und
ermöglichte einen politischen Ausgleich der
Religionsparteien auf dem Boden des
Reichsrechtes. Indem er die Religionshoheit
vom Reich an die Territorien delegierte, le-
galisierte er die territoriale Kirchenhoheit.
Die Fürsten beider Glaubensrichtungen gewannen dadurch an politischer Selbständigkeit.

Die Abdankung Karls V.

Während auf dem Reichstag in Augsburg
über den Religionsfrieden verhandelt
wurde, reifte in Kaiser Karl V. der Ent-

1556 schluß zum Rücktritt. In drei zeitlich voneinander getrennten Akten
verzichtete er auf seine Länder und die Kaiserwürde.

Die Regierung der Niederlande, die Herrschaft über die spanischen Königreiche, die
überseeischen Kolonien und Neapel-Sizilien
übergab er seinem Sohn Philipp II., der
schon seit 1545 mit dem Herzogtum Mailand belehnt war. Das Kaisertum ging mit
Billigung der Kurfürsten an König Ferdinand I. über. Karl V. zog sich nach Spanien
zurück. Neben dem Hieronymitenkloster
San Yuste, am Südhang des Kastilischen Ge-
birges, ließ er sich eine Villa bauen, von wo
er aufmerksam, aber ohne sich einzumischen, die Ereignisse in der Welt verfolgte.
Er starb am 21. IX. 1558.

Karl V. ist als Persönlichkeit schwer zu erfassen, weil sich in ihm Vorstellungen verschiedener Zeitalter berührten. In seiner Auffassung vom Kaisertum (Kaisertum als Schirm-
herrschaft über die römisch-katholische Kirche und als universale, über das Reich
hinausgehende Macht) erscheint er mittelal-
terlich und schon nicht mehr im Einklang
mit den Tendenzen seiner Zeit. Deshalb
wohl hat er als Kaiser seine hochgesteckten
Ziele nicht erreicht. Anders als König, Landesfürst (für die zum deutschen Reich gehörenden Territorien Niederlande und Burgund) und Chef einer großen Dynastie:
Kühl und zielstrebig, in richtiger Einschätzung der Realitäten, beherrscht von einer
modern anmutenden Staatsraison, vergrößerte und festigte er die Macht seines Hauses und hinterließ ein Imperium, das — obgleich aufgeteilt — noch generationenlang
eine Weltmacht blieb.

V. Europa nach der Reformation

1534	Ignatius von Loyola gründet den Jesuitenorden	1533—1584	Wilhelm I. von Oranien
1545—1563	Konzil von Trient	1579	Union von Utrecht
24. 8. 1572	Bartholomäusnacht	1581	Unabhängigkeitserklärung der Utrechter Union
1589—1610	Heinrich IV., König von Frankreich	1602	Gründung der Vereinigten Niederländisch-Ostindischen Kompanie
1598	Edikt von Nantes		
1556—1598	Philipp II., König von Spanien		

1. Die katholische Reform (Gegenreformation)

Während die Reformation, ursprünglich aus dem gemeinsamen Reformstreben der ganzen Kirche entstanden, in vielen Teilen Europas zur Bildung neuer Konfessionen führte, vollzog sich innerhalb des Katholizismus eine religiöse und kirchliche Erneuerung, die teils aus eigenen Wurzeln, teils in Auseinandersetzung mit dem neuen Glauben stattfand.

Angesichts der reformatorischen Bedrohung gelangten restaurative und reformerische Kräfte innerhalb der alten Kirche zu einer fruchtbaren Auseinandersetzung, die schließlich zu einer Neubesinnung und Neuordnung führte. Das war die Voraussetzung für die sogenannte „Gegenreformation", in der die katholische Kirche alle Kräfte – auch militante — einsetzte, um verlorengegangene Gebiete zurückzugewinnen. Der Versuch blieb nicht ohne Erfolg. — Der Begriff „Gegenreformation" bezeichnet zwei verschiedene Dinge: einmal den Vorgang der Rückgewinnung, zugleich aber auch die Zeitepoche von ca. 1540 bis zum Ende des Dreißigjährigen Krieges.

Neue Ordensgründungen

Die katholische Glaubenserneuerung mit stark mystischen Zügen ging von Spanien und Italien aus, jenen Gebieten, die von der Reformation am wenigsten betroffen waren. Während Protestanten und Reformierte sich ganz auf die Verkündigung von Gottes Wort konzentrierten und die weltliche Fürsorge in steigendem Maße dem Staat und seinen Organen überließen, suchte die katholische Seite durch Seelsorge (Ringen um die Seele der einzelnen) und tätige Nächstenliebe (Caritas) die Intensivierung des kirchlichen Lebens zu erreichen. Es entstanden zahlreiche neue Orden, die sich oft auf bestimmte Aufgaben spezialisierten: Barmherzige Brüder, Vincentinerinnen (Krankenpflege), Ursulinenorden (Mädchenerziehung), Theatiner (Ausbildung des Weltklerus), Salesianerinnen (Krankenpflege, Mädchenbildung) und viele andere. Alle Glaubensrichtungen hatten erkannt, wie wichtig die Schulbildung, auch der unteren Schichten, für das religiöse Leben geworden war, und widmeten sich diesem Problem mit entsprechender Aufmerksamkeit. Besondere Erfolge auf diesem Gebiet erzielte der Jesuitenorden. Als „Gesellschaft Jesu" (lat. Societas Jesu, abgekürzt S.J.) wurde er **1534** 1534 von dem baskischen Edelmann Ignatius von Loyola (um 1491—1556) gegründet. Loyola war Offizier und erfuhr seine Wandlung zum Ordensgründer, als er während einer schweren Verwundung lange Zeit auf dem Krankenlager verbringen mußte. So ist wohl auch der ungewöhnlich strenge, fast militärische Aufbau des Ordens zu verstehen. Als Soldaten Christi sollten die Ordenskleriker diszipliniert und bedingungslos für die christliche Sache eintreten. Dem diente auch das Gelübde des absoluten Gehorsams gegenüber den Ordensoberen und dem Papst als Stellvertreter Christi (sofern nichts Sündiges verlangt wurde). Ursprüngliches Ziel des Ordens war die Mohammedanermission, die aber bald durch die innere Mission abgelöst wurde. Durch Seelsorge, Predigt, Unterricht, caritative Tätigkeit und nicht zuletzt durch die hohen geistigen und religiösen Anforderungen, die der Orden an seine Mitglieder stellte, leistete er Entscheidendes für die Festigung der katholischen Kirche. Durch ihre Tätigkeit als Beichtvater gewannen die Jesuiten auch Einfluß an den Höfen. Die Gesellschaft Jesu konnte sich weder der rechtlichen Ordnung der Kirche, noch einer staatlichen Ordnung einfügen, da sie im unmittelbaren Auftrag Christi handelte. Der Papst war für sie Stellvertreter Christi, nicht nur Oberhaupt einer anstaltlichen Kirche. Damit sind die zahlreichen Schwierigkeiten zu erklären, die dem Orden von kirchlicher und staatlicher Seite gemacht wurden (1773 von Papst Klemens XIV. verboten, 1814 von Papst Pius VII. wiederhergestellt, in Deutschland von 1872—1917 verboten).

Das Konzil von Trient

Den entscheidenden Schritt vom mittelalterlichen zum modernen Katholizismus tat das

Ignatius von Loyola (1491—1556) nach einem Gemälde von Sanchez Coello. Loyola war ursprünglich Offizier; nach einer Verwundung Wendung zur Religion, um 1533 erste Anfänge des Jesuitenordens, 1537 Priesterweihe. Seit 1537 widmet er sich in Rom ganz dem Aufbau des neuen Ordens.

Konzil von Trient (Lat.: Tridentinum; 1545—1563). Es tagte in drei Perioden: 1545—1547/49; 1551—1552; 1562 bis 1563. Schon daran sind die Schwierigkeiten abzulesen, mit denen es zu kämpfen hatte: Die einen erwarteten von dem Konzil die längst fälligen Reformen, andere wollten dogmatische Fragen in den Mittelpunkt stellen, der Kaiser erhoffte die Überwindung der Glaubensspaltung, die Bischöfe eine Erweiterung ihrer Macht. Obgleich die Kirchenversammlung häufig zu scheitern drohte, kam sie doch — anders als die Reformkonzilien des 15. Jahrhunderts — zu weitreichenden Ergebnissen, wobei die Denkanstöße, die die Reformation gegeben hatte, deutlich zu verfolgen sind, wie z. B. in der Frage, ob nur die Heilige Schrift oder, zusätzlich, auch die sonstige Überlieferung als Grundlage des Glaubens zuzulassen sei. Das Konzil entschloß sich, Schrift und Überlieferung nebeneinander gelten zu lassen, und setzte sich auch mit den übrigen reformatorischen Lehrauffassungen auseinander. Wichtiger aber war, daß in den Beschlüssen von Trient erstmals eindeutig und umfassend niedergelegt wurde, welche Glaubensbestimmungen künftig in der katholischen Kirche gelten sollten (Tridentinisches Glaubensbekenntnis). Damit wurden zum Teil jahrhundertealte Unsicherheiten beseitigt. Neben dem Dogma erfuhr auch die Liturgie eine verbindliche Neuordnung.

Schwieriger war es mit der Abstellung äußerer Mißstände. Die Residenzpflicht der Bischöfe (persönliche Anwesenheit in ihren Sprengeln) und die Vermeidung von Ämterhäufung in einer Hand hat letztlich auch das Konzil nicht durchsetzen können. Heilsam wirkte sich aber eine Fülle von Reformdekreten aus, die sich mit einer sorgfältigeren Ausbildung der Geistlichkeit befaßten und das kirchliche Leben von Laien und Priestern genau regelten (Beichte, Kommunion, Meß- und Predigtbesuch wurden zum kirchlichen Gesetz erhoben; Beschlüsse über kirchliche Feste, Heiligen- und Bilderverehrung, Fasten, Priesterweihe, Sakrament der Ehe u.a.m. gefaßt).

Die lange umstrittene Frage, ob der Papst oder das Konzil höher stehen, wurde in Trient nicht behandelt, de facto aber beantwortet: Die Tatsache, daß die päpstlichen Legaten die Leitung des Konzils fest in der Hand behielten und alle Beschlüsse dem Papst zur Genehmigung vorgelegt wurden, kam einer Bestätigung der päpstlichen Obergewalt gleich. Auch eine Reform der Kurie unterblieb zunächst, wurde aber in den folgenden Jahren nachgeholt, da die Päpste selbst die Notwendigkeit von Reformen erkannt hatten.

Das Tridentinum war kein allgemeines Konzil mehr: die evangelische Seite fehlte. Es vollzog die scharfe dogmatische Abgrenzung gegen den reformatorischen Glauben und setzte damit an Stelle der mittelalterlichen universalen Einheit eine katholische Konfession. Sie stand auf dem Boden der religiösen und politischen Realitäten. Das wiedergewonnene Selbstbewußtsein der Kirche spiegelte sich in der Schlußfeier des

Konzils, an der 6 Kardinäle, 3 Patriarchen, 25 Erzbischöfe, 169 Bischöfe, 7 Äbte und 7 Ordensgeneräle (erstmals auch der der Jesuiten) teilnahmen. Es endete, wie die alten Konzilien, mit einer feierlichen Akklamation an den Papst, den Kaiser und die christlichen Könige.

2. Die Hugenottenkriege in Frankreich

Während der Augsburger Religionsfriede in Deutschland zunächst Ruhe brachte, kam es in Frankreich zu langwierigen Glaubenskämpfen, die eng verbunden waren mit wirtschaftlichen, innen- und außenpolitischen Vorgängen.

Die Hugenottenkriege bis zum Regierungsantritt Heinrichs IV.

König Heinrich II. von Frankreich (1547—1559), verheiratet mit Katharina von Medici, versuchte durch eine antiprotestantische Religionspolitik dem Vordringen des Calvinismus entgegenzuwirken. Der Erfolg war, daß sich die reformierten Gemeinden seit 1555 zu organisieren begannen und der neue Glaube in die soziale Oberschicht vordrang. Die französischen Protestanten nannten sich „Hugenotten" (Bedeutung und Herkunft des Wortes sind nicht eindeutig geklärt).

Mit dem Gegensatz zwischen Hugenotten und Katholiken verbanden sich Parteiinteressen großer Adelsfamilien. Die Familie der Guise, eine Nebenlinie des lothringischen Herzogshauses, machte sich zum Führer der Katholiken und suchte zugleich ihre alte adelige Unabhängigkeit gegenüber der Krone wieder zur Geltung zu bringen. Die Führer der Hugenotten, Prinz von Condé und Admiral Gaspard de Coligny, fanden Rückhalt am calvinistischen Hof des kleinen Pyrenäenkönigreichs Navarra. Katharina von Medici, die seit 1559 die Regentschaft für ihre beiden minderjährigen Söhne führte, versuchte vergebens, sich über den Parteien zu halten und die konfessionellen Gegensätze zu entschärfen. Da es der Krone an finanzieller und somit auch militärischer Macht fehlte, mußte sie jeweils bei einer der beiden Parteien Anlehnung suchen. Das erweckte den Eindruck einer un-

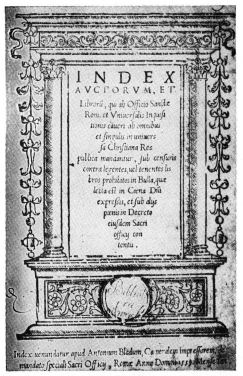

Der römische Index erschien erstmals 1559 mit dem abgebildeten Titelblatt: „Index Auctorum, et Librorum, qui ab Officio Sanctae Romanae et Universalis Inquisitionis caveri ab omnibus et singulis in universa Christiana Republica mandantur, sub censuris contra legentes, vel tenentes libros prohibitos in Bulla, quae lecta est in Coena Domini expressis, et sub alijs poenis in Decreto eiusdem Sacri officij contentis."
Der römische Index wurde bis 1948 immer wieder erneuert. Er verbot, bestimmte Bücher zu lesen, zu verkaufen, zu übersetzen, weiterzugeben oder auch nur zu behalten. Verbotene Bücher waren zu verbrennen oder dem Klerus auszuliefern. Bedeutende Werke der Dichtkunst und Wissenschaft — so etwa Schriften Kants —, aber auch deutsche Bibelübersetzungen standen auf dem Index. Er war bis 1966 geltendes kirchliches Recht.

entschlossenen Schaukelpolitik und verschärfte die Spannungen.

1562 brach der offene Kampf aus und hielt in einer Abfolge von Gewaltakten, Bürgerkriegen und Friedensabmachungen bis 1598 an. Kennzeichnend für diesen Bürgerkrieg war die fanatische Grausamkeit, mit der beide Seiten Morde begingen. Der Konflikt wurde durch die Einmischung fremder Mächte ausgeweitet. Philipp II. von Spanien unterstützte die Katholiken mit dem Ziel, damit auch den calvinistischen Einfluß in den spanischen Niederlanden zurückzudrängen. Die Hugenotten suchten Hilfe bei England und den deutschen Protestanten.

1570 schien ein Friedensschluß möglich: Im Edikt von St. Germain erhielten die Hugenotten Gewissensfreiheit und begrenzte Religionsausübung zugesichert, sowie vier „Sicherheitsplätze" (u. a. die Festung La Rochelle), die sie militärisch besetzen durften. Die politische Aktivität Admiral Colignys, der einen nationalen Krieg gegen Spanien führen wollte, brachte jedoch einen Umschwung in der versöhnlichen Haltung Katharinas. Anläßlich der Hochzeit ihrer Tochter Margarete, zu der auch der hugenottische Adel zahlreich erschienen war, ließ sie in der berüchtigten Bartholomäus-

1572 nacht (24. 8. 1572) Coligny und Tausende von Hugenotten ermorden.

Trotz dieser Schwächung war der französische Protestantismus nicht besiegt, sondern bildete in Südfrankreich (um Nîmes und Montauban) eine Art Staat im Staate, mit gewählten Führern (erst ein Prinz von Condé, dann Heinrich von Navarra), eigenem Heer, Justiz- und Finanzwesen.

Angesichts der Hilflosigkeit König Heinrichs III. (1574—1589) trat die altgläubige Adelspartei der Guise um so tatkräftiger hervor und bildete eine „heilige Liga" mit dem Ziel einer vollständigen Gegenreformation und Erneuerung der ständischen Rechte — notfalls ohne oder gegen den König. Ein Geheimbündnis mit Spanien (1585) sollte die drohende protestantische Thronfolge des Hauses Bourbon-Navarra verhindern und die dauernde Herrschaft der katholischen Stände über Frankreich sichern.

In den Auseinandersetzungen zwischen Hugenotten, Liga, ausländischen Mächten und König zerbrach die Macht der Krone. Heinrich III. wurde aus Paris vertrieben; die Ermordung der Herzöge von Guise wurde ihm angelastet und verschlimmerte seine Lage. Als er dem Mordanschlag eines fanatischen Dominikaners zum Opfer fiel, konnte er aber doch noch Heinrich von Bourbon-Navarra, den anerkannten Führer der Hugenotten, zu seinem Nachfolger bestimmen.

Das Edikt von Nantes

König Heinrich IV. (1589—1610) war kein religiöser Fanatiker. Er trat zum Katholizismus über, um die Krone behaupten zu können. In zähen Verhandlungen mit den Ständen erweiterte er allmählich seinen Autoritätsbereich. Wichtig dabei war, daß innerhalb der Liga immer mehr Stimmen gegen eine völlige Auslieferung Frankreichs an Spanien laut wurden. So konnte Heinrich als nationaler Befreier die spanischen Truppen vom französischen Boden vertreiben. Im Frieden von Vervins (1598) mußte Spanien seine hochgesteckten Ziele (Vernichtung der Hugenotten, territoriale Gewinne, Lenkung der französischen Politik) aufgeben. Wenige Wochen vorher hatte Hein-

1598 rich IV. im Edikt von Nantes (1598) seinen früheren Glaubensgenossen weitgehende Zugeständnisse gemacht: Gewissensfreiheit, begrenzte Ausübung von Gottesdiensten, uneingeschränkte Rechtsfähigkeit, Zutritt zu allen Ämtern. Als Garantie durften die Hugenotten 100 Garnisonen mit eigenen Leuten besetzen.

Die Tatsache, daß das Edikt von Nantes — anders als vorangegangene Edikte — gehalten wurde, ist wohl wesentlich aus der allgemeinen Kriegsmüdigkeit und dem wirtschaftlichen Ruin zu erklären.

Weite Teile des Landes waren verwüstet. Der Adel, der sich oft nicht mehr um die Bewirtschaftung seiner Güter hatte kümmern können, war verarmt und verschuldet. Die Versuche einzelner Grundherren, die bäuerlichen Abgaben zu erhöhen, führten zu Bauernrevolten. Neureiches Stadtpatriziat (hommes nouveaux), besonders Beamte und Richter, erwarben Grundherrschaften und entwickelten neue Bewirtschaftungsmethoden (unter starker Heranziehung ungebundener Landarbeiter), die eine Proletarisierung des herkömmlichen Bauerntums beschleunigten.

Auch in den Städten stagnierten Handel und Gewerbe. Der Preisauftrieb, der das 16. Jahrhundert kennzeichnet, wurde seit 1550 durch das Einströmen größerer Mengen Edelmetall aus den amerikanischen Kolonien angeheizt und nahm seit 1589, verstärkt durch die Auswirkung kriegerischer Ereignisse (Tiefstand der Produktion, Spekulation), explosiven Charakter an. Viele Handwerksbetriebe mußten schließen, was zu Arbeitslosigkeit und sozialem Elend führte. In anderen Gewerbezweigen kam es

Die Ermordung Heinrichs III. von Frankreich.

Flugblatt (Holzschnitt). Die Unterschrift lautet (im Französisch des 16. Jahrh.):

„Henry de Vallois grand Tiran de la France, / Voulant mettre a feu et sang de Paris les Catholiques / Par le conseil de ses faux supposts et heretiques / Se met en campagne pour les mettre en souffrance / Mais Dieu par sa misericorde et bonte, / Les a delivrez de sa tirannie et cruaute. Frere Iaques Clement (Iacobin) homme de bien / Desirant veoir l'Eglise et le Peuple en repos / Se met en bon estat et devoir (comme bon chrestien) / Luy presente une lettre et le tue sur ce propos / D'un cousteau, sans avoir de personne accez. / Affin que puissions vivre en paix cy apres."

Icy se voit côme Héry de Vallois a esté mis amort par vn Religieux de l'ordre des freres Prescheurs, dit Iacobins, luy presentant vne lettre d'vn politique de ceste ville de Paris.

durch die hohen Preise zu einer Konzentration des Kapitals (so im Verlagswesen, in der Tuchweberei und Seidenherstellung, in der Glas- und Eisenverarbeitung). Aber auch hier brach nach 1585 die Produktion vielfach zusammen, weil die üblichen Absatzmärkte wegfielen oder die Konkurrenz der vom Krieg nicht betroffenen Länder zu groß war. Die wirtschaftlichen Korporationen — bes. die Zünfte — unterstützten die Wiederherstellung der königlichen Macht und den Absolutismus, weil sie eine Besserung ihrer Situation erhofften.

Die wirtschaftliche Lage der Krone war schwierig: Die Staatsschuld belief sich 1599 auf ca. 300 Millionen Pfund, wovon ein Drittel fremden Mächten geschuldet wurde. Einkünfte aus Krondomänen gab es kaum noch, da fast alle königlichen Dominialrechte veräußert worden waren. — Durch planmäßige Förderung von Landwirtschaft und Gewerbe und durch die Beauftragung fähiger Mitarbeiter (Herzog von Sully für die Finanzen, Barthélémy de Laffemas für die Wirtschaft) gelang es Heinrich IV., die Kriegsfolgen in der Wirtschaft verhältnismäßig rasch zu überwinden. Als Heinrich IV. 1610 von dem Fanatiker Ravaillac ermordet wurde, war die Macht des hohen Adels zwar noch keineswegs gebrochen,

aber doch eine zentrale Machtgrundlage geschaffen, auf der Kardinal Richelieu eine überlegene Staatsverwaltung aufbauen konnte (vgl. E, VI, 3).

3. Der Freiheitskampf der Niederlande

Die spanischen Niederlande bestanden aus 17 Provinzen mit unterschiedlichen Wirtschafts- und Sozialstrukturen. Der Süden mit seinen zahlreichen Städten wurde von Handel, Gewerbe und Großkapital beherrscht. Es kam häufig zu Spannungen zwischen Lohnarbeitern und Unternehmern. Der Nordosten war fast reines Agrarland, die Westküste ganz auf Seefahrt (zunächst vorwiegend Küstenschiffahrt und Fischfang) ausgerichtet. Quer durch das Land verlief die romanisch-germanische Sprachgrenze. An der Spitze der einzelnen Provinzen standen Statthalter, Angehörige des niederländischen Hochadels. Die „Generalstaaten", eine Versammlung aus Vertretern der einzelnen Provinzen, stellten einen Ansatz zur politischen Einheit dar. Allerdings waren die Vertreter strikt an ihre Instruktionen gebunden, da sie nicht gewählt, sondern in den einzelnen Provinzen nach unterschiedlichem Modus bestimmt wurden. Einzige Befugnis der Versammlung war zunächst die Bewilligung außerordentlicher Steuern. An der Spitze aller Provinzen stand der Generalstatthalter, meist ein Angehöriger des spanischen Herrscherhauses. Er wurde von einem „Staatsrat" beraten, zu dem nur der Hochadel Zutritt hatte, obgleich das reiche patrizische Bürgertum, das die Städte beherrschte, an Selbstbewußtsein und Einfluß dem Adel kaum nachstand.

Wilhelm von Oranien (1533—1584), Statthalter der Seestaaten, nach einem zeitgenössischen Kupferstich

Religiöse und soziale Spannungen

In den Niederlanden entwickelten sich zahlreiche reformatorisch gesinnte Gruppen unterschiedlicher Prägung (Lutheraner, Zwinglianer, Wiedertäufer, Calvinisten), obwohl Kaiser Karl V. schon vor 1522 Ketzergesetze erlassen hatte. Das städtische Großbürgertum und der Hochadel waren von der humanistischen Toleranz des Erasmus von Rotterdam beeinflußt und lehnten religiösen Fanatismus ab. So wurden die Ketzergesetze kaum angewendet. Dies änderte sich mit dem Regierungsantritt Philipps II.

König Philipp II. (1556—1598) wurde von den Niederländern als Ausländer betrachtet. Zu ersten Auseinandersetzungen kam es, als die Generalstaaten Philipps Geldnot ausnutzten, um ihre eigene Macht zu vergrößern. Der König war entschlossen, die Inquisition wirkungsvoller gegen die Ketzer einzusetzen. Deshalb teilte er die Bistümer neu ein (statt bisher vier große nun acht-

zehn kleinere) und nahm den Domkapiteln das Recht, die Bischöfe zu nominieren. Darin sahen auch breite Kreise der Katholiken einen Eingriff in alte Rechte. Führer des Widerstandes wurde Prinz Wilhelm von Nassau-Oranien, Statthalter von Holland, Seeland und Utrecht. Ein erster politischer Erfolg für den niederländischen Adel war es, daß der König 1564 den Repräsentanten ständefeindlicher Politik, Kardinal Granvella, abberief. Eine Milderung der scharfen Ketzeredikte, nach denen schon der bloße Verdacht der Ketzerei genügte, um verbrannt zu werden, lehnte Philipp jedoch ab. Die religiösen und sozialen Spannungen entluden sich 1566 in einem Kirchen- und Bildersturm der Protestanten, der weite Teile Flanderns in Anarchie stürzte. Wilhelm von Oranien strebte immer noch ein tolerantes Nebeneinander der Konfessionen und einen Ausgleich mit der spanischen Krone an. Deshalb stellte er der Generalstatthalterin, Margarete von Parma, seine Hilfe zur Verfügung unter der Bedingung, daß die protestantische Predigt frei zugelassen und eine Neuregelung der Religionsfrage unter Beteiligung der Generalstaaten in Aussicht gestellt würde. Die Statthalterin sagte alles zu. Daraufhin schlug Wilhelm von Oranien, unterstützt von Graf Egmont und Admiral Hoorne, den Aufstand nieder. Doch die Versprechen wurden nicht eingehalten. Statt dessen schickte König Philipp als neuen Generalstatthalter Herzog Alba mit einem Heer, um die Rebellen zu strafen und die landesherrliche Gewalt wiederherzustellen. Wahrscheinlich hätte sich zu diesem Zeitpunkt noch ein dauerhafter Frieden erreichen lassen. Adel und Bürgertum waren durch die Ausschreitungen einer kleinen radikalen Minderheit erschreckt und bereit, sich der spanischen Krone zu unterwerfen. Doch das gewaltsame Vorgehen Albas verschärfte die Situation.

Die Entstehung der Utrechter Union

Im Widerspruch zu den Landesrechten setzte Alba ein Sondergericht ein (Conseil de Troubles) zur Aburteilung der „Schuldigen", unter denen sich auch zahlreiche Katholiken befanden, die in irgendeiner Weise den Protestanten Zugeständnisse gemacht hatten. Egmont und Hoorne wurden hinge-

Spanische Truppen in Haarlem. Zeitgenössische Darstellung

richtet, Oranien gelang die Flucht. Beschlagnahme von Vermögen, Massenverhaf-
tungen und Steuererhöhungen ließen die
Verbitterung wachsen. Widerstand leisteten
aber nur die „Wassergeusen" (geuse = Bett-
ler, von den Spaniern als Schimpfwort ge-
braucht), die in einer Art Guerillataktik zur
See von englischen und hugenottischen Häfen aus operierten. Als Oranien, der in
Deutschland ein kleines Heer geworben
hatte, einen Befreiungsversuch unternahm
(1568), öffnete ihm keine Stadt ihre Tore.
Man fürchtete die allgemein übliche Zuchtlosigkeit der Soldaten. Erst bei einem 2.
Versuch (1572) gelang es ihm, in Holland
und Seeland Fuß zu fassen und auch die unteren Schichten gegen die Spanier zu mobilisieren. Teile der Nordprovinzen schlossen

sich an. Die Position der Aufständischen
war nun stark. Sie beherrschten die Handelswege, hatten die reichen Mittel der
Städte zur Verfügung und konnten notfalls
die Deiche durchstechen und das tieferlie-
gende Land unter Wasser setzen. Als besonders aktiv erwies sich die kleine Gruppe der
Calvinisten. Wilhelm von Oranien trat zu
ihrem Glauben über. Er konnte sein Ziel —
ein friedliches Nebeneinander der Konfessionen — nicht erreichen. In den calvinistischen Nordprovinzen wurde der katholische
Gottesdienst verboten. — König Philipp,
auf dem Höhepunkt seiner Macht, befand
sich in schweren Geldnöten und mußte 1575
den zweiten Staatsbankrott anmelden. 1573
rief er Alba zurück. Die spanischen Soldaten zogen plündernd durch die niederländi-

schen Provinzen. Das führte mit dazu, daß die katholischen Südprovinzen schließlich mit Holland und Seeland Frieden und ein Bündnis (Pazifikation von Gent, 1576) zur Vertreibung der spanischen Soldaten schlossen. Man war immer noch bereit, die Oberhoheit des spanischen Königs anzuerkennen, sofern dieser auf seine zentralistische Politik verzichtete und die alten Freiheiten respektierte. Philipp zog seine Truppen zurück, zeigte sich gegenüber den Protestanten aber unnachgiebig. Diese starre Haltung des Königs führte zu einer Radikalisierung auf calvinistischer und katholischer Seite. Das Genter Bündnis zerbrach. Es kam zu neuen kriegerischen Auseinandersetzungen, die der neue Generalstatthalter, Alexander Farnese, geschickt dazu benutzte, die überwiegend katholischen Südprovinzen (Wallonisch-Flandern, Artois und Hennegau) gegen Bestätigung ihrer Privilegien für die spanische Krone zurückzugewinnen (Union von Arras, 1579). Kurz darauf schlossen sich die Nordprovinzen zur Union von

1579 Utrecht (1579) zusammen und wählten Wilhelm von Oranien zum Statthalter. Für sie bürgerte sich bald der Name „Generalstaaten" ein. Die Calvinisten, obgleich immer noch in der Minderheit, setzten die alleinige Zulassung ihres Glaubens durch. Zwei Jahre später setzte die Utrechter Union mit der Unabhängigkeitserklä-

1581 rung (vom 26. Juli 1581) den spanischen König ab und begründete diesen Schritt mit dem Recht der Stände auf Widerstand gegen einen ungerechten Herrscher, der Privilegien verletzt und Eide bricht. Diese Auffassung von Herrschaft stand in Gegensatz zum Absolutismus, der sich in Spanien, Frankreich und nach dem Dreißigjährigen Krieg auch in den deutschen Territorien durchsetzte.

Wirtschaftlicher Aufschwung der Generalstaaten

Wilhelm von Oranien wurde 1584 ermordet. Sein Sohn Moritz führte mit Unterstützung Englands den Krieg fort. Der Untergang der spanischen Armada (1588) brachte eine entscheidende Wendung zugunsten des Protestantismus und der niederländischen Freiheitsbewegung. Der Krieg zwischen den Generalstaaten und Spanien zog sich dennoch

jahrzehntelang hin, bis im Frieden von Münster und Osnabrück (1648, E, VII, 3) die Unabhängigkeit der Republik der Niederlande auch formell anerkannt wurde. Die Südprovinzen (Belgien) blieben bei Spanien und kamen 1714 an Österreich.

Trotz der kriegerischen Auseinandersetzungen und der lockeren staatlichen Organisation begann um 1600 ein ungewöhnlicher wirtschaftlicher Aufschwung der Utrechter Union. Da seit dem Aufstand (1572) die Scheldemündung gesperrt und Antwerpen von der See abgeschnitten war, blühte Amsterdam wirtschaftlich auf und zählte 1630 mehr als 100 000 Einwohner. Die Bevölkerung der Provinz Holland nahm von 275 000 (1514) auf 672 000 (1622) zu. Seit der Jahrhundertwende deutete sich eine Verschiebung des wirtschaftlichen Schwerpunktes von den südlichen in die nördlichen Provinzen an. Die calvinistischen Flüchtlinge aus dem Süden waren für die Seeprovinzen ein wirtschaftlicher Gewinn. Die Textilherstellung in Leiden z. B. stieg von 27 000 Stück Tuch (1584) auf ca. 100 000 Stück (1620). Der Ostseehandel wurde seit 1600 weitgehend von niederländischen Schiffen beherrscht. Im Indienhandel stießen die holländischen Schiffe auf den Widerstand Portugal-Spaniens. Um ihre Erfolgsaussichten zu verbessern, schlossen sich die kleinen Unternehmen zur „Vereinigten Niederländisch-Ostindischen Kompanie"

1602 zusammen (1602). Die Gesellschaft erhielt das Recht, eigene See- und Landstreitkräfte zu unterhalten und befestigte Plätze anzulegen. Damit übte sie praktisch staatliche Hoheitsrechte aus. Das war wichtig, weil die „Generalstaaten" immer noch ein ziemlich loses staatliches Gebilde darstellten. Portugal verlor zahlreiche indonesische Stützpunkte an die Holländer. Diese brachten den Gewürzhandel zu einem wesentlichen Teil in ihre Hände und gründeten 1621 die „Westindische Kompanie". Amsterdam stieg zum zentralen Stapelplatz des europäischen Handels auf, seine Wechselbank besaß eine wichtige Stellung im europäischen Zahlungsverkehr.

Die Niederlande wurden zur ersten Handelsmacht der Welt mit Kolonien in Java, Kapstadt und Ceylon.

Der Geusenpfennig, 1566 geschaffen als Erkennungszeichen der Geusen. Die Umschriften lauten übersetzt: „In allem treu dem König" und, auf der Rückseite, „Treu bis zum Bettelsacktragen".

Auf der Vorderseite des Geusenpfennigs das Bildnis König **Philipps II.** (1527—1598), seit 1543 Regent, seit 1556 König von Spanien und seit 1580 auch von Portugal, der als Erbe Karls V. auch Herrscher über die Niederlande war.

Die Niederlande im 16./17. Jahrhundert

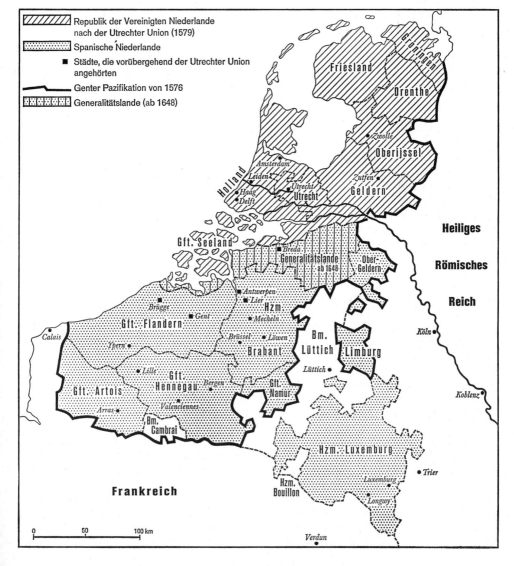

Legende:
- ▨ Republik der Vereinigten Niederlande nach der Utrechter Union (1579)
- ▦ Spanische Niederlande
- ■ Städte, die vorübergehend der Utrechter Union angehörten
- ━ Genter Pazifikation von 1576
- ▦ Generalitätslande (ab 1648)

Friesland
Groningen
Drenthe
Zwolle
Oberijssel
Amsterdam
Leiden
Zutfen
Holland
Utrecht
Geldern
Haag
Delft
Utrecht
Heiliges
Gft. Seeland
Breda
Generalitätslande ab 1648
Ober-Geldern
Römisches
Antwerpen
Lier
Reich
Hzm.
Brügge
Gent
Mecheln
Gft. Flandern
Köln
Calais
Brüssel
Löwen
Bm.
Ypern
Brabant
Lüttich
Limburg
Lille
Gft.
Lüttich
Gft. Artois
Hennegau
Bergen
Gft.
Koblenz
Arras
Valenciennes
Namür
Bm.
Cambrai
Hzm. Luxemburg
Frankreich
Trier
Hzm.
Luxemburg
Bouillon
Longwy
Verdun

0   50   100 km

VI. Die Machtverhältnisse in Europa um 1600

1520—1566	Sultan Suleiman II., der Große	1585—1642	Kardinal Richelieu
1558—1603	Elisabeth I., Königin von Eng-land	1602–1661	Kardinal Mazarin
1571	Spanischer Seesieg bei Le-panto über die Türken	1610—1643	Ludwig XIII., König von Frank-reich
1588	Untergang der spanischen Ar-mada	1643—1715	Ludwig XIV., König von Frank-reich
1584	Sir Walter Raleigh begründet Virginia, die erste englische Ko-lonie in Amerika	1648—1653	Frondeaufstände in Frankreich
		1576—1612	Rudolf II.
		1573—1651	Herzog Maximilian von Bay-ern
1600	Gründung der East India Com-pany	1608	Protestantische Union
		1609	Katholische Liga
		1609	Böhmischer Majestätsbrief

1. Niedergang der spanisch-portugiesischen Weltmachtstellung

Philipp II. von Spanien

Kaiser Karl V. hatte im Laufe seiner Regierungszeit immer stärker Spanien, besonders Kastilien, zur Basis seiner weitausgreifenden Politik gemacht. Als er 1556 abtrat, übergab er seinem einzigen legitimen Sohn, Philipp II. (1556—1598), die spanische Herrschaft. Sie umfaßte die spanischen Königreiche mit Stützpunkten an der nordafrikanischen Küste, italienische Besitzungen (Mailand, Sizilien, Neapel), die Freigrafschaft Burgund, die Niederlande und die ausgedehnten amerikanischen Kolonien, dazu die Erbanwartschaft auf Portugal mit seinen Kolonien. Eine weitere Machtausdehnung Spaniens durch die Königin Maria der Katholischen von England verwirklichte sich nicht, da Maria schon 1558 kinderlos starb. — König Philipp II. von Spanien verstand sein Königtum als unmittelbar von Gott verliehen. Deshalb trieb ihn sein Verantwortungsbewußtsein gegenüber Gott zu strengster Gewissenhaftigkeit in Ausübung seiner Regierungsgeschäfte und machte ihn unnachgiebig in der Verteidigung des alten Glaubens. Der Kampf gegen die „Ketzer" wurde zu einem wesentlichen Motiv seiner Politik. Da der König sowohl die spanische Inquisition als auch die spanische Kirche beherrschte, brauchte er auch Konflikten mit dem Papst nicht auszuweichen. — In seinem Drang, alles selbst zu überwachen, entwickelte er eine ganz auf Schriftlichkeit ausgerichtete Kabinettsregierung, die eine überbürokratisierte, schwerfällige Verwaltung zur Folge hatte. Der Herrscher selbst entzog sich immer mehr seiner nächsten Umgebung. Ausdruck dafür war die Einführung des steifen burgundischen Hofzeremoniells. Auch der Escorial (bei Madrid), als Schloß und Kloster für Philipp II. erbaut, spiegelt mit seiner strengen Raumgliederung und der zentralen Lage der Kirche (Nachbildung der Peterskirche in Rom) Persönlichkeit und Lebensstil dieses Herrschers.

Außenpolitik Philipps II.

Außenpolitisch wandte sich Philipp zunächst dem Mittelmeerraum zu, wo die Osmanen im Vordringen waren und die algerischen Korsaren die Schiffahrt beeinträchtigten. 1556 ging Malta (bis auf einen Stützpunkt) an die Türken verloren, 1570 Cypern. Eine Wendung brachte der spanische **1571** Seesieg bei Lepanto (1571), den Philipps illegitimer Halbbruder Don Juan d'Austria erfocht. Die Osmanen konzentrierten sich von nun an auf die Auseinandersetzung mit Persien. Ihr Nimbus der Unbesiegbarkeit war gebrochen.

Die Störung des spanischen Seeverkehrs mit den Niederlanden und den Kolonien durch englische Piraten (John Hawkins, Francis Drake) führte zu Spannungen mit England. 1580 kam es durch Erbfall zur Personalunion mit Portugal und damit zu einer Stärkung der spanischen Position im Atlantik. Als England nach der Ermordung Oraniens (1584) den niederländischen Aufstand militärisch unterstützte, beschloß Philipp, England durch eine Invasion niederzuwerfen. Das Unternehmen wurde ein Mißerfolg. Die Armada, mit 130 Schiffen und 22 000 Soldaten und Seeleuten an Bord, war, wohl

1588 aus finanziellen Gründen, nicht so stark, wie ursprünglich vorgesehen. Geschwächt durch Stürme, erreichte sie den Kanal. Die auf Enterkampf eingerichteten, hochgebauten spanischen Schiffe zeigten sich der neuen englischen Taktik — Geschützduell auf Distanz — unterlegen, da sie gute Ziele boten und ihre Soldaten nicht im Nahkampf einsetzen konnten. Als die Engländer dann noch brennende Schiffe (Brander) gegen die spanische Flotte treiben ließen, mußte sich diese zurückziehen. Nur wenige Schiffe erreichten die heimatlichen Häfen. Zwei weitere Versuche einer Invasion in England (1596, 1597) scheiterten an schlechten Wetterbedingungen. Die Folge war ein allmählicher Niedergang der spanischen Seeherrschaft; die Verbindung zu den amerikanischen Kolonien konnte jedoch aufrechterhalten werden.

Gegen Ende seiner Regierungszeit griff Philipp II. noch einmal unmittelbar in Frankreich ein, obgleich die andauernden Kämpfe in den Niederlanden und mit England bereits eine schwere Belastung darstellten. In den letzten dreißig Jahren hatte er die französischen Katholiken gerade so weit unterstützt, daß ein Sieg der Hugenotten vermieden wurde. Die innere Schwäche Frankreichs war für die spanische Politik durchaus günstig. Als aber die französische Krone an den Hugenotten Heinrich von Navarra fiel, machte Philipp Erbansprüche für seine Tochter Clara Eugenia geltend. Durch seinen Übertritt zum Katholizismus gelang es Heinrich IV. von Frankreich, den Krieg gegen Spanien in nationaler Geschlossenheit zu führen. Ein Bündnis zwischen Frankreich und England nötigte Philipp zum Frieden (Friede von Vervins 1598) und zum Verzicht auf alle Erbansprüche. Der niederländische Konflikt und der Kampf gegen England gingen auch nach seinem Tod weiter und trugen zum Verfall der spanischen Macht bei.

Wirtschaft und Staatsfinanzen

Philipp II. machte Kastilien zur Basis seiner Politik. Hier lebten rund 70 % der iberischen Bevölkerung. Es bestand eine straff zentralisierte Verwaltung. Die Stände (Cortes) waren schon seit der Zeit Karls V. entmachtet. Das Ziel, auch die übrigen Landesteile in einen zentralistisch und absolutistisch geführten Staat zu integrieren, gab Philipp im Lauf seiner Regierungszeit auf. Dafür spricht die Abberufung Herzog Albas aus den Niederlanden (1573), der als Hauptvertreter der zentralistischen Regierungsweise galt. In der Folgezeit ließ der König in den Niederlanden, in Portugal und sogar in Aragon die ständischen Vorrechte und regionalen Eigenarten bestehen. Die Gesamtstruktur der Monarchie blieb föderalistisch.

Ein wesentlicher Faktor für den Niedergang der spanischen Macht, den Rückgang der Wirtschaft und die Krise der Staatsfinanzen war der ständige Aderlaß durch den Krieg in Flandern gegen die Niederlande seit 1566.

Angeregt durch die amerikanischen Absatzmärkte, verzeichnete die spanische Wirtschaft in der ersten Hälfte des 16. Jahrhunderts eine Zunahme der Produktion. Das betraf vor allem die Woll- und Seidenweberei Kastiliens (Segovia, Toledo, Córdoba, u. a.) und Kataloniens, die Eisen- und Schiffsbauindustrie der baskischen Provinzen sowie die landwirtschaftliche Erzeugung. Um die Mitte des Jahrhunderts machte sich jedoch ein Konjunkturumschwung bemerkbar. Die in ganz Europa stattfindende Preisrevolution (vgl. E, II, 2) traf Spanien mit besonderer Härte und führte zu einem durchschnittlichen Preisanstieg von 400 %. Eine der Ursachen waren die reichen amerikanischen Silberzufuhren. Das hereinströmende Silber wurde zu Münzen geschlagen; dadurch vermehrte sich das Geldvolumen, dem im Inland kein hinreichendes Warenangebot gegenüberstand. Die Einfuhr von sogenanntem „Privatsilber" als Bezahlung für nach Amerika gelieferte Waren betrug (jeweils für einen Zeitraum von 5 Jahren gerechnet) vor 1530 ca. 1 Million Dukaten, seit 1560 ca. 10 Millionen, gegen Ende des Jahrhunderts ca. 30 Millionen Dukaten. Hinzu kam das Silber für die

Krone (30 bis 40% des gesamten Silberimportes), das allerdings zum größten Teil gleich an die ausländischen Geldgeber des Königs in Genua ging. Weitere Belastungen erwuchsen der Wirtschaft durch Steuererhöhungen, deren Hauptlast Kastilien zu tragen hatte, weil in den übrigen Landesteilen die Stände noch ein Mitspracherecht hatten und gegen Steuererhöhungen Widerstand leisteten. Zwischen 1520 und 1598 versechsfachten sich die Steuern in Kastilien, die, da der Adel steuerfrei war, von Bauern und Bürgern getragen werden mußten. Viele Bauern konnten ihren Steuer- und Abgabeverpflichtungen nicht mehr nachkommen und vergrößerten das Proletariat der Städte. Von Bedeutung war auch die Einstellung zur Arbeit: Der Adel — auch die breite Schicht des niederen Adels (Hidalgos) — lehnte Arbeit, um des Lebensunterhaltes oder gar des Gewinnes willen, als unehrenhaft ab. So entzogen die in den Adel aufsteigenden Familien, die meist aus dem Handel oder Gewerbe stammten, ihre Vermögen und ihre Arbeitskraft dem aktiven Wirtschaftsleben. Es entstand ein gefährlicher Gegensatz zwischen wirtschaftlicher Produktivität und sozialem Aufstieg, der wegen der damit verbundenen Steuerfreiheit sehr begehrt war. Die spanische Wirtschaft war nicht in der Lage, die aus Amerika einströmenden Gelder in stärkerem Maß für Investitionen zu benutzen, die eine Verbesserung und Ausweitung der Produktion gestattet hätten. Die Armee in Flandern und die „Spanische Straße" über Land vom Mittelmeer nach den Niederlanden verschlangen Unsummen.

Die Staatsfinanzen befanden sich bereits unter Karl V. in einem kritischen Zustand. Zur Deckung der Ausgaben nahm die Krone bei großen europäischen Bankhäusern Anleihen auf. Für Verzinsung und Rückzahlung mußten zukünftige Staatseinnahmen reserviert werden. 1554 waren fast alle für die nächsten sechs Jahre zu erwartenden Einnahmen im voraus ausgegeben und immer noch ein Defizit von 4 Millionen Dukaten vorhanden. Der sinkende Kredit der Krone trieb die Zinssätze nach oben (oft bis zu 40% Zinsen) und veranlaßte viele Geldgeber, sich von vornherein Einkünfte der Krone als Sicherheit abtreten zu lassen. Trotz massiver Steuererhöhungen nahm die Staatsschuld so zu, daß der König nur noch kurzfristige Anleihen zu sehr hohen Zinsen erhalten konnte. Deshalb sah er keine andere Möglichkeit, als dreimal (1557, 1575, 1596) den sogenannten „Staatsbankrott" zu erklären, d. h., er verwandelte eigenmächtig die hochverzinslichen, kurzfristigen Schuldverschreibungen in langfristige Renten (Juros) mit 5% Zinsen. Die ständige Finanznot Philipps, das Mißverhältnis zwischen wirtschaftlicher Leistungskraft des Landes und der Kostspieligkeit weltweiter Unternehmungen waren schuld daran, daß die spanischen Unternehmungen gegen England, die Niederlande und schließlich auch Frankreich nicht mehr die erwarteten Erfolge brachten.

2. England unter Königin Elisabeth I.

Aufschwung der Wirtschaft

Auch in England machte sich die inflationäre Preisentwicklung des 16. Jahrhunderts bemerkbar, führte hier aber zu einer Aktivierung wirtschaftlicher Kräfte, besonders im Außenhandel. Da die Preise schneller stiegen als die Löhne, gab es für Produktion und Handel große Verdienstmöglichkeiten. Hauptexportartikel waren halbfertige Rohwollstoffe, deren Produktion jetzt durch Verleger in größerem Umfang organisiert wurde. 1450 exportierte England 30 000 Stück, 1540 130 000 Stück Rohwolltuch, vorwiegend nach Antwerpen zur Weiterverarbeitung. Um das Risiko zu mindern, bildeten sich Unternehmergesellschaften, die „regulated companies", wo jeder mit eigenem Kapital auf eigene Rechnung Handel trieb, und die modernere Form der „jointstock companies", die, wie die heutige Aktiengesellschaft, schon ein Gesellschaftskapital besaßen. Neben den Kaufleuten erschienen auch Adelige und selbst die Königin als Gesellschafter, um ihr Kapital gewinnbringend anzulegen. Soziale und religiöse Aufgaben, wie sie die mittelalterlichen Zünfte und Kaufmannsgilden erfüllt hatten, übernahmen diese Gesellschaften nicht. Die soziale Fürsorge fiel immer mehr dem Staat zu. Durch gesetzliche Regelungen erhielten Arbeitslose Arbeit und Arbeitsunfähige Un-

Der Escorial nach dem Atlas Bleau (Österreichische Nationalbibliothek)

terstützung. Die Löhne der Handwerker und Arbeiter wurden wegen der Preissteigerungen jährlich durch den Friedensrichter neu festgesetzt, und zwar in angemessenem Verhältnis zu den Lebenshaltungskosten (Statute of Apprentices, 1563). Die Gesellschaften erhielten von der Krone Freibriefe und Lizenzen für bestimmte industrielle und kaufmännische Tätigkeiten. Das führte häufig zu regelrechten Monopolen.

In der 2. Hälfte des 16. Jahrhunderts erschloß der englische Handel neue Märkte in und außerhalb Europas. Für den Handel mit Rußland entstand 1555 die „Muscovy Company" und im selben Jahr die „Guinea Company" für den Handel mit afrikanischem Gold und Elfenbein. Für den Ostseehandel, in den die Engländer trotz hanseatischen Widerstandes eindrangen, entstand die „Eastland-Company" (1579), für den Handel mit der Türkei und Italien die „Levant Company" (1592) und für den Indienhandel die besonders reich privilegierte „East India Company" (1600). London wurde zu einem wichtigen Handelszentrum. Den meisten Profit erbrachte der von der Krone geduldete Schmuggel- und Ka-

1660

perkrieg, der die Spannungen mit Spanien verschärfte. John Hawkins, dem späteren Organisator der englischen Kriegsflotte, gelang es, in den nach außen streng abgeriegelten Sklavenhandel der spanischen Kolonien einzudringen. — 1584 gründete Sir Walter Raleigh die erste englische Kolonie in Amerika, Virginia (nach der jungfräulichen Königin benannt). Sein Versuch wurde jedoch von Elisabeth nicht genügend unterstützt.

1584

Innen- und außenpolitische Spannungen

Während der Regierung Königin Elisabeths I. (1558—1603), Tochter Heinrichs VIII. aus seiner Ehe mit der 1536 hingerichteten Anna Boleyn, entfaltete sich in England ein starkes Nationalbewußtsein, obgleich Elisabeth eine vorsichtige, zögernde Politik betrieb. Ihr Hauptratgeber war der erfahrene William Cecil (sei 1571 Lord Burleigh), der zugleich den geheimen Staatsrat (Privy Council) leitete. Durch Sparsamkeit und kluges Taktieren gelang es ihr, den Einfluß des Parlaments zurückzudrängen, ohne es zu einem Bruch kommen zu lassen. Elisabeths Herrschaft war von Beginn an bedroht. Sofort nach ihrem Regierungsantritt stellte sie die anglikanische Episkopalkirche wieder her und machte sich damit den Papst zum Gegner. Ihre 1570 erfolgte Exkommunikation brachte die Gefahr von Verschwörungen mit sich. Versuchen dieser Art begegnete die Königin mit Entschlossenheit. Elisabeth hatte eine Heirat mit Philipp II. von Spanien abgelehnt; sie versuchte, einem Krieg mit Spanien so lange wie möglich auszuweichen. Deshalb unterstützte sie die Hugenotten und die niederländischen Protestanten zunächst nur im geheimen. Eine weitere Bedrohung stellte Maria Stuart dar, die als Urenkelin König Heinrichs VII. gute Erbansprüche hatte. Nach dem Tode ihres Gemahls, des französischen Königs Franz II., war sie in ihr schottisches Königreich zurückgekehrt. Als es dort Unruhen zwischen Katholiken und

entgegen, da die Abschaffung der Bischofskirche auch die Stellung des Königs als kirchliches Oberhaupt gefährdet hätte. Obgleich seit Beginn des 17. Jahrhunderts viele Puritaner nach Amerika auswanderten, blieb die Bewegung in England lebendig und wurde Jahrzehnte später politisch wirksam. Als sich der offene Konflikt mit Spanien nicht mehr vermeiden ließ, verhielt sich die Königin in realistischer Einschätzung ihrer militärischen Kräfte defensiv. Das Scheitern der spanischen Invasionsversuche und der Untergang der Armada retteten den Protestantismus in Nordeuropa und leiteten Englands Aufstieg als Seemacht ein. — Ausdruck für den umfassenden Aufschwung des „elisabethanischen Zeitalters" waren die kulturellen Leistungen, besonders auf dem Gebiet der dramatischen Dichtkunst (Shakespeare), der Musik und Philosophie (Francis Bacon).

Armand Jean du Plessis, Herzog von Richelieu
(1585—1643). Nach einer Medaille von Jean Warin; Paris, Musée Carnavalet. Seit 1622 Kardinal, seit 1624 leitender Minister Frankreichs.

Calvinisten (John Knox) gab, flüchtete die katholische Königin an den englischen Hof, blieb aber auch hier eine Bedrohung. Wegen Beteiligung an Umsturz- und Mordplänen gegen Elisabeth wurde sie von einer staatlichen Kommission zum Tode verurteilt (1587) und hingerichtet. — Beeinflußt durch den Calvinismus in Schottland, erhob sich auch innerhalb der anglikanischen Kirche eine oppositionelle Minderheit. Sie wollte die Kirche von allem „papistischen" Beiwerk (Kirchenschmuck, Pfründenwesen, Bischofsverfassung) reinigen.
Ihre Anhänger nannten sich deshalb „Puritaner". Elisabeth stellt sich dieser Bewegung

3. Frankreich unter Richelieu und Mazarin

Als König Heinrich IV. von Frankreich ermordet wurde (1610), war sein Sohn Ludwig XIII. (1610—1643) neun Jahre alt. Unter der schwachen Regentschaft der Königinmutter Maria von Medici brachen die Interessengegensätze der verschiedenen Gruppen wieder offen aus. Der Hochadel suchte seine Privilegien zu erweitern, die Hugenotten wandten sich gegen die katholikenfreundliche Politik der Regentin, das Parlament verlangte Mitspracherecht bei Entscheidungen der Krone. Es kam zu bewaffneten Aufständen. Wegen der großen Finanznot wurden 1614 die Generalstände berufen (zum letzten Mal vor 1789). Trotz erheblicher Differenzen traten Klerus und dritter Stand schließlich den veralteten Ansprüchen des Adels entgegen und unterstützten die Krone.

Festigung der Staatsmacht

Seit 1624 übernahm Kardinal Richelieu (1585—1642), gestützt auf Autorität und Vertrauen König Ludwigs XIII., die Leitung der Staatsgeschäfte (vgl. hierzu und zum Folgenden auch „Absolutismus"). Er stammte aus dem Kleinadel und hatte als Bischof von Luçon Erfahrungen in Verwaltung und Diplomatie gesammelt. Sein Ziel war die Schaffung eines einheitlichen Staates, dem sich alle Interessen unterzuordnen hatten. In jahrelangen Kämpfen schränkte er die Hugenotten ein. Das geschah nicht aus religiösen Gründen (sie behielten im Edikt von Alès das Recht der freien Religionsausübung), sondern weil sie mit ihren befestigten Plätzen einen Staat im Staate darstellten, sich offen gegen die Krone wandten und mit England und den Niederlanden eigene Beziehungen unterhielten. Mit der Eroberung des hugenottischen Hafens La Rochelle (1628) beendete Richelieu diesen Konflikt. — Um die Macht der hochadeligen Provinzgouverneure einzuschränken, vermehrte der Kardinal die Zahl der „Intendanten", die als königliche Beamte in das Rechts-, Polizei- und Finanzwesen eingriffen. Sie gehörten meist dem Amtsadel an. Da ihre Erhebung in den Adelsstand an die Verleihung eines bestimmten Amtes, z.B. im Parlament, gebunden war, blieben sie abhängig von der Krone. Besonders mächtige Adelsämter (Connétable, Grand Admiral) wurden abgeschafft, befestigte Adelssitze besetzt. — Auch publizistisch suchte der Kardinal seiner Politik Nachdruck zu verschaffen. Er ließ Theater und Büchereiwesen überwachen und machte die Zeitschrift „Gazette de France" zu einer Art Regierungsorgan. Die Gründung der „Académie Française" sollte einer systematischen Bestandsaufnahme und Förderung der französischen Sprache dienen und so die nationale Einheit festigen helfen.

Problematisch war die Finanzlage des Staates. Die Ausgaben stiegen ständig, schon durch die Vergrößerung des Heeres von 40 000 Mann (1610) auf über 200 000 Mann (1633). Die Finanzverwaltung war mangelhaft. Ein Budget konnte man noch nicht aufstellen, weil der Überblick fehlte. 1633 wurden ca. 52 % der königlichen Einnahmen durch den Verkauf von Ämtern erzielt. Bestechung und Veruntreuung waren an der Tagesordnung. Die Steuerpächter machten große Vermögen. Als letzte Möglichkeit blieb nur immer wieder eine Steuererhöhung, die vor allem die bäuerlichen Massen und die kleinen Bürger belastete. Allein die „Taille" stieg von 17 Millionen Pfund (1610) auf 43 Millionen (1639) und später

sogar auf 63 Millionen. Das war — trotz aller Förderung von Gewerbe und Handel — eine schwere wirtschaftliche Beeinträchtigung. Hungersnöte und Epidemien verursachten Unruhen in Stadt und Land. Das Großbürgertum strebte nach Landbesitz und Staatsämtern. Einzige Möglichkeit, auch politische Macht zu erlangen, war die Nobilitierung. Der neue Amtsadel (noblesse de robe) wurde von dem alten Geblütsadel (noblesse d'épée) nicht voll anerkannt, war diesem aber an Reichtum und Bildung oft überlegen.

Außenpolitisch verfolgte Richelieu das Ziel, die europäische Vormachtstellung des Hauses Habsburg zu brechen. Deshalb unterstützte er die Feinde Spaniens und des Kaisers. 1640 sagte sich Portugal mit französischer Hilfe von Spanien los. Während des

Königin Elisabeth I. von England (1558—1603) nach einer Silbermedaille aus Anlaß des Sieges über die spanische Armada, 1588

Dreißigjährigen Krieges erschien das katholische Frankreich als Verbündeter der Protestanten (vgl. E, VII, 2) Auf dem Fürstentag zu Regensburg (1630) gelang es dem französischen Gesandten, dem Kapuzinerpater Joseph, die katholischen und protestantischen Fürsten gegen Ansprüche des habsburgischen Kaisers zusammenzuschließen. — Obgleich Richelieu nicht alle politischen Ziele verwirklichen konnte, war bei seinem Tode die Autorität des Staates im Innern gestärkt und das außenpolitische Gewicht Frankreichs vergrößert worden.

Begründung des absoluten Königtums

Auch König Ludwig XIV. (1643—1715) kam minderjährig zur Regierung. Seine Mutter, die Regentin Anna von Österreich, berief den Italiener Kardinal Mazarin (1602—1661) zum leitenden Minister. Er hatte bereits in Richelieus Diensten gestanden und suchte dessen Politik fortzusetzen. Mit wechselndem Erfolg kämpfte er gegen Habsburg (in Spanien, Italien, Niederlande, Deutschland) und erreichte im Westfälischen Frieden (1648) deutliche Vorteile: Im Elsaß überließ der Kaiser dem französischen König alle habsburgischen Besitzansprüche. Die lothringischen Bistümer Metz, Toul und Verdun schieden aus dem Reichsverband aus und gingen endgültig an Frankreich. Der König von Frankreich wurde zum Garanten für die Unabhängigkeit (Libertät) der Landesherren dem Kaiser gegen-

Jules Mazarin
(1603—1661)
nach einem zeit-
genössischen
Kupferstich. 1641
Kardinal, seit 1642
leitender Minister,
1659 Herzog von
Nevers

über. Damit hatte er jederzeit eine Möglichkeit, in die deutschen Verhältnisse einzugreifen. — Als Mazarin innenpolitisch den absolutistischen Kurs Richelieus fortsetzen wollte, sah er sich einer unerwartet starken Opposition gegenüber. Der Hochadel hatte sich mit dem Amtsadel der Parlamente zu einer „Fronde" (Widerstandsgruppe) gegen die Bestrebungen Mazarins verbündet. Es war der Ausbruch eines lange aufgestauten Widerstandes, verschärft durch neue finanzielle Belastungen, die die Krone wegen der katastrophalen Finanzlage hatte verfügen müssen. Besonders gefährlich wurde die Verschwörung dadurch, daß auch die Unterschichten unzufrieden und deshalb leicht zu mobilisieren waren. Während es dem Hochadel nur um Wiederherstellung seiner alten Macht ging, entwickelte das Pariser

Parlament nach englischem Vorbild ein Programm gegen Übergriffe des Staates. Es verlangte Abschaffung der königlichen Intendanten, Garantie der persönlichen Freiheit und Verbot willkürlicher Verhaftungen, außerdem Mitspracherecht der unabhängigen Gerichtshöfe bei Steuererhebungen.

1648 Ein Aufstand in Paris (1648) war der Beginn bürgerkriegsähnlicher Auseinandersetzungen. Der Hof mußte zeitweilig die Stadt verlassen. Doch bald machten sich die Interessenunterschiede innerhalb der Fronde bemerkbar. Die Prinzen von Geblüt, vor allem der Prinz Condé und sein Bruder Conti, rissen die Führung an sich und scheuten sich nicht, bei Spanien Hilfe zu suchen. 1653 war die Revolte zusammengebrochen. Mazarin suchte durch Amnestie die Spannungen zu entschärfen. Die breite Masse erhoffte von der Stärkung der königlichen Gewalt Frieden. König Ludwig XIV., 1661 volljährig, duldete keinen Widerspruch des Pariser Parlamentes. Nach Mazarins Tod (1661) setzte er keinen ersten Minister mehr ein, sondern übernahm selbst die Regierung.

4. Das Osmanische Reich

Nach dem Fall von Konstantinopel 1453 begann die Blütezeit des Osmanischen Reiches. Der türkische Sultan betrachtete sich als legitimen Nachfolger Alexanders des Großen und beanspruchte die Herrschaft über die gesamte zivilisierte Welt. Im Kampf gegen Persien wurden Mesopotamien, Syrien und Ägypten unterworfen. Seitdem trugen die türkischen Sultane auch die (geistliche) Kalifenwürde. Suleiman II., der Große (1520—1566), eroberte 1521 Belgrad und erschien 1529 vor Wien. Diese erste Belagerung Wiens mußte zwar bald abgebrochen werden, doch den Verlust weiterer Teile Ungarns konnten die Habsburger nicht verhindern, da ihre Kräfte durch den Kampf mit König Franz I. von Frankreich und durch die reformatorischen Unruhen im Reich gebunden waren.
Auch im Mittelmeer kämpften die Türken erfolgreich: Sie brachen die Vorherrschaft Venedigs und bedrohten — zeitweilig mit Frankreich verbündet — das habsburgische

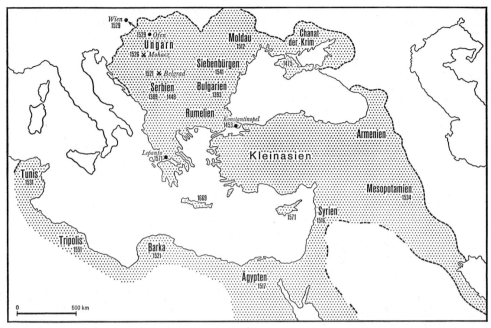

Das Osmanische Reich im 16./17. Jahrhundert

Reich von Süden her. Erst der Sieg Don Juan d'Austrias bei Lepanto (1571) schränkte die osmanische Seeherrschaft ein.

Die inneren Verhältnisse

Die osmanische Gesellschaft wies einige charakteristische Merkmale auf. Sie war gegliedert in eine Oberschicht (Osmanen) und in eine Unterschicht (raya = „behütete Herde"). Um zur Oberschicht zu gehören, mußte man drei Bedingungen erfüllen: Im Dienste des Staates und damit des Sultans stehen, sich zum Islam bekennen und ein kompliziertes System von Gebräuchen und Verhaltensweisen beherrschen (u. a. eine eigene osmanische Sprache). Auf- und Abstieg zwischen beiden Klassen war möglich und in der Praxis üblich. Entscheidend war die Erziehung, Geburt spielte eine untergeordnete Rolle. Ein Zufluß an neuen Kräften wurde der Oberschicht z. B. dadurch gesichert, daß ausgesuchte christliche Jugendliche ausgehoben, zum Islam bekehrt und in Palastschulen erzogen wurden. Später taten sie Dienst im Palast, in der Verwaltung und im Heer (Elitetruppe der Janitscharen) und gewannen großen Einfluß. Sogar jeder

Sklave konnte zu hohen Ämtern aufsteigen, wenn er die obengenannten Bedingungen erfüllte.

Beide Klassen hatten ihre Funktion in der Gesellschaft. Die Mitglieder der oberen Klasse betrachtete man als „Sklaven des Sultans", der über ihren Besitz, ihre Person und ihr Leben voll verfügen konnte. Die Vorstellung vom Sklaven war allerdings eine andere als in der Antike und im christlichen Abendland. Der osmanische Sklave war in die Familie seines Herrn voll integriert und nahm dementsprechend teil an seinem sozialen Status. Aufgabe der Oberschicht war es, den Islam zu verbreiten, das Reich zu regieren und zu verwalten und nach außen hin zu schützen. Um dies tun zu können, beutete sie im Namen des Sultans die Reichtümer des Landes aus. Zu produzieren war Aufgabe der Unterschicht. Diese war strukturiert durch Berufs- und Religionszugehörigkeit. Die einzelnen religiösen Gruppen (Moslims, Juden, Christen) durften weitgehend nach eigenen Gesetzen und Bräuchen leben und eine Art Selbstverwaltung ausüben. Das jeweilige religiöse Oberhaupt einer Gruppe war der herrschenden Schicht gegenüber dafür verantwortlich, daß die öffentliche Ordnung gewahrt blieb und die Steuern pünktlich gezahlt wurden. Moslems waren steuerfrei.

Die übliche Art der Steuereinziehung war die Steuerpacht. Sie wurde in periodischen Abständen auf Auktionen an Mitglieder der Oberschicht versteigert. Der Erlös floß unmittelbar dem Sultan zu. Der Steuerpächter hatte jährlich eine festgesetzte Summe an den Staatsschatz abzuliefern, den Rest der Einnahmen konnte er als Gewinn behalten. Dafür erhielt er vom Sultan kein Gehalt.

Verfallserscheinungen

Seit Ende des 16. Jahrhunderts machten sich Anzeichen eines inneren Verfalls bemerkbar. Die Sultane — selbst oft unfähig — zo-

Suleiman II., der Große (1520—1566). Kupferstich von Melchior Lorichs, 1526. Graph. Sammlung Albertina, Wien

gen sich aus Militär und Verwaltung zurück. Ihre Aufgaben übernahmen die Großwesire, die das Recht erhielten, in gleicher Weise wie der Sultan absoluten Gehorsam zu verlangen. Die einigende Kraft, die das Sultanat durch Tradition und religiöse Überhöhung dargestellt hatte, war jedoch nicht übertragbar, so daß die einzelnen Gruppen der Gesellschaft auseinanderfielen und sich gegenseitig bekämpften. Korruption und Nepotismus beherrschten bald alle Ebenen der Verwaltung. Auch die Großwesire verloren ihre Macht an Palastcliquen und führende Janitscharenoffiziere.

Die osmanische Regierung erwies sich in steigendem Maße als unfähig, auf wirtschaftliche und soziale Krisen zu reagieren. Die Inflation, die um die Mitte des 16. Jahr-

hunderts ganz Europa erfaßte, störte auch die Wirtschaft des osmanischen Reiches. Münzverschlechterung, Steuererhöhungen bis hin zu gewaltsamen Konfiskationen führten zum Niedergang von Handel und Gewerbe. Die Mißwirtschaft der Steuerpächter vertrieb viele Bauern von ihrem Land, so daß die bebaute Fläche abnahm. Zugleich wuchs — wie auch im übrigen Europa — die Zahl der Bevölkerung. In den Städten vermehrte sich die Masse der Mittellosen und Unzufriedenen. Es kam zu zahlreichen Aufständen. Auf dem Lande bildeten sich Räuberbanden, die zeitweilig ganze Landstriche unter ihre Kontrolle brachten. Reformversuche führten nur vorübergehend zu Besserungen der Lage.

Nach außen hin blieb die Schwäche des Reiches zunächst verborgen, obgleich es auch hier zu ersten Mißerfolgen kam. Der Versuch in der zweiten Hälfte des 17. Jahrhunderts, die Eroberungspolitik wiederaufzunehmen, führte 1683 erneut zu einer **1683** Belagerung Wiens (Siehe F, V, 2) Diese zweite Belagerung Wiens leitete den äußeren Niedergang der osmanischen Macht ein. Habsburg und Venedig, unterstützt von Polen und seit Peter dem Großen (vgl. G, V, 1) auch von Rußland, leiteten den Gegenangriff ein, der mit der Rückeroberung Ungarns begann und mit der Zerstörung der osmanischen Großmachtstellung hundert Jahre später endete.

5. Die Konfrontation der Konfessionen im Deutschen Reich

Während viele europäische Staaten von Glaubenskämpfen erschüttert wurden, herrschte seit dem Augsburger Religionsfrieden im Reich zunächst Ruhe. Im Innern der Territorien nahm die Konfessionalisierung ihren Fortgang, nach außen bemühten sich die Fürsten um Frieden, und auch der Kaiser — bedrängt durch die Türken — war auf Ausgleich mit den Reichsständen bedacht. — Unter Kaiser Rudolf II. (1576—1612) kam es innerhalb der habsburgischen Erblande zu Auseinandersetzungen. Im Verlauf des Türkenkrieges (1593—1606) erhoben sich ungarische Magnaten des noch freien Teils gegen den Kaiser, verbündeten sich mit den Türken und fielen in Mähren ein. Um ein Übergreifen des Aufstandes auf andere Länder Habsburgs zu vermeiden, wurden Verhandlungen mit den Rebellen nötig. Da Rudolf sich weigerte, setzte ihn sein Bruder, Erzherzog Matthias, als Chef des Hauses Habsburg ab und beschränkte seine Herrschaft auf Böhmen. Den ungarischen, mährischen und österreichischen Landständen machte Matthias weitestgehende Zugeständnisse auf religiösem und politischem Gebiet. Auf Druck der Stände schloß er mit den Türken Frieden. Dieser war allerdings nicht ungünstig und hielt Österreich während des Dreißigjährigen Krieges den Rücken frei. Als Matthias auf Prag marschierte, um Kaiser Rudolf zur Abdankung zu zwingen, blieb diesem nichts anderes übrig, als nun seinerseits auch den protestantischen Ständen Böhmens Zugeständnisse zu machen. Sie erhielten Religionsfreiheit, das Recht, sich zusammenzuschließen, und durften Kirchen und Schulen

1609 bauen (Böhmischer Majestätsbrief vom 9. 7. 1609). Damit rettete der Kaiser zwar seine böhmische Herrschaft, konnte aber keine zielstrebige Reichspolitik mehr betreiben.

Im Reich hatte sich die Konfrontation der Konfessionen verschärft. Der calvinistischen Kurpfalz gelang es, mit anderen süddeutschen Ständen einen Bund zu schließen zur Abwehr von „Gewalttätigkeiten und Rechtswidrigkeiten", worunter die Vertragspartner jede Ausübung von Reichsgewalt verstanden, sofern sie nicht in ihrem Sinn war (Pro-

1608 testantische Union, 1608). Hessen—Kassel, Brandenburg, Pfalz—Zweibrücken und eine Anzahl Reichsstädte traten bei. Das evangelisch-lutherische Kursachsen hielt sich abseits. Als Gegenbund gründete der bayrische Herzog Maximi-

1609 lian I. die „Katholische Liga" (1609), der außer Österreich und Salzburg fast alle größeren katholischen Stände beitraten. Ziel war neben der Sicherung des Landfriedens die Ausbreitung und Festigung der katholischen Religion. Die Liga war handlungsfähiger als die Union, weil sie in Herzog Maximilian einen politisch klugen und tatkräftigen Führer besaß, und nicht, wie die Union, durch den calvinistisch-lutherischen Zwiespalt gelähmt

„Türcken-Büchlein" von Johann Brenz, Wittenberg 1537

wurde. Obgleich die Liga mit dem Kaiser das Ziel gemeinsam hatte, den alten Glauben zu stärken, war auch sie letztlich ein Instrument fürstlicher Unabhängigkeit und somit gegen die Reichsgewalt gerichtet. Das trat deutlich zutage auf dem Regensburger Kurfürstentag (1630, E, VII, 2). Da beide Bünde über eine militärische und finanzielle Organisation verfügten, stellten sie eine gefährliche Konfrontation innerhalb des Reiches dar.

VII. Der Dreißigjährige Krieg

1618—1648	**Dreißigjähriger Krieg**	1630	Kurfürstentag zu Regensburg
1612—1619	Kaiser Matthias		— Entlassung Wallensteins
1619—1637	Kaiser Ferdinand II.	**1630—1635**	**Schwedischer Krieg**
1637—1657	Kaiser Ferdinand III.	1631	Schlacht bei Breitenfeld: Gustav
1618—1623	**Böhmisch-pfälzischer Krieg**		Adolf besiegt Tilly
1618	Prager Fenstersturz	1632	Schlacht bei Lützen. Gustav
1620	Schlacht am Weißen Berg		Adolf fällt
1625—1629	**Dänisch-niedersächsischer**	1634	Ermordung Wallensteins in
	Krieg		Eger
1626	Sieg Tillys bei Lutter am Baren-	1635	Friede zu Prag
	berge	**1635—1648**	**Schwedisch-französischer**
1629	Friede von Lübeck		**Krieg**
1629	Restitutionsedikt	1648	Westfälischer Friede

1. Ausbruch des Krieges

Ursache und Anlaß

Der habsburgische Konflikt zwischen Kaiser Rudolf II. und seinem Bruder Matthias führte zu einer weiteren Schwächung der kaiserlichen Stellung im Reich. Da Rudolf sich politisch ungeschickt verhielt, fielen die böhmischen Stände von ihm ab und traten zu Erzherzog Matthias über. Ihn wählten die Kurfürsten nach Rudolfs Tod (1612) zum Kaiser.

Kaiser Matthias (1612—1619) erkannte die gefährliche Situation im Reich, die dadurch entstanden war, daß konfessionelle und territoriale Interessen sich mit Bildung der evangelischen Union und der katholischen Liga formiert hatten. Die fürstlichen Zusammenschlüsse stellten eine bedrohliche Opposition für die Reichsgewalt dar. Durch maßvolles Entgegenkommen nach beiden Seiten versuchte Kaiser Matthias die Spannungen abzubauen. Seine Verständigungspolitik scheiterte jedoch, weil die gegensätzlichen Positionen schon zu verhärtet waren. Damit war eine akute Kriegsgefahr gegeben. Ein geringfügiger Anlaß konnte die vielfältigen Spannungen zu einem gewaltsamen Ausbruch bringen.

Diesen Anlaß boten schließlich innere Schwierigkeiten im habsburgischen Territorium. Gemäß dem Augsburger Religionsfrieden bekannten sich zu Beginn des 17. Jahrhunderts in den meisten deutschen Territorien Landesherr und Stände zur gleichen Konfession. Anders in den habsburgischen Ländern. Besonders in Ungarn und Böhmen mußte sich der katholische Landesherr mit

Der Prager Fenstersturz, 1618.
Holzschnitt aus einer zeitgenössischen Zeitung

den protestantischen Ständen auseinander-
setzen, deren Position durch Privilegien gestärkt war. Als der streng katholische Erzherzog Ferdinand von Steiermark, der in
Graz die Protestanten gewaltsam zum Religionswechsel gezwungen hatte, zum Nachfolger für Kaiser Matthias bestimmt wurde,
erhob sich der böhmische Adel. Der Aufstand konnte zwar niedergeschlagen werden, griff aber auf das Reich über und ent-
spann sich zu einem europäischen Konflikt,
an dem fast alle europäischen Mächte in irgendeiner Form beteiligt waren.

Der böhmische Aufstand

Schon seit 1611 war es in Böhmen mehrmals
zu Auseinandersetzungen zwischen Katholiken und Protestanten gekommen, die stets
zugleich Auseinandersetzungen zwischen
landesherrlicher und landständischer Gewalt waren. Auf einem Protestantentag in
Prag (1618) klagten die Stände über Verletzung des Majestätsbriefes. Als die Beschwerden von der Regierung zurückgewie-
sen wurden, drangen einige radikale Stände-
führer in die kaiserliche Burg auf dem
Hradschin ein und warfen zwei (von zehn)
kaiserlichen Räten (Martinitz und Slawata)
aus dem Fenster. Dies Verfahren galt in der
damaligen Zeit als eine gelegentlich ange-
wandte Art nationaler Volksjustiz. Martinitz und Slawata überlebten den siebzehn
Meter tiefen Sturz.

Der Prager Fenstersturz (23. 5. 1618) war
das Signal zum bewaffneten Aufstand, der
Böhmen und Mähren erfaßte und auf die
anderen Länder Habsburgs überzugreifen
drohte. Die Böhmen gaben sich eine ständische Verfassung (Konföderationsakte vom
31. VII. 1619), setzten Ferdinand II., der bereits böhmischer König war, ab und wählten
statt dessen den calvinistischen Kurfürsten
Friedrich V. von der Pfalz. Der Kurfürst,
wohl im Vertrauen auf die Union, deren
Führer er war, und auf seinen Schwiegerva-
ter, König Jacob I. von England, nahm die
Wahl an und ließ sich in Prag zum König
krönen. Damit war der böhmisch-habsbur-
gische Konflikt zu einer Reichsangelegen-
heit geworden.

Kaiser Ferdinand II. widersetzte sich der
Absetzung. Er war kein Politiker von großer
Entschlußkraft, nahm aber sein Herrscher-

Ferdinand II. (1578—1637) nach einem Kupferstich von
Wolfgang Kilian, 1622. Der Kaiser trägt die Amtsinsi-
gnien, z.T. die aus dem Mittelalter überkommenen
Stücke (Krone, Zepter).
Ferdinand war von Jesuiten erzogen worden und betrieb
bereits als Erzherzog von Steiermark eifrig die katholische Gegenreformation in seinem Territorium. Nach der
Wahl zum König von Böhmen (1617) und von Ungarn
(1618) begann er auch dort, obwohl er Glaubensfreiheit
versprochen hatte, die Alleinherrschaft des katholischen
Bekenntnisses wiederherzustellen. 1619 wurde er zum
Kaiser gekrönt und empfing die Insignien eines „erwählten Römischen Kaisers".

amt sehr ernst, das er als Auftrag Gottes
verstand. Wie sein Vetter, Herzog Maximilian von Bayern, war er am Jesuitenkolleg in
Ingolstadt erzogen worden. Jesuiten blieben
seine engsten Berater. Oberstes Ziel seiner
Politik war die Schaffung eines einheitlich
katholischen Staatswesens absolutistischer
Prägung. Die Reichspolitik konnte daher

für ihn nur von zweitrangiger Bedeutung sein.

Da der Kaiser selbst kein geeignetes Heer hatte, um gegen Böhmen vorzugehen, stellte ihm Maximilian von Bayern das Heer der Liga zur Verfügung. Er forderte dafür Erstattung der Kriegskosten und die Übertragung der pfälzischen Kurwürde auf Bayern. Auch Spanien und der Papst sagten dem Kaiser Unterstützung mit Truppen und Geld zu. Weniger geschlossen zeigte sich das Lager der Protestanten. Das lutherische Kursachsen, voll Mißtrauen gegen die Calvinisten und in der Hoffnung auf Landgewinn (es erhielt schließlich auch die ehemals böhmische Ober- und Niederlausitz), trat offen auf die Seite des Kaisers. England leistete keine, die Union nur geringfügige Hilfe, so daß Friedrich V. isoliert war. In der Schlacht am Weißen Berg (bei Prag, 1620) schlug das Heer der Liga unter der Führung des erfahrenen Feldherrn Tilly die Böhmen vollständig. Die Schlacht war kurz, aber folgenreich. Friedrich V. (genannt „Winterkönig", weil er nur einen Winter als König von Böhmen regiert hatte) floh. In Böhmen wurden die Führer des Aufstandes hingerichtet, über die Hälfte des adeligen Großgrundbesitzes enteignet und an andere, meist landfremde Adelsgeschlechter verschenkt oder zu Schleuderpreisen verkauft. Unter den Nutznießern dieser Umverteilung befand sich auch Albrecht von Wallenstein, der spätere Feldherr des Kaisers. Er war damals schon sehr wohlhabend und hatte sich in kaiserlichen Diensten bewährt. Durch den Kauf von etwa sechzig Gütern schaffte er sich ein geschlossenes Territorium, das der Kaiser 1623 zum Herzogtum Friedland erhob und das von Wallenstein zu einem wirtschaftlichen Musterland entwickelt wurde. — Böhmen verlor seine ständischen Freiheiten (besonders das Wahlrecht des Königs) und wurde zu einem zentralistisch verwalteten Erbland des Hauses Habsburg. Die systematisch durchgeführte Rekatholisierung hatte eine Massenauswanderung der Protestanten zur Folge.

Die evangelische Union löste sich auf. Der Kampf aber ging im Reich weiter. Spanische und ligistische Truppen besetzten die Pfalz, Maximilian von Bayern erhielt die pfälzische Kurwürde. Tilly drang nach Westfalen vor.

2. Die Ausweitung des Krieges zum europäischen Konflikt

Das Eingreifen Dänemarks

Durch die enge Verbindung Habsburgs mit Spanien wurden allgemein europäische Interessen berührt. 1621 lief der zwölfjährige Waffenstillstand zwischen Spanien und Holland ab. Beide Partner versprachen sich von der Fortsetzung des Krieges Vorteile. Spanien dachte sogar an eine Rückeroberung der holländischen Gebiete. Damit wurde auch der spanisch-französische Gegensatz neu belebt und in das Reich hineingetragen, weil Spanien am pfälzischen Konflikt beteiligt war und mit seinen burgundischen und niederländischen Besitzungen weit ins Reich hineinragte. Kardinal Richelieu (seit 1624 leitender Minister Frankreichs) nahm den Kampf gegen die habsburgische Umklammerung wieder auf und wurde zum natürlichen Verbündeten aller Feinde Habsburgs. Er führte den Kampf mit diplomatischen, finanziellen und schließlich militärischen Mitteln.

Die Ausweitung des pfälzischen Krieges nach Norddeutschland zog auch die benachbarten protestantischen Staaten (Holland, England, Dänemark, Schweden) in Mitleidenschaft. Eine besondere Rolle spielten die norddeutschen Bistümer und sonstigen Kirchengüter dabei, die, zumeist unter Mißachtung des Augsburgischen Religionsfriedens von 1555 (E, IV, 2, sogenannten „geistlicher Vorbehalt"), evangelisch geworden und unter den Einfluß der norddeutschen Fürsten geraten waren. Nachdem Tilly die niedersächsischen Reichsstände unterworfen hatte, dachte man an eine Rekatholisierung dieser Güter. Von diesen Überlegungen war auch König Christian IV. von Dänemark (1588—1648) betroffen. Er gehörte der deutschen Dynastie Holstein-Gottorp an, und sein Territorium reichte bis nach Norddeutschland hinein. Er besaß bereits Verden und die Anwartschaft auf das Bistum Bremen, hoffte aber auch auf den Besitz der Bistümer Osnabrück und Halberstadt. Deshalb verbündete er sich mit England, Holland und einigen norddeutschen Fürsten — angeblich, um die „Rechte der Reichsstände" zu wahren — und fiel in Norddeutschland ein (1625).

Der „Winterkönig" nach einem Flugblatt aus dem Jahre 1621. Das Glücksrad drehen die beiden kurfürstlichen Räte, der Hofprediger Scultetus und der Geheime Rat Camerarius. Der König wird in einem Netz aufgefischt, womit auf seine Flucht nach den Niederlanden angespielt werden soll.

Inzwischen verfügte der Kaiser über eine zweite, von der Liga unabhängige Armee, die ihm Albrecht von Wallenstein auf eigene Kosten angeworben hatte (ca. 40 000 Mann). Wallensteins Charakter und historische Bedeutung wird von der Geschichtsschreibung unterschiedlich bewertet — das Urteil schwankt zwischen verräterischem Abenteurer und weitschauendem Politiker. Zweifellos war er aber ein befähigter Organisator. Nach dem Grundsatz „der Krieg ernährt den Krieg" regelte er den Unterhalt seines Heeres nach einem neuen Kontributionssystem. Die besetzten Gebiete hatten für Sold, Quartier und Verpflegung der Soldaten aufzukommen, gleichgültig, ob man sich gerade in Freundes- oder Feindesland befand.

Der dänische König und seine Verbündeten wurden in mehreren Schlachten besiegt, entscheidend 1626 bei Lutter am Barenberge (in der Nähe von Salzgitter) durch Tilly. Wallenstein drang an die Ostsee vor und besetzte Jütland, Mecklenburg und Pommern (1628). Nur Stralsund, von Schweden zur See unterstützt, konnte sich halten. Für eine vollständige Niederwerfung der Dänen hätte man eine Flotte benötigt. Zwar wurde Wallenstein zum „General des Baltischen und Ozeanischen Meeres" ernannt, und auf Drängen der Spanier waren die deutschen Habsburger auch bereit, in der Ostsee eine Flotte aufzubauen, doch scheiterten diese Pläne u. a. schon daran, daß die norddeutschen Hansestädte ihre Mitwirkung versagten. Wallenstein, der ein Bündnis zwischen Dänemark und Schweden fürchtete, schloß mit König Christian IV. von Dänemark im Namen des Kaisers Frieden (Friede von Lübeck 1629). Der König behielt seine ursprünglichen Territorien, mußte aber auf die niedersächsischen Bistümer und auf das Bündnis mit den norddeutschen Fürsten verzichten.

Wallenstein war inzwischen in den Reichsfürstenstand aufgestiegen und mit dem Herzogtum Mecklenburg belehnt worden, dessen Herzöge wegen ihres Zusammengehens mit den Dänen der kaiserlichen Ächtung verfallen waren. Er repräsentierte eine für das Reich ungewohnt starke kaiserliche Macht. Sie wurde von Kaiser Ferdinand II. **1629** benutzt, um das Restitutionsedikt (1629) zu erlassen. Unter Bezugnahme auf den „geistlichen Vorbehalt" im Augsburger Religionsfrieden verfügte es die Herausgabe aller geistlichen Güter, die seit dem Passauer Vertrag (1552) von protestantischen Fürsten in Besitz genommen worden waren. Betroffen wurden davon die Erzbistümer Magdeburg und Bremen sowie zwölf Bistümer und viele Klöster und Stifte. Die Durchführung des Ediktes hätte nicht nur eine Machtverschiebung zugunsten der katholischen Religion, sondern auch zugunsten der kaiserlichen Stellung im Reich zur Folge gehabt. Deshalb kam es zu einer heftigen Gegenwehr der deutschen Fürsten und des Auslandes.

Der Regensburger Fürstentag

Seit der Aufstellung des kaiserlichen Heeres war es zwischen Wallenstein und der Ligaführung zu Spannungen gekommen. Die Fürsten — an ihrer Spitze Maximilian von Bayern — hatten mit wachsender Besorgnis die Zunahme der kaiserlichen Macht beob-

Albrecht von Wallenstein
(1583—1634).
Münzbild eines Talers aus Gitschin, 1627; Berlin, Staatliche Museen, Münzkabinett

achtet und fürchteten um ihre reichsständischen Rechte, besonders, seit der Kaiser eigenmächtig die Herzöge von Mecklenburg abgesetzt hatte. Deshalb forderten sie auf

1630 dem Regensburger Fürstentag (1630) die Absetzung Wallensteins, Reduzierung der kaiserlichen Armee, deren Kommando Tilly, der Feldherr der Liga, mitübernehmen sollte. Der Kaiser gab den Forderungen nach und entließ Wallenstein, wohl um einen Bruch mit dem mächtigen Bayern zu vermeiden und in der Hoffnung, dadurch die Wahl seines Sohnes als Nachfolger im Reich erkaufen zu können. Ob ein Festhalten an Wallenstein und eine Fortsetzung der kaiserlichen Machtpolitik gegen die Fürsten auf die Dauer hätte erfolgreich sein können, muß fraglich erscheinen, da

das Mitspracherecht der Reichsstände schon ein jahrhundertealter fester Bestandteil der Reichsverfassung war. Dennoch kam das Nachgeben des Kaisers zu diesem Zeitpunkt einer Niederlage gleich: Sein Sohn wurde auf dem Fürstentag nicht mehr zum römischen König gewählt, und als kurze Zeit später König Gustav Adolf von Schweden in das Reich einfiel, fehlte eine starke Macht, die ihm hätte entgegentreten können.
Bedeutungsvoll auf dem Regensburger Fürstentag war der Einfluß des Auslandes. Besonders die französischen Gesandten, darunter der Kapuzinerpater Père Joseph, wirkten gegen die Interessen Habsburgs und für die Entlassung Wallensteins.

Das Eingreifen Schwedens

Unterstützt von Frankreich, landete König Gustav II. Adolf von Schweden (1611—1632, aus dem Hause Wasa) im Juli 1630 mit einem Heer in Pommern. Für sein Eingreifen in den deutschen Krieg gab es mehrere Gründe. Sicher wollte er dem schwerbedrängten deutschen Protestantismus zu Hilfe kommen. Wichtiger allerdings dürfte ihm die Erweiterung der schwedischen Ostseeherrschaft gewesen sein. Im Kampf mit Rußland und Polen hatte Schweden schon Ostkarelien, Ingermanland und Livland (mit Riga) erworben. In dem „Ratschlag des schwedischen Reichsrates" an den König (November 1629) wurde eine schwedische Offensive als bester Schutz für die Ostsee bezeichnet und Stralsund, Wismar und Rügen als weitere geeignete Stützpunkte ins Auge gefaßt. Von Bedeutung war auch die Sorge, daß der Kaiser Polen, den Hauptfeind Schwedens, unterstützen könnte, denn in Polen regierte eine katholische Linie der Wasa, die auch auf den schwedischen Thron Ansprüche geltend machen konnte. — Im Vertrag zu Bärwalde (1631) wurde das französisch-schwedische Zusammengehen gefestigt: Gegen entsprechende französische Geldzahlungen verpflichtete sich Schweden, ein Heer von 30 000 Mann und 6000 Reitern in Deutschland zu unterhalten. — Die schwedischen Ziele und das Bündnis mit dem katholischen Frankreich machen deutlich, daß europäische Machtinteressen bereits wichtiger waren als die Sicherung der Konfessionen.

König Gustav II. Adolf von Schweden (1594—1632) nach einem zeitgenössischen Augsburger Flugblatt

Die protestantischen Reichsstände, besonders Brandenburg und Kursachsen, waren besorgt um ihre Unabhängigkeit und schlossen sich dem schwedischen König nur zögernd und unter Druck an. Verstärkt durch 20 000 Mann sächsischer Truppen erkämpfte Gustav Adolf in der Schlacht bei Breitenfeld (1631, unweit von Leipzig) einen vollständigen Sieg über Tilly. Die katholisch-kaiserliche Machtstellung in Norddeutschland brach zusammen. Ungehindert drangen die schwedischen Armeen nach Franken, Bayern und an den Rhein vor. Friedensverhandlungen scheiterten an den territorialen Forderungen Gustav Adolfs. Obgleich die Liga zerfiel, blieb Bay-

1631

ern auf der Seite des Kaisers. Dieser berief Wallenstein zurück, ließ ihn erneut ein Heer aufstellen und übertrug ihm den Oberbefehl mit weitgehenden militärischen und politischen Vollmachten. Wallenstein drängte die Schweden nach Norden ab. In der Schlacht bei Lützen (in Kursachsen, 1632) siegten zwar die Schweden, gerieten aber in Nachteil, weil Gustav Adolf im Kampf fiel. Der schwedische Reichskanzler, Axel Oxenstjerna, übernahm die Führung der Protestanten und setzte den Krieg fort.

1632

Wallensteins zögernde Kriegführung führte zum Verlust weiterer Teile Süddeutschlands und weckte auf seiten des kaiserlichen Hofes Mißtrauen. Über Wallensteins Pläne ist nichts Genaues bekannt. Möglicherweise zielten sie auf Wiederherstellung des Friedens im Reich und auf Festigung seiner eigenen reichsfürstlichen Stellung. Sicher scheint, daß er mit Sachsen und Schweden eigenmächtig verhandelt hat in der Absicht, vom Kaiser abzufallen. Die unterschriftliche Treueverpflichtung seiner Offiziere auf seine eigene Person (Erster Pilsener Revers vom 12. 1. 1634) führte zu seiner Ächtung und schließlichen Ermordung im Auftrag des Kaisers (1634 in Eger). Die Armee blieb bestehen und siegte wenig später bei Nördlingen über die Protestanten.

Dieser Sieg und die allgemeine Kriegsmüdigkeit in Deutschland führten zu einem Kompromißfrieden zwischen Kursachsen und dem Kaiser, dem sich die Mehrzahl der Reichsstände anschloß (Prager Frieden, 1635). Man wollte nun gemeinsam **1635** die Schweden aus dem Reich vertreiben und gestand dem Kaiser den Oberbefehl über eine Reichsarmee zu. Die Schweden hätten keinen dauerhaften Widerstand mehr leisten können. Das Ende des Krieges schien in greifbare Nähe gerückt.

Der Ausgang des Krieges

Richelieu war jedoch nicht gewillt, die immer noch mächtige Position des Kaisers hinzunehmen. An der Seite Schwedens trat Frankreich offen in den Krieg ein. Dieser wurde nun zu einer rein politischen Auseinandersetzung der Häuser Habsburg und Bourbon um die Vormachtstellung in Europa, und zu einem Kampf Schwedens um die Großmachtstellung an der Ostsee. Der französischen Diplomatie gelang es, die weltlichen Fürsten zeitweilig vom Kaiser abzuziehen. Der Krieg fand überwiegend auf deutschem Boden statt, allderdings nicht mehr in großen Schlachten, sondern in Scharmützeln, Plünderungen und Gewalttätigkeiten, die Hungersnot und Seuchen zur Folge hatten.

Nach mehr als zehn Jahren kam es schließlich zu Friedensschlüssen: In Osnabrück mit Schweden, in Münster mit Frankreich, das jedoch den Kampf gegen die Habsburger in Spanien weiterführte (Westfälischer Friede, 1648).

3. Der Westfälische Friede

Der Friede brachte territoriale Veränderungen; ferner regelte er das Verhältnis der Konfessionen im Reich und das Verhältnis **1648** zwischen Kaiser und Reichsständen. Schweden und Frankreich wirkten auf eine Dezentralisierung des Reiches und Schwächung des Kaisers hin und erzielten Landgewinn: Schweden erhielt die geistlichen Fürstentümer Bremen (ohne die Stadt) und Verden, die Hafenstadt Wismar, die Insel Rügen und Vorpommern mit Stettin und zusätzlich 5 Millionen Reichsthaler zur Abfindung der schwedischen Soldaten. Damit kontrollierte Schweden die Mündungen von Weser, Elbe und Oder und konnte außerdem in Reichsangelegenheiten mitreden, weil der schwedische König für seine deutschen Besitzungen zu den Reichsständen gehörte. — An Frankreich mußte der Kaiser das rechtsrheinische Breisach und seine Besitztitel im Elsaß abtreten. Damit war ein erster Schritt zur vollständigen Annexion des Elsaß getan, die später unter König Ludwig XIV. von Frankreich erfolgte. Ferner wurde der Oberrhein entmilitarisiert und der französische Besitz von Metz, Toul und Verdun endgültig bestätigt.

Die Schweiz und Holland gewannen die volle Souveränität.

Innerhalb Deutschlands suchte man, soweit wie möglich, den territorialen Besitzstand von 1618 wiederherzustellen. Allerdings blieben die Ober- und Niederlausitz bei Kursachsen und die Oberpfalz nebst Kurwürde bei Bayern. Die Pfalz erhielt eine achte, neugeschaffene Kurwürde.

Das Verhältnis zwischen Kaiser und Reichsständen wurde zugunsten der Stände geregelt. Innen- und außenpolitisch erhielten sie weitgehende Unabhängigkeit (Souveränität) und ausdrücklich das Recht, Bündnisse untereinander und mit auswärtigen Mächten zu schließen. Die Klausel „außer gegen Kaiser und Reich" erwies sich bald als reine Formel und war politisch ohne Bedeutung. Der Ausbau des modernen Staates war damit endgültig in die Territorien verlegt. Das bedeutete Ausbildung einer eigenständigen Steuer- und Finanzverwaltung, Gesetzgebung und Rechtsprechung und ein eigenes Heer. Der Absolutismus in den deutschen

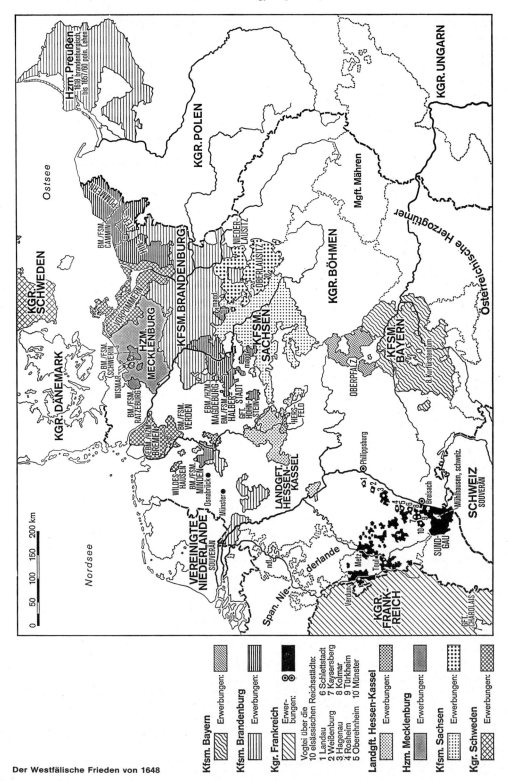

Der Westfälische Frieden von 1648

Kfsm. Bayern — Erwerbungen:

Kfsm. Brandenburg — Erwerbungen:

Kgr. Frankreich — Erwerbungen:

Vogtei über die 10 elsässischen Reichsstädte:
1 Landau
2 Weißenburg
3 Hagenau
4 Rosheim
5 Oberehnheim
6 Schlettstadt
7 Kaysersberg
8 Kolmar
9 Türkheim
10 Münster

Landgft. Hessen-Kassel — Erwerbungen:

Hzm. Mecklenburg — Erwerbungen:

Kfsm. Sachsen — Erwerbungen:

Kgr. Schweden — Erwerbungen:

Territorien wäre ohne den Westfälischen Frieden nicht denkbar gewesen. — Das Reich hatte dagegen keine Möglichkeit mehr, zu einer staatlichen Zentralisation zu gelangen. Der Kaiser war bei Abschluß von Bündnissen und Reichskriegserklärungen an die Zustimmung der Fürsten gebunden und in den Reichsfinanzen (z. B. Türkensteuer) ganz auf ihre Hilfe angewiesen. In dieser Struktur blieb das Reich bis ins 19. Jahrhundert erhalten, erfüllte allerdings immer noch eine politische Funktion, indem es den vielen kleinen und kleinsten Territorien (im ganzen über 300!) Rückhalt bot.

Für die Ordnung der konfessionellen Verhältnisse knüpfte man an den Augsburger Religionsfrieden an, bezog aber nun auch die Calvinisten ein. Die Regelung, daß der Landesherr die Konfession seiner Untertanen bestimmen durfte, wurde insofern eingeschränkt, als man das Jahr 1624 als „Normaljahr" für den kirchlichen Besitz- und Bekenntnisstand annahm. Einem späteren Religionswechsel des Fürsten brauchten sich die Untertanen nicht mehr anzuschließen, auch zur Auswanderung durften sie nicht mehr gezwungen werden. Die Habsburgischen Erblande blieben allerdings von dieser Regelung ausgenommen.

4. Kirche und Religiosität nach dem Krieg

Der Friede von 1648 brachte die Konfessionsbildung, die zwischen 1521 und 1530 begonnen hatte, zu einem gewissen Abschluß und besiegelte damit die Glaubensspaltung. Die einzelnen Glaubensgemeinschaften wurden nun als Staatskirchen von den einzelnen Landesherren anerkannt und in die Verwaltung integriert. Das Mißtrauen zwischen ihnen blieb jedoch bestehen und führte zur Ausbildung einer intoleranten theologischen Orthodoxie, die sich in dogmatischen Streitereien aufrieb. Viele Gläubige fühlten sich davon abgestoßen. Als Gegenströmung entstand gegen Ende des 17. Jahrhunderts der Pietismus, der die theologischen Lehrunterschiede zurücktreten ließ und wieder mehr auf dem lebendigen Glauben und der subjektiven Heilserfahrung des einzelnen aufbaute. Durch die Schrift „Pia Desideria" (1675) des evangelischen Theo-

logen Philipp Jacob Spener und das tätige Christentum August Hermann Franckes, der 1695 in Halle die „Franckeschen Stiftungen" (Waisenhaus, Armen- und Bürgerschule, Lehrerbildung u. a.) schuf, fand der Pietismus weite Verbreitung. Trotz heftiger Widerstände drang sein Einfluß auch in die Landeskirchen ein, wo er besonders die Kirchenlieddichtung beeinflußte.

Mit der Entwicklung der Wissenschaften schritt die Säkularisierung des Denkens fort. Philosophie, Mathematik und Naturwissenschaften waren vom Rationalismus beherrscht und stärkten das Vertrauen der Menschen in ihren Verstand. Die Vernunft wurde zum Richtmaß der Erkenntnis und führte zu Toleranz, aber auch zu kritischer Distanz gegenüber Offenbarung und Kirche.

5. Die wirtschaftlichen und sozialen Folgen des Krieges

Der Dreißigjährige Krieg stellte in Deutschland in jeder Hinsicht einen tiefgreifenden Einschnitt dar. Auch in wirtschaftlicher und sozialer Hinsicht brachte er Veränderungen. Die Berechnung der unmittelbaren Verluste für ganz Deutschland ist schwierig, weil der Krieg in einigen Gebieten große Schäden anrichtete (so in Pommern Brandenburg, Böhmen, Mitteldeutschland), andere nur wenig berührte (so die Niederlande, Westfalen, die Alpenländer, Teile Sachsens). In den Zerstörungsgebieten fielen ca. 50 % bis 70 % der Bevölkerung Gewalttaten, Hunger und Seuchen zum Opfer, wobei das flache Land stärker betroffen war als die befestigten Städte. Umgerechnet auf ganz Deutschland betrug der Bevölkerungsverlust nach vorsichtigen Schätzungen auf dem Land ca. 40 %, in den Städten ca. 33 %. Nach dem Krieg setzte ein anhaltender Geburtenanstieg ein. Dieser und die gezielte „Peuplierungspolitik" der merkantilistischen Landesherren führten dazu, daß um die Mitte des 18. Jahrhunderts die Verluste des Krieges an Menschen zahlenmäßig ausgeglichen waren (Schätzung: 1618 ca. 16 Mill. — 1650 ca. 10 Mill. — 1740 ca. 18 Mill.). Charakteristisch für die Kriegs- und Nachkriegszeit ist auch die Mobilität der Bevölkerung. Viele waren

Plünderung und Zerstörung eines Dorfes. Kupferstich aus den „Miseres et Malheures de la guerre" von Jacques Callot, 1633

durch Kriegseinwirkung aus ihrer alten Heimat verdrängt worden und kehrten später nur zum Teil zurück. Andere wanderten in stark entvölkerte Gebiete aus, wo sie als Arbeitskräfte willkommen waren.

Die Landwirtschaft

Die Landwirtschaft hatte unter den Kriegsereignissen besonders schwer gelitten. Zahlreiche Bauernhöfe, oft ganze Dörfer standen leer, weite Landflächen blieben unbebaut, Landbesitz wurde nahezu wertlos. Der Rückgang der Bevölkerung ließ zudem die Agrarpreise sinken. In Deutschland erreichte der Getreidepreis um 1660 einen absoluten Tiefstand. Die Situation besserte sich nur langsam. Es fehlte an Arbeitskräften, Geräten, Viehbestand und Saatgut. Um 1700 lagen in Schleswig-Holstein noch 30 % bis 50 % der früher bebauten Hufen brach, im Amt Stargard (Mecklenburg) war nur etwa ¼ der Bauernhöfe wieder besetzt und der Wert der Adelsgüter in Bayern betrug nur etwa 25 % bis 50 % des Vorkriegspreises. Trotz landesherrlicher Stützungsmaßnahmen (Versteigerungsschutz, Zahlungsaufschübe) verlor der alte grundbesitzende Adel Land an Obristen und Generäle, die als „Heeresunternehmer" im Krieg reich geworden waren, oder an Klöster, die durch ihre strenge Finanz- und Wirtschaftsverwaltung die Kriegsschäden leichter überwinden konnten. Nennenswerte Verschiebungen zwischen Adels- und Bauernland ergaben sich im Westen und Süden Deutschlands, wo noch grundherrliche Strukturen vorherrschten, nicht. In der Regel gaben die Grundherren wüstgewordenes Land wieder an Bauern aus — oft unter dem Druck der Landesherren. Die bäuerlichen Dienste wurden nun fast ausnahmslos in Geldzahlungen umgewandelt. Daneben hielten sich Formen rechtlicher Unfreiheit, die wirtschaftlich aber kaum eine Belastung darstellten. Freikauf war möglich. Durch den Arbeitskräftemangel besserte sich die Lage der ländlichen Unterschichten (Tagelöhner, Knechte, Schäfer u. a.). Gesindeordnungen regelten Rechte und Pflichten der Dienstleute.

Anders verlief die Entwicklung im Osten. Hier setzte sich der Trend zur Gutswirtschaft, der schon um 1500 begonnen hatte (vgl. E, II, 3) verstärkt fort. Die Gutsherren erweiterten ihre Eigenwirtschaften durch

Einziehung unbesetzten Bauernlandes. Der Mangel an Arbeitskräften führte zu einer schärferen Ausnutzung der bäuerlichen Arbeitsverpflichtungen und somit zu einer Vergrößerung der Fronlasten. Um eine Abwanderung der noch seßhaften Bauern zu verhindern, wurde die Freizügigkeit beschränkt oder sogar ausgeschaltet — auch dies eine Fortführung früherer Ansätze. Immerhin besaßen aber 1701 in Ostpreußen die kulmischen und preußischen freien Bauern noch 17 135 Hufen des Ackerlandes, neben den Städten (23 934 Hufen) und dem Adel (39 323 Hufen).

Handel und Gewerbe

In Handel und Gewerbe wirkte sich die Zerstörung zahlreicher Produktionsstätten, Mangel an Kapital und der Abbruch alter Handelsverbindungen aus.

In den Zerstörungsgebieten verfielen die Bergwerksanlagen und gerieten unter Wasser. Mechanische Verbesserungen setzten sich nur langsam durch, so im Textilgewerbe, in der Schnurmacherei und in der Seidenmanufaktur. Der Handwirkstuhl in der Strumpfwirkerei wurde durch die Hugenotten eingeführt, die durch handwerkliches Können und Fleiß zur Gesundung der Wirtschaft beitrugen. Die Zünfte bestanden noch und sicherten eine gewisse Mindestqualität der handwerklichen Erzeugnisse. Zugleich hemmten sie aber die wirtschaftliche Entwicklung, indem sie sich mit altväterlichem Starrsinn technischen Neuerungen widersetzten. Die Landesherren schränkten im Zuge ihrer merkantilistischen Wirtschaftslenkung die Macht der Zünfte nach und nach ein und übertrugen einen Teil ihrer Aufgaben — besonders im sozialen Bereich — auf die staatliche Obrigkeit.

Im Fernhandel machte sich der Verfall alter Handelswege bemerkbar. Die Mündungen der großen Flüsse standen unter Kontrolle fremder Mächte. Der deutsche Export war im ganzen stark zurückgegangen. Nur wenige Exportartikel — darunter Textilien und Metallwaren — überdauerten ohne große Einbußen den Krieg. Die Zentren des deutschen Handels entwickelten sich nach dem Krieg unterschiedlich. Hamburg wurde zum Umschlagplatz englischer Waren und gewann an Bedeutung, während der Umsatz in

Stettin und Rostock zurückging. In Danzig erreichte die Getreideausfuhr der Ostgebiete 1649 einen Höchststand, und auch Königsberg blieb ein wichtiger Handelsplatz für Holz und Getreide. Frankfurt/Main und Leipzig behielten ihre Funktion als Messestädte, während die süddeutschen Handelsstädte, die — wie z. B. Augsburg — vom Krieg zum Teil schwer getroffen worden waren — an Bedeutung verloren.

Die Nachkriegswirtschaft litt unter Kapitalmangel. Während des Krieges war viel gute Münze und Edelmetall ins Ausland geflossen. Ausländische Kapitalanlagen in Deutschland fanden nach dem Krieg zunächst nur in geringem Umfang statt. Edelmetall mußte weitgehend importiert werden, da die einheimische Produktion ständig zurückgegangen war. So gesehen, war das Bestreben des Merkantilismus, möglichst viel Fertigwaren ins Ausland zu exportieren, durchaus verständlich. — Nach dem Krieg kam es zu einer Münzverschlechterung (sogenannte 2. Kipperzeit 1658—1680). Zahlreiche Gläubiger erlitten Vermögensverluste. Die Territorien lehnten 1648 eine nachträgliche Verzinsung ihrer Staatsschulden ab, und die meisten (außer Bayern und Sachsen) reduzierten eigenmächtig die Schuldkapitalien. In Südwestdeutschland mußten sich Gläubiger noch 1660 mit einem Drittel ihrer ursprünglichen Schuldforderungen zufriedengeben, wenn bar bezahlt wurde. Der Regensburger Reichstag verbot 1654 auf Druck des verschuldeten Adels die Kündigung privater Darlehen auf drei Jahre, begrenzte den Zinssatz auf 5 % und reduzierte die in den vergangenen Jahren aufgelaufene Zinsschuld auf 25 % ihrer tatsächlichen Höhe.

Neue wirtschaftliche Aktivitäten

Trotz dieser Geld- und Kreditunsicherheiten begannen wagemutige Unternehmer mit neuen wirtschaftlichen Aktivitäten, indem sie noch vorhandenes Kapital einsetzten oder neue Kredite aufnahmen. Kreditorganisationen bestanden noch, obgleich das Bankhaus Fugger in Augsburg 1650 schloß. Trotz großer Verluste hatte der Krieg auch Gewinnmöglichkeiten gebracht durch Kriegslieferungen, Spekulationen mit Grundstücken und Schuldverschreibungen, die wegen der unsicheren Zinslage oft billig zu haben waren. Die im Krieg erforderliche Massenproduktion für Heereslieferungen hatte gelegentlich auch die kapitalistische Wirtschaftsweise gefördert, wobei Subsidien ausländischer Mächte die Kapitalknappheit im Inland milderten (dies trifft besonders für Westdeutschland zu).

Etwa 20 Jahre nach Kriegsende kam es — mit Unterstützung der Landesherren — zu zahlreichen Manufakturgründungen: Die erste große Tuchmanufaktur des Reiches entstand 1660 in Brünn. Es folgte in Böhmen 1668 eine Papiermanufaktur (in Hohenelbe), 1669 in München eine Seidenmanufaktur, 1672 in Linz eine Wollzeugmanufaktur, große Zuckersiedereien in Berlin und Hamburg u.a.m. Als Unternehmer traten einzelne Kaufleute oder Kapitalgesellschaften auf. Der Staat betrieb oft Anstaltsmanufakturen in Form von Zucht-, Spinn- oder Arbeitshäusern, wie die Wollmanufaktur für Waisen- und Bettelkinder in Dresden (1679) oder das „Manufaktur-Spinnhaus" des Berliner Armenhauses.

Der Wiederaufbau der zerstörten Städte begann zunächst langsam (für das 1631 völlig zerstörte Magdeburg war er 1680 noch nicht abgeschlossen), führte aber doch zu einer Belebung der Bautätigkeit. Im Zuge der höfisch-barocken Repräsentation traten bald auch Fürsten und Kirche als großzügige Bauherren auf.

Die Landesherren suchten den Außenhandel zu fördern, dessen übliche Organisationsform immer noch die Handelsgesellschaft war. Die erste orientalische Handelsgesellschaft Österreichs für den Türkenhandel entstand 1668 in Wien. Die 1682 gegründete und mit 48 000 Thalern Kapital ausgestattete Brandenburgisch-Afrikanische Handels-Kompanie errichtete an der Goldküste das Fort Großfriedrichsburg, doch stieß der Überseehandel auf eine festgefügte holländische und englische Konkurrenz.

Verglichen mit den großen Zerstörungen des Dreißigjährigen Krieges hat sich die Wirtschaft im Deutschen Reich verhältnismäßig schnell erholt, wenn auch in einzelnen Zerstörungsgebieten die Schäden lange spürbar blieben. Die Wirtschaft, die sich nach dem Krieg entwickelte, zeigte aber Veränderungen grundlegender Art, die die Entstehung des Absolutismus begünstigten, zum Teil aber auch von ihm geschaffen wurden. Der verschuldete Adel war auf die Hilfe der Fürsten angewiesen und zeigte sich im ganzen ihren Wünschen gefügig. Im Bürgertum waren die großen Vermögen der frühkapitalistischen Zeit verschwunden, neue Unternehmer- und Bankiersfamilien kamen oft mit Unterstützung der Höfe zu Reichtum. Die freien Reichsstädte verloren an wirtschaftlicher und politischer Macht. Sie hatten häufig schon Mühe, die stark angewachsenen Verteidigungskosten (Festungsbauten, stehendes Heer) zu tragen. Vor dem Krieg war der Handel freier und weiträumiger — wenig beeinträchtigt und wenig geschützt durch staatliche Maßnahmen — betrieben worden. Die großen Handelshäuser hatten in aller Welt ihre Stützpunkte gehabt und waren Träger der internationalen Handelsverbindungen gewesen, zumindest innerhalb Europas. Sie waren als Verhandlungspartner von Kaisern und Königen aufgetreten, oft kapitalkräftiger und besser informiert als diese. Jetzt traf die Wirtschaft überall auf Grenzen, hoheitliche Eingriffe und Direktiven. Der vordringende Absolutismus und Merkantilismus schaffte in und um Deutschland größere Wirtschaftsräume, aber mit Tendenzen zur Abschließung und staatlicher Einschränkung. Damit setzten sich Entwicklungen durch, die lange vor dem Krieg mit dem Anwachsen der Staatsmacht in England, Spanien und Frankreich begonnen hatten. In Deutschland waren der Krieg und der Westfälische Friede von entscheidender Bedeutung für die Entfaltung staatlicher Machthoheit in den Territorien und erscheinen deshalb auch als wichtige Schritte für die wirtschaftliche und soziale Umstrukturierung. Die Möglichkeit, einen national geschlossenen Wirtschaftsraum zu schaffen wie in Frankreich, war allerdings für viele Jahre vergeben.

F. Die Bildung des europäischen Staatensystems im Zeitalter des Absolutismus

I. Die Entstehung des absolutistischen Staates

1513	Niccolò Machiavelli, Il Principe	1651	Thomas Hobbes, Leviathan
1522	Niccolò Machiavelli, Discorsi	1667	Samuel Pufendorf, De statu Imperii
1576	Jean Bodin, Sechs Bücher über die Republik		Germanici
		1672	ders., De jure naturae et gentium
1588	Giovanni Botero, Della ragione di stato	1682/85	ders., Einleitung zur Historie der vornehmsten Reiche und Staaten
1609	Hugo Grotius, Mare liberum		
1625	Hugo Grotius, De jure belli ac pacis		

1. Staat und Gesellschaft

Die von Reformation und Gegenreformation ausgelösten Religionskämpfe endeten mit dem Westfälischen Frieden. Die drei großen christlichen Konfessionen behaupteten fernerhin im großen und ganzen den Bestand, den sie im 17. Jahrhundert erreicht hatten. Sie spielten in der Folgezeit eine wichtige Rolle, ohne daß jedoch die weitere geschichtliche Entwicklung aus ihrem Verhältnis zueinander angemessen beschrieben werden könnte. Andere Kräfte und Gegensätze tauchten auf, die im Schoß des vergangenen Zeitalters emporgewachsen waren und nun maßgebende politische und soziale Faktoren wurden, nämlich der moderne Staat und die bürgerliche Handelsgesellschaft.

Beide stellten gegenüber den mittelalterlichen Vorstellungen von Herrschaftsordnung und Handelswelt etwas Neues dar. Das Kennzeichen des Staates war die Zusammenfassung eines Herrschaftsgebietes unter einer einzigen öffentlichen obersten Gewalt, deren Hoheitsmonopol absolut und allgegenwärtig gelten sollte. Das Kennzeichen der Handelsgesellschaft war die Vielzahl frei agierender Einzelmenschen, die sich abseits vom Staat und unabhängig vom Raum aus privaten Vereinbarungen und Partnerschaften im gemeinsamen Interesse verbanden. Die Staatswerdung war immer auf ein bestimmtes Territorium begrenzt, während die Handelsgesellschaft über die Grenzen hinweg sich vorwiegend in Verbindung mit dem offenen Meer, den Flüssen und großen Handelsrouten ausbildete. Der Staat erschien als Retter vor dem Chaos der konfessionellen Bürgerkriege, die Handelsgesellschaft als Wegbahner Europas in die Außenwelt. Der Staat bildete sich von innen her aus, während die Handelsgesellschaft von außen oder vom Rande her sich entfaltete.

Das Ideal des heranwachsenden modernen Staates war die Sammlung aller ständischen und kommunalen Hoheitsrechte in der Hand des Fürsten, also die Einebnung der lokalen Zwischengewalten im Interesse einer einheitlichen, effektiven Staatsgewalt und damit die Entpolitisierung des Untertanenverbandes und dessen Einschränkung auf Wirtschaft und Kultur; das Ideal der Handelsgesellschaft war die Freisetzung der individuellen Initiative, die sich aus den Bedürfnissen des europäischen und überseeischen Fernhandels ergab.

Der Ständestaat

Der Vorläufer des absolutistischen Staates war der „Ständestaat", der sich vorwiegend in West- und Mitteleuropa ausbildete und dualistisch war, da das Herrscherrecht des Fürsten durch das Landrecht der Stände eingeschränkt war. Diese Stände (Adel, Klerus, Bürger, Bauern) waren Herrschaftsstände, insofern sie eine lokale Hoheitsgewalt ausübten; erst ihre Zustimmung machte die fürstliche Herrschaft effektiv. Die Formeln von „Kaiser und Reich", „Fürst und Land", „King in Parliament" (England), König und

Generalstände (Frankreich) drückten diesen Dualismus der Herrschaftsstruktur aus, auf die der Begriff Staat im Grunde nicht anwendbar ist. Allerdings sanken die Landstände bei der Vereinigung mehrerer Territorien unter einem erbberechtigten Fürsten häufig zu Provinzialständen hinab, so daß die Ausbildung von Großterritorien der Entmachtung der Stände auf der oberen Ebene vorarbeitete. Außerdem suchte der Landesherr seine verschiedenen Territorien zu vereinheitlichen und die Zersplitterung in Rechtswesen, Verwaltung und Heerwesen zu beseitigen. Dazu mußte er die Stände zurückdrängen oder in seinen Dienst bringen.

Der Fürstenstaat

Der Übergang vom Ständestaat zum Fürstenstaat vollzog sich im 16. und 17. Jahrhundert. Schon vorher hatte der Landesfürst eine Verwaltungshoheit mit Gemeinden und Ämtern ausgebildet, die mit dem alten Lehns- und Feudalzusammenhang nichts mehr zu tun hatte. In der Reformationszeit sicherte sich der Landesherr außerdem das Entscheidungsrecht über die Religion seines Landes, was den Klerus und die Kirchspiele von ihm abhängig machte. Dazu kam, daß er im Namen der öffentlichen Sicherheit gegen das Waffen-, Fehde- und Burgrecht der Stände das Monopol der Gewaltanwendung für sich errang. Der Weg zum Staat als einziger öffentlicher Gewalt war also schon vorgezeichnet. Er vollendete sich in der zweiten Hälfte des 17. Jahrhunderts, als der Absolutismus in den meisten Ländern sich durchsetzte.

Die Zurückdrängung der Stände als politischer Machtträger ist der Inhalt der Vorgeschichte des Absolutismus. Die Stände verloren ihr Mitspracherecht in der Landespolitik. Sie blieben indessen gesellschaftliche, mit lokalen Befugnissen ausgestattete Kräfte, deren Hoheitsrechte als soziale „Privilegien" fortbestanden. Die Einebnung des Untertanenverbandes führte also nicht zu einer Rechtsgleichheit im gesellschaftlichen Raum, sondern nur zu einer Gleichheit der politischen Machtlosigkeit gegenüber dem Fürsten. Der absolutistische Staat trennte sich auf der landespolitischen Ebene von der Gesellschaft. Politik und Gesetzgebung wurden das Monopol des souveränen Für-

sten. Sein Staat stand der Gesellschaft als gesetzliche Norm und öffentliche Gewalt gegenüber. Die Säulen seiner Macht waren das fürstliche Heer und die fürstliche Verwaltungsbürokratie, denen das Aufgebot der Stände und die ständische Steuerverwaltung weichen mußten.

Der absolutistische Fürst suchte sich seine Bundesgenossen in der bürgerlichen Schicht, deren Finanzkraft er durch wirtschaftliche und kommerzielle Förderung zu stärken suchte. Seine Wirtschaftspolitik zugunsten der landwirtschaftlichen und gewerblichen Produktion diente der Hebung der Steuerkraft. Besonders begünstigte er die Handelsgesellschaft, die seine Steuer- und Zolleinnahmen beträchtlich vermehrte und von der Großstaatbildung, die dem Markt und dem Fernhandel zugute kam, am meisten profitierte.

Die Handelsgesellschaft

Diese Handelsgesellschaft hatte durch das Ausgreifen Europas nach Übersee an Bedeutung gewonnen und wurde im 17. Jahrhundert der Träger der kolonialen Welterschließung. Hier boten sich unerhörte Chancen für einen gewinnversprechenden Handel, der allerdings große Risiken in sich barg und den Einsatz beträchtlicher Mittel verlangte. Ihm stand entgegen, daß Spanien und Portugal aufgrund ihres päpstlichen Missionsauftrags sich die Welt bereits aufgeteilt hatten (Vertrag von Tordesillas 1494) und ein alleiniges Missionierungs- und Eroberungsrecht in allen nicht-christlichen Weltgegenden beanspruchten. Im Vertrag von Câteau-Cambrésis (1559) legte Spanien mit den anderen westlichen Seemächten sogenannte „Friedenslinien" fest, bis zu denen die europäischen Abmachungen nur noch gelten sollten. Jenseits dieser Linien („beyond the lines") gab es nur das Faustrecht und die Friedlosigkeit. Jeder Seefahrer war hier auf sich selbst und seine Verteidigungskraft angewiesen. Denn die staatlichen Kolonial- und Missionsunternehmen Spaniens und Portugals beherrschten die Seerouten und durften ungestraft mit Waffengewalt gegen fremde Schiffe vorgehen. Nur wenige Seefahrer wagten Kaper- und Handelsfahrten in die südlichen Gewässer hinein. Sie waren Handelsleute, Piraten und

Entdecker zugleich, darunter Seehelden wie Francis Drake und Walter Raleigh mit England im Rücken, das jenseits der Friedenslinien eine Taktik des ewigen Krieges gegen Spanien verfolgte. Ihnen gesellten sich seit dem Aufstand der Niederlande gegen Spanien (1579) holländische Kaufleute hinzu. Diese abenteuernden Seefahrer waren die Vorboten des überseeischen Freihandels, die auf eigenes Risiko das spanisch-portugiesische Seemonopol durchbrachen.

Sie schlossen sich schließlich zu militanten Handelskompanien zusammen, die sich von ihren Regierungen Freibriefe für ihre Unternehmen ausstellen ließen und die Seerouten nach Westindien und Indien gegen die verfallende spanische Seemacht offenzuhalten wußten. Teils waren diese Handelskompanien private Vereinigungen von Handelsleuten und Geldgebern, die auf eigene Rechnung und Gefahr ihre Geschäfte betrieben; teils waren sie konzessionierte Organe ihrer Regierungen, die sie mit Monopolen, Waffenrecht oder auch mit Blankovollmachten für die Regionen außerhalb der europäischen Friedenslinien ausstatteten. Sie führten sich hier als „privatstaatliche" Machtträger auf, die ihre verbrieften Handelsvorrechte, ihre Faktoreien und ihre Seerouten verteidigten. Sie kämpften gegen das katholische Spanien im Namen der Freiheit der Meere und im Namen der protestantischen Sache, vor allem aber auch im Hinblick auf ihre beträchtlichen materiellen Gewinne (vgl. G, I, 4).

Die Gründung der Englischen Ostindien-Kompanie (1600) und der Holländischen Ostindien-Kompanie (1602) markierte den Beginn der kolonialen Welteroberung durch die Kaufleute der nördlichen Seemächte. Dabei waren die Holländer zuerst führend und beherrschten zeitweilig den gesamten Zwischenhandel Europas mit Übersee. Im Auftrag der Holländischen Ostindien-Kompanie verfaßte der Rechtsgelehrte Hugo Grotius seine Schrift „Mare liberum, sive de jure quod Batavos competit ad Indiana commercia dissertatio" (Das freie Meer oder Dissertation über das Recht, das den Holländern am indischen Handel zusteht) (1609), in welcher dem spanischen Herrschaftsanspruch die Freiheit der Meere als völkerrechtlicher Grundsatz entgegenge-

stellt und allen Völkern das Recht auf freie Expansion in die überseeischen Gebiete zugestanden wurde. Im Pyrenäenfrieden (1659) mußte Spanien den westlichen Seemächten die ungehinderte Benutzung der Seerouten nach Indien und Westindien zusichern. Mit dem Verfall der spanischen Vormachtstellung entfaltete sich von Holland und England aus jene überseeische Handelsgesellschaft, die mit ihrem Netz von Handelsrouten, Faktoreien, Märkten und Stützpunkten sowie mit ihrem Reichtum sich auf eigene Füße stellte. Ihr wachsender Zwischenhandel rief eine Unmenge nachgeordneter Unternehmen und Dienste hervor, die die europäischen Binnenmärkte belieferten und mittelbar vom Kolonialhandel abhängig waren. Die Förderung und Beteiligung an dieser überseeischen Handelsgesellschaft lag im Finanzinteresse der absolutistischen Fürsten.

In den kontinentaleuropäischen Seestaaten wie Spanien und Frankreich blieb diese Handelsgesellschaft an den Staat und seine Initiative gebunden, während in den nördlichen Seestaaten wie Holland und England die private Initiative auf eigenes Risiko überwog. Von diesen aus konstituierte sich mit der Zeit eine staatsfreie, sich selbst überlassene Handelsgesellschaft.

Das Naturrechtsdenken

Da ihre Welt das freie Meer und die internationalen Handelsplätze waren, ihre Geschäfts- und Rechtsbeziehungen über den Staat und dessen Ordnungsgefüge hinausgriffen und ihr Bestand auf der freien Initiative einzelner beruhte, entwickelte sich hier ein anderes Weltverständnis, das von den Rechten der einzelnen und von vertraglichen Beziehungen zwischen den Geschäftspartnern her dachte, aus denen sich der Handelszusammenhang konstituierte. Hier gab es keine staatlich gesicherte Rechtsgrundlage, sondern nur die aus der privatvertraglichen Natur des Geschäfts sich ergebenden subjektiven Rechte der privaten Partner. Dadurch entwickelte sich von den handeltreibenden nordwesteuropäischen Seestaaten her ein Naturrechtsdenken, das die Gesellschaft als Werk von Einzelmenschen abseits vom Staat interpretierte und im Vertrag zwischen Rechtssubjekten die

Grundlage des sozialen Zusammenhangs sah. Diese Auffassung wurde von den europäischen Siedlungskolonien in Nordamerika gestützt, die sich als religiöse Gemeinden aufgrund einer Vereinbarung (Covenant = Bund = Urvertrag) etablierten.

Gegen Ende des 17. Jahrhunderts war die neue Handelsgesellschaft zu einem materiellen und ideellen Potential herangewachsen, das die europäischen Auseinandersetzungen mitbestimmte. Der Absolutismus legitimierte sich aus einem neuen Staatsdenken, das seine Grundlagen im 16. Jahrhundert hatte und sich um die Ideen von Souveränität und Staatsräson drehte; die neue freie Handelsgesellschaft verstand sich dagegen aus einem Naturrechtsdenken, das jedes menschliche Individuum als Rechtsträger ansah und daraus allgemeingültige Regeln für ein verträgliches menschliches Miteinander ableitete. Es gewann im 17. Jahrhundert an Boden, vor allem durch Hugo Grotius, der mit seinem Werk „De jure belli ac pacis" (1625) zum Vater des modernen Natur- und Völkerrechts wurde. Hier entwickelte sich die Lehre von den subjektiven Menschenrechten und vom Gesellschaftsvertrag. Sie wurde in Kombination mit anderen Momenten aus der Naturwissenschaft und dem religiösen Nonkonformismus Träger der Aufklärung. Dem Staatsdenken des 17. Jahrhunderts folgte das Naturrechtsdenken der Aufklärung, das die geschichtlich gewachsene monarchisch-feudale Herrschaftsordnung auf ihre Weise naturrechtlich umdeutete und allmählich zersetzte (Vgl. G, I, 3). Die große Zeit des Absolutismus fiel in die Epoche von 1660 bis 1690. Er bestimmte allerdings das Verhältnis der europäischen Staaten zueinander noch bis zur Französischen Revolution (1789). Seine Vollendung fand er für die Zeitgenossen im Frankreich Ludwigs XIV. (1643—1715). Der Durchbruch zur Aufklärung vollzog sich im letzten Jahrzehnt des 17. Jahrhunderts und stand im Zeichen der Glorreichen Revolution (1688/89) und der Handelsmacht England. Sie leitete eine geistige Revolution ein, die ihren Höhepunkt um die Mitte des 18. Jahrhunderts in der Hochaufklärung fand. Die Aufklärung wurde eine geistige Macht, die sich als „öffentliche Meinung" artikulierte und die Welt der Vorstellung re-

volutionierte, sich aber mit der Wirklichkeit, d. h. mit dem Absolutismus und dem „Ancien Régime", arrangierte. Ihr geistiges Zentrum war nun wiederum Frankreich (Voltaire), mit dessen machtpolitischem Niedergang sich hier ein aufklärerischer Radikalismus breitmachte, der den Fortgang der Umorientierung zur Revolution betrieb.

Der Umschlag der Aufklärung in die Revolution vollzog sich jedoch zuerst in der überseeischen Welt, nämlich in Nordamerika (1776). Die westliche atlantische Gesellschaft brachte erstmals einen auf den Begriff der Freiheit und des Naturrechts gegründeten Staat hervor, der auf einer Übereinkunft der sozialen Kräfte beruhte. Die Gesellschaft bestimmte in den Augen der Öffentlichkeit hier über den Staat und nicht umgekehrt. Das vermittelnde Glied zwischen beiden war die Verfassung, die sich im 19. Jahrhundert als Form der nationalen Selbstbestimmung in den meisten europäischen Staaten durchsetzte.

Hugo Grotius
(1583—1645)
nach einem Porträt von M. van Miereveld; Rijksmuseum Amsterdam.

2. Staatsräson und Souveränität

Das moderne Staatsdenken

Der „Staat" ist seinem Begriff und seiner Wirklichkeit nach ein Produkt der Neuzeit. Das Wort Staat (status; stato, état, state) meinte bis dahin den Zustand, den Stand, den Besitz, den Haushalt oder den sozialen Rang; es bezog sich nicht auf das ganze politisch-soziale Gemeinwesen. Der Terminus erscheint in seiner Bedeutung als Regierungsinstrument erstmals im Italien des 15. Jahrhunderts. Hier mieteten sich die wirtschaftlich blühenden, aber politisch zerrissenen Stadtrepubliken häufig einen überparteiischen Herrscher auf Zeit, den „Signore", der seinen eigenen „Staat" (stato) mitbrachte, nämlich einen Herrschaftsapparat aus Verwaltungsleuten, Juristen, Vertrauten, Polizei- und Wachleuten. Der Staat war hier also ein Regierungsapparat und sollte die Funktion eines neutralen Notinstituts haben, um Sicherheit und Ordnung herzustellen. Dieser Signore, der auch der bestellte Heerführer der Stadt oder das Haupt einer mächtigen Familie sein konnte, usurpierte in der Regel eine Dauerherrschaft. Die Städte retteten sich also aus dem unerträglichen Kampf aller gegen alle unter diesen Staat des Signore, der das Faustrecht beseitigte, ihnen aber auch meist die Freiheit nahm. Auf diesem Hintergrund entwarf der Florentiner Niccolò Machiavelli (1469 bis 1527) im „Principe" (1513) und in den „Discorsi" (1522) eine Politik und Staatslehre, die ihn zum Wegbereiter des modernen Staatsdenkens machte.

Machiavelli interessierte sich nach seinen eigenen Worten nicht für Geschäft und Handel, sondern nur für den Staat, dem allein sein Herz gehörte und den er als Rettung des Menschen vor sich selbst und als Bedingung für eine vernünftige menschliche Existenz ansah. Im Widerspiel feindlicher Kräfte in der menschlichen Gesellschaft können nach Machiavelli nur die gesetzlichen Zwangsmittel des Staates Ordnung und Sicherheit geben. Ziel einer guten Politik muß deshalb die Errichtung eines Staates sein, der den Verfall der Gesellschaft verhindert. Ohne ihn ist eine Machtbehauptung nicht möglich. Der wirkliche Staatsmann ist der Gesetzgeber, der durch seine Gesetze eine tragbare Ordnung und eine Staatsgesinnung schafft. Der ideale Staat ist ein Kunstwerk, eine durch Gesetze geordnete Notwendigkeit (necessità ordinata dalle leggi), die politische Machtbehauptung und menschliche Selbstbehauptung in Einklang bringt. Der Staatsmann (Principe) mit seinem Staat ist der Zwingherr zur Freiheit. Die darauf zielende Politik darf sich nicht von Religion und Moral bestimmen lassen, sondern ist eine Technik der Machtbehauptung für den Staat nach innen und der Freiheitsbehauptung für den Staat nach außen. Die gute Politik beruht nicht auf Gerechtigkeit und Liebe, sondern auf dem Freund-Feind-Verhältnis und dem Mißtrauen. Ihre Mittel sind Gewalt und Zwang, aber ihr Ziel ist die Herrschaft der Gesetze, die im Chaos der Dinge sich durch ihre Zweckmäßigkeit behaupten kann.

Die Staatsräson

Aus diesem technisch-rationalen Denken über Politik und Staat entwickelte sich gegen Ende des 16. Jahrhunderts die Lehre von der „Staatsräson" (Giovanni Botero: Della ragione di stato, 1588), die das Lebensgesetz einer übergreifenden Herrschaftsordnung meinte und in den konfessionellen Bürgerkriegen der Zeit zur Rechtfertigung einer neutralen Befriedungspolitik diente. Dieser Begriff tat das meiste dazu, den Staat nicht mehr nur als Regierungsinstrument, sondern als das ganze Herrschaftsgebiet anzusehen.

Vorher war das Wort Staat bereits in den politischen Sprachgebrauch eingedrungen, bezeichnete aber, abgesehen von den anderen Bedeutungen, immer nur einen Teilbereich, nämlich — wie in Italien auch — die Herrschaftssphäre des Fürsten, also seinen Hof und sein Hausgut, seinen Verwaltungsapparat und sein Heer („Kriegsstaat"). Mit den niederländischen „Generalstaaten" waren die dortigen Stände gemeint. Dagegen meinte der französische Staatsminister Kardinal Richelieu mit seiner „raison d'état" nichts anderes als das Staatsinteresse Frankreichs (vgl. F, III). Im 17. Jahrhundert setzte sich die Gleichsetzung des Staates mit dem ganzen Herrschaftsbereich allgemein durch, zuletzt in Deutschland. Hier blieb der engere Begriff länger im Gebrauch, weil das Reich kein Staat war, wohl aber einen Staat als eine institutionalisierte Ordnung von Organen, Gerichten und Reichskreisen hatte. Dagegen suchten die deutschen Territorialfürsten ihre Territorien zu Staaten im umfassenden Sinne auszubauen; ihr Ziel war der „Teutsche Fürstenstaat" (Seckendorff 1655); und der Staatslehrer Samuel Pufendorf unterschied ausdrücklich zwischen Reichen und Staaten (1683). Allerdings verstummte hier auch nie die Kritik an diesem „Staat", dem „Ungeheuer" und „Götzenbild" (Graf zu Stolberg, 1784). Der Grund dafür lag darin, daß sich die Staatsräson ohne Bindung an geltendes Recht allein aus der Natur des Machtstaates begründete. Aus der Staatsräson wurde die absolutistische Machtausübung gerechtfertigt, die sich über das Landrecht hinwegsetzte und alle Lebensbereiche in den Dienst des Staatsinteresses zu stellen suchte.

Die Souveränität

Der absolutistische Staat fand in der Idee der Staatsräson seine Leitformel. Aber eine zweite folgenreiche, doch weniger radikale Idee war bereits früher als regelgebender Grundgedanke tätig, die sich mit dem alten Ständestaat besser vereinbaren ließ. Dies war die Idee der „Souveränität", die der große französische Jurist Jean Bodin (1529 bis 1596) in seinem Werk „Sechs Bücher über die Republik" (1576) angesichts der konfessionellen Bürgerkriege in Frankreich entwickelt hatte. Nach ihm war die Souveränität das Wesensmerkmal eines effektiven Staates, nämlich eine oberste und über den Gesetzen stehende Gewalt gegenüber allen Bürgern oder Untertanen, die nicht an andere Gewalthaber oder Autoritäten gebunden war, also niemanden über sich anerkannte, und auch nicht an die Gesetze gebunden war (princeps legibus solutus). Diese souveräne Gewalt erstreckte sich aber nicht auf das Recht (jus), das aus göttlicher und natürlicher Ordnung und aus den menschlichen Zusammenhängen von Familie und Eigentum zustande gekommen war und nur der Schutzgewalt des Souveräns unterlag. Der Souverän hatte danach zwar ein allumfassendes Hoheitsmonopol inne, blieb aber zur Wahrung der vorgegebenen Rechts- und Eigentumsverhältnisse verpflichtet. Neu war hier die Forderung nach einem obersten unabhängigen Einigungspunkt innerhalb der Herrschaftssphäre, der die Einheit der Herrschaft über alle Konfessionen, Gruppen und Interessen hinweg herstellte. Die unbegrenzte Zuständigkeit des Souveräns schränkte sich nur durch die moralisch-rechtliche Identität des Ganzen ein. Diese Lehre wurde die Richtschnur für die fürstliche Politik gegenüber den Ständen und Korporationen, die bisher Partner der Hoheitsgewalt waren und nun mit der Einsammlung ihrer Hoheitsrechte im Souverän entpolitisiert wurden, ohne ihre Privilegien zu verlieren. Der Schutzgedanke blieb kräftig genug, eine völlige Verstaatlichung der Gesellschaft auszuschließen. Immerhin erreichte der Absolutismus über Verwaltung und Heer eine bisher nichtgekannte Allgegenwart des Staates, dessen Souverän nicht an Gesetze (leges), wohl aber an Recht und Gerechtigkeit (jus) gebunden war. Das entsprach vollkommen den Bedürfnissen des zerrissenen Frankreich, das unter König Heinrich IV. (1589—1610) als tolerantem neutralen Souverän seine politische, soziale und religiöse Befriedung wiederfand.

Der absolutistische Staat

Staatsräson und Souveränitätsidee wirkten zusammen, um ein nach innen einheitlich geordnetes und nach außen gesichertes Staatswesen zu schaffen. Der Absolutismus war geradezu eine Methode, das ganze Gemeinwesen möglichst in Staat zu verwandeln. Nacheinander wurden Verwaltung, Heer, Religion, dann auch die Wirtschaft (Merkantilismus) und die Rechtsprechung zu Staatsangelegenheiten, wobei sich vieles in der technisch-organisatorischen Zürüstung erschöpfte und nur bei Heer und Verwaltung die Staatsgewalt sich eindeutig durchsetzte. Aber der Versuch eines ökonomischen Dirigismus bahnte den Weg zur nationalen Wirtschaft; und die höhere Rechtsprechung rückte mit den großen Rechtskodifikationen des 18. Jahrhunderts aus dem Volk und den Ständen zur Obrigkeit. Die Vereinheitlichung des Ganzen blieb indessen auf halbem Wege stehen und beseitigte nicht alle regionalen Unterschiede und Sonderrechte.

Aber die zentralisierende und vereinheitlichende Politik der absolutistischen Herrscher schuf doch enger zusammenhängende, abgegrenzte Staatsindividuen, die souverän waren oder sein wollten und sich nur von ihren Interessen bestimmen ließen. Europa wurde im 17. Jahrhundert eine Staatenwelt, die ihre Ordnung nicht mehr als Rechtszusammenhang, sondern nur noch unter dem mechanischen Bild eines sich wechselseitig einschränkenden Gleichgewichts begreifen konnte.

Diese erstaunliche Entwicklung legitimierte sich zwar aus neuen Ideen, aber sie war auch eine Notwendigkeit und wurde von den Untertanen begrüßt, die darin einen Ausweg aus den konfessionellen Bürgerkriegen und der damit verbundenen wirtschaftlichen und sozialen Stagnation erblickten. Das einst blühende Bürgertum war im Verlauf des 16. Jahrhunderts verkümmert; selbst führende Unternehmer-Familien wie die Fugger und Welser waren zu lokalen Honoratioren abgesunken. Den Kriegsverheerungen, von denen besonders Frankreich und dann Deutschland betroffen waren, folgten Wirtschafts- und Ernährungskrisen, Epidemien, Hungerrevolten und schließlich eine soziale Verrottung, die sich in öffentlicher Unsicherheit, im Brigantentum und Bettelwesen äußerte und von den Lokalbehörden nicht zu bewältigen war. Zugleich drohte der Vorstoß der Gegenreformation in der Rheinzone bis an die Nordsee (Kölner Krieg seit 1584) die nördliche protestantische Handelswelt aufzuspalten und das mitteleuropäische Binnenland vom Seehandel abzusperren. Daraus ergab sich eine wirtschaftliche Rezession, deren Bekämpfung eine innere Befriedung und überregionale Hilfsmaßnahmen für Handel und Gewerbe, Verkehrserschließung und Marktbildung verlangten. Das war die Stunde des Absolutismus im westlichen Kontinentaleuropa, der sich schließlich als das geeignete Mittel erwies, den allmählichen Übergang von der alten Agrargesellschaft mit ihrer lokalen Subsistenzwirtschaft zur Manufaktur-, Handels-, Geld- und Marktgesellschaft zu vollziehen. Eine solche Rezession gab es jedoch nicht in Holland und England, die vielmehr beide von den europäischen Unruhen profitierten und sich im Innern erfolgreich gegen eine absolutistische Regierungsform zur Wehr setzten.

3. Das Vordringen des Absolutismus

Das auffälligste Merkmal des absolutistischen Staates im 17. Jahrhundert war die Schaffung einer überregionalen, nur dem Landesherrn verpflichteten Heeres- und Verwaltungsorganisation, die sich von der politischen Mitwirkung der Stände möglichst befreit hatte. Dazu kam es nicht in allen Staaten, und eine gänzliche Beseitigung der Stände fand überhaupt nicht statt. Die Zentralisation auf die souveräne Spitze ließ den ständischen Unterbau großteils bestehen, der seine lokalen Hoheitsfunktionen und die daranhängenden Privilegien mit gewissen Einschränkungen behielt. Eine Einebnung des Untertanenverbandes zu gleichberechtigten Bürgern gab es also nicht. Das „Ancien Régime" lebte in der sozialen Rangordnung und in den feudalen Lebensformen weiter, war aber auf der überregionalen Ebene in den Dienst des Landesherrn gestellt, der sich allein als Repräsentant des Gesamtinteresses seines Landes betrachtete und niemandem Rechenschaft schuldig war. Allerdings gab es in der Entwicklung absolutistischer Staaten erhebliche Unterschiede, und keiner von ihnen konnte seine Souveränität und seine Staatsräson bis in alle Lebensbereiche hinein voll durchsetzen. In manchen Territorien scheiterte er sogar oder wurde wieder beseitigt. Frankreich war das große Vorbild für alle absolutistischen Staaten. Es war die erste Großmacht, die unter Kardinal Richelieu als leitendem Minister mit Berufung auf die Staatsräson eine offensive Außenpolitik betrieb und unter König Ludwig XIV. eine absolutistische Selbstherrschaft nach innen durchsetzte.

Die absolutistischen Einzelstaaten

In Spanien hatte König Philipp II. (1556 bis 1598) bereits im engen Bunde mit der Kirche absolutistisch regiert; aber nach seinem Tode sank Spanien zu einer Konföderation von Granden ab, unter der die Minister mehr Kommissare der Granden als königliche Beamte waren. Erst der Bourbone Philipp V. (1701—1746) vernichtete durch Dekret (1707) kraft seines „dominium absolutum" alle ständischen Sonderformen und stellte die Einheit des Staatsrechts nach kastilischem Muster her, wo die Stände (span: Cortes) bereits unter Kaiser Karl V. zu einem ohnmächtigen Stadtparlament abgesunken waren.

Dänemark gab sich 1655 ein Verfassungsgesetz, das „Gesetz aller Gesetze", in welchem die Stände (Klerus, Adel und Bürgerschaft) durch Unterschrift auf ihre Vorrechte verzichteten und König Friedrich III. als absoluten König anerkannten. Beim Thronwechsel (1676) wurde diese „Lex Regia" feierlich verkündet, als „absolutes Königrecht mit der höchsten Gewalt, die keinem anderen als Gott allein verpflichtet ist".

In Schweden brach Karl XI. (1660—1697) die Macht der Reichsstände (Klerus, Landadel, Bürger und Bauern), die ihm in der „Souveränitätserklärung" von 1682 eine fast unumschränkte Macht übertrugen. Nach der Niederlage und dem Tode Karls XII. (1697 bis 1718) erhielt Schweden seine „ständische Libertät" im Frieden von Nystadt (1721) unter Garantie Rußlands wieder zurück. Die Thronfolger mußten nunmehr einen Eid schwören, „mit Leib und Leben die Wiederkehr der verabscheuungswürdigen Souveränität zu bekämpfen". König Gustav III. beendete 1772 durch einen Staatsstreich die schwedische Freiheitszeit.

In Rußland schränkte der Zar Peter der Große (1689—1725) die Macht der Bojaren (Grundadel) und der Kirche ein, indem er nach westlichem Vorbild einen Verwaltungsdespotismus aufbaute, dazu einen Dienstadel als neue Regierungsschicht schuf (1717) und die Kirchenleitung verstaatlichte (1721) (vgl. G, II, 1).

Die Verfassungsstaaten

In England scheiterte der Absolutismus der Stuart-Könige (1603—1688) am Widerstand des Parlaments, das in der Glorreichen Revolution (1688/89) aus eigener Machtvollkommenheit einen neuen König, Wilhelm III. von Oranien, den Statthalter von Holland, ins Land rief und eine konstitutionell-parlamentarische Monarchie begründete (vgl. Kap. 6).

Auch in Holland konnten die Statthalter das monarchische Prinzip nur kärglich zur Geltung bringen; unter dem „Ratspensionär" de Witt (1651—1672) ruhte dieses Amt sogar. In den „Herren General-Staaten" behauptete sich stets ein republikanisch-bürgerliches Element, so daß Holland das Refugium aller Widerstandskräfte in Europa wurde. Immerhin war das Land in langen Freiheitskämpfen seiner Stände gegen die spanische Universalmonarchie entstanden (1568—1648) und rechnete zu den republikanischen Kleinstaaten wie Venedig und die Schweiz. Wie vorher schon Padua und Genf wurde im 17. Jahrhundert Amsterdam ein Brennpunkt geistigen Lebens und ein zentraler Umschlagplatz, nicht nur für Waren und Finanzen, sondern auch

für alles Gedankengut, das in Opposition zum Staatsabsolutismus in Europa stand und gegen Ende des 17. Jahrhunderts die Aufklärung einleitete.

Ein Sonderfall war Polen, das eine Adelsrepublik mit Wahlkönigtum darstellte, aber durch das Veto-Recht (liberum veto) eines jeden Adelsvertreters im Sejm (Reichstag) zu einer handlungsunfähigen Adelsanarchie abgesunken war, die keine einheitlichen Beschlüsse fassen konnte und zum Spielball der Machtpolitik der großen Nachbarländer wurde (vgl. Kap. G, II, 2, 3; V, 3).

Die deutschen Territorien

Im Reich waren die Verhältnisse unterschiedlich. Die Reichsstände hatten 1648 zwar keine volle Souveränität, wohl aber die Landeshoheit (superioritas terrae) erreicht. Der Dualismus von Kaiser und Reich hatte sich also verstärkt, und der Römische Kaiser besaß nur noch eine oberstrichterliche Gewalt im Reichshofrat bei Streitigkeiten der Reichsstände untereinander und auch der Landstände mit ihrem Landesherrn; er blieb im Grunde auf den guten Willen der Reichsfürsten angewiesen. Das eigentliche Feld des Absolutismus waren die Territorien. Hier ging der Kaiser als Landesfürst voran.

Die Habsburger Monarchie verfolgte in ihren Erblanden einen gegenreformatorischen Absolutismus, der sich zuerst in Böhmen gegen die Stände voll durchsetzte (1626), und schon unter Ferdinand I. (1619 bis 1637) auf der oberen Verwaltungsebene sich Geltung verschaffte, aber bei der Verschiedenartigkeit der Erbländer die Hilfe der Stände auf der mittleren Ebene nicht entbehren konnte. Der heftige Widerstand der ungarischen Stände konnte unter Leopold I. (1658—1705) nach den Siegen über die Türken (seit 1683) gebrochen werden. Sie behaupteten sich aber zu guter Letzt (1711) und erkannten erst nach Zusicherung ihrer Freiheiten die neue habsburgische Erbfolge (Pragmatische Sanktion) an.

In den deutschen Territorien hatte Herzog Maximilian I. von Bayern (1598—1651; Kurfürst seit 1623) im Bunde mit der Kurie schon seit 1612 den Sieg über seine Landstände errungen, wenn auch der bayerische Landtag gelegentlich noch zusammentrat. Ihm folgten andere Territorien, nachdem

Huldigung der Stände vor Kaiser Joseph I. (1705 bis 1711). Kupferstich, Österreichische Nationalbibliothek, Wien

der Reichstagsabschied von 1654 das ständische Steuerbewilligungsrecht eingeschränkt und die Landstände von Reichs wegen zur Steuerhilfe in Notfällen verpflichtet hatte. Außerdem verbot Kaiser Leopold I. in seiner Wahlkapitulation von 1658 den Zusammentritt der Stände ohne landesherrliche Erlaubnis.

In Brandenburg-Preußen gab es seit 1653, in Bayern seit 1669 und in Holstein-Gottorp seit 1675 keine Landtage mehr. Der Große Kurfürst setzte in Brandenburg und dann in seinen Nebenländern die fürstliche Verwaltungs- und Militärhoheit erfolgreich durch, so daß unter Friedrich Wilhelm I. und Friedrich dem Großen keine Stände mehr in Politik, Gesetzgebung und Besteuerung hineinzureden hatten (vgl. Kap. 4). Die Landstände spielten ihre alte Rolle nur noch in Württemberg und Mecklenburg sowie auch in Friesland bis zu dessen Einverleibung in Preußen (1745).

Am Vorabend der Aufklärung waren alle Großmächte und die meisten deutschen Territorien auf dem Wege zu einer einheitlichen Staatsgestaltung. Nur England und Holland fielen als maßgebliche Länder aus, also die beiden wichtigsten Handels- und Seemächte. Von ihnen her setzte nach 1685 die Aufklärung ein, die das vom Absolutismus verfolgte Verhältnis zwischen Staat und Gesellschaft auf einen anderen Fuß setzte und die Herrschaftsordnung als verbindliche vertragliche Abmachung zwischen Fürst und Untertanen verstanden wissen wollte (vgl. G, I, 2, 3).

Aber ohne den Absolutismus der Landesherren wäre es kaum zu politischer Großraumbildung, zum modernen Staatensystem, zu einem Staatsbewußtsein und zu nationalen Wirtschaftsstrukturen gekommen. Je stärker der Absolutismus in Verwaltung, Heerwesen, Regierungsorganen und Gesetzgebung sich institutionalisierte, um so mehr wurde der Staat entpersönlicht und objektiviert. Schon Ludwig XIV. und dann Friedrich der Große verstanden sich nicht als Eigentümer des Staates, sondern als dessen Diener. Der persönliche Absolutismus der Frühzeit verwandelte sich in einem Staatsabsolutismus, dessen konsequenteste Verwirklichung im 18. Jahrhundert Preußen war.

II. Das europäische Staatensystem nach 1648

1651	Englische Navigationsakte gegen Holland	1659	Pyrenäenfriede
1652—1654	Englisch-Holländischer Seekrieg	1660	Friede von Oliva
		1663	Immerwährender Reichstag in Regensburg
1655—1660	Schwedisch-Polnischer Krieg	1664—1667	Zweiter Englisch-Holländischer Seekrieg
1658	Rheinbund		
1658—1705	Kaiser Leopold I.	1669	Letzter Hansetag

1. Das Reich

1648 hatte das Reich als einheitliche Machtorganisation sein Ende gefunden. Es blieb indessen als anrufbare Rechts- und Schlichtungsinstanz bedeutsam. Das ständisch besetzte Reichskammergericht war hier zuständig. Bei Streitigkeiten des Landesherrn mit seinen Landständen hatten diese noch ein Klagerecht an den kaiserlichen Reichshofrat, so daß das Reich die korporativen Rechts- und Eigentumstitel der Stände schützte. Im Recht lebte also die Reichstradition fort, ohne daß die Ausweitung der landesfürstlichen Herrschaft dadurch verhindert werden konnte.

Im Reichstagsabschied von 1654 setzten die Fürsten ein Besteuerungsrecht in Notfällen gegen ihre Landstände durch und erlangten in der Wahlkapitulation Kaiser Leopolds I. von 1658 das Verbot von Landtagen, die vom Landesherrn nicht genehmigt waren. Im selben Jahr versuchte der „Rheinbund" unter Führung des Kurfürsten von Mainz, Johann Philipp von Schönborn, und gestützt auf Frankreich, ein fürstliches Reichsregiment durchzudrücken. Indessen kam nur der „immerwährende Reichstag" von Regensburg (1663) zustande, der ein ständiger Gesandtenkongreß war und den genossenschaftlichen Charakter des Reiches noch unterstrich. Dazu kam, daß Frankreich und Schweden als Signatarmächte des Westfälischen Friedens diesen Zustand garantiert hatten und daraus ein Interventionsrecht in deutsche Angelegenheiten ableiteten. Diese völkerrechtlich gesicherte „deutsche Anarchie" schloß eine machtpolitische Zusammenfassung aus. Das Reich war ein „unregelmäßiges, einem Monstrum ähnliches Gebilde" geworden, wie der Staatsrechtler Samuel Pufendorf (De statu imperii germanici,

1667) formulierte. Den fortbestehenden Rechtsmitteln des Reiches entsprachen keine Machtmittel. Es gab zwar noch Reichsarmeen und Reichskriege bis zum Ende des 18. Jahrhunderts, aber sie spielten in den Auseinandersetzungen der Großmächte und der deutschen Großterritorien nur eine untergeordnete Rolle. Selbst die Reichsacht wurde noch einige Male angewandt, nämlich im Spanischen Erbfolgekrieg gegen die beiden wittelsbachischen Kurfürsten von Bayern und Köln, die sich auf die Seite Ludwigs XIV. gestellt hatten, und zum letzten Mal gegen Friedrich den Großen im Siebenjährigen Krieg.

Symptom der Ohnmacht des Reiches war der Untergang der Hanse, die 1669 ihren letzten Hansetag abhielt, auf dem nur noch sechs Städte vertreten waren. Voll anerkannter Partner unter den Mächten war nur noch Österreich. Bayern war mit dem Gewinn der Oberpfalz der zweitmächtigste Staat im Reich geworden. Neue politische Bewegung ging von den Großstaatsbildungen aus, einmal von Österreich, das unter Kaiser Leopold I. (1658—1705) im Kampf gegen Türken und Franzosen in die Spitzengruppe der Mächte vorrückte, und dann von Brandenburg-Preußen, das unter dem Großen Kurfürsten (1640—1688) sich als Machtfaktor zur Geltung brachte.

2. Die europäischen Staaten

Der Dreißigjährige Krieg hatte nicht nur in der Mitte Europas ein machtpolitisches Vakuum hinterlassen, sondern auch die Machtverhältnisse innerhalb der europäischen Staatenwelt verschoben. Erster Nutznießer des langen Krieges war Holland, dessen faktische Unabhängigkeit vom Reich und von Spanien 1648 auch völkerrechtlich anerkannt worden war. Holland hatte sich geradezu ein Monopol des gesamten europäischen Zwischenhandels mit der überseeischen Welt verschafft und verfügte mit etwa 35 000 seetüchtigen Schiffen über zwei Drittel des damaligen Weltschiffraums. Amsterdam wurde das Zentrum des Geldmarkts und die Börse Europas. Die holländische Ostindien-Kompanie (seit 1602) war im Schatten des Kriegsgeschehens zu einer mächtigen Wirtschaftsorganisation emporgewachsen, die zur Sicherung ihres Handelsmonopols nach Asien von der holländischen Regierung Befestigungs-, Ausrüstungs- und Militärrechte für ihre Faktoreien und Seewege erhalten hatte. In den außereuropäischen Gewässern, für welche die europäischen Abmachungen nicht galten, nahm sie daraus gegen ihre Konkurrenten ein Beute- und Kriegsrecht in Anspruch. Erst mit dem Erstarken Frankreichs und Englands wurden der holländischen Seeherrschaft Schranken gesetzt.

England hatte schon mit der Navigationsakte von 1651, nach der nur die eigenen Schiffe oder Schiffe der Ursprungsländer überseeische Waren anliefern durften, dem holländischen Zwischenhandel den Kampf angesagt und außerdem mit der Eroberung von Jamaika (1655) seinen Fuß auf Westindien und damit in den spanischen Machtbereich gesetzt. In den Seekriegen mit Holland (1652—1654; 1664—1667) konnte es seinen Anspruch als führende Seemacht behaupten. Holland bedurfte künftig der englischen Hilfe.

Eine Folge des Krieges war auch, daß Spanien als katholische Vormacht und Schweden als protestantische Vormacht aus der Spitzengruppe der europäischen Staatenwelt ausschieden. Am offensichtlichsten war der Niedergang Spaniens. Er kündigte sich bereits mit der Kriegserklärung Frankreichs an Spanien (1635), dem Abfall Portugals (1640) und dem endgültigen Verlust von Holland **1659** (1647/48) an. Im Pyrenäenfrieden von 1659 mit Frankreich mußte Spanien die Pyrenäengrenze, die Ergebnisse des Westfälischen Friedens und die Gleichberechtigung Frankreichs, Hollands und Englands auf den Meeren anerkennen. Der alte spanische Plan einer Einkreisung Frankreichs durch eine spanische Landbrücke von

Mailand bis zu den Spanischen Niederlanden war damit endgültig zu Grabe getragen. Das Ende der spanischen Weltgeltung öffnete den Westmächten Frankreich und England den Weg in die koloniale Welt. Gleichzeitig legte die Heirat Kaiser Leopolds I. mit der Infantin Margarete Theresia (1658) und der Ehekontrakt Ludwigs XIV. mit ihrer Schwester Maria Theresia (1659) den Samen für den langen Konflikt zwischen Habsburg und Bourbon, der sich um das spanische Erbe drehte und im Spanischen Erbfolgekrieg (1701—1714) kulminierte.

Der Abstieg Schwedens war nicht so offensichtlich wie der von Spanien, insofern es im Ostseeraum die machtpolitischen Verhältnisse noch lange bestimmte. Als Besitzer der norddeutschen Küstengebiete an Ost- und Nordsee war Schweden Reichsstand, und als Inhaber der baltischen Gegenküste betrachtete es die Ostsee als schwedisches Binnenmeer. Das „Dominium Maris Baltici" war für Schweden eine Lebensfrage, da die Beherrschung der Seezölle ihm erst eine militärische Machtentfaltung erlaubte. Seine große Militärmacht konnte ohne diese Zolleinnahmen nicht aufrechterhalten werden und wurde ihm zu einer unerträglichen Last. Es suchte zeitweilig den Krieg, weil es arm war, aber seine Macht über die Ostsee nicht verlieren wollte.

Es vermochte im Verlauf des Schwedisch-Polnischen Krieges (1655—1660) Dänemark zu besiegen und dessen Herrschaft über den Sund zu brechen, erkannte aber im **1660** Frieden von Oliva (1660) das Ende der polnischen Lehnsoberhoheit über das Herzogtum Preußen und damit die Souveränität des Kurfürsten von Brandenburg über dieses Gebiet an. Mit dem Vordringen an den baltischen Küstenstreifen war eine Ausgangsbasis für den Aufstieg Brandenburg-Preußens geschaffen. Der Friede von Oliva ergänzte den Westfälischen Frieden nach Osten hin, wie es der Pyrenäenfriede nach Westen tat.

Die folgenden Jahrzehnte standen ganz im Zeichen Frankreichs, das nunmehr vom Druck des Reiches und Spaniens befreit war und völlige Handlungsfreiheit erreicht hatte. Mit seiner Volkszahl von 18 Millionen Einwohnern (1661) übertraf es ohnehin alle anderen europäischen Staaten.

III. Frankreich als Vormacht Europas

1614	Letzter Zusammentritt der Generalstände	1680—1682	Réunionen im Elsaß
1649—1653	Aufstand der Fronde	1681	Besetzung Straßburgs
1661 (1643) bis 1715	Ludwig XIV.	1685	Aufhebung des Edikts von Nantes (Hugenottenflucht)
1663	La nouvelle France (Kanada)	1688—1697	Der Pfälzische Krieg
1665—1683	Jean Baptiste Colbert (1619 bis 1683)	1689	Verwüstung der Pfalz
		1692	Seeschlacht bei La Hogue
1667	Hochschutzzolltarif	1697	Friede von Ryswick
1667—1668	Erster Devolutionskrieg	1700	Tod Karls II. von Spanien (1665—1700)
1672—1678	Zweiter Devolutionskrieg		
1678	Friede von Nymwegen	1701—1714	Spanischer Erbfolgekrieg
1679—1685	Bündnis Ludwigs XIV. mit Brandenburg	1713/14	Friede von Utrecht, Rastatt, Baden

1. Die französische Monarchie

Frankreich hatte nach Jahrzehnten innerer Wirren gegen Ende des 16. Jahrhunderts unter dem ersten König aus dem Hause der Bourbonen, Heinrich IV. (1589—1610), Ruhe und Frieden wiedergefunden. Nach dessen Ermordung durch einen fanatischen Mönch drohten die alten Gegensätze zwischen katholischer Jesuitenpartei und protestantischen Hugenotten erneut aufzubrechen. Die Furcht vor einem Bürgerkrieg ließ den Ruf nach einem starken Königtum laut werden, den auch die Generalstände bei ihrer letzten Zusammenkunft 1614 aufnahmen. Die geheiligte Königstradition, die sich auf die ununterbrochene Kette von Königen seit Karl dem Großen berief, wurde beschworen, um den inneren Frieden zu bewahren. Besonders das Eintreten der angesehenen, juristisch gebildeten und gemäßigten Führungsschicht für eine überparteiliche monarchische Ordnung, die von ihnen aus der Tradition des göttlichen Herrscherrechts, aber auch aus staatspolitischer Notwendigkeit begründet wurde, sicherte dem bourbonischen Erben Ludwig XIII. (1610 bis 1643) den Thron.

1624 bis 1642 Der schwache König fand in dem Kardinal Richelieu (1624—1642) einen Staatsmann, der sich dem Monarchen als dem Repräsentanten der Einheit des Gemeinwesens verpflichtet fühlte. Er brach die Sonderstellung der Hugenotten (1628), indem er ihre festen Plätze

schleifen ließ und ihnen lediglich freie Religionsausübung und freie wirtschaftliche Betätigung gestattete. Er erstrebte freilich keine weitere durchgreifende Umgestaltung des Staatswesens und stützte sich vornehmlich auf die alten Gewalten von Kirche und Adel. Er dachte nicht daran, die feudalen und kommunalen Zwischengewalten zu beseitigen, sondern suchte sie moralisch auf das Staatsinteresse zu verpflichten. Er folgte in seiner praktischen Politik einer Auffassung von „Staatsräson", mit der er der ganzen Nation ein Prinzip einzupflanzen suchte, dem sich alles zu beugen hatte. Auf diese Weise verstand er es, die moralischen und materiellen Kräfte der Nation sich dienstbar zu machen.

Für ihn war die Machtfülle des Monarchen ein Abbild der göttlichen Allmacht und die Staatsräson der angemessene Ausdruck des göttlichen Willens im Bereich der Politik. Diese Verhaftung in alten Vorstellungen hinderte nicht, daß seine praktische Politik die Entwicklung Frankreichs zum nationalen Einheitsstaat einleitete. Erst sein Nach-**1643 bis 1660** folger, Kardinal Mazarin (1643 bis 1660), ging dazu über, durch einen zentralistisch-bürokratischen Ausbau der Regierungsebene die Effektivität der Staatsverwaltung gegen die feudalen Zwischengewalten zu sichern. Dagegen inszenierte der Adel seinen letzten Aufstand, die „Fronde" (1649—1653), die mit knapper Not niedergeschlagen werden konnte. Danach regierte Mazarin als „Prinzipalminister" seines noch unmündigen Königs und im engen Bunde mit der Kirche unbehelligt. Unter ihm standen die Umrisse eines absolutistischen Systems bereits fest. Im Jahre 1661 übernahm der nunmehr volljährige Ludwig XIV. (1643—1715) die Regierung und erklärte in der ersten Sitzung seines Staatsrates, daß er künftig sein eigener Prinzipalminister sein wolle. Unter seiner Herrschaft stand Europa im Zeichen Frankreichs.

| 1643 |
| bis |
| 1715 |

2. Ludwig XIV.

Ludwig betrachtete sich von Anfang an als alleinigen Träger der Souveränität und als Personifikation des Staates, der niemandem Rechenschaft schuldig war und von allen anderen Rechenschaft verlangen konnte.

König Ludwig XIV. von Frankreich (1643—1715) nach einem zeitgenöss. Kupferstich

Sein Wille war entscheidend, und alles geschah in seinem Namen. Ihm wird der nicht bezeugte Satz zugeschrieben: L'état c'est moi! (Der Staat bin ich!), der in der Tat die beanspruchte Identität seines persönlichen politischen Interesses mit dem Staatsinteresse zutreffend bezeichnet. Er verstand sein Regieren als Dienst am Staatsganzen. Von ihm stammt auch die Leitformel des modernen absolutistischen Staates: „Frankreich ist ein monarchischer Staat in der ganzen Ausdehnung des Wortes; der König stellt innerhalb des Staates die ganze Nation dar, und der Privatmann stellt nur ein einzelnes Individuum dem König gegenüber dar" (Institutions pour le Dauphin, 1679).
Im Bereich der Regierungsgeschäfte kannte Ludwig keine Freundschaft und keine Verwandtschaft; hier gab es nur Ausführungsorgane für seine königlichen Beschlüsse. Die mächtigsten Hofleute und Minister hatten an Macht nur das in ihren Händen, was der König ihnen auf Zeit zuteilte. Die Nähe zu ihm entschied über Rang und Stellung. Um ihn allein drehte sich das politische und kulturelle Leben. Er war wie die Sonne und nannte sich „Sonnenkönig" (roi de soleil). Selbst die privaten königlichen Tätigkeiten wie Aufstehen (lever) und Schlafengehen (coucher) waren öffentliche Handlungen mit kultischem Charakter. Das ganze Leben am Hofe diente der Selbstdarstellung der königlichen Macht, um die sich das politisch und geistig führende Frankreich sammelte.

3. Der französische Absolutismus

Die Verwaltungsbürokratie

Dem König stand in seinen souveränen Entscheidungen als oberstes Organ der Staatsrat aus seinen Ministern und etwa 20 Staatsräten zur Seite. Die Ausführung seiner Beschlüsse lag bei den Ressorts der Staatssekretäre, auf die die politischen Funktionen, wie Auswärtiges, Krieg, Marine, Inneres, Finanzen aufgeteilt waren. Hier standen durchweg Fachleute an der Spitze. Sie waren Werkzeuge des königlichen Willens und hatten nur Ausführungsverantwortung. Dieser Zentralismus suchte die regionalen Sonderverwaltungen einzuengen; er erstrebte eine gleichmäßige Durchsetzung der königlichen Anordnungen und damit den Ausbau einer Verwaltungsbürokratie in allen Landesteilen.
Für wichtige Angelegenheiten entwickelte die Krone ein System der „außerordentlichen Auftragsverwaltung" durch „Intendanten", die Kontrollkommissare mit weitgehenden Exekutivbefugnissen und durchweg bürgerlicher Herkunft waren. Sie traten neben die feudalen Gouverneure in den Provinzen und handelten hier nach den unmittelbaren Weisungen der Regierung. Sie wurden mit der Zeit reguläre und allzuständige Amtsinhaber in den Provinzen, blieben jedoch der Zentrale zugeordnet. Von der Zentrale aus war kaum eine Fortbildung der Gesetzgebung und des öffentlichen Rechts

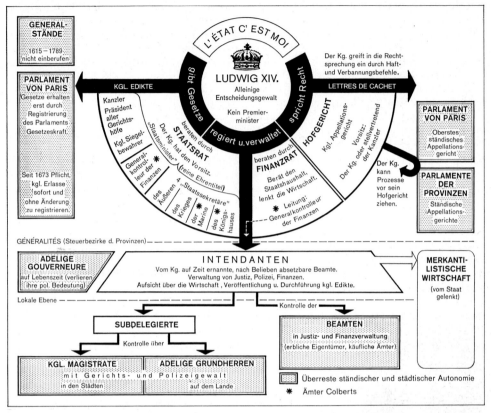

Innerhalb der Grafik:

GENERAL-STÄNDE
1615 – 1789
nicht einberufen

PARLAMENT VON PARIS
Gesetze erhalten erst durch Registrierung des Parlaments Gesetzeskraft.
Seit 1673 Pflicht, kgl. Erlasse sofort und ohne Änderung zu registrieren.

L'ÉTAT C' EST MOI
LUDWIG XIV.
Alleinige Entscheidungsgewalt
Kein Premierminister

gibt Gesetze
spricht Recht
regiert u. verwaltet

KGL. EDIKTE

Der Kg. greift in die Rechtsprechung ein durch Haft- und Verbannungsbefehle.

LETTRES DE CACHET

STAATSRAT
Kanzler Präsident aller Gerichtshöfe
Kgl. Siegelbewahrer
Generalkontrolleur der Finanzen
beraten durch
Der Kg. hat den Vorsitz.
"Staatsminister" (reine Ehrentitel)
4 "Staatssekretäre"
des Äußeren
des Krieges
der Marine
des Königshauses

FINANZRAT
beraten durch
Berät den Staatshaushalt, lenkt die Wirtschaft.
Leitung: Generalkontrolleur der Finanzen

HOFGERICHT
kgl. Appellationsgericht
Vorsitz: Der Kg. oder stellvertretend der Kanzler
Der Kg. kann Prozesse vor sein Hofgericht ziehen.

PARLAMENT VON PARIS
Oberstes ständisches Appellationsgericht

PARLAMENTE DER PROVINZEN
Ständische Appellationsgerichte

GÉNÉRALITÉS (Steuerbezirke d. Provinzen)

ADELIGE GOUVERNEURE
auf Lebenszeit (verlieren ihre pol. Bedeutung)

INTENDANTEN
Vom Kg. auf Zeit ernannte, nach Belieben absetzbare Beamte.
Verwaltung von Justiz, Polizei, Finanzen.
Aufsicht über die Wirtschaft, Veröffentlichung u. Durchführung kgl. Edikte.

MERKANTILISTISCHE WIRTSCHAFT
(vom Staat gelenkt)

Lokale Ebene
Kontrolle der

SUBDELEGIERTE
Kontrolle über

BEAMTEN
in Justiz- und Finanzverwaltung
(erbliche Eigentümer, käufliche Ämter)

KGL. MAGISTRATE
mit Gerichts- und Polizeigewalt
in den Städten

ADELIGE GRUNDHERREN
auf dem Lande

Überreste ständischer und städtischer Autonomie
✱ Ämter Colberts

Der Staat Ludwigs XIV.

zu erwarten, zumal kein Mitspracherecht anerkannt wurde, auch nicht von seiten der Parlamente, die als Gerichtshöfe die Gesetze registrieren mußten und bei widersprüchlichen Gesetzen Einspruch erheben durften (Remonstrationsrecht). Diese Parlamente, an ihrer Spitze das Pariser Hauptparlament, waren adelige Gerichtshöfe, die bisher als souveräne Körperschaften Bollwerke des überkommenen Feudalismus waren, denen der König aber 1673 unwidersprochen Schweigen und Gehorsam zu gebieten vermochte. Sie traten erst gegen Ende seiner Regierung als Hüter der Grundgesetze Frankreichs wieder hervor.

Allerdings konnte und wollte auch Ludwig nicht die regionalen und ständischen Unterschiede völlig beseitigen. Statt dessen suchte er sie sich dienstbar zu machen. Er zog den alten Schwertadel an seinen Hof, verlieh ihm hohe und einträgliche Ehrenstellen in Haushalt, Hochklerus oder Armee und ent-

politisierte ihn zum Hofadel. Der Amtsadel wurde durch Adelung bürgerlicher Amtsinhaber beträchtlich vermehrt und fand in der hohen Verwaltung ein angesehenes und einträgliches Betätigungsfeld. Auch der Briefadel nahm zu, den der König nach Bedarf und Gefallen an reiche Kaufleute und neue Grundherren gegen ansehnliche Geld- und Dienstleistungen verlieh. Damit entstand eine von der königlichen Gnade abhängige staatstragende Schicht, die aus dem reichen Bürgertum hervorgegangen war.

Ohnehin bejahte das Handelsbürgertum wegen ihrer kommerziellen Vorteile die von der Krone ausgehende Vereinheitlichung in Verwaltung, Polizei und Recht. Ferner legte der wachsende Geldbedarf der Krone eine engere Verbindung mit der Handels- und Finanzwelt nahe, deren Anleihen und Kredite durch hohen Zinsfuß oder durch Verleihung von Monopolen und Privilegien abgegolten wurden. Weit schlimmer als eine solche Verschuldung war die Käuflichkeit staatlicher Ämter.

Der König verpachtete die staatlichen Zoll- und Steuereinnahmen oder auch die Verwaltung der Domänenerträge und der Regalien (Wald, Gewässer, Bergbau, Straßen, Markt usf.). Bei Geldbedarf schuf die Krone sogar neue Ämter, deren Kaufpreis dem Staat als eine Art Vorfinanzierung zufloß. Diese Praxis lieferte die Bevölkerung einer staatlich konzessionierten, privaten Ausbeutung aus, da die Amtspächter möglichst schnell die vorgestreckte Kaufsumme mit Gewinn hereinholen wollten und in ihre eigene Tasche arbeiteten. Außerdem erregten die Einziehungsmethoden den Grimm der Betroffenen. Andererseits war diese Schicht großer und kleiner Amtsträger auf die Effektivität der königlichen Anordnungen gegenüber den regionalen Feudalgewalten bedacht. Bei alledem stützte sich der Absolutismus vorwiegend auf die Oberschicht des Bürgertums, das meist über das Richteramt zum Amtsadel oder durch Titelkauf zum Geldadel aufsteigen konnte.

Die Kirche

Schließlich war auch die Kirche eine Säule der Herrschaftsordnung, da die Kirchenfürsten ihr Amt ausschließlich dem König verdankten, der seit dem Konkordat von 1516 die Bischöfe ernannte. Die erforderliche Bestätigung durch den Papst war nur mehr Formsache. Vor allem der Hofklerus konnte zu den höchsten Würden aufsteigen. Auch die Pfründenvergabe unterstand der Verfügungsgewalt der Krone, die dem ergebenen Hofadel auf diesem Wege fürstliche Einkünfte verschaffen konnte.

Dagegen waren die einfachen Pfarrer, Vikare und Pfründenkuratoren meist arm und schlecht besoldet. Die Pfarrorganisation verfügte jedoch über eine eingespielte Steuerverwaltung (Kirchenzehnter) und entlastete durch Pfarr-Register und Kanzel die Krone von einem Teil der administrativen Aufgaben. Die Geistlichen waren die Interpreten der von der Kanzel bekanntgegebenen Regierungserlasse. Im ganzen stellte die Kirche mit 330 Bischöfen, 1100 Abteien, 500 Prioraten und etwa 60 000 Pfarrern und Vikaren eine ansehnliche Ordnungsmacht dar, die an der staatlichen Autorität partizipierte

und sie verstärkte. Sie war eine königliche Nationalkirche, die ihre „gallikanischen Freiheiten" auch gegen Rom behauptete. In den Gallikanischen Artikeln von 1682 sprach sie dem Papst jeden weltlichen Einfluß ab. Ihr Ideal war die politisch-religiöse Einheit des Ganzen, die der Hofprediger und Bischof Bossuet auf die Formel brachte: „un roi, une foi, une loi."

Das Heerwesen

Damit hatte der König beträchtliche Machtmittel in der Hand, an denen der Hochadel, der Amtsadel und die Elite des Bürgertums sowie Fachleute auf verschiedenen Ebenen beteiligt waren. Seine Kriegsminister Le Tellier und danach Louvois bauten ein stehendes Heer mit Kasernen, Uniformen, Exerzierreglement und strenger Disziplinarordnung auf, das mit einer Friedensstärke von 120 000 Mann und einer Kriegsstärke von 279 000 Mann (1678) die größte Militärmacht der Welt war. Der Festungsbaumeister Vauban errichtete außerdem gewaltige Festungen und Verteidigungssysteme, vor allem zum Schutz der neugewonnenen Gebiete im Osten und Nordosten des Landes. Für die Außenpolitik waren Lionne und später Brienne zuständig. Der wichtigste Mann war Colbert, ein Wirtschafts- und Finanzmann, der schon 1649 Staatsrat, dann Vermögensverwalter Mazarins war und auf dessen Empfehlung 1661 Intendant wurde. Als „Controlleur général" (1665) erreichte er eine Machtstellung, von der aus er die ganze Wirtschafts- und Finanzkraft der Gesellschaft in den Dienst des Staatswesens zu stellen suchte. Nicht im König, sondern in seinem Werkzeug, dem Generalkontrolleur, kamen die Tendenzen des Absolutismus voll zur Entfaltung.

4. Colbert und der Merkantilismus

Zentralismus

Jean Baptiste Colbert (1619—1683) war der Sohn eines Tuchhändlers aus Reims und stieg als Neuling zu den höchsten Staatsämtern auf. Als Generalkontrolleur (1665—1683) vereinigte er bald die Aufgaben eines Finanz-, Verkehrs-, Marine-, Bau- und zum Teil auch des Kriegs- und Justiz-

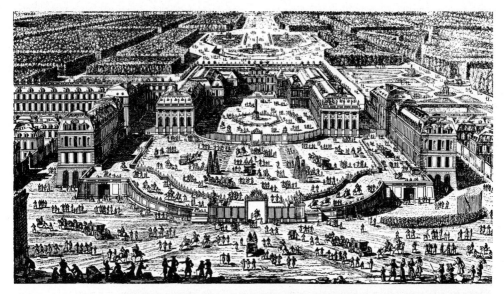

Versailles, Gesamtansicht des Schlosses nach einem Kupferstich von Perelle

Versailles. Plan von Stadt, Schloß und Park nach einem Kupferstich von Le Pautre, Anfang des 18. Jahrhunderts; Bibliothèque Municipale, Versailles

ministers in seiner Hand. Nichtsdestoweniger blieb er williges Werkzeug des Königs, da er ausschließlich auf dessen Vertrauen angewiesen war. Er dachte jedoch weit radikaler als sein Herr und wollte ganz Frankreich in einen bürokratisch verwalteten und polizeilich beaufsichtigten Wirtschafts- und Geldbeschaffungsapparat verwandeln. In den regionalen Sonderrechten, Selbstverwaltungsformen und Privilegien sah er nichts als Mißbräuche und Hindernisse, die einer übersichtlichen Planung im Wege standen.

Der Begriff der Souveränität, die er nur dem König zugestand, war für ihn das Mittel, seine Einebnungsmaßnahmen zu rechtfertigen. Er vermochte jedoch die von ihm erstrebte Zusammenfassung und Vereinheitlichung sich nur als Reglementierung des Lebens vorzustellen, was für ihn als geborenen Geschäftsmann gleichbedeutend mit Reglementierung der Arbeit zur besseren Gewinnabschöpfung war. Ihm schwebte für das ganze Land eine Art Betriebsverfassung vor, bei der es nur auf den Gewinn für den Staat ankam. Sein Ideal war genaue Rechnungsführung und Aktenhaltung, regelmäßige Berichterstattung und Abrechnung von allen Amtsstellen, eine völlige Rationalisierung und Zentralisierung der Verwaltung, was er mit tausenden Befehlen, Anordnungen und Zwangsmaßnahmen zu erreichen suchte. Er führte die doppelte Buchführung ein und ließ alle zwei Jahre Inventur machen. Damit gelang ihm, was vor ihm noch niemand fertiggebracht hatte, nämlich einen Überblick über die staatlichen Einnahmen und Ausgaben zu gewinnen. Nur dadurch war der 1661 eingerichtete Finanzrat unter Vorsitz des Königs in der Lage, einen jährlichen Haushaltsplan vorzulegen. Damit schuf Colbert ein Vorbild für die Finanzverwaltung aller Großstaaten.

Er konnte freilich nicht den erstrebten einheitlichen Beamtenstaat schaffen, sondern mußte sich im Rahmen des Bestehenden halten. Er verschaffte zwar der Zentralverwaltung große Handlungsfreiheit; aber er vermochte nicht, den Sonderwillen der einzelnen Landschaften zu brechen. Nur in den 12 Provinzen der Landesmitte setzte sich die königliche Einheitsverwaltung durch. Die Randprovinzen hatten eigene ständische Organe (Provinzialstände), die ihre kommunalen Sonderrechte und ihre eigenen Grenz-, Weg- und Flußzölle beibehielten und praktisch fast wie fremdes Land behandelt werden mußten. Nur der Hochschutzzolltarif von 1667 galt zeitweilig für das ganze Staatsgebiet.

Ferner mißlang ihm, die Käuflichkeit der Ämter abzuschaffen und damit die private Ausbeutung des Landes durch die Steuerpächter zu verhindern. Eine grundsätzliche Änderung der geltenden Steuerverfassung, nach der nur die direkten Steuern, die die Bauern erfaßte (taille), von königlichen Beamten erhoben wurden, und die indirekten Steuern, insbesondere die Salzsteuer (gabelle), den Pachtgesellschaften überlassen blieben, durfte er nicht wagen. Auch die Steuerfreiheit von Klerus und Adel durfte er nicht antasten, da hier der König Halt gebot; ebensowenig die Verpachtung der Regalien (Berg-, Münz-, Forst-, Jagdrecht usf.) an finanzkräftige Privatleute. Seine Idee einer Allzuständigkeit des Staates in Besteuerung und Verwaltung hätte das ständische Element völlig eliminiert. Dabei lag Colbert der Gedanke an eine größere Gerechtigkeit zugunsten der minderberechtigten Untertanen völlig fern. Er wollte lediglich eine bessere Ausschöpfung der Steuerkraft und dachte nur fiskalisch, d.h. vom Geldbedarf des Staates her.

Was er allerdings an Vereinheitlichung tatsächlich erreichte, kam der Wirtschaft und dem überregionalen Handel zustatten. Seine Zivilprozeßordnung von 1667 schuf das erste, für alle Gerichtshöfe des Landes verbindliche Gesetzbuch. Die Strafprozeßordnung von 1670 schrieb einheitliche Instanzenwege vor, und das Handelsedikt von 1673 gab den Handelsgeschäften Rechtssicherheit gegen Betrug, Schuldenverweigerung, Schadensfälle usf., wobei Schuldhaft und bei betrügerischem Bankrott sogar die Todesstrafe vorgesehen waren. Die Handelsgesetzgebung von 1669 ließ auch Adelige als Kommanditisten im Geschäftsleben zu. Im Edikt von 1680 wurden dem Adel Handel und Schiffahrt erlaubt, womit eine Scheidewand zwischen Adel und Bürgertum wegfiel.

Außen- und Wirtschaftspolitik

Ein unbestrittener Erfolg Colberts war, daß er Frankreich als internationale Wirtschaftsmacht ins Spiel brachte. Im Außenhandel fand er einen Bereich vor, der kaum durch alte Rechtstitel eingeschränkt war und weitgehend außerhalb der ständischen Ordnung lag. Er bemächtigte sich des Freiraums, der sich ihm in Fernhandel und Großproduktion eröffnete, und suchte ihn nach seinem fiskalischen Interesse zu lenken. Colbert war der Auffassung, daß der Exporthandel den Staat reich mache und dazu die Produktion von exportfähigen Gebrauchsgegenständen gefördert werden müsse. Ziel war ihm dabei, möglichst viel und gut im Lande selbst zu erzeugen und den Import auf die dazu notwendigen Rohstoffe zu beschränken. Er sah den Staat wie ein Wirtschaftsunternehmen, das Import und Export nicht anders regelte, wie eine Firma den Einkauf von Rohstoffen und den Verkauf von Fertigwaren betrieb. Damit begründete er den Merkantilismus oder Colbertismus, für den der Staat wie ein Unternehmer und Kaufmann (mercator) fungierte. Das Merkmal dieser Wirtschaftsweise war, daß sie sich vom fiskalischen Interesse bestimmen ließ.

Der Staat förderte durch Straßen-, Kanal- und Schiffsbau den Handel und durch Schutzzölle, Freibriefe, Monopole und Privilegien das Manufakturwesen. Außerdem war er größter Abnehmer der Unternehmer für Hof, Heer und Beamtenschaft. Colbert ließ Qualität, Preise und Größe der Stückgüter überprüfen, opferte rücksichtslos kleinere Unternehmen zugunsten rentabler Großbetriebe, setzte die Nahrungsmittelpreise zur Verbilligung der Produktion herunter und ließ dabei die Landwirtschaft verkümmern.

Für ihn war nicht der Mensch, sondern dessen Arbeitskraft entscheidend. Er zog Wiedertäufer für die Fischerei bei Dünkirchen, Levantiner für die Galeeren, Calvinisten für die Manufakturen in Amiens und Juden zur Belebung des Geldverkehrs ins Land. Er lockte Facharbeiter herbei und verbot die Auswanderung von französischen Industriearbeitern. Die Vermehrung der Bevölkerung sollte der Produktion zugute kommen.

Er baute zum Schutz des Seehandels eine Kriegsflotte auf, die mit 270 Kriegsschiffen und 30 Galeeren die stärkste Kriegsflotte der Welt war, allerdings 1692 in der Seeschlacht bei La Hogue von Engländern und Holländern gemeinsam vernichtet wurde. Er dachte in weltwirtschaftlichen Dimensionen und veranlaßte die Gründung zahlreicher Handelskolonien, darunter die Ostindische, die Westindische, die China-, die Senegal-Kompanie u. a., die er mit Rechten und Monopolen für ganze Erdstriche ausstattete und unter staatlichen Schutz stellte. Er legte den Grundriß für das erste französische Kolonialreich, das in der Levante, in Ostindien, Hinterindien, Senegambien, auf den Antillen und in Nordamerika seine Stützen hatte. Er gründete 1663 in Kanada „la Nouvelle France" als erste französische Siedlungskolonie.

1663

Aber er dachte bei alldem kaum an nationale Größe, sondern an profitreichen Handel und billige Rohstoffbasen. Er verstand das Zusammenleben mit den benachbarten Seestaaten als einen ständigen Zoll- und Handelskrieg. Er betrieb einen nackten Staatska-

Jean-Baptiste Colbert (1619 bis 1683), seit 1661 Oberintendant der Finanzen, 1665 Generalkontrolleur der Finanzen

pitalismus, der nach innen als totaler Dirigismus erschien und nach außen Frankreich in Konflikt mit der größten Handelsmacht der Welt brachte, mit Holland, dessen Zwischenhandelsmonopol nach Colberts Berechnungen die französische Volkswirtschaft jährlich 20 Millionen Livres kostete. Daraus entsprang ein moderner Zoll- und Handelskrieg (1672—1678), der sich freilich als ein Mißgriff erwies und den Plänen Colberts endgültige Schranken setzte. Frankreich mußte im Frieden von Nymwegen (1678) seine Schutzzollpolitik gegen Holland aufgeben.

Colbert ging freilich nicht an dieser Niederlage zugrunde, sondern an dem, was er mit allen Kräften gefördert hatte, am königlichen Absolutismus. Die kriegerische Expansionspolitik Ludwigs XIV., das üppige Hofleben, das königliche Mäzenatentum, die kostspielige Ausschmückung von Paris und vor allem der Bau des Riesenschlosses von Versailles in den Sümpfen des Pariser Vorortgeländes verschlangen ungeheure Summen. Die Verständnislosigkeit Colberts für die Verschwendung führte kurz vor seinem Tode zu einer Entfremdung vom König. Den Hauptstoß gegen sein Werk erlebte er freilich nicht mehr: das Hugenotten-Edikt von 1685, das die Einheit im Glauben herstellen sollte, die Hugenottenflucht aus Frankreich veranlaßte und damit den wirtschaftlich aktivsten Volksteil außer Landes trieb.

Bedeutung Colberts

Colbert war seiner Zeit weit voraus. Ein Zeitgenosse (Rapin) schrieb über ihn: „Er war ein Mann, der in alles mischte, der nicht mehr als alles verrücken wollte, und da ihm bei diesen weiten Plänen einer allgemeinen Erneuerung nichts entging, dem Staat gleichsam ein anderes Gesicht gab." Aber ihm fehlte menschliche Größe; er war ein rechnender Geist, der unbedenklich nur dem Imperativ des Profits folgte. Der Haß der Zeitgenossen gegen ihn hatte tiefere Gründe: Colbert war für sie der Mann, für den die Menschen nur dienstbare Arbeitskräfte waren und dessen Ordnungswille Tradition und Eigentumsrechte mißachtete. Er sah nur die Arbeitsgesellschaft, die er durch Prämien für Frühheirat und Kinderreichtum, durch Arbeitszwang für Mädchen und Kinder, durch Abschaffung von Feiertagen, Verbot des Müßiggangs, der Bettelei und des Almosengebens zu vermehren und zur Arbeit zu erziehen trachtete. Er war der erste große Manipulator der Gesellschaft, der alle Gruppen für sein merkantilistisches Interesse einzuspannen suchte und die Zusammenfassung aller Produktivkräfte der Nation erstrebte. Sein Zwangssystem nahm mit der Zeit erpresserische Züge an, und zwar nicht nur durch Arbeitszwang, niedrige Lohnfestsetzung und Reduktion des Lebensstandards, sondern auch durch massiven Druck auf die Kapitalinhaber, da die Kapitalbeschaffung durch den Krebsschaden des Ämterkaufs und der Steuerpacht äußerst erschwert war. Auch die Kolonialunternehmen waren ohne militärische

Gewaltmaßnahmen überhaupt nicht durchzuführen.

Ganz Frankreich atmete auf, als Colbert gestorben war. Er scheiterte, weil er eine große nationale Aufgabe mit der Seele eines Buchhalters und mit dem Kalkül eines Kaufmanns bewältigen wollte. Seine historische Bedeutung liegt darin, daß er erstmals auf die tiefgreifenden Möglichkeiten einer Weltveränderung verwies, die sich aus der Zusammenfassung der nationalen Kräfte von der Wirtschaft her eröffneten. Darin war er der Vorbote eines eisernen Zeitalters.

5. Die Französische Machtpolitik

Die Expansionspolitik

Ludwigs Bestreben richtete sich auf die Sicherung und Ausweitung des französischen Herrschaftsraumes gegen Osten und Nordosten. Frankreich hatte zwar 1648 Reichsgebiete und Rechtstitel im Elsaß erworben, aber das Ziel Richelieus, die Rheingrenze, nicht erreicht. Die Spanischen Niederlande lagen wie ein Riegel vor der Rheinzone, und trotz des Gewinns von Arras, Lens und Gravelingen im Pyrenäenfrieden (1659) reichte Frankreich nicht über Cambrai hinaus. Unter Berufung auf noch ausstehende Erbansprüche seiner spanischen Gattin (Devolutionsrecht) entfachte er mit der Besetzung spanischer Grenzgebiete den ersten Devolutionskrieg (1667—1668). Er mußte sich jedoch gegenüber einer Koalition Englands mit Holland und Schweden im Frieden von Aachen mit einigen Grenzfestungen begnügen, darunter Lille, Douai und Tournay.

| 1667 bis 1668 |

Ein zweiter Devolutionskrieg gegen Spanien (1672—1678) richtete sich auch gegen Holland und war vor allem ein Handelskrieg. Diesmal standen England und Schweden auf seiten Frankreichs. Holland konnte sich vor der Invasion des gewaltigen französischen Heeres in Stärke von 100 000 Mann nur durch Überflutung des Schutzgürtels um Amsterdam retten. Es fand Hilfe beim Kaiser und

| 1672 bis 1678 |

Karlsruhe, Beispiel einer Residenzgestaltung unter dem Einfluß der Herrschaftsvorstellung des französischen Absolutismus. Kupferstich von J. M. Steidlin, 1739. Karlsruhe, Staatliche Kunsthalle.

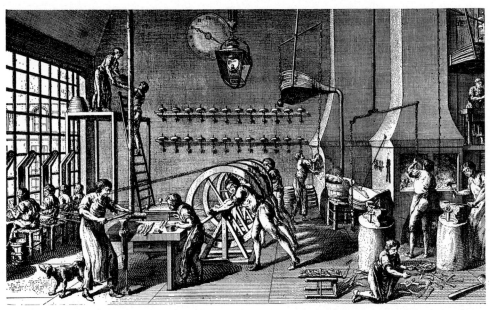

Staatliche Rasiermessermanufaktur in Paris. Kupferstich aus der zweiten Hälfte des 18. Jahrhunderts

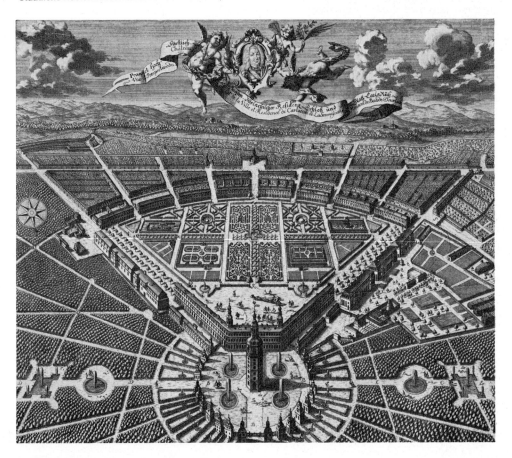

dem Kurfürsten von Brandenburg. Die Frie-

| **1678** | densschlüsse von Nymwegen (1678) sahen Ludwig auf der Höhe seiner |

Macht. Er mußte zwar den französischen Hochschutzzolltarif gegen Holland aufgeben, aber Spanien trat die Freigrafschaft Burgund (Franche-Comté) und Teile Flanderns, darunter Ypern, Cambrai, Valenciennes und Maubeuge an Frankreich ab. Der Kaiser verlor Freiburg im Breisgau und Breisach; das Herzogtum Lothringen blieb französisch besetzt.

Gestützt auf ein Bündnis mit Brandenburg (1679—1685), das ihn zu jährlichen Subsidien an den Großen Kurfürsten verpflichtete, verleibte sich Ludwig XIV. seit 1680 weitere Teile von Elsaß und Lothringen ein, auf die er aufgrund seiner elsässischen Besitztitel und als Rechtsnachfolger des Reiches Herrschaftsansprüche erhob. Dazu ließ er Sondergerichte (Réunionskammern) einsetzen, die feststellten, welche Gebiete früher ein lehnsrechtliches Verhältnis zu den an Frankreich gefallenen Besitztümern gehabt hatten. Diesen „Réunionen" fielen etwa 600 Ortschaften und schließlich auch Straßburg zum Opfer, das die Franzosen

| **1681** | 1681 im Einvernehmen mit dem dortigen Bischof besetzten. Die ge- |

wonnenen Gebiete wurden durch einen dreifachen Festungsgürtel geschützt. Das Reich und der von den Türken bedrängte Kaiser waren dagegen machtlos.

Die Isolierung Frankreichs

Danach wendete sich das Blatt. Der Sieg über die Türken 1683 vor Wien gab dem Kaiser freie Hand. Zudem waren die protestantischen Fürsten tief empört über die Religionspolitik Ludwigs, der im Edikt von

| **1685** | Fontainebleau (1685) die bisher den Hugenotten zugesicherte freie Reli- |

gionsausübung (Toleranzedikt von Nantes 1598) verbot, die reformierten Geistlichen auswies und den reformierten Laien die Abwanderung strengstens untersagte. Trotzdem gelang einigen Hunderttausend von ihnen die Flucht über die Grenze nach Holland, England und Brandenburg.

Als im selben Jahr der pfälzische Kurfürst kinderlos starb, erhob Ludwig XIV. für seine Schwägerin Liselotte von der Pfalz Erbansprüche auf Teile der Pfalz. Kaiser

Leopold I. lehnte indessen jedes Zugeständnis ab, zumal Ludwig sich kurz zuvor (1684) Luxemburgs bemächtigt hatte. Er schloß mit den süddeutschen Reichsständen die Augsburger Liga (1686), der bald weitere Reichsstände, darunter auch Brandenburg, beitraten. Hier machte sich bereits die beginnende Isolierung Frankreichs bemerkbar. Sie vollendete sich, als Ludwig bei der Kölner Kurfürstenwahl (1688) gegen den von Kaiser und Papst gestützten Joseph Clemens von Wittelsbach seinen Kandidaten Egon von Fürstenberg, bisher Bischof von Straßburg, zeitweilig durchsetzen konnte, der den Franzosen sogleich die kurkölnischen Festungen und Rheinübergänge öffnete.

Mit diesem Griff nach dem Niederrhein gewann Ludwig die Ausgangsbasis zu einem militärischen Präventivschlag, der den Ring der Gegner sprengen und den Statthalter der Niederlande, Wilhelm von Oranien, von seinem geplanten Eingreifen in England abhalten sollte (vgl. F, VI, 6). Am 24. September 1688 richtete er ein befristetes ultimatives Manifest an Kaiser und Reich. Gleichzeitig besetzten die Franzosen das linke Rheinufer sowie die Pfalz und drangen bis Schwaben vor, ohne damit Wilhelm an seinem englischen Unternehmen hindern zu können. Ludwig beantwortete Wilhelms Landung in England (5. 11. 1688) mit der Kriegserklärung an Holland (26. 11. 1688). Das Reich erklärte ihm im Februar 1689 den Reichskrieg. Auf der Seite von Kaiser und Reich standen Holland, Schweden, Savoyen und Spanien. Das war das Ergebnis der beharrlichen Einkreisungsdiplomatie Wilhelms von Oranien gegen die französische Hege-

| **1688 bis 1697** | monialpolitik. Damit gewann der Pfälzische Krieg (1688 bis 1697) eine europäische Dimension, die Ludwig nicht erwartet hatte. |

Die Franzosen zogen sich unter schrecklichen Verwüstungen, denen neben Speyer und Worms auch das Heidelberger Schloß zum Opfer fiel (1689), aus der Pfalz zurück. Im selben Jahr errang Wilhelm von Oranien die englische Königskrone und führte auch England in den Krieg gegen Frankreich. Der Seesieg der vereinigten Engländer und

| **1692** | Holländer bei La Hogue (1692) vernichtete die französische Kriegs- |

flotte. Trotz seiner Erfolge auf dem Fest-

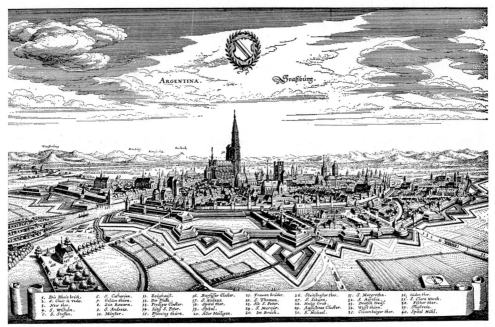

Straßburg um 1650. Kupferstich von Merian

land mußte sich Ludwig zum Frieden von Ryswick (1697) bequemen. Er behielt zwar Straßburg und die elsässischen Réunionen, aber seinem Expansionsdrang waren endgültige Grenzen gesetzt und seine Finanzen erschöpft. Als Seemacht trat Frankreich nunmehr hinter England zurück.

1697

Der Spanische Erbfolgekrieg

Die Isolierung Frankreichs wurde nach wenigen Jahren zur Existenzgefährdung, als mit dem Tode des kinderlosen spanischen Habsburgers, König Karls II. von Spanien (1665—1700), die Frage der spanischen Thronfolge akut wurde. Das Gespenst einer neuen habsburgischen Umklammerung beunruhigte Ludwig und ließ ihn nochmals zu den Waffen greifen. Der Spanische Erbfolgekrieg (1701—1714) wurde zum Abgesang der Herrlichkeit des Sonnenkönigs.

1701 bis 1714

Ludwig schob alle bisherigen Erbabmachungen beiseite und berief sich auf das letzte Testament Karls II., welches Philipp von Anjou als Gesamterben bestimmt hatte, den Enkel seiner spanischen Gattin Maria Theresia. Er ließ sogleich die spanischen Gebiete in Italien und den Niederlanden besetzen, und sein Enkel zog als Philipp V. von Spanien in Madrid

ein. Dagegen brachte Wilhelm III. von Oranien als König von England die große Allianz der Seemächte mit Kaiser Leopold, dem Reich und Preußen zustande, der später auch Portugal und Savoyen beitraten, um eine Vereinigung der größten Landmacht Europas mit dessen größter Kolonialmacht zu ver-

Die französische Ostgrenze im 17. Jahrhundert

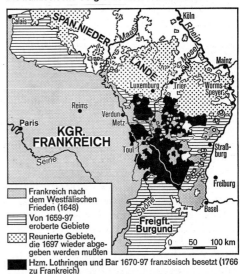

Frankreich nach dem Westfälischen Frieden (1648)

Von 1659-97 eroberte Gebiete

Reunierte Gebiete, die 1697 wieder abgegeben werden mußten

Hzm. Lothringen und Bar 1670-97 französisch besetzt (1766 zu Frankreich)

○○○ Die 10 Reichsstädte im Elsaß, deren Landvogtei Frankreich seit 1648 besaß. 1672 endgültig mit Frankreich verbunden.

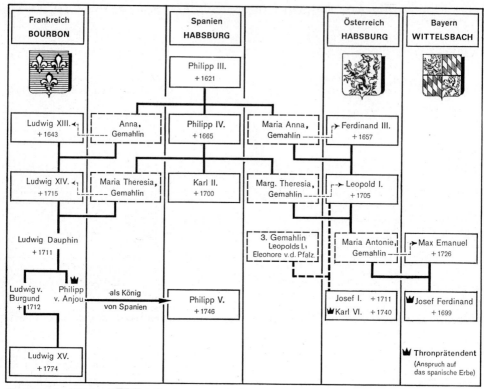

Die spanische Erbfolge (1700)

hindern. Ihr Thronkandidat war Erzherzog Karl, der Sohn des Kaisers und seiner spanischen Gattin.

Der fast gleichzeitige Ausbruch des Nordischen Krieges (1700—1721) (vgl. G, II, 2) entlastete Frankreich. Die Siege des Prinzen Eugen und des englischen Herzogs von Marlborough sowie das Vordringen der englischen Flotte im Mittelmeer stürzten Frankreich in einen verzweifelten Verteidigungskampf. In der höchsten Not kam ihm zur Hilfe, daß Kaiser Joseph I. (1705—1711) unerwartet starb und sein Bruder Erzherzog Karl, der bisherige Thronprätendent in Spanien, als Karl VI. (1711—1740) Kaiser wurde.

Die Vereinigung der Kaiserkrone mit der spanischen Königskrone lag aber nicht im Interesse Englands, das deshalb eigenmächtig mit Frankreich und Spanien den Frieden von Utrecht (1713) aushandelte, dem der Kaiser im Frieden von Rastatt und das Reich im Frieden von Baden (1714) folgten. Philipp V. (1701 bis 1746)

1700 bis 1721

1713

blieb König von Spanien unter der Bedingung bleibender Trennung von Frankreich. Habsburg erhielt für seinen Verzicht auf die spanische Krone die europäischen Nebenländer Spaniens, also die Spanischen Niederlande, Mailand, Neapel und Sardinien. Diese Friedensregelung ging über die umstrittenen Erbansprüche hinweg und ließ sich vom Gesichtspunkt des europäischen Gleichgewichts leiten, das künftig die Hegemonie einer Großmacht über Europa ausschließen sollte (vgl. G, I, 7).

Frankreich war glimpflich davongekommen. Nur Englands Einlenken bewahrte es vor einer völligen Niederlage. Führende See-, Handels- und Finanzmacht war nunmehr England. Auch die stark vergrößerte Habsburgische Gesamtmonarchie hatte an Gewicht gewonnen. Frankreich behauptete indessen eine kulturelle Führungsstellung und spielte auch in der Politik weiterhin eine große Rolle, die sich für die nächste Zeit von den Schlachtfeldern mehr auf das Feld der Diplomatie verlagerte.

IV. Der Aufstieg Brandenburg-Preußens

1608—1619	Kurfürst Johann Sigismund	1675	Sieg bei Fehrbellin über Schweden
1614	Herzogtum Kleve, Mark und Ravensberg an Brandenburg	1679	Friede von St. Germain
1618	Herzogtum Preußen an Brandenburg	1679—1685	Defensivbündnis mit Frankreich
1637	Erbanfall des Herzogtums Pommern	1685	Edikt von Potsdam
1640—1688	Friedrich Wilhelm, der „Große Kurfürst"	1688—1713	Friedrich III., seit 18. 1. 1701 als Friedrich I. König in Preußen
1653	Brandenburgischer Landtagsrezeß	1694	Universität Halle
1655—1660	Teilnahme am Schwedisch-Polnischen Krieg	1700	Akademie der Wissenschaften in Berlin
1660	Friede von Oliva (Souveränität des Kurfürsten über Preußen)	1701—1714	Teilnahme am Spanischen Erbfolgekrieg
1660	Generalkriegskommissariat (Armeebehörde für alle Länder des Kurfürsten)	1713—1740	König Friedrich Wilhelm I.
1667	Akzise-Dekret für die Städte	1713/14	Friede von Utrecht, Rastatt und Baden
1674	Feldkriegskasse für den Gesamtstaat	seit 1713	Teilnahme am Nordischen Krieg (1700—1720)
1672—1679	Teilnahme am zweiten Devolutionskrieg, seit 1674 mit dem Kaiser gegen Frankreich und Schweden	1720	Sonderfriede von Stockholm
		1717	Allgemeine Schulpflicht
		1723	Generaldirektorium
		1733	Kantonsreglement
		1737	Berufung von Samuel Cocceji als Justizkanzler

1. Das Kurfürstentum Brandenburg

Die Mark Brandenburg war eins der größten deutschen Territorien, das als Kurland stets eine Rolle im Reich spielte. Aber es lag in einer rückständigen Gegend auf armem Boden und hatte keine Verbindung zur See und zu den wichtigsten Handelsstraßen. Mit seiner geringen Industrie besaß es, verglichen mit den habsburgischen Landen oder auch mit Bayern, Sachsen oder der Pfalz, nur eine schwache Finanzkraft und kaum nennenswerte militärische Macht. Erst der Anfall der niederrheinischen Gebiete Kleve, Mark und Ravensberg aus der Jülichschen Erbschaft (1614) rückte es in die Nachbarschaft der reichen westlichen Gebiete. Außerdem fiel ihm im Osten das unter polnischer Lehnshoheit stehende Herzogtum Preußen (1618) zu. Dazu kam noch Pommern (1637), von dem es aber 1648 unter dem Druck Schwedens nur Hinterpommern wirklich erhielt. Als Entschädigung für den Verlust von Westpommern mit Stettin wurde der Kurfürst mit den ehemaligen Bistümern Kammin, Halberstadt, Minden und Magdeburg abgefunden (1648). Diese ausgedehnten Erwerbungen verstrickten den Kurfürsten stärker als bisher in die europäischen Konflikte.

Unter den Kurfürsten Johann Sigismund (1608 bis 1619) und Georg Wilhelm (1619 bis 1640) blieb der Zusammenhalt der weitgestreuten Herrschaftsgebiete gefährdet, da die Landesregierungen wie der „Geheime Rat" in Brandenburg, die „Oberratsstube" in Preußen und der „Geheime Regierungsrat" in Kleve von den Ständen beherrscht waren. Die Stände in Kleve standen in Verbindung mit Holland, und die Stände in Preußen durften sogar gegen ihren Landesherrn an den polnischen König als Oberlehnsherrn appellieren. Selbst in Brandenburg blieben die Junker trotz ihrer zeitweiligen Ohnmacht unter der schwedischen Besetzung (seit 1631) eine selbstherrliche Klasse, der gegenüber sich Georg Wilhelm nur durch Militärexekutionen vorübergehend durchsetzen konnte.

Wichtigstes innenpolitisches Ereignis war

für die Folgezeit der Religionswechsel **1613** Johann Sigismunds (1613), der vom lutherischen zum reformierten Glauben übertrat und dabei ausdrücklich auf sein verbrieftes Recht auf Durchsetzung einer Einheitsreligion verzichtete. Er nahm lediglich aufgrund seiner fürstlichen Hoheitsgewalt ein Aufsichtsrecht über seine verschiedenen Landeskirchen in Anspruch. Damit legte er den Grundstein zur Überwindung des konfessionellen Territorialstaates und zur religiösen Toleranz in Brandenburg-Preußen. Außerdem erwies sich die Berufs- und Dienstethik seines Calvinismus als die Brücke, über die die westeuropäische Idee der Staatsräson Einzug in Brandenburg hielt.

2. Der Große Kurfürst

Erst Friedrich Wilhelm von Brandenburg, der „Große Kurfürst" (**1640 bis 1688**), schuf dauerhafte Grundlagen für einen effektiven Staat. In zwei bis drei Jahrzehnten gelang es ihm, die Macht der Stände, zuerst in der Mark Brandenburg, dann in Kleve und Preußen, zu brechen und sich als souveräner Herrscher aller Landesteile durchzusetzen. Er betrieb also eine erfolgreiche absolutistische Politik auf den Gesamtstaat hin, hatte dabei aber, verglichen mit anderen Staaten, ungleich größere Schwierigkeiten zu überwinden. Daß Brandenburg-Preußen und dann Preußen zustande kamen, war das Werk der hohenzollernschen Kurfürsten und Könige.

Heerwesen und Verwaltung

Unter dem neuen, erst 19jährigen Herrscher nahmen die Stände ihre alte Rolle, die ihnen zeitweilig durch die Kriegsereignisse aus der Hand geglitten war, voll wieder auf. Aber in mehreren Etappen verstand es der Kurfürst, die Stände zugunsten seiner fürstlichen Behörden zurückzudrängen. Der erste Schritt ergab sich aus den Zuständen in der Endphase des Dreißigjährigen Krieges gegenüber der Soldateska, die das Land unsicher machte und nur ihren Regimentsobersten als Privatunternehmern vertraglich verpflichtet war. Dagegen nahm der Kurfürst das alleinige Werbungsrecht in Anspruch,

stellte selbst Regimenter auf und bestimmte die verantwortlichen Obersten, die er auf sich persönlich vertraglich verpflichtete. Er ernannte weisungsgebundene Kommissare, die für den Unterhalt des Heeres und die Eintreibung der dazu erforderlichen Kontributionen zu sorgen hatten.

Damit gab er den ersten Anstoß für ein stehendes Heer als unabhängige staatliche Einrichtung (1644), das nur auf ihn vereidigt war und neben den Festungsbesatzungen und der Artillerie ein eigenes und bewegliches Machtpotential darstellte. Die Anfangsstärke seiner Streitmacht betrug 3000 Mann; sie vergrößerte sich allmählich auf 30 000 Berufssoldaten. Dies überstieg bald seine Finanzkraft, da es noch keine Kriegspflicht der Untertanen, sondern nur die Werbung besoldeter Berufssoldaten gab. Immerhin wurden damit Heer und Kriegführung eine ausschließlich landesherrliche Angelegenheit, zumal der Kurfürst von seinen Ständen nunmehr statt Wehrhilfe Steuerhilfe verlangte.

Der zweite Schritt war die Geheime Ratsordnung von 1651, die eine Einteilung der Länder in 19 Departements und die Schaffung von gesamtstaatlichen Fachbehörden in Finanz-, Kriegs- und Außenpolitik vorsah. Allerdings blieben diese weitgehenden Maßnahmen auf dem Papier. Es gelang jedoch die Zusammenfassung der landesherrlichen Domänen (Kammergüter) in allen Landesteilen unter eine Kommission von Staatskammerräten, aus der später (1689) die „Geheime Hofkammer" hervorging, die über die regional zuständigen Amts- und Domänenkammern die Einkünfte aus den landesfürstlichen Gütern und aus den Regalien (Forst-, Berg-, Wasser-, Münz-, Marktrecht und Judenschutz) verwaltete. Der Kurfürst hatte also offenbar von Anfang an den Gesamtstaat im Auge, der aber ohne Brechung der Macht des Grundadels und des Stadtpatriziats nicht in allen Bereichen durchsetzbar war.

Die Zurückdrängung der Stände

Den ersten entscheidenden Schritt dazu erbrachte der brandenburgische Landtagsrezeß von 1653, der die künftige **1653** Grundlage der märkischen Landesverfassung war, indem er die Lokalherr-

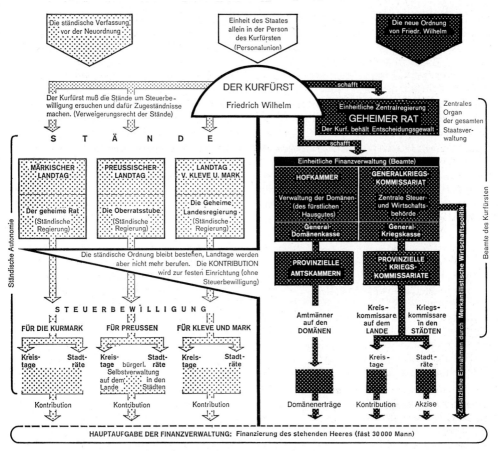

Der absolutistische Staat des Großen Kurfürsten Friedrich Wilhelm von Brandenburg

schaft des Landadels begründete, aber zugleich dessen Rückzug aus der hohen Politik einleitete. Hier bewilligten die Stände dem Kurfürsten gegen beträchtliche soziale Zugeständnisse eine sechsjährige Kriegssteuer in Höhe von 530 000 Talern. Dies fiel ihnen leicht, da sie selbst von Steuern eximiert waren und nur die Bauern und einfachen Stadtbürger belastet wurden. Als Gegenleistung erhielten die Junker lokale Hoheitsrechte und wirtschaftliche Privilegien (Bodenbindung der Gutsbauern, Gesindezwang, Auskaufsrecht), die sie zu absoluten Herren in ihren Gutsbezirken machten. Der freie, aber steuerpflichtige Bauer war demgegenüber im Nachteil und sank vielfach unter dem Druck des Gutsherrn zur Erbuntertänigkeit ab. Der Kurfürst opferte die Bauern, um freie Hand für eine aktive Rolle im Schwedisch-Polnischen Krieg (1655 bis

1660) zu haben. Dieser Krieg brachte die Wende im Verhältnis des Kurfürsten zu seinen Ständen. Ein weiterer Landtag fand in Brandenburg nicht mehr statt.

Inzwischen hatte der Reichstagsabschied von 1654 (§ 180) das Besteuerungsrecht in Notfällen dem Landesherrn zugestanden, was sein Recht auf ein stehendes Heer auf Landeskosten, also die reichsrechtliche Begründung des landesfürstlichen „miles perpetuus", einschloß. Als die brandenburgischen Landstände mitten im Kriege weitere Kriegslasten verweigerten, trieb der Kurfürst durch Militärexekutionen nochmals 500 000 Taler von Bauern und Städten ein, nicht gerechnet die Fourage- und Futterleistungen. Nach dem Frieden blieb das Heer unter Waffen, um eine Rückkehr zu den alten Verhältnissen zu vermeiden. Es hatte sich erwiesen, daß das völlig verarmte Land die Heereslasten in der alten Form der Kontributionen nicht mehr tragen konnte.

Die Errichtung eines „Generalkriegskommissariats" als oberster Armeebehörde für alle Länder (1660) sollte Brandenburg entlasten und bedeutete der Natur der Sache nach die Schaffung einer gesamtstaatlichen Steuer-, Finanz- und Wirtschaftsbehörde über den Heereskommissaren, die den lokalen Ständen übergeordnet war und über Kontributionenaufteilung, Garnisonen, Besoldung, Kleidung und Ernährung der Truppen zu bestimmen hatte. Ihr wurde 1674 eine „Feldkriegskasse" für den ganzen Staat zugeordnet.

Der Kurfürst sah das einzige Heilmittel in allgemeinen Steuern (modi generales), die auch die Junker und die Stadtvorsteher erfaßten. Er dachte an eine Verbrauchssteuer auf Konsumgüter (Akzise). Dagegen verwahrten sich die Ständedeputationen, die er statt des Landtags zu Rate zog. In dieser Zeit der Verfassungskämpfe nach 1660 kam ihm eine Volksbewegung aus dem niederen Bürgertum und auch der Bauern zu Hilfe, die sich in Bittschriften gegen die bisherige Form der Kontributionen und für eine allgemeine Akzise aussprachen.

Das Ergebnis dieser ersten Volksbewegung in Brandenburg war ein Dekret des Kurfürsten (1667), das eine Akzise auf | **1667** | Bier, Wein, Spirituosen, Salz, Saatgut, Vieh, Schlacht- und Backwesen u. ä. für die Städte einführte, die zuerst mit Rücksicht auf das Steuerrecht der Stände als freiwillig bezeichnet war, aber 1682 in allen Städten verbindlich wurde. Die Akzise wurde städtische Hauptsteuer, ohne daß die Stände dabei gefragt wurden; auf dem Lande blieb es für die Bauern bei den Kontributionen. In den Städten wurden kurfürstliche Ortskommissare als bevollmächtigte „Steuerräte" eingesetzt, die die bisherige Selbstverwaltung auf lokale Kontrollaufgaben einschränkten und mit der Zeit untergruben.

Das Bürgertum schied aus der Standschaft aus und sank politisch zur Bedeutungslosigkeit ab. Die Städte wurden durch Zollbarrieren vom umliegenden Land getrennt und die Stadttore zu Erhebungsstellen für die Akzise. Diese Zweiteilung der Steuererhebung unter Trennung von Stadt und Land sowie

der Ausfall der Städte aus der Standschaft mit deren unmittelbarer Unterstellung unter die kurfürstlichen Kommissare nahm den Ständen den wichtigsten Teil ihres Finanzbewilligungsrechts. Ihre Deputationen berieten nur noch das Ausmaß der Kontributionslasten auf dem Lande. Sie traten auf der Ebene der Kreistage unter einem Kreisdirektor (seit 1701 Landrat) zusammen und hatten hier lediglich die Verteilung der ihnen auferlegten Kontributionen vorzunehmen. Die Steuerfreiheit des Adels und dessen Trennung von den Städten annullierte seinen politischen Einfluß. Nur aufgrund seiner erweiterten lokalen Herrschaftsstellung fand er sich mit seiner Entpolitisierung ab. Später lebte sein Einfluß in anderer Form wieder auf, nämlich als Dienstadel in Heer und höherem Beamtentum. Die alten, ständisch beherrschten Landesregierungen blieben lediglich als Gerichts- (Appellations-)instanzen weiterbestehen. Hauptbehörde blieb das Generalkommissariat, das seine Kompetenzen in bezug auf Kontributionslasten und Akzise 1680 auf alle Länder ausdehnte und die ständischen Pflichten der lokalen Heeresfürsorge immer mehr an sich zog.

Der kurfürstliche Absolutismus

Mit dem Rezeß von 1653 und dem Dekret von 1667 war eine Entwicklung eingeleitet, die sich unter König Friedrich Wilhelm I. (s. u.) vollendete. Keine ständische Einrichtung von politischem Gewicht überlebte ins 18. Jahrhundert hinein. In allen Ländern drückte der Kurfürst im Namen der „Staatsräson" mehr oder minder gewaltsam seine Neuordnung durch. Gegen Ende seiner Regierung betrieb der Kurfürst auch eine Wirtschaftspolitik nach dem Beispiel des französischen Merkantilismus. Zur Verbesserung der Wirtschaftsstruktur zog er holländische Kolonisten und französische „Réfugiés" (flüchtige Hugenotten) ins Land und veranlaßte die Trockenlegung von versumpften Niederungen (Havel, Oder, Warthe), den Anbau von Tabak und Kartoffeln, die Hebung des Verkehrswesen durch Kanal-, Deich- und Wegebauten sowie die Anlage von Manufakturbetrieben, vor allem um die natürliche Kargheit seines Kernlandes Brandenburg aufzubessern. Andererseits lähmte

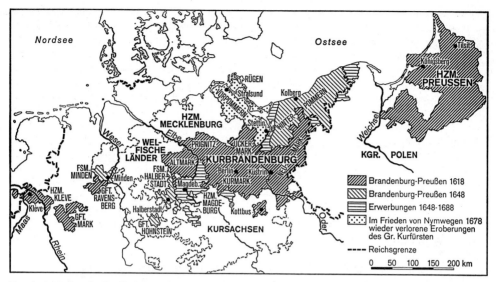

Brandenburg-Preußen im 17. Jahrhundert

Map legend:
- Brandenburg-Preußen 1618
- Brandenburg-Preußen 1648
- Erwerbungen 1648–1688
- Im Frieden von Nymwegen 1678 wieder verlorene Eroberungen des Gr. Kurfürsten
- Reichsgrenze

0   50   100   150   200 km

die strenge Scheidung von Stadt und Land die Entwicklung einer Marktwirtschaft.

Im ganzen erwies er sich als absolutistischer Herrscher, der zwar keinen einheitlichen Gesamtstaat hatte schaffen können und den ständischen Unterbau auf dem Lande unberührt gelassen hatte, aber mit Heer und Bürokratie ein Instrumentarium in der Hand hielt, das seine Herrschaft effektiv machte. In relativ kurzer Zeit war ihm dies gelungen. Eine wohl unentbehrliche Hilfe waren dabei die Subsidien, die ihm aus seiner Politik in den europäischen Auseinandersetzungen besonders von Frankreich zuflossen und die ständige Vergrößerung seiner Heeresmacht ermöglichten. In gewisser Weise war sein Absolutismus ideell und materiell der Import eines Prinzips, das sich gegen Natur und Tradition seiner Länder durchsetzte, der Wirkung nach aber die preußische Staatsidee vorbereitete.

3. Außenpolitik

Trotz der Handlungsfreiheit, die der Große Kurfürst sich gegen die Stände zu sichern wußte, war Brandenburg-Preußen alles andere als eine Großmacht. Erst im Laufe der Zeit war der Kurfürst in der Lage, eine anerkannte und umworbene Rolle zu spielen. Die Schwäche Brandenburgs zeigte sich bereits im Schwedisch-Polnischen Krieg (1655—1660), der ein völlig erschöpftes Land zurückließ. Nur durch geschickten Frontwechsel vermochte der Kurfürst von den beiden Kontrahenten die Bestätigung seiner vollen Souveränität über das Herzog-

1660 tum Preußen im Frieden von Oliva (1660) zu erreichen. Danach hob er sogleich das Steuerverweigerungsrecht der preußischen Stände und die Vereidigung der Beamten auf die ständischen Privilegien auf und zwang die Stände unter dem Druck der kurfürstlichen Truppenmacht seine Souveränität anzuerkennen. Als Herzog von Preußen war er Herr über ein Gebiet außerhalb des Reiches und damit nicht nur Reichsfürst unter dem Kaiser, sondern dessen ebenbürtiger Partner.

Friedrich Wilhelm betrieb weiterhin eine Politik der „rechten Balance" zwischen dem Kaiser und den Garantiemächten des Westfälischen Friedens, Frankreich und Schweden. Schon bei der Kaiserwahl 1658 war für seine Entscheidung zugunsten Leopolds I. die Balance zwischen Frankreich und Habsburg maßgebend. Danach ergriff er je nach Lage zugunsten des Kaisers oder Frankreichs Partei. Trotz eines Geheimvertrages mit Frankreich (1669) stellte er sich nach Ausbruch des zweiten Devolutionskrieges (1672—1679) gegen Frankreich, England und Schweden auf die Seite Hollands, wechselte dann zu Frankreich über und zog 1674 mit Kaiser und Reich wieder gegen Frankreich. Er schlug die eingedrungenen Schwe-

| 1675 |

den bei Fehrbellin (1675) und brachte ihnen die erste Niederlage in offener Feldschlacht seit 40 Jahren bei. Dies trug ihm den Titel „Großer Kurfürst" ein. Aber als er sich im Frieden von Nymwegen (1678) von Kaiser und Reich verlassen sah und die Franzosen bis zur Weser vordrangen, mußte er auf fast alle seine Erobe-

| 1679 |

rungen im Frieden von St. Germain (1679) verzichten.
Daraufhin schloß er gegen den Kaiser ein Defensivbündnis mit Frankreich (1679 bis

| 1679 bis 1685 |

1685), das dadurch erst in der Lage war, ungestört seine Réunionspolitik, der auch Straßburg (1681) zum Opfer fiel, zu betreiben. Der Kurfürst brauchte die beträchtlichen französischen Subsidien für sein Heer von 24 000 Mann, das auch für Ludwig XIV. wichtig war, weil dieses militärische Potential einen lähmenden Druck auf seine Gegner ausübte. Dem Kurfürsten trug diese Sprunghaftigkeit allerdings den Vorwurf des „Wechselfiebers" ein. In diesen Jahren galt Berlin geradezu als das Hauptquartier der französischen Politik. Der Kurfürst beteiligte sich nicht einmal an der Rettung Wiens vor den Türken (1683). Erst das Hugenottenedikt Ludwigs XIV. veranlaßte ihn, sein Bündnis mit Frankreich zu lösen. Im Edikt von Pots-

| 1685 |

dam (1685) lud er die flüchtigen französischen Protestanten in sein Land ein.
Einem Bündnis mit dem Kaiser standen allerdings die dem Kurfürsten seit 1675 zugefallenen Erbansprüche auf Liegnitz, Brieg und Wohlau (Schlesien) im Wege. Aber im Herbst 1685 verzichtete der Kurfürst auf seine schlesischen Ansprüche gegen die Abtretung des Kreises Schwiebus an Brandenburg. Jedoch verpflichtete sich sein Sohn, der Kurprinz Friedrich, in einem geheimen Revers und gegen Dotation von 10 000 Talern, diese Zession später wieder rückgängig zu machen, was auch 1695 geschah und die schlesischen Ansprüche wieder aufleben ließ.
1686 näherte sich der Kurfürst der Großen Allianz von Augsburg gegen Ludwig XIV. und schloß mit Wien einen Vertrag über Tür-

kenhilfe. Mit einem Kontingent von 8000 Mann beteiligte sich nunmehr Brandenburg erfolgreich an dem Kampf gegen die Türken (1686). Zuletzt war also der Große Kurfürst Vorkämpfer des Reichs gegen die Türken und Vorkämpfer der Protestanten gegen Frankreich. Sein außenpolitisches Hauptziel, nämlich den Erwerb Vorpommerns mit Stettin, erreichte er trotz militärischer Erfolge nicht. Dazu trug seine politische Unzuverlässigkeit bei, die zu einem guten Teil aus seinem ständigen Subsidienbedürfnis zu erklären ist. Selbst seine beiden Nachfolger konnten nur eine bescheidene Machtpolitik treiben, aber sie setzten konsequent den Weg fort, den der Große Kurfürst innenpolitisch gewiesen hatte.

4. Die preußische Königskrönung

| 18.1. 1701 |

Am 18. Januar 1701 setzte sich Kurfürst Friedrich III. von Brandenburg (1688—1713) in Königsberg die Königskrone auf sein Haupt und nannte sich Friedrich I., König in Preußen. Diese öffentliche und feierliche Selbstkrönung unterstrich die Souveränität aus eigenem Recht, das „von Niemand als Gott" abhängig war, und auch den autonomen, weltlich-politischen Charakter dieses neuen Königtums. Da Preußen außerhalb des Reiches lag, bedurfte es keiner kaiserlichen Verleihung des Königstitels; lediglich die Anerkennung durch Kaiser Leopold I. wurde eingeholt. Alle Provinzen hatten durch eine freiwillige Kronsteuer zu den Kosten der Krönungsfeier beigetragen; das neue Königtum sollte von Anfang an auch für die anderen Herrschaftsgebiete der Hohenzollern gelten und Symbol des Gesamtstaates sein, was sich im Gebrauch des Titels in allen künftigen Gesetzen und Verordnungen ausdrückte. Von außen her rückte das Königtum ins Heilige Römische Reich als eine von ihm emanzipierte säkulare Obergewalt hinein. Der große Philosoph Leibniz sah darin nicht zu Unrecht eine der bedeutendsten Begebenheiten seiner Zeit; denn in der Tat liegt hier der sichtbare Anfang der gesamtpreußischen Geschichte (vgl. G, I, 6)
Noch das Testament des Großen Kurfürsten von 1687 dachte an eine Aufteilung des Besitzstandes an seine Familie, was sein

Friedrich Wilhelm, der Große Kurfürst, in der Schlacht bei Fehrbellin am 28. Juni 1675. Bildteppich nach einem Entwurf von Pierre Mercier, 1699. Berlin, Schloß Charlottenburg

Sohn in einem souveränen Akt und gegen den Willen des Kaisers als Testamentsvollstrecker 1692 annullierte und nun mit seiner Krönung bekräftigte. Im Todesjahr Friedrichs I. wurde die Unteilbarkeit und Unveräußerlichkeit aller Länder und Kronbesitzungen gesetzlich festgelegt. Dieser Krone fehlten allerdings Tradition und Charisma; sie war Ausdruck eines politischen Willens, nämlich eine Entscheidung zum autonomen Staat gegen das Reich. Dieser Weg vollendete sich 1742, als Friedrich der Große dem neuen Kaiser, dem Wittelsbacher Karl VII., Belehnung und Huldigung verweigerte. Ein entsprechendes Staatsbewußtsein in der Bevölkerung kam freilich erst unter der Glorie Friedrichs auf, der sich nach dem Erwerb Westpreußens in der ersten polnischen Teilung (1772) König *von* Preußen nannte.

| 1772 |

König Friedrich I. umgab seine neue Würde im Stil der Zeit mit barockem Pomp. Er holte den großen Baumeister Andreas Schlüter nach Berlin, das mit Schloß, Zeughaus und Stadtplanung von einer Kleinstadt (1730: 58 000 Einwohner) zu einer würdigen Residenz wurde. Er gründete die staatliche Universität Halle (1694) sowie die Berliner

Akademie (Sozietät) der Wissenschaften (1700) und zog eine illustre Reihe von Gelehrten, wie Pufendorf, Thomasius, Leibniz, den Prediger Philipp Jacob Spener und August Hermann Francke, den Gründer des Waisenhauses von Halle, in sein Land.

Seiner kostspieligen Kulturtätigkeit stand eine außenpolitische Ohnmacht und Entschlußlosigkeit gegenüber, da Brandenburg-Preußen im Zwischenfeld zweier Kriegsschauplätze lag, nämlich des Spanischen Erbfolgekrieges (1701—1714) und des Nordischen Krieges (1700—1721), und

| 1714 | sich nur im Westen Mörs, Lingen und Obergeldern (1714) und im Sonderfrieden von Stockholm mit

| 1720 | Schweden (1720) Vorpommern mit Stettin bis zur Peene sichern konnte. Aber in dieser wenig ruhmvollen Zeit errichtete sein Nachfolger Friedrich Wilhelm seine Souveränität wie einen „rocher de bronce" über die Stände und vollendete den inneren Aufbau des Staates in Heer und Verwaltung.

5. König Friedrich Wilhelm I.

Das Heerwesen

| 1713 bis 1740 | Friedrich Wilhelm I. (1713—1740) ist als „Soldatenkönig" in die Geschichte eingegangen, weil seine spektakulärste Leistung der Aufbau einer preußischen Armee war, die in Disziplin und Schlagkraft ihresgleichen suchte. Er machte das Heer zu einer ausschließlich staatlichen Einrichtung, indem er die privatvertraglichen Elemente in Werbung und Offiziersanstellung und die notgedrungen beibehaltene lokale Mitwirkung der Stände bei Unterkunft, Fourage und Verpflegung ganz beseitigte. Das Heer sollte möglichst auf sich selbst gestellt sein und eine geschlossene Einheit darstellen. Unter Mitwirkung des Fürsten Leopold von Anhalt-Dessau (des „alten Dessauer") wurde ein strenges Reglement in Straf-, Exerzier- und Befehlsordnung eingeführt, Garnisonen, Bewaffnung und Uniformierung genau vorgeschrieben und die Truppenkörper zu einheitlich lenkbaren und disziplinierten Mechanismen ausgebildet. Das Heer wurde auf 80 000 Mann gebracht und der einheimische Adel auf den Offiziersdienst verpflichtet, indem aus jeder Adelsfamilie einer der Söhne Offizier werden mußte.

Statt der bisher üblichen mehr oder minder gewaltsamen Rekrutenwerbung ordnete das

| 1733 | Kantonsreglement von 1733 an, daß für jedes Regiment ein bestimmter Ersatzbezirk (Kanton) festgelegt wurde, wobei alle Wehrfähigen in Stammrollen zu erfassen waren. Einzige Söhne und Söhne von Witwen oder Einzelhofbauern sowie Gewerbetreibende, Studierende und wohlhabende Bürgersöhne blieben von der Wehrpflicht ausgenommen. Praktisch war nur das Landvolk davon betroffen. Die Armee setzte sich dadurch zu zwei Dritteln aus Landeskindern zusammen, die nach einer zweijährigen Grundausbildung bis zum 40. Lebensjahr einige Monate außerhalb der Saat- und Erntezeit Dienst tun mußten. Für ihre Angehörigen errichtete der König das Militärwaisenhaus in Potsdam.

Die preußische Verwaltung

Die gewaltigen Kosten für das Heer verlangten äußerste Sparsamkeit und zugleich eine effektive Verwaltung. Hier erwies sich der König als ein großer Verwaltungsmann, der den preußischen Beamtenstaat mit seiner Zuverlässigkeit und seinem Opfersinn geschaffen hat. Schon 1713 ersetzte er die Geheime Hofkammer durch das „Generalfinanz-Direktorium" für die Regalien und Domänen, wobei die Eigenbewirtschaftung der Güter und Betriebe völlig aufgegeben und die Pachtwirtschaft eingeführt wurde. Die Vergabe erfolgte nur an bürgerliche Pächter und auf Zeit. Dadurch steigerten sich die Einnahmen von 1,8 Millionen auf 3,3 Millionen Taler (1740), und die Amts- und Domänenkammern wurden mehr zu

| 1723 | Finanzbehörden. Im Jahre 1723 wurden alle Verwaltungsbehörden unter einer Gesamtbehörde zusammengefaßt, dem „General-Oberfinanz-Kriegs- und Domänen-Direktorium" oder „Generaldirektorium", in dessen Plenum unter dem formellen Vorsitz des Königs als oberstem Beamten die allgemeinen Verwaltungsentscheidungen fielen. Sie gingen dann an das königliche Kabinett, aus dem der König nach eigener Entscheidung seine „Ordres" erließ.

Die zuständigen Mittelbehörden unter dem

Generaldirektorium waren nunmehr die „Kriegs- und Domänenkammern". Die Provinzen wurden in vier Gruppen (Departements) eingeteilt, denen je ein Minister in der Gesamtbehörde vorstand, der außerdem noch ein gesamtstaatliches Ressort zu leiten hatte; Heerwesen, Post, Münze und Armenwesen blieben zentral gelenkt. Die früheren Landesregierungen bestanden als Oberlandesgerichte weiter, erhielten dazu aber noch Aufsichtsrechte über Kirche und Schule. Der alte brandenburgische „Geheime Rat" (1605) war ihre Oberbehörde, allerdings nur noch ein Rumpf für Justiz und Kultus. Er erhielt aber mit der Berufung von Cocceji als Kanzler und „chef de justice" (1737) erhöhte Bedeutung.

Für die ganze Beamtenschaft stellte der König in der Instruktion von 1722 einen Sittenkodex auf, der absolute Dienstverpflichtung und Staatsgesinnung verlangte. Außerdem wurden die Staatsbeamten stets außerhalb ihrer Heimatprovinzen angestellt, um ihre unpersönliche Objektivität zu sichern. Der König selbst fühlte sich als „Amtmann Gottes" und „Arbeitstier der Krone"; er verlangte von seinen Beamten ein gleiches Ethos, wobei er oft persönlich als Landesvater, Polizist und Zuchtmeister rücksichtslos eingriff. Damit wurde er der Vater des sprichwörtlich gewordenen preußischen Beamtengeistes.

Zur Erzwingung eines besseren Lebensstandards verordnete er **1717** eine allgemeine Schulpflicht für die Orte, die bereits Schulen hatten, und ließ 1100 neue Schulen bauen. Er gründete 1727 die ersten Lehrstühle für Kameralwissenschaften (Volks- und Privatwirtschaftslehre) an den Universitäten Halle und Frankfurt a. O. für den Beamtennachwuchs. Er zog **1732** etwa 28 000 aus dem Erzbistum Salzburg vertriebene Protestanten in das von der Pest (1708) heimgesuchte Ostpreußen. Er begünstigte die Tuchmanufakturen im Interesse der Armee sowie andere Gewerbezweige, ohne indessen die passive Handelsbilanz seines Staatswesens beseitigen zu können. Immerhin brachte er es durch äußerste Sparsamkeit in Hof und Verwaltung fertig, einen Kriegsschatz von 8 Millionen Talern im Keller seines Berliner Schlosses anzuhäufen.

Politische Konflikte

Friedrich Wilhelm versagte in der Außenpolitik und in der Erziehung des Kronprinzen Friedrich, dessen freie Lebensart seiner Beamtenseele zuwider war. Der Konflikt zwischen Vater und Sohn endete in dem verzweifelten Fluchtversuch Friedrichs (1730) und der Hinrichtung seines Freundes Katte, die der Prinz mit eigenen Augen ansehen mußte. Die äußerliche Unterwerfung, die Zeit der Unterordnung im harten Verwaltungsdienst und die erzwungene Heirat mit einer braunschweigischen Prinzessin waren die Opfer, die Friedrich bringen mußte, bevor er auf Schloß Rheinsberg (seit 1736) sein eigenes Leben leben durfte. Diese schweren Daseinsproben ließen Schatten zurück, die sich in Gefühlskälte und Menschenverachtung zeigten. Die Größe Friedrichs lag darin, daß er nicht daran zerbrach,

Friedr. Wilhelm I. von Peußen (1688 bis 1740, seit 1713 König) nach einer Medaille von P. P. Werner

sondern gegen seine Natur gewissermaßen zum „Muß-Preußen" wurde.

Außenpolitisch scheiterte Friedrich Wilhelm an der österreichischen Diplomatie, die ihm gegen Anerkennung der Pragmatischen Sanktion (vgl. F, V, 5) seine Erbansprüche auf Jülich und Berg bestätigte (1726), später aber im Verein mit England, Frankreich und Holland das Erbrecht der Linie Pfalz-Sulzbach anerkannte (1738). Der alte König fühlte sich getäuscht und betrogen. Damals sprach er vor seiner Umgebung und auf seinen Sohn deutend die ahnungsvollen Worte: „Dieser da wird einst mein Rächer sein!" Friedrich hat die Erwartungen seines Vaters in der Tat erfüllt, nicht nur durch seine Waffentaten, sondern auch dadurch, daß er wie sein Vater nur erster Diener des Staates sein wollte.

V. Der Wiederaufstieg Österreichs

1654	Österreichische Hofkanzlei	1701—1714	Spanischer Erbfolgekrieg
1681—1683	Aufstand der Ungarn unter Tök-öly	1705—1711	Kaiser Joseph I.
		1711—1740	Kaiser Karl VI.
1683	Belagerung von Wien durch die Türken	1713	Pragmatische Sanktion
		1714	Friede von Rastatt und Baden
1683	Sieg über die Türken vor Wien unter dem Oberbefehl von Johann Sobieski, König von Polen (1674—1696)	1715—1718	Zweiter Türkenkrieg
		1718	Friede von Passarowitz
		1732—1735	Polnischer Thronfolgekrieg
		1736	Tod des Prinzen Eugen
1683—1699	Türkenkriege (Prinz Eugen)	1736—1739	Dritter Türkenkrieg
1699	Friede von Karlowitz	1739	Friede von Belgrad

1. Die österreichische Monarchie

Der Westfälische Friede hatte die Macht des Kaisers über die Reichsstände beträchtlich reduziert, aber seine monarchische Stellung in den Erblanden gestärkt. Nur Österreich und keinem anderen Reichsstand stand das Recht zu, Reichsgesetze für sein Gebiet aufzuheben. Die Schutzklauseln des Friedensschlusses für bisher bestehende religiöse Minderheiten (Normaljahr 1624) galten nicht im habsburgischen Herrschaftsgebiet. Von der Religion her und im Bündnis mit der Kirche wurde hier der Sieg über die Stände errungen. Die Durchsetzung des Absolutismus gelang zuerst in Böhmen (1626) und behielt fernerhin die gegenreformatorische Richtung bei. Dies führte zu starken Abwanderungen in die protestantischen Nachbarländer, wie Sachsen, Franken und Schwaben. Kaiser Leopold I. (1658—1705) setzte die alte dynastische und konfessionelle Politik mit Nachdruck fort. Er vereinigte nach dem Aussterben der habsburgischen Nebenlinie in Tirol (1665) alle Erbländer der deutschen Habsburger unter sein Zepter und hatte als Gatte einer spanischen Prinzessin auch das gewaltige Erbe der spanischen Habsburger im Auge, deren Aussterben bevorstand. Dieses Ziel verwickelte ihn in einen permanenten Gegensatz zu Frankreich, da Ludwig XIV. als sein Schwager eine habsburgische Einkreisung verhindern wollte und die gleichen Erbansprüche erhob. Außerdem hatte im Südosten das Osmanische Reich seinen Machtbereich bis nach Siebenbürgen ausgedehnt. Diese gespannte Lage gab den Reichsfürsten Gelegenheit, ihre eigenen Interessen zu verfolgen, zumal in ihren Augen Leopolds Politik über das Reichsinteresse hinausging.

Der Kaiser stieß bei der Durchsetzung seines Absolutismus auf starken Widerstand bei der ungarischen Magnatenopposition, deren katholischer Teil Verbindung mit Frankreich suchte und deren protestantischer Teil Anlehnung an den Sultan fand. Unter Führung des protestantischen Grafen Emmerich Tököly griffen die Ungarn mehrmals zu den Waffen, und Tököly wurde schließlich vom Sultan als Fürst von Ungarn (1682) anerkannt. Türkengefahr und ungarische Unruhen verwehrten dem Kaiser eine energische Politik gegen Frankreich, das sich seit 1680 ungestraft Reichsgebiete im Westen einverleiben konnte (vgl. F, III, 5), zumal es mit dem Sultan und zugleich mit Brandenburg-Preußen (seit 1679) im Bunde war.

2. Die Türkenkriege

Als Tököly ein förmliches Bündnis mit dem Sultan einging, sah der ehrgeizige Großwesir Kara Mustapha die Gelegenheit zu einem Großangriff der Türken auf Wien gekommen, der ihm das Tor zum Reich und nach Mitteleuropa öffnen sollte. Gleichzeitig mit dieser Bedrohung meldete Ludwig XIV. gegen Österreich erweiterte Erbansprüche auf spanische Gebiete an. Der alarmierten kaiserlichen Diplomatie gelang es indessen, den Polenkönig Johann Sobieski (1674 bis 1696) aus seinem Bündnis mit Ludwig XIV. zu lösen, sowie Sachsen, Bayern, den Fränkischen und den Schwäbischen Reichskreis für den Abwehrkampf gegen die Türken zu gewinnen.

Die österreichische Armee unter Karl von Lothringen konnte die Belagerung von Wien (1683) nicht verhindern, das Graf Rüdiger von Starhemberg mit schwachen Kräften verzweifelt verteidigte. Erst die anrückende Befreiungsarmee unter dem Oberbefehl des polnischen Königs in Stärke von 65 000 Mann schlug die Türken am Kahlenberg (12. 10. 1683) und bewahrte dadurch Europa vor einer Katastrophe. Danach drang Karl von Lothringen in Ungarn vor, das sich jetzt gegen kaiserliche Amnestie der Befreiungsarmee anschloß. Der Kaiser verband sich mit dem Papst und Venedig in der „Heiligen Liga" (1684), der auch Rußland beitrat (1686). Ferner schloß sich nunmehr Brandenburg dem österreichisch-polnischen Bündnis an. Mit Hilfe Polens, Venedigs und Brandenburgs wurde Ofen zurückerobert (1686). Der savoyische Prinz Eugen, der 1683 der österreichischen Armee beigetreten war und sich als geborener Feldherr erwies, errang den entscheidenden Sieg bei Zenta über die Türken (1697). Der Friede von Karlowitz (1699) brachte fast ganz Ungarn mit Siebenbürgen (ohne Banat), Slowenien und Kroatien an Österreich. Damit erhielt Leopold I. Rückenfreiheit, und Ludwig XIV. verlor einen wichtigen Bundesgenossen. Österreich war nunmehr unbestrittene europäische Großmacht geworden und konnte im Spanischen Erbfolgekrieg (1701– 1714) seine ganze Macht gegen Frankreich wenden. Danach erweiterte Prinz Eugen in einem zweiten Türkenkrieg (1715—1718) durch seine Siege bei Peterwardein (1716) und Belgrad (1717) im Frieden von Passarowitz (1718) den österreichischen Besitzstand nach Südosten um Belgrad, das Banat und die kleine Walachei.

1683

1699

1701 bis 1714

1718

3. Der Aufbau der österreichischen Herrschaftsordnung

Der österreichische Absolutismus suchte die loyale Mitarbeit der Stände zu gewinnen. Er stieß nur bei den Ungarn auf heftigen Widerstand. Aber nach der Abwehr der Türken mußten die ungarischen Stände Leopold als König von Ungarn anerkennen und auf ihr Widerstandsrecht verzichten (1687). In der Selbstverwaltung der Komitate behielt ihr Freiheitssinn indessen ein Betätigungsfeld. Allerdings erregten die zentralistischen Maßnahmen Leopolds, die mit drückenden militärischen Steuereintreibungen und Dragonnaden (Zwangseinquartierungen), mit Besitzveränderungen und gesteigerten Feudallasten und auch mit Beschneidung der protestantischen Sonderrechte verbunden waren, zunehmende Bauernunruhen, denen sich schließlich auch der Adel unter Franz Rákóczi anschloß, als der Kaiser im Westen in den Spanischen Erbfolgekrieg verstrickt war. Erst 1711 kam eine Befriedung zustande, nach der der ungarische Reichstag als oberstes ständisches Organ vom Kaiser anerkannt und ein loyales Verhältnis zwischen Wien und den Magnaten begründet wurde. Es bewährte sich, als Maria Theresia die ungarischen Stände um Hilfe gegen Preußen anrief (1740).

Die österreichische Monarchie dachte nicht daran, die Stände nach der brandenburgischen Weise völlig auszuschalten. Das verbot schon die regionale Vielfalt ihres ausgedehnten Besitzstandes. Nur auf der oberen Ebene wurde das monarchisch-absolutistische Prinzip in Heer, Verwaltung und Staatssprache durchgesetzt. Hier gab es als zentrale Finanzbehörde die Wiener Hofkammer; für die zentrale Heeresverwaltung war der Hofkriegsrat zuständig. Außerdem gab es die „Geheime Konferenz" (seit 1669) für allgemeine Fragen der Staatslenkung, einen engeren Rat des Monarchen, neben dem als höchste ausführende Behörde die Österreichische Hofkanzlei (1654) stand, eine Kollegialbehörde für Außenpolitik und innere Verwaltung, sowie mit der Oberaufsicht über die Justiz betraut. Hier kamen die Vertreter der verschiedenen Ländergruppen zusammen. Für die beiden Königreiche gab es noch eine Böhmische und eine Ungarische Hofkanzlei. Immerhin urteilte Pufendorf über die österreichischen Lande: „Alles ist dort so geordnet, daß, sobald das kaiserliche Amt auf einen anderen übertragen würde, jene Lande sofort ohne Mühe als ein besonderer Staat konstituiert werden könnten" (1667).

Aber diesem Gesamtstaat fehlte ein entsprechender Unterbau. Die Zentralbehörden waren mit dem Adel der einzelnen Länder verquickt, da alle Mittelbehörden für die Ländergruppen und die Regierungen der Länder in den Händen des Lokaladels waren. Sogar die Verwaltung der direkten Steuern (Kontributionen) lag unmittelbar bei ständischen Kollegien. Darunter fiel auch die Militärverwaltung, zumal die Ergänzung des österreichischen Heeres neben der Werbung im Ausland auf der regelmäßigen Lieferung von Rekruten beruhte, die die Stände besorgten. Es gab keine bediensteten Beamten, sondern nur adelige Funktionäre. Die Provinzialinstanzen schlossen den Staat von den Untertanen ab, und selbst die Minister fühlten sich mehr als Adelige denn als staatliche Beamte. Das zentrale österreichische Generalkriegskommissariat war nur eine Intendantur, die auf militärische Ange-

Prinz Eugen von Savoyen (1663—1736), Stahlstich nach einem Gemälde von Schüppen

legenheiten beschränkt blieb. Die ständische Macht in der lokalen und mittleren Verwaltung war ungebrochen, nicht nur in Ungarn, Schlesien, Ober- und Niederösterreich, sondern auch in Böhmen. Dadurch blieb die habsburgische Macht mehr eine „monarchische Union von Ständestaaten".

Dies lag auch an den bedeutenden Unterschieden auf landschaftlichem, ethnischem und wirtschaftlichem Gebiet. Die Bergschätze in den Alpen, insbesondere die steirisch-kärntnerischen Eisenerze, das Quecksilber von Idria in Krain und die oberungarischen Kupfervorkommen spielten im Staatshaushalt eine große Rolle und fanden weit über die Grenzen der Monarchie hinaus Absatzgebiete. Das wirtschaftliche Schwergewicht lag jedoch in den dichtbesiedelten Ländern der böhmischen Krone, deren

hochentwickelte Textil-, Holz- und Glasgewerbe in den Osten und Südosten exportierten und die Messen in Leipzig und Frankfurt belieferten. Diese böhmischen Gebiete zahlten über die Hälfte der gesamten Kontributionen. Die merkantilistischen Versuche der Regierung zur Produktions- und Gewerbelenkung blieben wegen der andauernden Türkenkämpfe im Ansatz stecken. Lediglich in den Kriegsgebieten im Südosten wurde eine planmäßige Siedlungspolitik betrieben und deutsche Kolonisten wurden aus dem zerrissenen Südwesten des Reiches herbeigeholt, durch deren Tätigkeit hier blühende Gebiete entstanden.

4. Die Zeit des Prinzen Eugen

Der machtpolitische Aufstieg unter Leopold I. wurde von einer außerordentlichen Kulturblüte begleitet, die Österreich aus dem doppelten Triumphgefühl des Sieges der Gegenreformation und der militärischen Siege über die Türken an die Spitze der Barockkultur trug. Sie gipfelte in der Baukunst von Lucas von Hildebrand und Johann Bernhard Fischer von Erlach, der den Plan von Schloß Schönbrunn, als eine Art Gegen-Versailles, entwarf. Wien mit seinen Palästen und Kirchen, inzwischen eine Stadt von 138000 Einwohnern (1724), verkörperte Glanz, Hoheit und Macht des alten Reiches und galt neben Paris als die erste Stadt Europas. Der Höhepunkt dieser Entfaltung fiel in die Zeit nach Leopolds Tod unter Joseph I. (1705—1711) und Karl VI. (1711—1740).

Repräsentative Symbolfigur für diese Blütezeit Österreichs war der Prinz Eugen von Savoyen (1663—1736), der in Paris geboren und 1683 in den Dienst der habsburgischen Krone getreten war. Durch seine Türkensiege wurde der Aufstieg Österreichs ermöglicht. Seine Siege in den großen Schlachten des Spanischen Erbfolgekrieges bei Höchstädt (1704), Turin (1706), Oudenarde (1708) und Malplaquet (1709) erbrachten im

1714 Frieden von Rastatt (1714) für Österreich einen riesigen Landgewinn, nämlich die italienischen und niederländischen Nebenländer Spaniens, mit denen der Machtbereich Österreichs sich ins Mittelmeer und an die Nordsee ausdehnte.

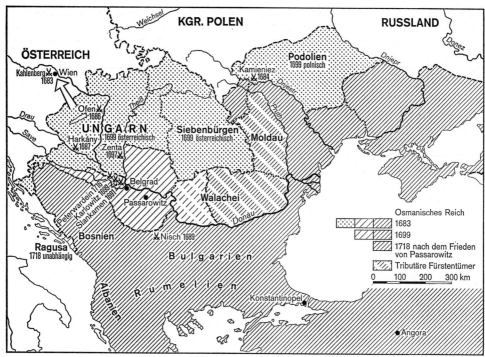

Die Türkenkriege des 17. Jahrhunderts

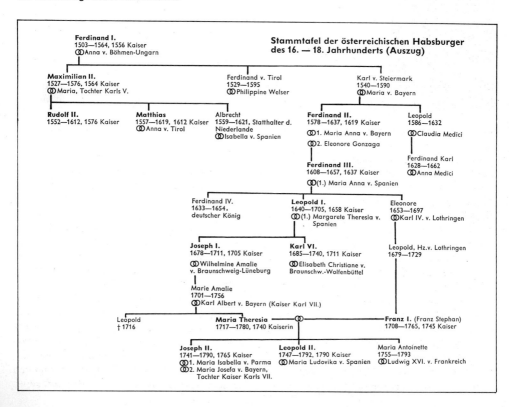

Stammtafel der österreichischen Habsburger des 16. — 18. Jahrhunderts (Auszug)

Ferdinand I.
1503—1564, 1556 Kaiser
∞ Anna v. Böhmen-Ungarn

Maximilian II.
1527—1576, 1564 Kaiser
∞ Maria, Tochter Karls V.

Ferdinand v. Tirol
1529—1595
∞ Philippine Welser

Karl v. Steiermark
1540—1590
∞ Maria v. Bayern

Rudolf II.
1552—1612, 1576 Kaiser

Matthias
1557—1619, 1612 Kaiser
∞ Anna v. Tirol

Albrecht
1559—1621, Statthalter d.
Niederlande
∞ Isabella v. Spanien

Ferdinand II.
1578—1637, 1619 Kaiser
∞ 1. Maria Anna v. Bayern
∞ 2. Eleonore Gonzaga

Leopold
1586—1632
∞ Claudia Medici

Ferdinand III.
1608—1657, 1637 Kaiser
∞ (1.) Maria Anna v. Spanien

Ferdinand Karl
1628—1662
∞ Anna Medici

Ferdinand IV.
1633—1654,
deutscher König

Leopold I.
1640—1705, 1658 Kaiser
∞ (1.) Margarete Theresia v.
Spanien

Eleonore
1653—1697
∞ Karl IV. v. Lothringen

Joseph I.
1678—1711, 1705 Kaiser
∞ Wilhelmine Amalie
v. Braunschweig-Lüneburg

Karl VI.
1685—1740, 1711 Kaiser
∞ Elisabeth Christiane v.
Braunschw.-Wolfenbüttel

Leopold, Hz.v. Lothringen
1679—1729

Marie Amalie
1701—1756
∞ Karl Albert v. Bayern (Kaiser Karl VII.)

Leopold
† 1716

Maria Theresia ∞
1717—1780, 1740 Kaiserin

Franz I. (Franz Stephan)
1708—1765, 1745 Kaiser

Joseph II.
1741—1790, 1765 Kaiser
∞ 1. Maria Isabella v. Parma
∞ 2. Maria Josefa v. Bayern,
Tochter Kaiser Karls VII.

Leopold II.
1747—1792, 1790 Kaiser
∞ Maria Ludovika v. Spanien

Maria Antoinette
1755—1793
∞ Ludwig XVI. v. Frankreich

– Im Verlauf dieser Kriege rückte Prinz Eugen vom bewährten Feldherrn zum Staatsmann empor, der als Präsident des Hofkriegsrates (1703) und Mitglied der Geheimen Konferenz für die nächsten dreißig Jahre die außenpolitischen Geschicke der Monarchie entscheidend mitbestimmte. Gleichzeitig wurde sein Wiener Sommerschloß Belvedere Mittelpunkt von Kunstverständnis und Lebensart.

Eine Initiative zu inneren Reformen ging von dem Prinzen nicht aus. Es kam ihm vor allem auf Ansehen und Bestand der ringsum bedrohten Monarchie an. Dazu baute er eine Geheimdiplomatie auf, die sich nach dem Abebben der großen Konflikte in der „Kongreßzeit" von 1720 bis 1740 zum Vehikel eines politischen Spiels unter Weltleuten stilisierte. Der tiefere Grund für den Vorrang der Diplomatie lag darin, daß die dynastischen Erbansprüche und die Idee des europäischen Gleichgewichts selten in Einklang zu bringen waren und stets politische Absicherungen und Kompromisse ausgehandelt werden mußten. Dies war für die österreichische Großmonarchie eine Lebensfrage.

5. Die Pragmatische Sanktion

Der Zusammenhalt der weitverzweigten habsburgischen Lande war ernsthaft bedroht, weil die Erbfolge im Mannesstamm ausblieb. Noch vor dem Tode Leopolds I. war in einem geheimen Familienerbvertrag (1703) festgelegt worden, daß bei Ausbleiben eines Erben im Mannesstamm der Linien von Joseph und Karl die weibliche Thronfolge in gleicher Weise gelten sollte. Als Karl VI. seinem Bruder folgte, bestimmte er in der „Pragmatischen Sanktion" seine eigenen Töchter als die nächsten Thronfolger. Als mit einem männlichen Erben nicht mehr zu rechnen war, wurde diese Erbbestimmung als Staatsgrundgesetz veröffentlicht (1713).

1713

Die Stände der habsburgischen Länder verhielten sich loyal und erkannten diese Erbfolge vorbehaltlich der Bestätigung ihrer ständischen Vorrechte feierlich an (1723). Damit bildeten die kaiserlichen Länder nunmehr auch eine rechtliche Einheit unter einem allgemein angenommenen Grundgesetz. Das Hauptanliegen der österreichischen Diplomatie war in den folgenden Jahrzehnten, die Anerkennung der Pragmatischen Sanktion bei allen europäischen Mächten zu erreichen und damit eine Aufteilung der Großmonarchie zu verhindern. Österreich war bereit, dafür auch Opfer zu bringen. Es erreichte die Garantie Englands (1731) gegen Auflösung seiner 1722 gegründeten Ostende-Kompanie und die Anerkennung Frankreichs im Vorfrieden von Wien (1735) gegen dessen Anwartschaft auf Lothringen. Die Anerkennung Preußens wurde durch Bestätigung und Bürgschaft für dessen Erbansprüche auf Jülich und Berg (1726) erreicht. Österreich hielt diese Zusage jedoch nicht ein und entschied sich im Einvernehmen mit Frankreich und England (1738) für die Ansprüche der Linie Pfalz-Sulzbach, die 1742 auch das Erbe antrat. Preußen war also nicht mehr an die Pragmatische Sanktion gebunden. Auch Bayern verweigerte die Anerkennung.

Der Polnische Thronfolgekrieg (1732 bis 1735) und der dritte Türkenkrieg (1736 bis 1739) signalisierten bereits das Absinken der österreichischen Militärmacht. Der erste dieser Kriege entschied zwar mit Hilfe Rußlands gegen Frankreich über den polnischen Thron, insofern Kurfürst August III. von Sachsen König von Polen statt des französischen Thronkandidaten Stanislaus Leszinski, dem Österreich aber Lothringen überlassen mußte, das nach dem Tode Leszinskis (1766) an Frankreich fiel. Herzog Franz Stephan von Lothringen, der künftige Gemahl Maria Theresias (seit 1736) wurde für den Verlust seines Stammlandes mit der Toskana entschädigt. Österreich verlor

1735 außerdem im Wiener Vorfrieden (1735; endgültig 1738) Neapel und Sizilien an die spanischen Bourbonen, die dafür Parma und Piacenza abtraten. An die Türken verlor es im Frieden von Belgrad

1739 (1739) Belgrad, Serbien und die kleine Walachei, während Rußland die Moldau gewann und allmählich vom Verbündeten zum Rivalen Österreichs auf dem Balkan wurde.

Der Tod des Prinzen Eugen (1736) beendete die glorreichste Epoche Österreichs, deren prägende Kraft aber fortwirkte.

VI. England und die Glorreiche Revolution

1603—1625	Jakob I. Stuart	1679	Habeas-Corpus-Akte
1625—1649	Karl I. Stuart	1685—1688	Jakob II. Stuart
1628	Petition of Right	1688/89	Glorreiche Revolution
1640—1653	Das Lange Parlament	1689	Bill of Rights
1642—1660	Die puritanische Revolution	1689—1702	Wilhelm III. von Oranien, König
1642—1646	Erster Bürgerkrieg; Oliver Cromwell (1599—1658)		von England
		1689—1697	Krieg mit Frankreich
1648	Zweiter Bürgerkrieg	1690	John Locke, Two Treatises of
1649	Enthauptung Karls I.		Government
1651	Navigationsakte	1692	Landsteuer
1654—1658	Oliver Cromwell „Protektor"	1694	Triennial Act
1660	Die Restauration	1694	Bank von England
1660—1685	Karl II. Stuart	1695	Board of Trade
1661—1667	Clarendon-Code (Kirchenge- setzgebung)	1701	Act of Settlement
1673 und		1702—1714	Königin Anna
		1707	Union mit Schottland
1678	Testakte	1711—1715	Friedensverhandlungen von
1679—1681	Die Thronfolgekrisis (Whigs und Tories)		Utrecht

1. England
unter den ersten Stuartkönigen

Die Grundlagen für den Aufstieg Englands wurden von Heinrich VIII. (1509—1547) und Elisabeth I. (1558—1603) gelegt. Das Bündnis der Krone mit dem englischen Parlament („King in Parliament") verschaffte ihnen eine Machtfülle, die Heinrich die Trennung der Anglikanischen Kirche von Rom und Elisabeth den erfolgreichen Kampf gegen Spanien ermöglichte. Das Parlament war dabei durch seine Mitwirkung in Gesetzgebung und Finanzierung zum unentbehrlichen Regierungspartner emporgewachsen und forderte ein ständiges Mitspracherecht. Allerdings hatte auch die Krone als Haupt der Anglikanischen Bischofskirche ihren unmittelbaren Machtbereich beträchtlich erweitert. Ein Gegensatz zwischen Krone und Parlament zeichnete sich erst nach 1588 ab, als der Kampf gegen Rom und Spanien mit dem Sieg über die spanische Armada entschieden war. Doch konnte Jakob I. Stuart als Enkel der Margarete Tudor, einer Schwester Heinrichs VIII., unangefochten den Thron besteigen, zumal er als Sohn der Maria Stuart auch den Katholiken willkommen war und die calvinistisch gesinnten Protestanten in ihm den Zögling von Knox und Buchanan, den bei-

den großen Reformatoren Schottlands, sahen. Jakob vereinigte in seiner Person die Kronen von England, Irland und Schottland.

Unter Jakobs Herrschaft (1603—1625) kam es zu ernsthaften Konflikten mit dem Parlament. Er faßte sein Königtum als „Jus Divinum" auf, das sich unmittelbar vom göttlichen Willen ableitete und die absolute Herrschaftsgewalt des Königs legitimierte. Im Parlament sah er lediglich seinen „Großen Rat", den er nach Gutdünken zusammenkommen ließ, aber keinen ständigen Partner aus eigenem Recht. Er regierte mit seinem engeren Rat (Privy Council), den königlichen Gerichtshöfen und der Anglikanischen Bischofskirche, während das Parlament sich als Hüter der alten Eigentumsordnung und des bestehenden Rechts (Common Law) betrachtete, das auch dem König Schranken setzte.

Dieser Gegensatz brach unter Karl I. Stuart (1625—1649) offen aus, als das Parlament **1628** in der „Petition of Right" von 1628 seine Ansprüche formulierte. Der König antwortete mit der Suspendierung des Parlaments für elf Jahre (1629—1640). Er stützte sich dabei vor allem auf seine Bischofskirche, die in ihren Beschlüssen (Canones von 1604 und 1640) den Supremat und das göttliche Recht des Königs verbindlich machte und deren Pfarrorganisation ein königliches Herrschaftsmittel in der Lokalverwaltung darstellte. Die Kirchenreform des Erzbischofs William Laud (1634—1645) sollte das Bündnis zwischen „King", „Bishop" und „Parson" festigen.

2. Die puritanische Revolution

Dagegen wandten sich die calvinistisch gesinnten Puritaner, die das Regiment der bischöflichen Amtskirche als unevangelisch ablehnten und freie Gemeindebildung mit Pfarrerwahl erstrebten. Mit ihnen vereinigten sich jene Kräfte, die sich gegen die königliche Zoll- und Abgabenpolitik und die Gerichtshöfe des Königs auf die englischen Freiheiten beriefen und ebenfalls die königliche Amtskirche mit ihrem Gerichtswesen als Machtinstrument der Krone ab-

Oliver Cromwell
(1599—1658) nach einem zeitgenössisch. Stich

lehnten. Die Gegensätze prallten aufeinander, als Karl I. durch eine kriegerische Verwicklung mit den Schotten genötigt wurde, wieder ein Parlament einzuberufen, das ihm die Finanzmittel für den Krieg

| 1640 |

bewilligen sollte (1640). Das „Lange Parlament" — so genannt nach seiner langen Amtsperiode (1640—1653) — nutzte die Notlage des Königs und erreichte von ihm weitgehende Zugeständnisse, die auf eine Parlamentarisierung der Monarchie hinausliefen (1641/42). An der Frage des

| 1642 bis 1646 |

Oberbefehls über das Heer entzündete sich der Bürgerkrieg (1642 bis 1646), in welchem das Parlamentsheer im Bunde mit den Schotten und aufgrund seiner reicheren Hilfsquellen Sieger blieb.

Die Seele des Heeres wurde Oliver Crom-

well (1599—1658), ein puritanischer Landedelmann, der mit Bibel und Schwert seinen „Eisenseiten" (Old Ironsides) militärische Disziplin und religiöse Gesinnung einzuflößen wußte. Sein Heer war „independentisch" eingestellt, d. h. gegen jedes feste Kirchenregiment, sei es katholisch oder anglikanisch oder presbyterianisch (Kirchendisziplin unter Ältestenräten). Es widersetzte sich der Übereinkunft des presbyterianischen Parlaments mit dem König, die von den Schotten gestützt wurde. Daraus entstand der zweite Bürgerkrieg (1648). Mit dem Sieg Cromwells bei Preston über die presbyterianischen Schotten (1648) mußte auch das Parlament sich dem Willen des Heeres beugen, nachdem der Oberst Pride es gewaltsam von Presbyterianern gereinigt hatte (1648). Was davon übrigblieb, war der ohnmächtige „Rumpf" (Rump).

Der König wurde wegen Wortbruch und Landesverrat vor ein Staatsgericht gestellt und zum Tode verurteilt. Die Enthauptung

| 1649 |

Karls I. (1649) gab den Weg zu einer Militärdiktatur frei, die Cromwell durch seinen Rachefeldzug gegen die Iren (1649) und seine Siege über die königstreuen Schotten (1650/51) absicherte. Unter ihm gab es zum ersten Mal ein „Großbritannien", das sich gegen die holländische Handelsrivalität durch die Navigationsakte

| 1651 |

(1651) schützte, die den Zwischenhandel mit England nur englischen Schiffen vorbehielt. Nach Auflösung des „Rumpfs" (1653) suchte Cromwell vergeblich seinem „Commonwealth" eine parlamentarische Rechtsgrundlage zu verschaffen. Sein „Instrument of Government" und andere Verfassungsprojekte scheiterten. Cromwell nahm schließlich von einem hörigen Parlament den Titel eines „Protektors"

| 1654 |

an (1654) und hinterließ bei seinem Tode (1658) völlig ungesicherte Zustände. Rettung brachte die Initiative des Generals Monk, der das alte Parlament von 1640 zusammenrief, das Wahlen in der bisherigen Form ausschrieb. Daraus ging ein Konventionsparlament hervor, das den Thronfolger Karl II. Stuart nach England zurückrief (1660). Dieser veranlaßte dann Neuwahlen in der allein gültigen Form, nämlich durch königliche „Writs" an die zuständigen „Sheriffs" und die „Lords" des von Cromwell abgeschafften Oberhauses. Ihr Ergebnis war das „Kavaliersparlament" (1661—1678), dessen gesetzgeberische Tätigkeit die „Restauration" besiegelte.

Die puritanische Revolution blieb also ein Zwischenspiel, das einen allgemeinen Horror vor weiteren Experimenten geweckt und den radikalen Puritanismus diskreditiert hatte. Außerordentlich aber war, daß erstmals auch die niederen Volksschichten in die politisch-religiösen Auseinandersetzungen hineingezogen wurden, die über das Heer und den religiösen Radikalismus zu Wort kamen. Ferner auch, daß durch alle Wechselfälle hindurch sich das Parlament als Träger der Kontinuität erwiesen hatte und seiner Initiative die Rückkehr zur Monarchie zu verdanken war.

Die Stoßkraft der Revolution kam durch den Einklang von politischen, wirtschaftlichen und religiösen Freiheitsforderungen zustande und verstärkte sich durch das Eingreifen von Schotten und Iren, die im Spektrum der Gegensätze die Extrempositionen repräsentierten. Soziale Gegensätze meldeten sich an, waren aber nicht eindeutig oder zu schwach, um gestaltende Träger des Dramas zu werden, dessen revolutionäres Potential von religiösen und rechtlichen Antrieben bestimmt wurde. Ein wichtiges Nebenergebnis erbrachten die endlosen Verfassungsdiskussionen, in denen die Verfassung als Vertrag („Agreement of the People") aufgefaßt wurde, dessen Sicherung durch ein System der Kompetenzverteilung (Gewaltentrennung) erreicht werden sollte.

3. Die Restauration

1660 Die Restauration von 1660 war das Werk des Parlaments, das aus eigener Machtvollkommenheit den König zurückgerufen hatte. Ihm überließ Karl II. (1660—1685) die Wiederherstellung der gesetzlichen Ordnung, also des „Government by Law", was für das Parlament gleichbedeutend mit der Vorherrschaft des „Common Law" war. Dieses Parlament erkannte die noch von König Karl I. bestätigten Reformgesetze von 1641 und 1642 als rechtsgültig an, wonach es keine Gerichtshöfe der königlichen Prärogative und keine Feudalgerichte mehr gab, sondern nur noch Common Law Gerichte. Auch die im Laufe der Revolution veränderten Besitzverhältnisse und Landtitel blieben bestehen, soweit nicht nachweislich Zwangskonfiskationen vorlagen oder Kronländer betroffen waren. Restauriert in der früheren Form wurde lediglich das Parlament selbst mit seinem alten Wahlrecht und seinen alten Wahlbezirken. Es nahm sein altes Finanzbewilligungsrecht in Anspruch und erkannte nur Gesetze an, die unter seiner Mitwirkung zustande gekommen waren. Es gab künftig also nur noch Parlamentsgesetze, welche zudem von den Common Law-Gerichten interpretiert wurden. Nur in der Rückgabe der Kronländer und der Zusicherung von Dauereinnahmen sowie in der „Non-Resistance Act" (1661), die bewaffneten Widerstand gegen die Krone verbot, bezeugte das Parlament seine Loyalität gegenüber der Krone.

Der König erhielt aber sein Ernennungsrecht für alle Staatsbeamten und Kirchenführer, Richter und Friedensrichter zurück, jedoch nicht die unmittelbare Kontroll- und Eingriffsgewalt in Rechtsprechung, Verwaltung und Kirche. Der König konnte nur noch mittelbaren Einfluß über seine Ämterpatronage ausüben; seine Machtmittel wurden gewissermaßen privatisiert. Gleiches galt für sein Proklamationsrecht, das in seinen Indulgenzerklärungen zugunsten religiöser Duldsamkeit zum Ausdruck kam, aber keine rechtliche Verbindlichkeit mehr nach sich zog und für das Parlament nur noch den Wert privater Meinungsäußerungen hatte, solange kein entsprechendes Parlamentsstatut dazukam.

Eine gravierende Schmälerung der Machtstellung des Königs ergab sich daraus, daß ihm die unmittelbare Verfügungsgewalt über die Kirche und ihre Konvokationen entzogen wurde. Das Parlament legte die künftige Ordnung der Bischofskirche fest. Es eliminierte zwar im Sinne der Kirchenreform von Erzbischof William Laud die puritanischen Einflüsse und stellte die kirchliche Gerichtsbarkeit wieder her; aber das geschah mit dem entscheidenden Unterschied, daß nun das Parlament den Kirchen-Supremat für sich in Anspruch nahm und durch Parlamentsgesetze über die Formen der öffentlichen Verehrung und über die Privilegierung der Amtskirche entschied.

Es erließ eine scharfe Strafgesetzgebung gegen Katholiken, Presbyterianer und Sektierer (Clarendon-Code 1661–1667), die nur den Anglikanern freie religiöse Betätigung und die Übernahme öffentlicher Ämter gestattete. In den Test-Akten von 1673 und 1678 wurden alle Nonkonformisten aus den Ämtern und auch aus dem Parlament entfernt. Damit stieß das Parlament gegen den erklärten Willen des Königs den ganzen religiösen Nonkonformismus in den „Dissent" und schloß einen Großteil der Gesellschaft von wichtigen Rechten aus.

Das parlamentarische Kirchenmonopol nahm der Kirche ihre bisherige Sonderstellung. Die kirchlichen Versammlungen (Konvokationen) mit dem Recht der Selbstbesteuerung und Gesetzgebung (Canones) wurden abgeschafft (1664) und der Klerus vom Parlament besteuert; dafür erhielt er das aktive Wahlrecht. Er konnte keine unabhängige Rolle mehr spielen; besonders der Pfarrklerus verstrickte sich in das Interesse der lokalen Gentry (Kleinadel). Die Pfarrer sanken von einem unabhängigen Stand unter dem Schutz von König und Bischof zu Kaplänen des allgewaltigen Grundherrn (Squire) ab, der zudem als Friedensrichter auch die Kirchenzucht in Händen hatte. Der Kirchen- und Rechtshoheit des Parlaments entsprach eine lokale Kirchen- und Rechtshoheit der Gentry, der sogar im Jagdgesetz von 1673 als lokalen Jagdherren das Recht auf Hausdurchsuchung und Beschlagnahme zugestanden wurde. Dazu kam noch ein Abwanderungsverbot (Act of Settlement 1662), das einer Bodenbindung zugunsten des Grundherrn bedenklich nahekam.

Dem König und seiner Regierung stand durch die enge Interessengemeinschaft von Parlament, Common Law-Gerichten, Kirche, Lokalbehörden und Grundherren ein gewaltiges „Interest" entgegen, das seine weitgehenden Hoheitsbefugnisse als Eigentum (Property) betrachtete, an das keine Regierung rühren durfte. Das dem König verbliebene Mittel war seine Verfügungsgewalt über alle Ämter (Patronage). Karl II. war der erste König, der planmäßig Bestechung anwandte, um seine Regierung handlungsfähig zu machen. Er vergab Ämter, Titel und Pensionen, um seine Sache in Parlament,

Kirche und Verwaltung zu stärken, und ließ nur ihm ergebene Kavaliere in die Führungsbehörden.

Nur im Bunde mit dem Parlament war der König allmächtig; ohne es fehlten ihm eine folgsame Bürokratie und vor allem die notwendigen Finanzmittel. Der Ausweg Karls II. war eine Geheimpolitik mit Frankreich, die ihm Subsidien für eine eigene Politik verschaffte, aber seinen Ministern wie Clarendon und Danby vor dem Parlament zum Verhängnis wurde. Das Parlament nutzte den chronischen Finanzmangel der Krone dazu, immer neue Strafgesetze und Kontrollansprüche beim König durchzusetzen und zwang ihn sogar, statt mit Frankreich ein Bündnis mit Holland einzugehen (1677). Die Restauration erwies sich als ein neuer Zustand, der durch die praktische Finanz-, Kirchen-, Rechts- und Gesetzeshoheit des Parlaments gekennzeichnet war, die lokale Macht der Krone untergrub und sich zunehmend in den Gegensatz von „Court" und „Country", von „Government" und „Property" ausfaltete.

4. Die Thronfolgekrisis

Der Triumph Ludwigs XIV. im Frieden von Nymwegen (1678) hatte in England zu einer Vertrauenskrisis geführt, zumal das Doppelspiel Karls II. den Franzosen in die Hände gespielt und England keine eindeutige Parteinahme für Holland und gegen Frankreich eingenommen hatte. Die anschwellende antifranzösische Stimmung im Lande hatte den König bewogen, die Hochzeit seiner Nichte Mary, Tochter seines Bruders Jakob von York, mit Wilhelm III. von Oranien, Statthalter der Niederlande, zu erlauben (1677) und ein Bündnis mit Holland zu schließen. Wilhelm war aber der Hauptfeind Frankreichs und der Heros der protestantischen Mächte. Ludwigs Antwort waren Bestechungsgelder und Informationen, die nun das Parlament gegen den König aufbringen sollten. Die brisante Atmosphäre entlud sich in der sogenannten „Exclusion-Crisis" (1679 bis 1681), die das Vorspiel zur Glorreichen Revolution war. Anlaß war die französische Drohung und die Aufdeckung eines angeblichen „Papistenkomplotts" gegen England; Ziel

1679 bis 1681

war der Ausschluß des Herzogs von York (Jakob II.) von der Thronfolge, dessen Konversion zur katholischen Kirche bekanntgeworden war. Der Angriff auf das Erbrecht berührte aber das Wesen der Monarchie und den Bestand der Herrschaftsordnung. Die Enthüllungen des Titus Oates, eines hinausgesetzten ehemaligen Jesuitenzöglings, über ein gigantisches Jesuitenkomplott zur Ermordung Karls II. und Thronerhebung Jakobs, entsetzten die Öffentlichkeit und erregten eine anti-papistische Hysterie, die in einer Katholikenjagd sich Luft machte. Oates bezichtigte die katholische Königin vor dem Unterhaus des Hochverrats, das deren Entfernung verlangte. Karl II. löste das Parlament auf. Die Neuwahlen vom Februar 1679 erbrachten einen überwältigenden Sieg der „Exclusionists". Auch dieses Parlament wurde nach Hause geschickt, nachdem es vorsorglich in der **1679** „Habeas Corpus Akte" (1679) die Untertanen vor willkürlichen Verhaftungen ohne Gerichtsverfahren geschützt hatte. Noch im Herbst 1679 wurde ein drittes Parlament gewählt, dem nach den Wahlen Anfang 1681 noch ein viertes folgte, das der König wegen der allgemeinen Erregung in der Hauptstadt nach Oxford verlegte. Alle Wahlen zeigten ein beängstigendes Anwachsen der Oppositionsbewegung, und alle Parlamente wurden wegen einer „Exclusion Bill" aufgelöst. Die Verlegung nach Oxford befreite das Parlament vom Druck der Straße und leitete den Sieg der Krone ein.

Whigs und Tories

Hauptanliegen der revolutionären Bewegung war der Anti-Papismus, der sich auf die Thronfolgefrage konzentrierte. Das Für und Wider schied die kämpfenden Gruppen, die sich erstmals als Parteien verstanden und sich gegenseitig die Spitznamen „Whigs" und „Tories" zulegten. Die Namen bezeichneten ihrer ursprünglichen Bedeutung nach rebellierende schottische Pferdetreiber und irische Banditen. Beide Spottnamen bezogen sich auf außerenglische Zustände, auf das presbyterianische Schottland und das papistische Irland. Die Tories glaubten nicht an das Papistenkomplott und hielten am göttlichen Herrscher- und Erbrecht der Dynastie

fest; die Whigs sahen im Widerstandsrecht das Kernanliegen der protestantischen Religion und der englischen Freiheiten. Dahinter standen unterschiedliche Staatsauffassungen, nämlich bei den Tories die Lehre vom göttlichen Königsrecht und bei den Whigs die Lehre vom Urvertrag, der den König unter das Gesetz verpflichtete. Die darin sich ankündigende überregionale Gruppenbildung durchbrach die bisherigen Loyalitätsverhältnisse und fand deshalb auf dem Lande keinen Anklang. Die Whigs erwiesen sich als laute Minderheit, und der drohende Bürgerkrieg schreckte die Öffentlichkeit. Dominierender Wortführer und Organisator der Whigs war der Graf Shaftesbury, der als der erste eigentliche Parteiführer der englischen Geschichte angesehen werden kann. In dieser Zeit entstand jener lärmende Wahlbetrieb, der das öffentliche Leben fernerhin bestimmte.

Der Umschlag zugunsten des Königs kam durch die Aufdeckung eines Komplotts (Rye-House Plot 1683) gegen den König und den Thronfolger, das den Whigs zum Verhängnis wurde. Die von den Exclusion-Parlamenten verschärfte Strafgesetzgebung gegen Verschwörer wurde jetzt gegen die Whigführer angewandt und brachte einige von ihnen aufs Schafott. Nur noch Tories wurden von Karl in die führenden Ämter eingesetzt. Das Jahr 1683 war der Höhepunkt der Tory-Herrschaft. Als Karl II. starb, war die Nachfolge des katholischen Jakob II. gesichert.

5. Jakob II.

Jakob II. Stuart (1685—1688), der Bruder Karls II., scheiterte an dem inneren Widerspruch, der darin lag, daß er als katholischer König zugleich das Oberhaupt einer Kirche war, die sich von Rom gelöst hatte. Der Gegensatz zur Staatskirche entzündete sich an den Maßnahmen Jakobs, die den Katholiken volle Gleichberechtigung und freie Religionsausübung geben sollten. Er suspendierte durch Indulgenzerklärungen die Kirchengesetzgebung des Restaurationsparlaments und setzte die Testakte praktisch außer Kraft, indem er Katholiken mit hohen Ämtern ausstattete. Darüber hinaus verlangte er von den Bischöfen die Verlesung seiner zweiten Indulgenzerklärung zugunsten des „Dissent" von der Kanzel. Die Bischöfe weigerten sich, obgleich sie damit das hochkirchliche Grunddogma des unbedingten Gehorsams gegenüber dem göttlichen Recht des Herrschers verleugneten. Das Unterbleiben dieser Verlesung war der erste offene Widerstand.

Dazu kam, daß Jakobs Rekatholisierungspolitik jene Tories aufbrachte, die von Karl II. in die kommunalen und städtischen Ämter eingeschleust worden waren. Der Widerstand der Bischöfe fand Zustimmung im ganzen Lande. Dazu trug der beängstigende Vormarsch der Gegenreformation bei, die sich mit der Hugenottenflucht aus Frankreich (1685) und dem Übergang der Pfälzischen Kurwürde an das katholische Haus Pfalz-Neuburg (1685) anzukündigen schien. Ausschlaggebend war schließlich, daß die katholische Königin, Jakobs zweite Gattin Maria Beatrix von Modena, einem Sohn das Leben schenkte, dem Prinzen Jakob Eduard (1688—1766), so daß alle Hoffnungen auf eine protestantische Thronfolge dahinschwanden. Diese Aussicht vereinigte alle Gruppen zur Gegenwehr, an der die nun auch die streng hochkirchlichen Tories teilnahmen, obgleich sie bisher das „Non-Resistance"-Prinzip vertreten hatten.

Die nun sich abzeichnende Bürgerkriegsgefahr veranlaßte sieben Peers, darunter drei Tories, einen Brief an Wilhelm III. von Oranien zu senden, der um sofortige Hilfe bat. Damit rief England den stärksten Widerpart des französischen Absolutismus in sein Land. Wilhelm war selbst als Enkel Karl I. zur Hälfte ein Stuart und hatte Mary, die Tochter Jakobs aus erster Ehe, geheiratet. Wilhelm rüstete sogleich eine gewaltige Flotte aus, die mit englischen, holländischen, schwedischen und schottischen Soldaten bemannt war. Auch die zweite Tochter Jacobs aus erster Ehe, Anna, die mit dem Prinzen Georg von Dänemark verheiratet war, schloß sich dem Unternehmen an. Die gesamten protestantischen Seemächte waren gegen Jakob II. vereinigt. Wilhelm landete unbehelligt in Torbay und marschierte gegen London. Das Heer Jakobs lief ohne Widerstand auseinander.

Jakob wagte keine Verhandlungen und floh mit seiner Familie nach Frankreich. Vorher warf er das Große Staatssiegel in die Themse, um allen Regierungshandlungen seiner Gegner die Legitimität zu nehmen. Wilhelms inneres Recht kam darin symptomatisch zum Ausdruck, daß niemand die Waffen gegen ihn erhob. Selbst die katholischen Mächte, darunter sogar Spanien, der Kaiser und der Papst, hielten sich angesichts des ausbrechenden Pfälzischen Krieges gegen Ludwig XIV. neutral. Die inneren Verhältnisse Englands und die Machtverhältnisse in Europa verschafften Wilhelm einen schnellen unblutigen Sieg, der zugleich seiner Einkreisungspolitik gegen Frankreich das letzte fehlende Glied einfügte.

6. Die Glorreiche Revolution

Die große Bedeutung der Glorreichen Revolution liegt darin, daß mit ihr eine neue Auffassung von Staat und Herrschaft zur Geltung kam, die nicht mehr vom tradierten Königtum, sondern von der Gesellschaft her begründet wurde und sich damit — erstmals in einem Großstaat — aus dem Ideenkreis der Aufklärung (vgl. G, I, 3) verstand. Äußerlich war diese Revolution auf Kontinuität bedacht; ihrem Selbstverständnis nach bedeutete sie indessen eine Wendung zum Naturrechtsdenken der Aufklärung.

1688 bis 1689

England war nach der Flucht Jakobs II. für einige Monate ein Land ohne König, ohne Großes Siegel, ohne legitime Herrschaftsordnung. Nicht einmal ein Parlament war da. Es gab nur eine Gesellschaft ohne Staat. In dieser Situation waren Vereinbarungen notwendig, die zwar an das gewohnte Alte anschlossen, aber anders begründet werden mußten und eine neue Legitimitätsgrundlage herstellten.

Wilhelm berief eine Notabelnversammlung aus ehemaligen Parlamentsmitgliedern und aus der Londoner Stadtverwaltung, auf deren Rat er selbst die „Writs" für die Wahl einer Konvention nach dem üblichen Wahlverfahren, aber ohne König zu sein, ausstellte. Diese Konvention erklärte sich in einem souveränen Akt zum regulären Parlament und erließ die Gesetze, die das Ergebnis der Revolution waren. Aus eigener Machtvollkommenheit übertrug das Parlament die Krone an Wilhelm und Mary, schuf also ein Doppelkönigtum, das den unpersönlichen Amtscharakter der Krone als Staatsorgan unterstrich. Mit der Einführung einer verbindlichen Eidesformel wurde ferner das Königtum den Regeln der üblichen Ämterverleihung unterworfen und gesetzlich auf die vom Parlament festgelegte Verfassung verpflichtet. Die Verfassung (Bill of Rights) war also vor dem König da. Außerdem setzte das Parlament die Nachfolgeordnung fest, wobei man freilich nur eine geringe Änderung der bisherigen Erbfolge wagte, aber doch den ersten Anwärter, den Sohn Jakobs II., ausschloß. Die Verschiebung der höchsten Entscheidungsgewalt auf das Parlament, das dem neuen König seine Bedingungen stellte, war hier das eigentlich revolutionäre Ereignis.

Darüber hinaus sprach das Parlament in der Resolution vom 28. Januar 1689 die Absetzung Jakobs II. aus: Jakob habe den „Urvertrag" (Original Contract) zwischen König und Volk gebrochen und durch seine Flucht der Herrschaft entsagt. Die Whigs brachten hier die naturrechtliche Begründung von Herrschaft aus dem Urvertrag in eine offizielle Erklärung ein, während die Tories ihren Widerstand mit der Fiktion einer Vakanz des Thrones durch die Abdankung Jakobs rechtfertigten. In Wirklichkeit war die Whigpartei gerechtfertigt und das Jus Divinum als Grundlage des Königtums aufgegeben. Entscheidend und revolutionär war, daß die naturrechtliche Vertragstheorie in die Formel eingebracht wurde, mit welcher England sich vom legitimen Königtum losriß. Damit hatten sich die ideellen Voraussetzungen der Souveränität grundlegend verschoben; der Königstitel beruhte nun auf allgemeinem Konsensus und Vertrag. Die Paradoxie des Ereignisses lag darin, daß dieser revolutionäre Vorgang notwendig war, um den konservativen Charakter der Herrschaftsordnung gegen Jakob zu bewahren.

Behauptet hatte sich die Gesellschaft mit ihren Grundrechten und alten Verträgen, mit Gewohnheitsrecht und geltenden Gesetzen. In England sah man die Revolution als Sieg des Gesetzes und des alten Rechtes über die Willkür des souveränen Königs und auch als Sieg des aufgeklärten protestantisch-parlamentarischen Staatswesens über das absolutistische patriarchalisch-unitarische Staats-

ideal an. — Die gültige Interpretation dieser Revolution lieferte John Locke in seinem „Second Treatise of Government" (1690), den er bereits in den Wirren von 1679—1681 konzipiert hatte und der nun das Grundbuch des neuen England wurde. Danach ist die Gesellschaft mit ihrem ganzen Rechtsgefüge in Eigentum, Leben und Sicherheit, in ihrem Aktionsgefüge von Markt, Geld, Geschäft und Handel eher da als der Staat. Locke sah das Verhältnis von König und Volk als einen „Trust" an, als eine Treuhandschaft, unter deren Schutz sich die Gesellschaft stellte. Damit war er der erste bürgerliche Ideologe, der die ganze Herrschaftsordnung aus der Gesellschaft begründete. Er brach damit der Aufklärung auf der Ebene von Herrschaft und Staat die Bahn.

Die Revolution hatte also eine eminente Bedeutung für den Durchbruch der Aufklärung. Sie leitete aber auch den Niedergang Frankreichs ein, insofern sie den Beitritt Englands zum Kampf gegen die französische Hegemonialpolitik erbrachte. Der Sieg der vereinigten holländisch-englischen Flotte über die französische Flotte bei La **1692** Hogue (1692) machte England zur Herrin der Meere. Damit stand das neue Zeitalter im Zeichen Englands und der Aufklärung.

7. Die gesetzliche Sicherung der Revolution

In der „Bill of Rights" (1689) erhielt das **1689** Königtum eine konstitutionell umschriebene Grundlage. Das Parlament bestimmte über die künftigen Grundlagen der Verfassung und maßte sich die höchste Kompetenz an. Mit seinem Eid auf Religion und Statuten stellte sich der König unter das Gesetz, über das er künftig nur zusammen mit Lords und Commons entscheiden durfte. Das Parlament definierte die Kompetenzen des Königs; und auch über das, was als Gemeinwohl anzusehen war, entschied nicht der König, sondern seine Untertanen im Parlament. Aber das Parlament schreckte vor den Konsequenzen seiner Revolution zurück und ließ die Regierungsbasis des Königs in der bisherigen Form bestehen.

Beim König lagen also wie bisher die Wahl der Minister, die Ämtervergabe in Kirche, Armee, Rechtsprechung und Verwaltung und die hohe Politik, so daß unklar blieb, wo der oberste Sitz der Souveränität sein sollte. Man behalf sich mit der Vorstellung einer Balance zwischen König, Lords und Commons als der drei gesetzgebenden Gewalten und ließ dem König unterhalb der Gesetzgebung freie Hand. Von den alten Rechten wurde ihm nur das Recht abgesprochen, ein stehendes Landheer zu halten, es sei denn durch statuiertes Gesetz im Parlament. Das bedeutete, daß die Größe der Militäreinheiten im Lande jährlich vom Parlament festgelegt und das militärische Disziplinarrecht außerhalb des Common Law jährlich von ihm bestätigt werden mußte. Das umschloß einen Zwang zur jährlichen Einberufung des Parlaments. Dazu kam

1694 noch mit der „Triennial Act" (1694), daß alle drei Jahre Neuwahlen erfolgen mußten. Jährliche Parlamentssessionen und Neuwahlen im dritten Jahr nötigten den König zu ständiger Rücksicht auf Parlament und Öffentlichkeit, und umgekehrt wurde die Öffentlichkeit in die parteilichen Auseinandersetzungen hineingezogen, was eine lebhafte politische Publizistik, häufige Tumulte und Aufläufe zur Folge hatte, zumal bei den Wahlen jegliche militärische Schutzausübung suspendiert war.

Die abseits stehenden Dissentgruppen wurden in der Toleranz-Akte von 1689 als rechtsfähige Körperschaften, aber nicht als Religionsgemeinschaften anerkannt. Sie blieben rechtlich benachteiligt, durften sich aber an lizensierten Orten versammeln. Dissenter wurden erst nach 1718 zu Ämtern zugelassen, wenn kein Einspruch erfolgte. Damit erhielten sie immerhin als staatsfreie Gesellschaften Spielraum für individuelle Gemeindebildungen, der ihnen später bei der Auflösung der alten Gemeinden durch die Bevölkerungsfluktuation im Zuge der Industrialisierung (seit 1770) zugute kam. Auch die Freiheit der Presse wurde durch Wegfall der Vorzensur (1694) erweitert, wenn auch die Bindung an Recht und Gesetz überwacht blieb.

1701 In der „Act of Settlement" (1701) legte das Parlament angesichts des Fehlens eines Thronerben von Wilhelm und Mary und auch ihrer Schwester, Königin Anna (1702—1714), das lutherische Haus Hannover als Thronerben fest, dessen Kurfürstin Sophie eine Enkelin Jakobs I. war. Allerdings mußte der Thronfolger Mitglied der Anglikanischen Kirche sein oder werden. Außerdem verfügte dieses Gesetz die institutionelle Trennung der drei Gewalten, der Legislative, Exekutive und der Rechtsprechung. Die Trennung von Gesetzgebung und Exekutive wurde jedoch bald wieder für die leitenden Posten aufgehoben (1707), da Parlament und Regierung ständig aufeinander angewiesen waren. Die Selbständigkeit der Rechtsprechung mit Unabsetzbarkeit der Richter, außer bei schlechter Amtsführung und Kriminaldelikten, blieb jedoch bestehen. Schließlich nahm das Parlament das Recht des „Impeachment", also der ungehinderten Anklage und Verfolgung seiner Gegner, in Anspruch, das auch der König nicht durch sein Pardon verhindern durfte. Die zur Sicherung des Übergangs der Krone von der Stuart-Königin Anna an Hannover beschlossene „Regency Act" (1707) legte die Thronfolge in die Obhut des Parlaments. Damit übernahm das Parlament die Rolle eines souveränen Wächters über die Krone; der bisherige Gegensatz König versus Parlament war hinfällig geworden. Nicht der König, aber seine Minister waren angreifbar, die vor dem Parlament über die Königlichen Entscheidungen Rechenschaft ablegen mußten und gegen die Mehrheit im Parlament über die Routinegeschäfte hinaus nicht handlungsfähig waren.

Allerdings behielt der König durch seine Verfügungsgewalt (Patronage) über Ämter und Würden großen Einfluß auf das Parlament. Das Ernennungsrecht von Peers sicherte der Krone ein gefügiges Oberhaus, so daß sie ihr Veto-Recht gegen Beschlüsse **1707** des Parlaments seit 1707 nicht mehr auszuüben brauchte. Die Union mit Schottland (1707) brachte zudem 45 schottische Abgeordnete ins Unterhaus und 16 Lords ins Oberhaus, die durchweg auf seiten der Krone standen, die ohnehin durch Patronage und die zunehmende parteiliche Zersplitterung die Abstimmungen im Unterhaus beeinflussen konnte. Diese Zersplitterung verhüllte lange Zeit das wahre Machtverhältnis zwischen der Krone und dem Parlament.

8. England als Handelsmacht

Die Finanzrevolution

Die Thronbesteigung Wilhelms III. von Oranien verstrickte England sogleich in die europäischen Auseinandersetzungen. Schon 1689 brachte Wilhelm die Königreiche England und Schottland in die Große Allianz gegen Frankreich ein (vgl. F,III,5). Der Pfälzische Krieg (1688—1697) und der ihm folgende Spanische Erbfolgekrieg (1701 bis 1714) verschlangen ungeheure Summen. Das Parlament bewilligte jährlich zwei bis vier Millionen Pfund, da der Ausgang des Krieges auch über das Revolutionsergebnis und die Thronfolge entschied. Dieses Geld wurde durch eine Landsteuer (Land Tax) aufgebracht (1692), die drei Viertel der Kriegskosten decken sollte und jährlich einen sicheren Ertrag von zwei Millionen Pfund garantierte. Sie wurde die Hauptsteuer des 18. Jahrhunderts und belastete vorwiegend die landbesitzende Klasse mit bis zu 20 Prozent der Einnahmen und Renten aus Landbesitz. Nichtsdestoweniger mußte die Regierung Schulden machen, deren Höhe als „National Debt" gesetzlich festgestellt und deren Zinsdienst durch eine Akzise auf Bier und Spirituosen (1693) vom Parlament gesichert wurde. Die Gründung des „Board of Trade" (1695) sollte der Aufstellung einer nationalen Handelsbilanz dienen. Ferner wurde 1694 die Bank von England gegründet, die der Regierung gegen das Recht auf Banknotenausgabe eine Summe von 1,2 Millionen Pfund gegen 8 v. H. Zinsen lieh, die aus Schiffszöllen (Tonnengeld) bestritten wurden. Künftige Anleihen brauchten nun nicht mehr zur Zeichnung aufgelegt zu werden, sondern konnten ohne Verzug über die Bank von England beschafft werden. Allerdings mußte das Parlament den ständigen Zinsendienst garantieren, weil die Krone allein mit ihren begrenzten Einnahmen nicht kreditfähig war. Da die Geldbeschaffung ausschließlich über das Parlament erfolgte und die jeweiligen Finanzgesetze immer von Fall zu Fall beraten wurden, wuchs das Parlament zu einer Art Aufsichtsrat empor, der einen Überblick über die Verwendung der Finanzen beanspruchte.

Da die Commons als Landbesitzer sowieso

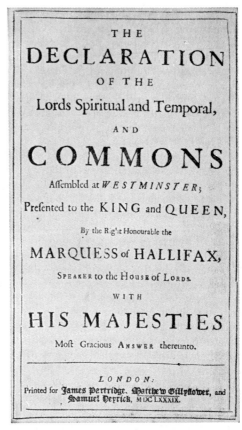

Bill of Rights, Titelseite der Veröffentlichung des englischen Verfassungstextes von 1689

die Hauptsteuerbelasteten waren und die Kapitalgeber der Bank vom Zinsdienst noch gewannen, nahmen sie für sich gegen das Oberhaus die Beaufsichtigung der Anleihepolitik in Anspruch. Sie wollten zudem nicht nur über die Bewilligung von Anleihen entscheiden, sondern aufgrund ihrer Garantie deren Verwendung durch „Commissions of Public Accounts" (1691) kontrollieren. Damit traten sie mittelbar in den Bereich der hohen Politik ein. Der Schatz wurde in den parlamentarischen Bereich hineingezogen und zum Glied zwischen Krone und Parlament. Der Schatzkanzler mußte vor dem Unterhaus seine Finanzbedürfnisse politisch begründen, um die parlamentarische Garantie für den Zinsdienst zu gewinnen. Ohne die Einwilligung des Parlaments konnte keine hohe Politik mehr gemacht werden. Für „Public Money Bills" wurde ein besonderes Verfahren vorgeschrieben, das die Initiative für neue Ausgaben ausschließlich der Regierung überließ und der erste Ansatz zu einer Geschäftsordnung des Unterhauses war. Dabei erhielt der „Erste Lord des Schatzes" als verantwortliche Schlüsselfigur eine Führungsposition, da er zwischen Unterhaus und königlicher Regierung vermitteln mußte. Später bekam er als Premierminister die Leitung der Regierungspolitik in die Hand.

Die gewaltigen Finanzbedürfnisse der Regierungen Wilhelms und Annas konnten nur mit Hilfe der Bank von England als der größten Aktien-Kapital-Bank befriedigt werden und deren Kredite nur über die Zinsgarantie des Unterhauses beschafft werden. Die Regierung besorgte sich gegen Privilegien- und Monopolverleihungen auch Anleihen bei den Handelskompanien, deren Finanzkonsortien dafür verzinsliche Anleihen zahlten oder auch den staatlichen Renten- und Zinsdienst übernahmen. Auf diese Weise wurde das Finanzinteresse mit dem Staatsinteresse eng verknüpft und der Reichtum des Landes in den Dienst der Politik gestellt.

Im Unterhaus saßen zwar kaum Kaufleute, und in der „Qualification Act" (1711) wurde sogar Landbesitz für alle Commons vorgeschrieben, und zwar für die County-Vertreter aus den Grafschaften im Werte von 600 £ und für die Borough-Vertreter aus den Städten im Werte von 300 £. Aber diese Landbesitzer waren die unentbehrlichen Kreditvermittler und die haftenden Garanten für die Verzinsung der Kapitalien aus Industrie und Handel.

Die englische Handelspolitik

Das Wesen des englischen Merkantilismus im Sinne von staatlicher Geldbeschaffung bestand in der Staatsverschuldung nach innen, die die machtpolitische Sicherung nach außen ermöglichte. Nur ein Zehntel der Bevölkerung war in Industrie und Handel tätig, erzielte aber nahezu ein Drittel des Nationaleinkommens, so daß hier bei der Führungsschicht die meisten Kapitalien verfügbar waren, andererseits aber die Sicherheitsgarantie des Parlaments bei dem volkswirtschaftlichen Vorrang der Landwirtschaft auch gut fundiert war.

Das Neue war, daß die Hochfinanz über die Bank von England oder über die Handelskompanien überaus günstige und durch das Parlament gesicherte Investitionsmöglichkeiten fand. Die wachsende Staatsschuld war die größte Kapitalanlage der Welt, mit der die staatliche Steuerhoheit und Monopolverleihung in den Dienst der Kapitalausleiher gestellt wurden. Zu dieser profitierenden Finanzoligarchie gehörten nicht nur die Kaufmannschaft Londons und der großen Städte, sondern auch die großen Grundherren, die sich ebenfalls an Handelsgeschäften, Bergbau und Manufakturwesen beteiligten und über den staatlichen Zinsendienst an den indirekten Steuern partizipierten.

Die enge Verknüpfung von Staatsschuld und Hochfinanz zog die hohe Politik in das Handelsinteresse hinein und führte in den Friedensverhandlungen von Utrecht (1711 bis 1715) zu einer Unmenge von Handels- und Wirtschaftsverträgen, die vor allem dazu dienten, dem englischen Handel in möglichst vielen Weltgegenden die Tore zu öffnen. Besonders ging es England um die Durchbrechung des spanischen Herrschaftsmonopols im südlichen Atlantik. Hier erreichte es u. a. das Recht auf Negerhandel, das der 1711 gegründeten Südsee-Kompanie gegen Übernahme des gesamten Staatsschuldendienstes überlassen wurde. Die Hoffnungen der Spekulanten auf Riesengewinne der Kompanie erfüllten sich freilich durch kriegerische Konflikte mit Spanien nicht. Aber England betrieb in erster Linie die Politik einer Handelsmacht, die sich von den weltumspannenden Interessen der Handelsgesellschaft leiten ließ, obgleich es seiner Verfassungsstruktur nach mehr eine Feudaloligarchie in der Form eines grundherrlichen und kommunalen Föderalismus darstellte, deren Rangordnung sich nach Landbesitz qualifizierte. Wie England im 17. Jahrhundert mit der Gleichsetzung des ständischen und protestantischen Widerstandsrechts sich erfolgreich gegen den Stuart-Absolutismus zur Wehr gesetzt hatte, brach es nun unter protestantischem Vorzeichen einer Handelsfreiheit Bahn, die Privatinitiative, Privatkapital und Machtpolitik zusammenführte und erstmals den Weltzusammenhang in die europäischen Friedensabmachungen einbezog.

G. Die Großmächte im Zeitalter der Aufklärung

I. Der Durchbruch der Aufklärung

1637	René Descartes, Discours de la méthode	1721	Christian Wolff, Vernünftige Gedanken vom gesellschaftlichen Leben der Menschen
1687	Isaac Newton, Die mathematischen Prinzipien der Naturphilosophie	1688/89	Glorreiche Revolution
1697	Pierre Bayle, Dictionnaire historique et critique	1701	Preußische Königskrönung in Königsberg
		1713	Friede von Utrecht (europäisches Gleichgewicht)

1. Zur Aufklärung

Das Zeitalter der Aufklärung (1690—1789) brachte keine neue Philosophie und auch keine neuen Ideen und Prinzipien, wohl aber eine neue Denkweise, die die Menschen ergriff und sie in ein anderes Verhältnis zu Tradition und Umwelt setzte. Sie brachte Bewegung in die starre Erhabenheit des „Grand Siècle" Ludwigs XIV. und veränderte das soziale und geistige Klima aufs tiefste. Sie rief einen Gärungsprozeß hervor, der zuerst die gebildeten Gruppen erfaßte und nach und nach alle Lebenskreise durchdrang. Europa geriet in eine geistige Krise, die sich zuerst in einer maßlosen Kritik an seiner Tradition und seinen Autoritäten äußerte und dann zu Lebensanweisungen und Welterklärungen fortschritt, die mit Berufung auf Vernunft und Erfahrung dem Menschen sein natürliches Leben, sein natürliches Recht, seine natürliche Religion und seine natürliche Bestimmung zurückgeben wollten. Der Geist der Kritik am Alten und der Erziehung zu einer neuen besseren Welt prägte das Zeitalter. Die Aufklärer wollten nicht originell sein und fragten nicht danach, ob ihre Ideen alt oder neu waren, sondern wollten gerade das finden und sagen, was überall — wenn auch verschüttet oder vergessen — immer schon da war.

Die Aufklärung zog alles vor den Richterstuhl der menschlichen Vernunft als der allein maßgebenden Instanz, und zwar nicht nur die überkommenen Weltbilder und Glaubensvorstellungen, sondern die gesamte Lebenswelt. Ihr Kampf gegen Dummheit, Aberglaube, Unmenschlichkeit, Vorurteile und Unvernunft sollte alle Menschen aus ihrer Trägheit aufrütteln und zum Selbstgebrauch ihrer Vernunft ermutigen. Gegen den absolutistischen Bevormundungsstaat sollten alle Menschen eine allgemeine Mündigkeit erreichen. Die Aufklärung war von Anfang an missionarisch und darauf bedacht, das Licht der Vernunft bis in die letzten Winkel des menschlichen Erdendaseins hineinleuchten zu lassen. Die Aufklärer selbst sahen sich als Boten eines neuen Zeitalters, das allen denkenden Menschen das Tor zu einer besseren Zukunft öffnen sollte, in der alle als mündige Bürger mitbestimmen konnten. Ihr Ziel war Aufklärung für alle als Bedingung für eine vernünftige Umgestaltung von Welt und Gesellschaft, wie sie der eigentlichen Bestimmung des Menschen als Vernunftwesen gemäß sein sollte.

Ihr universaler Anspruch über alle politischen und sozialen Schranken hinweg und ihr praktisches Anliegen auf Umgestaltung des menschlichen Daseins, vor allem aber ihre unglaubliche Breitenwirkung verraten, daß eine Umorientierung im Lebenshorizont und Änderungen im sozialen Gefüge sich vollzogen hatten, die den Rahmen der bisher geltenden Wert- und Lebenswelt überschritten und den weitgesteckten Ansichten der Aufklärer und ihrer Kritik an den in Staat und Kirche verkörperten Autoritäten Stoßkraft gaben.

Aufklärung war eben nicht nur eine Fortsetzung der großen Denkbemühungen des 17. Jahrhunderts von René Descartes bis Gottfried Wilhelm Leibniz, sondern umschloß eine lebenspraktische Umorientierung, die alle Schichten erfaßte, alle Gespräche durchdrang und einen populären Publikationsbetrieb mit freiem Meinungsaustausch hervorbrachte. Aus diesem öffentlichen Meinungsstreit erwuchs erstmals das, was als Ergebnis frei räsonnierender privater Individuen sich als „öffentliche Meinung" artikulierte. Der Engländer John Locke erkannte und definierte als erster die Rolle, die dem „climate of public opinion" im politischen Entscheidungsprozeß zufiel.

Der Aufklärung ging eine Erschütterung des alten Weltbildes durch die Naturwissenschaften und die Geburt einer sozialen Welt abseits der alten Ordnungszusammenhänge voraus. Der Zusammenfluß des neuen naturwissenschaftlichen Denkens mit dem

Isaac Newton
(1643—1727)
nach einem zeitgenössischen Stich

neuen naturrechtlichen Denken der bürgerlichen Gesellschaft im Verein mit machtpolitischen und sozialen Gewichtsverlagerungen brachte das Zeitalter der Aufklärung hervor. Der Beginn des neuen Zeitalters fällt in das letzte Jahrzehnt des 17. Jahrhunderts. In dieser Zeit kommen die Voraussetzungen zusammen, ohne die die Aufklärung keine öffentliche Macht hätte werden können. Als ihr geistiger Vater gilt René Descartes (Discours de la méthode, 1637), der den Zweifel an den Anfang seiner Philosophie stellte und vom menschlichen Denken ausgehend (cogito ergo sum) eine Methode rationaler Selbst- und Welterkenntnis entwickelte, die den Vorrang des logischen Denkens und der rationalen Wissenschaft gegenüber Tradition und Autorität begründete. Symptom des geistigen Umbruchs zur Frühaufklärung ist das Werk von Pierre Bayle „Dictionnaire historique et critique" (1697), in welchem überlieferte Vorurteile kritisch zersetzt wur-

den, ohne indessen neue Wege aufzuzeigen. Bayle häufte Zweifel auf Zweifel und zerschlug die geschichtliche Welt und ihre theologischen Deutungen. Für ihn war die Geschichte eine Sammlung von Verbrechen, Dummheiten und Unglück, die keinen Gesamtsinn erkennen ließ. Sein kritischer Fanatismus mündete in einen allgemeinen Skeptizismus gegen jede Autorität und Dogmatik, der den Weg zur Befreiung von Vorurteilen und Voreingenommenheiten öffnete. Sein Dictionnaire wurde das Grundbuch der negativen (kritischen) Aufklärung. Es fand weiten Widerhall, weil bereits die Axt an die alte Welt gelegt und die bisher maßgebende theologische Welt- und Geschichtsauffassung durch ein neues naturwissenschaftliches Weltbild erschüttert war.

2. Die Naturwissenschaften

Die Öffnung Europas in die überseeische Welt war durch zahlreiche technische Erfindungen und mathematisch-naturwissenschaftliche Erkenntnisse ermöglicht worden. Schon Kolumbus setzte im Vertrauen auf naturwissenschaftliche Erkenntnisse und mathematische Berechnungen sein Leben aufs Spiel, als er den Weg nach Indien über den Atlantik finden wollte. Ohne Uhr, Sextant, Kompaß und anderes technisches Rüstzeug wäre die Eroberung der Welt und ihre vorhergehende Gefangensetzung in ein erdumspannendes Gradnetz nicht möglich gewesen. Damit erst vermochten die Seefahrer sich von der Küstenschiffahrt zu lösen und auf das offene Meer zu wagen. Ihre Existenz und ihre Handlungsfähigkeit beruhten geradezu auf diesem technischen Instrumentarium und auf naturwissenschaftlichen Erkenntnissen. Aber erst am Vorabend der Aufklärung errang das naturwissenschaftliche Denken beherrschenden Einfluß auf das Weltverständnis der Zeit.

Der für das folgende Jahrhundert maßgebende Mann war der Engländer Isaac Newton, der mit seinem Werk über „Die mathematischen Prinzipien der Naturphilosophie" (1687) die Bemühungen von Johannes Kepler (Gravitationsgesetze) und Galileo Galilei (Fallgesetze) um eine mathematisch formulierte Erfassung des Kausalzusammenhangs der Natur zusammenfaßte und als erster das Universum als gesetzliche, mathematisch faßbare Einheit darstellte. Er erkannte die Identität der kosmischen Gravitationsgesetze mit den irdischen Fallgesetzen und schloß damit Himmel und Erde unter den gleichen Gesetzen zusammen. Er begriff das Weltganze als ein universales Gleichgewicht anziehender und abstoßender Kräfte.

Mit seiner analytischen Zerlegung der Bewegungsphänomene in Kraft und Gegenkraft und der mathematischen Formulierung der sie bestimmenden Gesetze machte er die Mathematik zum Maßstab wissenschaftlichen Denkens und Erkennens überhaupt. Mit seiner faszinierenden Idee eines kosmischen Equilibriums zog er die Summe aus allen bisherigen Erfindungen und physikalischen Entdeckungen und begründete das Imperium der modernen Naturwissenschaften. Wie an der Wende zur Neuzeit das von den Mathematikern und Geographen konstruierte Gradnetz die ganze Erde eingefangen und verortet hatte, öffnete an der Wende zur Aufklärung die Himmelsmechanik Newtons das Weltall dem erkennenden Zugriff des Menschen.

Der methodische Ansatz der Newtonschen Physik, nämlich die analytische Zerlegung jedes Phänomens in Kausalkräfte und dessen erklärende Rekonstruktion aus Kausalgesetzen, wurde für die Aufklärung das Rüstzeug ihres wissenschaftlichen Denkens. Sie glaubte, mit diesem einheitlichen Weltbild und mit dieser neuen Erklärungsweise auf festem Grund zu stehen, und hielt Newton für den Begründer eines „natürlichen Systems der Wissenschaften" (Wilhelm Dilthey), das übernatürliche Einwirkungen auf den Kausalzusammenhang als unwissenschaftlich ausschloß.

Was Newton für die unbelebte Welt geleistet hatte, wollte die aufklärerische Wissenschaft für die Gesellschaft leisten. Wie Newton die Einheit eines homogenen Weltbildes bis in die fernsten Tiefen des Weltalls durch dessen Reduktion auf die in ihm waltenden Gesetze gesichert hatte, wollten die Aufklärer die Einheit des Menschengeschlechts durch dessen Reduktion auf die Gesetze der menschlichen Natur und Vernunft darlegen. Welt und Gesellschaft er-

schienen ihnen wie ein aufgeschlagenes Buch, das überall in gleicher Schrift geschrieben war und nach dessen Grammatik sich alle Leser richten mußten.

Die Aufklärer übertrugen die neuen Ordnungsvorstellungen von Kräftespiel und Gleichgewicht auf Gesellschaft und Politik. Hier suchten sie nach vorgegebenen Gesetzlichkeiten und Ablaufsnotwendigkeiten, die sich aus der Natur von Mensch und Gesellschaft sowie aus den Postulaten der menschlichen Vernunft ergaben und aus deren Analyse die Gesellschaft durchschaubar und gestaltbar werden sollte. — Ohne diese von Newton ausgehende Achsenverschiebung im Weltverständnis hätte es kaum einen Siegeszug der Aufklärung und kaum den Versuch einer immanenten Welterklärung und -gestaltung gegeben.

John Locke
(1632—1704)
nach einem
Gemälde von
J. Greenhill

3. Staat und Aufklärung

Die absolutistische Staatspraxis war noch nicht „aufgeklärt", sondern ging auf eine rationale organisatorische Zurichtung, die der Effektivität der fürstlichen Macht diente. Die „Staatsräson" meinte nicht Vorherrschaft der Vernunft überhaupt, sondern Vorherrschaft der Staatsvernunft, womit das Lebensgesetz des individuellen Staates, sein Gesamtinteresse und seine Machtbehauptung gemeint waren, die für jeden Staat anders aussah. Diese Staatsräson setzte sich aber über positive Rechtszusammenhänge hinweg und legitimierte sich aus der Natur des Machtstaates. Nicht Autorität, Recht und Tradition waren die Begründungsmittel für den souveränen Ordnungswillen, sondern Vernunft und Erfahrung.

Dies legte eine naturrechtliche Interpretation der absolutistischen Herrschaftsweise nahe, wie sie der englische Philosoph Thomas Hobbes in seinem „Leviathan" (1651) aus der Bosheit der menschlichen Natur begründet hatte; nach ihm konnte nur ein unabhängiger Souverän durch seine Gesetze die Menschen vor einem Kampf aller gegen alle schützen. Sie spielte ferner beim Kampf der absolutistischen Herrscher gegen die Rechtszersplitterung ihres Herrschaftsgebietes eine Rolle, da die erstrebte Einheit und Widerspruchslosigkeit des Rechts nicht aus der Staatsräson, sondern aus der Räson des Rechts, also vom Natur- und Vernunftrecht her, begründet werden mußte. Die von der Staatsplanung erstrebte Kodifikation des Rechts verlangte den Rückgriff auf eine Rechtsräson, die dessen Verstaatlichung ermöglichte und absolutistische Willkür nicht

Thomas Hobbes
(1588—1679)
nach einem Gemälde von J. M. Wright

mehr zuließ. Indem der Staat mit den großen Rechtskodifikationen des 18. Jahrhunderts vom Polizeistaat zum Rechtsstaat überging, bediente er sich des Vernunftrechts, das bei der Rechtsanwendung als Orientierungshilfe diente.

Die Einheit im Rechtsleben verlangte ein Rechtsprinzip, als dessen Anwalt der absolutistische Staat ungewollt Träger des Vernunftsrechts wurde.

Die naturrechtliche Auslegung des Absolutismus bei Hobbes, der sich bei ihm bereits aus dem gesellschaftlichen Nutzen legitimierte, war der Beginn eines umwälzenden Vorgangs, dessen Gegenposition mit Jean Jacques Rousseau's „Contrat social" (1762) erreicht war, in welchem die Volkssouveränität aus der Güte des Menschen naturrechtlich begründet wurde (vgl. G, III, 4). Eine völlige Neubegründung der Fürstenge-

walt aus Vernunft und allgemeinem Besten und aus einem Vertrag der Menschen untereinander legte sich der Absolutismus gegen Ende des 17. Jahrhunderts in Abwehr gegen die aufklärerische Kritik zu, wobei er seine historischen, geistigen und sozialen Voraussetzungen fahren ließ. Seine Entpersönlichung zu einem Staatsabsolutismus und die in seiner Objektivierung zum Gesetzes- und Rechtsstaat sich ankündigende Verbindung mit dem modernen Natur- und Vernunftrecht legten dazu den Grund. Der absolutistische Staat war in dem Sinne Wegbahner der Aufklärung, daß er aus seiner Staatsräson gegen Tradition und regionale Mannigfaltigkeit die Gesellschaft einzuebnen und auf sein Interesse hin umzugestalten suchte. Allerdings nahm er die Gesellschaft als Objekt, als passive Untertanenschaft, und dachte nicht an eine Aufklärung, die ihn selbst in Frage stellte.

Die Aufklärung war ein neues Element, ein Protest gegen die allgegenwärtige staatliche Bevormundung, der aus der bürgerlichen Gesellschaft hervorging, aber den Absolutismus voraussetzte, insofern dieser den Gegensatz von Staat und Gesellschaft erst geschaffen hatte. Beiden war zudem der Wille zur Veränderung gemeinsam. Nur wollte die Aufklärung die Gleichberechtigung aller aktiven Bürger und nicht die Gleichheit passiver Untertanen. Je mehr sich der Staat zum allgegenwärtigen Prinzip erhob, alle Verhältnisse verstaatlichte und schließlich auch die Rechtspflege unter seine Fittiche nahm, entdeckte die entpolitisierte Gesellschaft ihr Eigenrecht, besonders dort, wo sie sich von den alten sozialen und rechtlichen Bindungen befreit hatte.

Sie entwickelte eine eigene Staatslehre, die Staat und Gesellschaft in ein geregeltes Verhältnis setzen sollte, und fand aus der Anschauung ihrer eigenen Daseinsformen den „Urvertrag" als wechselseitige Übereinkunft, mit der die Gesellschaft erst zustande kam und aus der die zu ihrer Sicherung notwendige Herrschaftsordnung sich erst legitimierte. Der Gesellschaftsvertrag war das er-

Leviathan, Titelkupfer der Erstausgabe des Hauptwerkes von Thomas Hobbes, London 1651   ▷

ste und der danach geschlossene Herrschaftsvertrag das zweite. Der Urvertrag war der gedachte Übergang vom individualistischen Naturrecht zum bürgerlichen Recht, das im Herrschaftsvertrag vom Staate durch dessen positiviertes Gesetzesrecht geschützt werden sollte. Die Gesellschaft legitimierte nach dieser aufgeklärten Staatslehre den Staat und nicht umgekehrt; sie entschied auch über das allgemeine Beste. Die Aufklärung rationalisierte also den Staat zu einer menschlichen Vereinbarung, die zuerst mit Zustimmung aller die Gesellschaft und dann mit Zustimmung der Mehrheit den Staat konstituierte.

England war der erste Großstaat, der den Zusammenfluß von bürgerlicher Gesellschaft und monarchischem Staat zustande brachte und sich als Verfassungsstaat verstand. Mit der Glorreichen Revolution von 1688/89 gab sich die englische Gesellschaft

Jean-Jacques Rousseau
(1712—1778)
nach einem Pastell von Quentin de La Tour, 1753

eine Verfassung, die ihre Identität sicherte und der sich der König durch seinen Verfassungseid unterordnete. Das war der politische Durchbruch der Aufklärung, deren Siegeszug mit dem Aufstieg Englands zur westeuropäischen Führungsmacht und zur maritimen Weltmacht begann.

Unter dem Druck dieser neuen Denkweise begründete der Absolutismus zuerst seine Herrschaftsform aus der Vatergewalt (Patriarchalismus), berief sich auf Fürsorgepflicht und Gemeinwohl und eignete sich schließlich auch den Gesellschaftsvertrag als Legitimationsbasis an. Diese naturrechtliche Auslegung wurde für aufgeklärte Herrscher wie Friedrich den Großen und Kaiser Joseph II. maßgebend und führte in der Hochaufklärung zu einem zeitweiligen Bündnis

beider Seiten im „aufgeklärten Absolutismus".

In Deutschland entwickelte Christian Wolff im Anschluß an die preußische Kameralwissenschaft, welche Staatslehre, Verwaltungslehre und Ökonomik im Hinblick auf die preußische Regierungspraxis verband, in seinem Werk „Vernünftige Gedanken vom gesellschaftlichen Leben der Menschen" (1721) die Hauptpunkte eines Programms des aufgeklärten Absolutismus, das von den Menschenrechten und vom Staatszweck ausging, aber angesichts der allgemeinen Unmündigkeit der Obrigkeit die Aufgabe zuschrieb, die Untertanen zu Wohlstand, Gesittung und Mündigkeit hinaufzuführen. Was Christian Wolff entwarf, war das Musterbuch eines allmächtigen Polizeistaates, eine Reglementierung der Menschen zur Förderung ihrer Sicherheit, ihres Glücks und ihrer Einsicht. Der Bevormundungsstaat war selbst noch nicht aufgeklärt, sollte aber Aufklärung ermöglichen. Er unterstellte also die monarchische Gewalt einem unpersönlichen Staatszweck, ohne indessen ihre Allkompetenz anzutasten.

Die Entpersönlichung des absolutistischen Staates bahnte sich in den großen Rechts- und Gesetzeskodifikationen des 18. Jahrhunderts an. Der spätabsolutistische aufgeklärte Gesetzes- und Rechtsstaat kann bereits als eine Übergangsform zum kontinental-europäischen Verfassungsstaat des 19. Jahrhunderts angesehen werden, mit dem erst die vermittelnde Grundfigur zwischen Staat und bürgerlicher Gesellschaft gefunden wurde.

4. Die Handelsgesellschaft

Neben der europäischen Staatenordnung entfaltete sich, von den seefahrenden Mächten ausgehend, eine weitverzweigte Handelsgesellschaft, deren Dynamik um die Wende zum 18. Jahrhundert auch die großen politischen Entscheidungen in Europa mitbestimmte (vgl. oben: F, I, 1).

Der Sieg der nördlichen Handelsgesellschaft

Die englische Ostindien-Kompanie und die niederländische Ostindien-Kompanie betrieben noch private Kolonial- und Handelskriege, meist gegen die katholischen Seemächte, oft aber auch unter sich. Sie fühlten sich zwar als protestantische Vorkämpfer gegen das spanisch-portugiesische Seeimperium und später gegen das Frankreich Colberts. In Wirklichkeit standen sich staatliche und private Initiative gegenüber. Zudem wurde immer wieder die Einheitsfront der Protestanten durch wirtschaftliche Interessengegensätze untereinander in Frage gestellt. Besonders die Holländer kümmerten sich nicht um Mission und Religionszugehörigkeit, sondern nur um Handelsgewinne. Sie sicherten sich im 17. Jahrhundert sogar das asiatische Gewürzmonopol für ganz Europa und konnten die Preise nach Belieben festsetzen. Erst das englisch-holländische Bündnis seit 1688 brachte die Entscheidung zugunsten der protestantischen Seemächte. Mit der englisch-holländischen Seeherrschaft seit 1692 (Seeschlacht bei La Hogue) siegte der Typus des nur auf Gewinn bedachten selbständigen Unternehmers, der im erfolgreichen freien Handel das Wirken der Vorsehung für ihre Auserwählten bestätigt sah und jede Behinderung, die über wirtschaftliche Konkurrenz hinausging, als Werk des Antichrist betrachtete. Die kapitalistische Denkweise der privaten Profitmaximierung wurde zuerst in Übersee und im gottgewollten Kampf gegen Spanien rücksichtslos praktiziert. — Dahinter stand der westeuropäische Calvinismus, der wirtschaftlichen Erfolg als Bestätigung der göttlichen Gnadenwahl auslegte und dem rücksichtslosen Profitstreben bei persönlicher Anspruchslosigkeit eine sittlich-religiöse Rechtfertigung gab. Hier wurde reines Wirtschaftsdenken maßgebend, das erstmals im Frieden von Utrecht (1713) die europäische Friedensordnung maßgeblich mitbestimmte und die überseeische Welt in die Friedensabmachungen einbezog. In Übersee kam es auch zu den ersten Frühformen der kollektiven Massenausbeutung im Negerhandel und in der westindischen Plantagenwirtschaft, die durch die Verbindung von Rechtlosigkeit — außerhalb Europas und unterhalb der Handelsgesellschaft — mit reinem Profitdenken möglich wurde. Die Niederlage Frankreichs und Spaniens (1713) bedeutete den Sieg der freien Handelsgesellschaften über den Staatsmerkantilismus der katholischen Westmächte.

Die Siedlungskolonien

Dazu kam im 17. Jahrhundert noch ein zweites Moment, nämlich die Gründung zahlreicher, vorwiegend englischer Siedlungskolonien in Nordamerika, die nicht, wie in Südamerika, Europa nach Übersee verpflanzen wollten, sondern um ihrer religiösen Freiheit willen aus Europa flüchten mußten. Sie wollten eine eigene, bessere Welt bauen, die auf wechselseitiger Übereinkunft beruhte und die Last von Tradition und Vorurteil hinter sich ließ. Sie unterstanden zwar dem Schutz des Mutterlandes, das sie gegen die französische Umfassungsstrategie verteidigte, entfremdeten sich ihm aber, als das Mutterland ihre Autonomie und ihre Handelsfreiheit zu beschneiden suchte. Hier blieb der freie religiöse Hintergrund ihrer Entstehungsgeschichte lebendig, aber er verband sich mit einem Freiheitspathos, das die vom Religiösen her gefundene Lebensform mit der Freiheit zu eigener Daseinsbewältigung und wirtschaftlicher Betätigung verband. Nach der Trennung vom Mutterland beriefen die Siedler sich nicht mehr auf die englischen Freiheitsrechte, sondern auf das Naturrecht und auf die „öffentliche Meinung der Welt" (1776). Das waren aber die Instanzen, die die Handelsgesellschaft außerhalb der Staatsgewalten und ihrer Rechtssphären sich als Legitimationsbasis aufgebaut hatte. Außerhalb und am Rande Europas wuchs also eine neue gesellschaftliche Welt heran, die sich nicht in die politisch und sozial gebundene Welt des alten Europa einfügen ließ. Die Entfaltung dieser Gesellschaft privater Eigentümer und Geschäftsleute umschloß eine „demokratische Revolution" (Asa Briggs), da sie auf der Anerkennung der subjektiven Rechte jedes Partners beruhte, die nicht gesetzlich festgelegt waren, aber aus der Natur der eingegangenen Beziehungen sich ergaben, welche Eigentum, Freiheit, Solidarität, Rechtsfähigkeit und Gleichheit, unabhängig von Religion und Privatmeinung, voraussetzte. Zudem waren diese Geschäftsleute vorwiegend Nonkonformisten oder standen sogar, wenn sie außerhalb der Kompanien Eigenhandel trieben, in der Illegalität. Nichtsdestoweniger waren sie innerhalb dieser Handelswelt vollberechtigte Partner, solange sie Verträge und Geschäftsgebaren einhielten.

Die atlantische Gesellschaft und Europa

Diese „Atlantische Gesellschaft" im Verein mit den Zentren des emigrierten europäischen Nonkonformismus in Westeuropa war der Träger jenes naturrechtlichen Denkens, das vom Einzelmenschen und seinen subjektiven Rechten aus dachte und darin den Ausgangspunkt für den Aufbau einer menschenwürdigen Daseinsordnung sah. Sie verstand sich selbst als das Ergebnis freier Übereinkünfte und übertrug diese Denkweise auch auf den Staat, der nur als berechtigt und freiheitlich gedacht werden konnte, wenn ihm eine Vereinbarung zugrunde lag. Jede Herrschaftsordnung sollte sich in ein vertragliches Verhältnis setzen oder doch wenigstens ihre Zwangsgewalt so regulieren, als ob ein solcher Vertrag ihr zugrunde läge. Das individualistisch verstandene Naturrecht, verifiziert an der Handelsgesellschaft, wurde die Denkweise, die sich von Staat und europäischer Ordnung emanzipierte und aus dem Naturrecht legitimierte. Dieses Naturrechtsdenken ließ sich mit der analytischen Methode des Aufbaus eines Ganzen aus den Einzelindividuen gut vereinbaren und diente einer neuen Legitimation von Herrschaft und Staat aus der Natur dieser Gesellschaft.

Diese Handelsgesellschaft nahm eine frei agierende Lebensform vorweg, die wachsenden Einfluß auf die europäischen Binnenmärkte gewann. Hier hatte der Absolutismus durch Großraumbildung und Marktförderung die Untertanenschaft in einen größeren Zusammenhang gebracht. Bisher waren die Familie, der Hof, das Dorf, die Werkstatt und die Grundherrschaft Zentren der gesellschaftlichen Reproduktion, und auch die Landstädte waren vorwiegend auf Nahmarkt und Selbstversorgung ausgerichtet. Nun aber entstanden durch die merkantilistische Handels- und Gewerbepolitik, durch das Manufakturwesen, die Produktionssteigerung in der Landwirtschaft und die Verkehrserschließungen erweiterte Produktions- und Marktbeziehungen. Eine

neue Arbeitswelt etablierte sich, die über die lokalen Bedürfnisse hinaus auf die Märkte hin produzierte. Neue Berufssparten, wie die Fernhandels- und Großkaufleute, die Unternehmer, die Manufakturarbeiter, die Fuhr- und Transportleute, die ambulanten Zwischenhändler und zahlreiche nachgeordnete Dienste kamen auf, die sich weder in die geschlossenen Dorf-, Stadt- und Religionsgemeinden noch in die ständische Ordnung einpassen ließen. Die Ausrichtung dieser mobilen Kräfte auf die wachsenden Bedürfnisse der Hauptstadt im Staatswesen und die Förderung des Handels über die Landesgrenzen hinweg gaben dieser dynamischen Arbeitswelt ein überregionales Betätigungsfeld, das naturgemäß auch mit dem Überseehandel in Verbindung trat.

Diesem sozialen Strukturwandel entsprach ein geistiger Wandel, der sich aus der Auflockerung der sozialen Bindungen und den erweiterten Geschäftsbeziehungen ergab. Zwischen den lokalen nachbarlichen Bereich und den öffentlich-staatlichen Bereich schob sich eine neue quasi-öffentliche Welt, die in Verbindung mit dem Fernhandel eigene Lebens- und Begegnungsformen entwickelte. Sie stand zwischen der altständischen Gesellschaft und der freien Seehandels-Gesellschaft und bereitete den Boden für das gewandelte bürgerliche Weltverständnis, zumal sie sich vielfach aus Kräften rekrutierte, die nicht an die eingesessene Stände-, Zunft- und Gemeindeordnung gebunden waren.

Darunter fielen besonders nonkonformistische religiöse Gemeinschaften und Gemeinden, Emigrantengruppen und sonstige Minderheiten, die in dieser sich eröffnenden Arbeitswelt ein weites Betätigungsfeld fanden. Die Siedlungs- und Gewerbepolitik der absolutistischen Herren begünstigte diese Gruppen, zog Fachleute, Fremdarbeiter, heimatlose Emigranten und bewährte Kaufleute ins Land und stattete sie mit Vorrechten aus, um die Wirtschaftskraft zu stärken. In vielen Gegenden wurden Nonkonformisten die Hauptträger von Produktion und Handel, da ihnen Aufstiegsmöglichkeiten im alten Zunft- und Agrarsystem verschlossen waren, aber neue Siedlungen, neue Gewerbe und neue Märkte unter dem Schutz des Landesherrn ihnen alle Chancen boten.

1660/85

Neufundland 1635 fr.
Boston 1630
Louisiana
New Amsterdam 1612 (1664 New York)
Virginia 1606
Bermuda Ins. 1612 br.
Florida span.
Cuba
Bahama Ins. 1646 br.
1511
Haiti 1492
Puerto Rico 1509 span.
Jamaika 1655 br.
Barbados br.
Tobago 1632 nd.
Guayana
Cayenne fr.
Pará 1616
Olinda nd.
Santa Cruz 1504
Peru
Brasilien
Santiago 1541
0   500 km

1790

Hudson-Bay-Company
Neufundland 1713
bis 1763 fr.
1763–83 br.
ab 1783 Vereinigte Staaten
Bermuda Ins. br.
Mexico
Cuba
Bahama Ins. br.
Haiti Puerto Rico 1670 br.
1786   1665 fr.
Honduras   1687
Surinam 1667
Cayenne fr.
Peru
Brasilien
Chile
Falkland Ins. 1771 br.

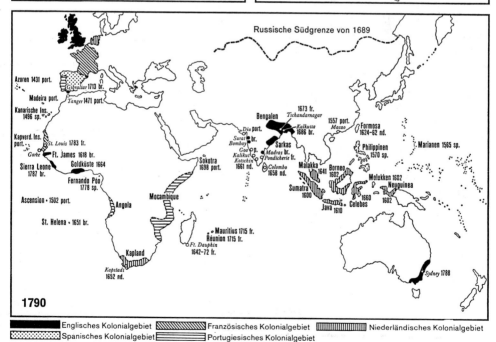

Russische Südgrenze von 1689

Azoren 1431 port.
Gibraltar 1713 br.
Madeira port.
Tanger 1471 port.
Kanarische Ins. 1496 sp.
Kapverd. Ins. port.
St. Louis 1783 fr.
Gorée Ft. James 1618 br.
Sierra Leone 1787 br.
Goldküste 1664
Fernando Póo 1778 sp.
Ascension • 1502 port.
Angola
Moçambique
St. Helena • 1651 br.
Kapland
Kapstadt 1652 nd.
Bengalen
1673 fr.
Tschandarnagar
Diu port.
Kalkutta 1686 br.
1557 port. Macao
Surat Bombay br. op.
Goa op.
Sarkas
Kalikut Madras br.
Kotschin Pondicherie fr.
Sokotra 1698 port.
Colombo 1658 nd.
Malakka 1641
Sumatra 1600
Java 1610
Celebes
Borneo 1602
Formosa 1624–62 nd.
Philippinen 1570 sp.
Marianen 1565 sp.
Pigos op.
Molukken 1602
Neuguinea 1602
1660
Mauritius 1715 fr.
Réunion 1715 fr.
Ft. Dauphin 1642–72 fr.
Sydney 1788

1790

■ Englisches Kolonialgebiet   ⧄ Französisches Kolonialgebiet   ⦀ Niederländisches Kolonialgebiet
∴ Spanisches Kolonialgebiet   ▭ Portugiesisches Kolonialgebiet

Kolonialgebiete europäischer Staaten im 17. und 18. Jahrhundert. Die bezeichneten Flächen sind vielfach als Einfluß-
und Anspruchszonen zu verstehen, nicht als exakt abgegrenzte und in Besitz genommene Territorien.

Oft lagen alte und neue Welt dicht nebeneinander, wie etwa die alte katholische Reichsstadt Köln gegenüber dem aufstrebenden protestantischen Mülheim als einer landesherrlichen Neugründung auf der gegenüberliegenden Rheinseite.

Hier entstanden innerhalb der Staaten neue Lebenszusammenhänge, die aus Herkunft und erweiterter Welterfahrung sich dem Ideengut und der naturrechtlichen Denkweise der Aufklärung öffneten und sie mittrugen, wenn auch der Durchbruch von Holland und England herkam, also von den protestantischen See- und Handelsmächten.

5. Europa und die Außenwelt

Damit ging Hand in Hand eine Erweiterung des europäischen Weltbewußtseins. Bisher hatten sich die europäischen Abmachungen zwischen den Staaten auf den europäischen Raum beschränkt und „Friedenslinien" (seit 1559) festgelegt, jenseits welcher keine Verträge gelten sollten (vgl. F, I, 1). Erst die Verträge von Utrecht (1713) bezogen außereuropäische Weltgegenden in ein völkerrechtliches Friedenswerk ein und gingen über frühere Abmachungen hinaus, die lediglich zeitlich begrenzte, bilaterale Konzessionen oder Kaufverträge über Negerhandel und Seerouten gewesen waren. Die Außenwelt konnte nicht mehr sich selbst überlassen bleiben und war für die europäische Wirtschaft immer wichtiger geworden. Außerdem geriet sie immer stärker ins allgemeine Blickfeld. Dazu trug neben dem Handel auch die gewaltige Missionsarbeit des 16. und 17. Jahrhunderts bei. Um die Wende zum 18. Jahrhundert entdeckte Europa, daß es nicht allein auf der Welt war.

Das war das Werk der zurückkehrenden Missionare, Abenteurer, Entdecker und Handelsleute, deren Berichte und Erlebnisse wachsendes Interesse fanden und erkennen ließen, daß ein großer Teil der Menschheit in nicht-christlichen Kulturkreisen menschenwürdig lebte und in mancher Beziehung sich vorteilhaft von den Europäern unterschied. Viele Reise- und Missionsberichte ergingen sich in herber Kritik an dem streitsüchtigen zerrissenen Europa und waren des Lobes voll für die fremden Welten. China wurde als das Land gepriesen, in welchem man schon vor 2000 Jahren selig werden konnte; Konfuzius galt als der große Philosoph, der die Seele Chinas geformt habe, und der Islam wurde als edle einfache Religion hingestellt. Um die Jahrhundertwende war es üblich, den „edlen Wilden" in seiner natürlichen Schlichtheit oder den „ägyptischen Weisen" in seiner toleranten Gelassenheit der verrotteten europäischen Zivilisation als Vorbilder entgegenzustellen. Reiseromane wurden Mode, in denen die Europäer durchweg eine schlechte Figur machten oder auch die Fremden über das unvernünftige Europa den Kopf schüttelten.

Die meisten Schriften hielten den Europäern einen Spiegel vor Augen, der ihre Selbstgewißheit und ihr Sendungsbewußtsein erschüttern sollte. Europa war ein schlechtes Beispiel für die fernen Völker und sollte von diesen Völkern ein natürliches Leben lernen. Die neue Welt war offenbar die bessere Welt, weil sie natürlicher, vernünftiger und auch im Grunde christlicher erschien als die alte Welt.

Später schrieb der Franzose Voltaire, der einflußreichste Repräsentant der Hochaufklärung, die erste Welt-, Kultur- und Sittengeschichte (Essai sur les moeurs, 1754), die mit China als der ältesten Kultur begann und Europa zu einem Kulturkreis unter anderen degradierte. Damit war das Abendland als Mitte der Welt entthront und die Allgemeingültigkeit seiner Geschichte und seiner Wertwelt ernstlich in Frage gestellt.

Die christliche Mission und dann die neue Handelsgesellschaft hatten das meiste dazu beigetragen, die Dimensionen des Lebenshorizonts zu erweitern. Der Rekurs auf europäisch-christliche Tradition und Geschichte verlor an Überzeugungskraft und wurde von einem naturrechtlichen Denken verdrängt, dessen Bestreben auf eine spekulative „Naturgeschichte" von Mensch und menschlicher Gesellschaft gerichtet war, die nicht diese oder jene Geschichte, sondern die gemeinsame menschliche Geschichte überhaupt sich zum Thema gesetzt hatte. Das Interesse der Aufklärung richtete sich auf die Menschheit und auf eine Philosophie der Geschichte der Menschheit in praktischer Absicht, also mit dem Ziel ihrer Aufklärung.

6. Politische Ereignisse

Holland als Sprachrohr der Aufklärung

Die Weichen zur Aufklärung hin wurden durch einige wichtige politische Ereignisse gestellt. Das erste war die Flucht der Hugenotten aus Frankreich nach der Aufhebung des Toleranzedikts von Nantes (1598) durch das Edikt von Fontainebleau (1685). Sie leitete den Niedergang der absolutistischen Gegenreformation Ludwigs XIV. ein. Die exilierten Hugenotten wurden in die europäische Welt zerstreut und wirkten als Gärstoff auf Aufklärung hin. Ihre intellektuelle Elite fand vor allem Zuflucht in Holland, das zur Hochburg eines polemischen und kritischen Schrifttums wurde. Das dort sich sammelnde Empörungspotential, darunter auch geflüchtete Engländer und Nonkonformisten aus anderen Ländern, machte sich in einem ungeheuren Publikationsbetrieb Luft, dessen Zentren in Amsterdam, Leyden, Rotterdam, Den Haag und Utrecht lagen. In Amsterdam allein waren 400 Drukker und Buchhändler tätig. Hier wurden alle verbotenen oder geächteten Werke neu aufgelegt und weitere Kampfschriften verfaßt. Der Calvinismus der Emigration wurde der erste Träger der Aufklärung, der durch den Rückzug der Religion auf den individuellen Glaubensakt und den Verlust von heimatlicher Geborgenheit und gewohntem Lebenskreis die europäische Welt einer ungehemmten Kritik aus menschlicher Vernunft unterzog. Die Kritik an der institutionalisierten Religion ging unmittelbar über zur Kritik an der Tradition und an der Gegenwart.

Der konfessionelle Ausgangspunkt ging dabei immer mehr verloren und wich zunehmend einer allgemeinen Kirchen-, Bibel-, Staats- und Gesellschaftskritik, wie sie sich aus der Begegnung vieler Geister im fremden Gastland ergab. Alle waren sich darin eins, kritisches Wissen zu verbreiten. Pierre Bayle in Rotterdam und John Locke in Amsterdam und die Federn anderer Gesinnungsgenossen machten Holland zur Vorhut des neuen Zeitalters. Was hier noch Ausnahmezustand war, wurde bald allenthalben zur Regel.

Von Holland aus kam es zum ersten politischen Erfolg der Aufklärung, als der holländische Statthalter Wilhelm von Oranien mit John Locke im Gefolge nach England übersetzte und die englische Krone gewann.

England und John Locke

Mit der Glorreichen Revolution (1688/89) siegte die Aufklärung in England und trat von hier aus ihren weiteren Siegeszug durch Europa an. Wilhelm III. von Oranien wurde erst dadurch englischer König, daß er den Eid auf die Verfassung (Bill of Rights) leistete, also ein vertragliches Verhältnis zwischen Herrscher und Beherrschten hergestellt war, wie es der aufgeklärten Staatslehre entsprach (vgl. F, VI, 7). Er war also nicht charismatischer, sondern nur beamteter König. Er stand nicht über, sondern in der Verfassung. Er war nicht Souverän aus eigenem Recht, sondern aus Verfassungsrecht.

Genauso bedeutsam wie diese aufgeklärte Legitimitätsgrundlage des Königtums war das Selbstverständnis dieser Revolution, das ihr John Locke in seinen „Two Treatises of Government" (1689) verschaffte und bei den Engländern des 18. Jahrhunderts kanonische Geltung erlangte. Locke definierte das Verhältnis zwischen dem Herrscher und der Gesellschaft als einen „Trust", als eine Treuhandschaft im Auftrage der Gesellschaft. Vor der Einsetzung von König und Regierung besteht nach ihm schon der gesellschaftliche Zusammenhang, der aus der Natur der zwischenmenschlichen Beziehungen gewissermaßen von selbst in Sprache, Wirtschaft und Recht zustandegekommen sei. Locke meinte damit nicht eine ferne Urgesellschaft, sondern sein gegenwärtiges England, das sich bereits zu einer differenzierten Markt-, Handels- und Eigentümergesellschaft entfaltet hatte. Was hier an vertraglichen, rechtlichen und geschäftlichen Beziehungen bestand, bedurfte nur einer übergeordneten Instanz, die Leben, Sicherheit und Eigentum aller schützte und für die Durchsetzung von Gerechtigkeit und Recht als überparteilicher Schiedsrichter sorgte. Das aber war für Locke die Aufgabe des Staates, der den gesellschaftlichen Naturzustand in einen gesetzlichen Rechtszustand erhebt und dieser Gesellschaft als Treuhänder dienen sollte.

Der Herrscher unterliegt nach Locke dem göttlichen Recht, das ihn auf Wahrheit und

Gerechtigkeit verpflichtet, ferner dem Naturrecht, das jedem das Seine (Eigentum)
gibt, dann auch dem in Gesetzen statuierten
Recht und schließlich dem Gesetz der „öffentlichen Meinung", auf das seine konkre-
ten politischen Entscheidungen bezogen
sein sollen. Damit war Locke der erste bürgerliche Ideologe, der die politische Herrschaft der jeweiligen Gesellschaft und ihren
Willensäußerungen zuordnete. Er sprach
aus, was dem neuen politischen Zustand in
England entsprach und von seinen englischen Zeitgenossen auch so verstanden
wurde.
Die Politiker bemühten sich freilich, die
Kontinuität mit dem bisherigen Verfas-
sungszustand zu unterstreichen und verstanden das Zusammenspiel von König und Parlament aus dem Bild einer „Balance" gleichberechtigter Kräfte, die zusammen erst den
Bestand des Ganzen verbürgten. Den Zeitgenossen der Frühaufklärung galt England
deswegen als das freieste Land und die Engländer als das aufsässigste Volk, in welchem
die bürgerliche Gesellschaft sich erfolgreich
durchgesetzt hatte. Trotz der politisch herrschenden oligarchischen Führungsschicht
von Lords und Gentry erschien England in
erster Linie als eine Handelsmacht, deren
gewaltige Finanzmittel der Politik zugute
kamen und deren Politik in erster Linie
Handelspolitik war. Der Sieg dieser Handelsmacht über Frankreich (1713) bedeutete
das Vordringen der Aufklärung in die hohe
Politik, insofern die Idee des Gleichgewichts, die Bedürfnisse der Handelsgesellschaft und die überseeische Welt die politischen Entscheidungen mitbestimmten.

Das preußische Königtum

Zu den politischen Ereignissen, die Schritt-
macher aufgeklärten Denkens waren, gehörte auch die preußische Königskrönung
von 1701 in Königsberg, insofern die neue
Krone nicht das Symbol eines Charismas
oder einer Tradition, sondern einer staats-
politischen Notwendigkeit (vgl. F, IV, 4)
war. Ebenso wie Brandenburg-Preußen als
Gesamtstaat das Produkt eines Herrscher-
willens gegen die Tradition war, sollte die
Krone das einigende Symbol dieser künstli-
chen Zusammenfassung sein. Darin lag eine
Rationalisierung des Königtums auf seine

staatliche Amtsqualität hin beschlossen, was
auf der Linie jenes Calvinismus der brandenburgischen Kurfürsten lag, dessen Trennung von Diesseits und Jenseits, von krea-
türlicher Welt und göttlicher Offenbarung
eine solche Säkularisierung der Königsgewalt auf ihren weltlichen Amtscharakter hin
nahelegte. Dies vertrug sich zudem völlig
mit dem Geist der Aufklärung. Die Krö-
nungszeremonie war hier nur noch ein de-
korativer Akt, der für anderhalb Jahrhunderte nicht mehr in Preußen praktiziert
wurde. Der preußische König war lediglich
erster Amtsträger des Gesamtstaates. Friedrich der Große zog daraus die volle Konsequenz: er war König und aufgeklärter Frei-
geist zugleich. Er vermochte in sich Staatsräson und Aufklärung zu vereinigen (vgl. G,
V, 2).
Dazu kam als europäisches Ereignis die
neue Friedensordnung von 1712/15, die das
Ergebnis eines Macht- und Interessenkal-
küls war und den Frieden in der Sicherung
eines Gleichgewichts suchte, durch welches
sich die Mächte wechselseitig einschränkten
und neutralisierten. Dieses mechanistische
Denken knüpfte den Frieden an den Fortbestand der Gegensätze und nicht mehr an
eine anerkannte überstaatliche Rechtsidee.
Auch darin lag eine Abkehr von der Solidarität der europäischen Tradition und die
Hinwendung zu einer gewandelten Weltauf-
fassung.

7. Das europäische Gleichgewicht

Der Durchbruch der Aufklärung in England
hatte zu einem innenpolitischen Gleichgewicht zwischen König, Lords und Commons
geführt, das den Zeitgenossen als Schutz
vor einer Tyrannis von oben und vor einer
Anarchie von unten erschien. Die Balance
wurde ein Hauptargument in Politik und
Staatslehre und galt als institutionelles Mittel zur wechselseitigen Mäßigung der Interessen und Kräfte sowie zur Ermöglichung
einer wechselseitigen Kontrolle auf der
Ebene der Politik. Das Newton'sche Weltbild vom universalen Gleichgewicht der
Kräfte im Kosmos, dann auch die aus der
Antike übernommene Auffassung der Medizin von der menschlichen Gesundheit als ei-

nem Gleichgewicht der Säfte und biologischen Kräfte und schließlich die Morallehre vom Gleichgewicht der inneren Seelenkräfte, von Vernunft und Leidenschaften im Menschen, dienten dazu, dieser Balanceidee den Rang eines universalen Ordnungsprinzips zu geben. Der europäische Durchbruch des aufklärerischen Denkens und Argumentierens kam darin zum Ausdruck, daß das optimale Verhältnis der europäischen Mächte zueinander nunmehr ebenfalls aus dem Bild eines Gleichgewichts verstanden wurde.

Die zahlreichen Erbfolgekriege des Zeitalters dienten bisher großenteils der Staatsräson und dem Hegemonialanspruch Frankreichs als taktisches Mittel. Sie waren fast immer mit Machtverschiebungen verbunden, zu denen besonders England und Holland im Namen des Gleichgewichts Stellung bezogen. Ein europäisches Gleichgewicht gab ihnen erst die gesuchte Rückendeckung für ihre überseeischen Expansionsbestrebungen. Der sichtbare Vorrang des Gleichgewichtskalküls wurde erstmals in der europäischen Friedensordnung von Utrecht, Rastatt und Baden und aller Folgeverträge (1712—1715) politisch gesichert. In dem Vorrang dieser Idee aus der Mechanik bemächtigte sich die aufklärerisch-rationale Denkweise der hohen Politik.

Das Ganze war im Grunde das Werk Englands, das bestrebt war, dieses neue Gleichgewicht auf die Gegensätze der größeren Mächte zu gründen und dabei Gewichte zu schaffen, die schwer genug waren, einer Hegemonialpolitik entgegenzutreten, andererseits aber doch nicht stark genug waren, den Rückgriff auf eine englische Intervention unnötig zu machen. Einmal wurde Frankreich auf die Grenzen von 1688 zurückgedrängt und ihm ein Zusammenschluß mit Spanien für alle Zeiten verboten. Das spanische Weltreich wurde geteilt, indem der Bourbone Philipp V. von Spanien nur Spanien selbst mit seinem Kolonialreich erhielt und die großen europäischen Gebiete Spaniens an Kaiser Karl VI. fielen, also die Spanischen Niederlande, Mailand, Parma und Modena sowie Sardinien. Ausgenommen blieb Sizilien, das als Königreich an Savoyen gelangte, was zugleich England erlaubte, die Rolle des Gleichgewichthalters auch im Mittelmeer zu spielen.

Zur weiteren Sicherung dieses Systems wurden Barrieren und Einflußzonen in die Spannungsgebiete von Nordsee bis zum Apennin eingeschoben, deren Bewachung zweitrangigen Mächten anvertraut wurde, die zu schwach waren, diese Positionen ohne englische Hilfe zu behaupten. Von der Mosel bis zur Nordsee erhielten die Niederlande das Besatzungsrecht in einer Reihe fester Orte entlang der französischen Grenze und der Küste. Diese Festungskette schützte die Österreichischen Niederlande (Belgien) vor Frankreich und beschränkte gleichzeitig die Souveränität des Kaisers in diesem Raum. Sie wurde eine Quelle ständiger Konflikte, durch die Holland noch mehr als bisher an England gebunden war.

In Italien war dem Herzogtum Savoyen eine ähnliche Rolle zugedacht wie den Holländern im Norden. Nach Westen gegen das französische Dauphiné erhielt es verschiedene Alpenplätze und Forts, und gegen das österreichische Mailand dehnte es sich in die Po-Ebene bis Alexandria, Monferrat und Novara aus. Damit sperrte es den Franzosen den Zugang nach Italien und dem Kaiser den Weg nach Ligurien mit Genua. Zugleich setzte der neue Grenzverlauf Savoyen einem beiderseitigen Druck aus, dem es nur mit Hilfe Englands gewachsen war. Schließlich sicherten die Verträge von Rastatt (mit dem Kaiser) und Baden (mit dem Reich) einigen deutschen Fürsten Gebiete, die von Holland bis zur Schweiz die Spannungszone zwischen Habsburg und Bourbon durchsetzten. So erhielt Preußen Neuenburg und Valengin, um die Franche-Comté abzuschirmen, sowie Hoch-Geldern, das Preußen, mit Holland zur Seite, unmittelbar an die Österreichischen Niederlande angrenzen ließ. Die Kurfürsten von Bayern und Köln erhielten ihr Land vollständig zurück, obgleich sie als Bundesgenossen Frankreichs Reichsgeächtete gewesen waren. Sie sperrten den Holländern die Rheinstraße nach Frankreich und den Österreichern den Zugang zu Rhein und Main. England vermochte also mit Hilfe zweitrangiger Staaten wie Holland, Savoyen, Preußen, Bayern und Köln eine mittelbare Kontrollfunktion auszuüben und war gleichzeitig Schutzmacht der Kleinen und Hüter des erreichten Gleichgewichts.

An den Kreuzwegen von Handel und Verkehr, besonders da, wo Land- und Seewege sich verbanden und die Hauptaktionsgebiete für gleichzeitige Flotten- und Landoperationen gewesen waren, blieb England mit eigener Macht oder durch Verbündete anwesend. Es sicherte sich durch ein enges, wirtschaftlich unterbautes Bündnis mit Portugal eine Operationsbasis gegen Spanien und ein Sprungbrett für die Route nach Südamerika. Das 1704 eroberte Gibraltar blieb in englischem Besitz und sicherte den Zugang ins Mittelmeer. Das seit 1708 besetzte Menorca mit Port Mahon diente künftig als englische Flottenbasis, von dem aus die Routen nach dem savoyischen Sizilien überwacht werden konnten, das seinerseits das österreichische Sardinien überwachte. An der Straße von Messina lagen sich Österreich und Savoyen als Ufermächte gegenüber und ließen den Eingang zum östlichen Mittelmeer offen. Schließlich mußte Frankreich die flandrische Küste aufgeben und Dünkirchen entfestigen, um die Gegenküste Englands entwaffnet zu lassen. Die dynastische Verbindung Englands mit Hannover (seit 1714) stützte die nördlichen Routen, zumal Hannover von Schweden im Frieden von Stockholm (1719) Bremen und Verden gewann und Dänemark Alliierter Hannovers (seit 1711) war.

Diese Barrieren, Stützpunkte, Bündnisverbindungen und Sicherungslinien vereinigten sich zu einem grandiosen System, das der Sicherung des britischen Handels und der britischen Seegeltung diente. Es verurteilte England zu ständigen Interventionen und diplomatischen Manövern; aber es war auch der Ausdruck einer geänderten Auffassung von Politik und Völkerrecht, die sich nur von einem Machtkalkül bestimmen ließ, so daß die neue Friedensordnung weniger der Durchsetzung von Rechtstiteln ihren Bestand verdankte als der Organisation von Puffer- und Sicherheitszonen, die für England außerdem durch ein Netz von Handelsverträgen mit Portugal, Holland, Spa-

nien, Frankreich und Savoyen zu Interessenzonen wurden. Durch England als Anwalt der überseeischen Handelsinteressen und zugleich als Wegbereiter der Aufklärung setzte sich Europa auf einen anderen Fuß, insofern die Errechnung wirtschaftlicher Kräfte und Chancen die politischen Entscheidungen mitbestimmte. Das Friedenswerk von 1712 bis 1715 mit der Masse seiner Verträge und Sonderabkommen, seiner Handels-, Kompensations- und Kooperationsabmachungen, die sich auch auf außereuropäische Weltgegenden erstreckten, kündigte im Grunde das Ende der alten europäischen Ordnungsvorstellungen an, die machtpolitischen und wirtschaftlichen Gesichtspunkten weichen mußten. England war hier die maßgebende Macht. Sein Vorrang äußerte sich auch in den hineinspielenden überseeischen Dimensionen, insofern das europäische Gleichgewicht von seinem Gesichtspunkt aus einer ungestörten Ausdehnung in alle Weltgegenden dienen sollte. Im Grunde waren hierbei die Bedürfnisse der englischen Handelsgesellschaft maßgebend. Das Jahrhundert der Aufklärung begann als das Jahrhundert Englands.

Das große Friedenswerk von 1712—1715 war allerdings auch die europäische Antwort auf jene Staatsräson, die Frankreich verkörperte, indem es sich nur vom machtpolitischen Interesse und Sicherheitsbedürfnis leiten ließ. Das Gleichgewicht war nun gewissermaßen die Räson Europas, also eine höhere Vernunft, die das Zusammenleben der Staaten einschränkte und zugleich ermöglichte. Es bedeutete allerdings auch, daß jede europäische Veränderung größeren Ausmaßes den ganzen Zusammenhang gefährdete und alle Mächte anging. Die Zeit nach 1715 wurde deswegen auch die Hoch-Zeit einer lebhaften europäischen Diplomatie, die aufklärerisches Denken mit weltmännischer Lebensart und politischem Kalkül verband, wobei ihr gemeinsames Ziel war, Europa „im Lot" zu halten.

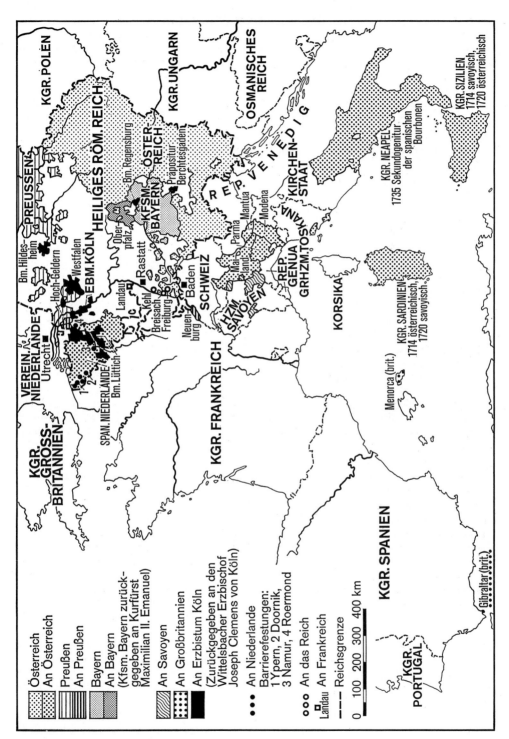

Die Frieden von Utrecht, Rastatt und Baden, 1713/14 – ihre territorialen Festlegungen in Europa

II. Der Aufstieg Rußlands

1613—1762	Haus Romanow
1689—1725	Zar Peter der Große
1697	Das russische Vordringen nach Osten erreicht Kamschatka
1697—1733	Kurfürst August der Starke von Sachsen, König von Polen
1697—1718	Karl XII., König von Schweden
1700—1721	Der Nordische Krieg
1700	Schlacht bei Narwa
1702—1717	Vordringen Rußlands im Baltikum
1703	Gründung von Petersburg
1709	Niederlage Karls XII. bei Poltawa
1719/20	Friedensschlüsse von Stockholm und von Friedrichsburg
1721	Friede von Nystadt (Gewinn der Ostseebasis für Rußland)
1721	Peter der Große „Kaiser von Rußland"
1721	Heiliger Synod
1722	neuer Dienstadel
1741—1762	Kaiserin Elisabeth
1755	Universität Moskau
1762—1917	Haus Holstein-Gottorp
1762—1796	Katharina die Große
1768—1774	Türkenkrieg
1772	Erste Polnische Teilung
1774	Friede von Kütschük-Kainardschi: Rußland erreicht das Schwarze Meer
1779	Friede von Teschen: Rußland Mitgarant des Westfälischen Friedens
1780	Bewaffnete Seeneutralität gegen England unter Führung Rußlands
1787—1792	Türkenkrieg

1. Peter der Große

Rußland trat erst nach Mitte des 17. Jahrhunderts ins Kräftespiel der europäischen Mächte ein. Polen und Schweden standen seinem Vordringen nach Westen im Wege. Gegen Süden dehnte es sich in die Ukraine bis zum Dnjepr aus (1667), wo das Osmanische Reich ihm eine Grenze setzte. Dagegen breitete es sich ungehindert nach Osten über den Ural nach Sibirien und in das westliche Zentralasien aus. Den fischreichen Flüssen und den Spuren der Pelztiere folgend, erreichten die Russen 1638 das Ochotskische Meer und unterwarfen 1697 die Halbinsel Kamtschatka. Nur das Großreich China hielt sie auf und nötigte sie zum Verzicht auf das Amurgebiet. In unglaublich kurzer Zeit fiel der ganze Norden Asiens fast unbemerkt in russische Hand.

Indessen verschaffte erst Peter der Große (1689—1725) aus dem Hause Romanow, das seit 1613 den Zarenthron innehatte, ihm europäische Geltung. Peter war durch Bewohner der Ausländervorstadt von Moskau mit westlichen Errungenschaften und Ansichten in Berührung gekommen. Er weilte zwei Jahre (1697/98) unter einem Decknamen in Holland und England, um dort das Seewesen und die Kriegskunst zu studieren.

Nach seiner Rückkehr baute er unter der Anleitung holländischer Schiffsbaumeister aus dem Nichts die erste russische Flotte auf, die er später auf 48 Linienschiffe und 800 Galeeren brachte. Er verstärkte sein Heer um das Vierfache und ließ es nach deutschem Muster ausbilden. Er beschnitt die weitgehenden politischen Privilegien des alten Geburtsadels (Bojaren) und führte durch Gesetz nach englischem Vorbild die Einerbenfolge (1714) ein. Gleichzeitig ordnete er eine verschärfte Dienstpflicht der nachgeborenen Söhne des Adels an. Außerdem begründete er einen neuen Dienstadel in 14 Rangstufen aus nicht-adeligen Staatsdienern (1722), der auch breiteren Schichten Aufstiegsmöglichkeiten gewährte. Damit schuf er ein ihm allein verantwortliches Beamtentum, für das er nach schwedischem Vorbild eine Zentralverwaltung mit Senat (1711) und fachlichen Regierungskollegien (1717) einrichtete. Er zog Ausländer nach Rußland und schickte Russen in den Westen. Dadurch stand ihm eine neue abhängige Regierungsschicht zur Verfügung. Er führte eine allgemeine Kopfsteuer ein, um die Kosten von Heer und Verwaltung zu decken und förderte neue Gewerbe und den Bergbau. In seinem Auftrag erforschten D. G. Messerschmidt und Vitus Bering Sibirien bis zur Ostküste.

Damit leitete er eine Europäisierung ein, die sich auch nicht scheute, in alte Lebensgewohnheiten einzugreifen (Verbot des Kaftans, des langen Bartes, des Kniefalls vor dem Zaren, Einführung der abendländischen Zeitrechnung u. ä.). Er betrieb sogar eine nach Westen gerichtete dynastische Heiratspolitik, die erstmals eine Verbindung des Zarenhauses mit deutschen Fürstenhäusern begründete. Er weckte damit freilich auch Antipathien gegen den Westen im alten Moskowitertum, das der russischen Tradition treu bleiben wollte. Zu einer solchen durchgreifenden Politik bedurfte der Zar auch der vollen Herrschaft über die Kirche. Er hob die selbständige Gewalt des Patriarchen von Moskau, des obersten russisch-orthodoxen Kirchenfürsten, auf und übertrug die Leitung der Kirche an eine von ihm völlig abhängige staatliche Kollegialbehörde, den „Heiligen Synod" (1721), so daß er in weltlichen und in geistlichen Dingen die höchste Gewalt auf sich vereinigte. Peters Selbstregierung war Cäsaropapismus.

2. Außenpolitik

Allerdings machte der Zar erst durch seine kriegerischen Erfolge Rußland zu einer europäischen Großmacht. Sie öffneten seinem Reich das Fenster nach dem Westen und verwickelten es in die europäischen Machtkämpfe. Äußeres Zeichen für die Wendung Rußlands nach Westen war die Verlegung der Residenz des Zaren vom | **1703** | heiligen Moskau in das 1703 gegründete St. Petersburg, das von dem französischen Architekten Leblond nach westlichem Vorbild aufgebaut wurde. Der Zar sah in Schweden seinen Hauptgegner, weil es als Beherrscher der baltischen Küstenländer Rußland von der Ostsee abriegelte. Schon auf seiner Rückreise nach Moskau 1698 verständigte er sich mit August II. dem Starken, Kurfürst von Sachsen und seit 1697 gewähltem König von Polen (1697—1733), über eine gemeinsame Aktion gegen die schwedische Vormachtstellung an der Ostsee. In Schweden hatte König Karl XI. (1660—1697) seinen Absolutismus gegen die Reichsstände durchgesetzt (1682) und auch die ständische Selbstverwaltung in den baltischen Provinzen beseitigt (1694).

Dagegen erhob sich der livländische Adel, der Hilfe bei Polen und Rußland suchte.
Als der 15jährige Karl XII. (1697—1718) den schwedischen Thron bestieg, geriet er in Konflikt mit Dänemark über das Herzogtum Holstein, dessen Unabhängigkeit er gegen den dänischen Absolutismus schützen | **1700 bis 1721** | wollte. Er landete auf Seeland und eröffnete damit den Nordischen Krieg (1700—1721), da Rußland und Sachsen-Polen sogleich eingriffen. Schweden war mit Holland und England verbunden. Ein Zusammenfluß des Krieges mit dem Spanischen Erbfolgekrieg wurde durch die lavierende Politik Brandenburg-Preußens vermieden.

Peter I., der Große (1672 bis 1725, seit 1689 Zar) nach einer Bronzebüste von Carlo Rastrelli

Karl XII. schlug die Russen bei Narwa (1700), vertrieb August den Starken aus Polen, zwang ihn zum Frieden (1706) und drang im Bunde mit den Kosaken in die Ukraine vor. Nach seiner schweren Niederlage bei Poltawa (1709) floh er zu den Türken und kehrte erst 1714 in einem Gewaltritt nach Schweden zurück. Inzwischen hatten die Russen Ingermanland, Dorpat, Narwa (1702/4) und später Wiborg, Riga und Reval (1710) und schließlich Finnland (1713/17) in ihre Hand gebracht und eroberten im Bunde mit Dänemark und Sachsen-Polen die schwedischen Besitzungen in Norddeutschland. Preußen und Hannover schlossen sich 1713 nach dem Frieden von Utrecht der Koalition an. Karl XII. verteidigte vergeblich Stralsund (1715) und fiel bei der Belagerung von Frederikshald (1718). — Die Friedensschlüsse von 1719/20 in Stockholm (mit Preußen und Hannover) und in Friedrichsburg (mit Dänemark) beschränkten den schwedischen Besitz in Norddeutschland auf einen Rest

von Vorpommern mit Rügen. Im Frieden
| 1721 | von Nystadt (1721) verlor Schweden seine baltischen Gebiete außer Finnland an Rußland, das außerdem Garant der wiederhergestellten schwedischen Ständeverfassung wurde. Statt Schweden war Rußland nunmehr die gebietende Ostseemacht. Der Zar hatte damit Gebiete seiner Herrschaft einverleibt, die von westlicher Kultur geprägt waren. Er garantierte der deutschbaltischen Bevölkerung die Erhaltung der evangelischen Religion, der deutschen Sprache, der Eigenverwaltung und der bisherigen Rechtspflege.

Drei Wochen später nahm Peter der Große den Kaisertitel an, um seine Ebenbürtigkeit
| 1721 | mit der Kaiserwürde der Habsburger herauszustellen, d.h., er war nicht nur Zar aller Reußen, sondern Kaiser von Rußland.

Im Grunde war der Gewinn der Ostseebasis die Voraussetzung für eine erfolgversprechende Fortsetzung der Westpolitik Peters. Seine Nachfolger hielten im allgemeinen trotz mancherlei Widerstände an der Westorientierung fest. Seine jüngere Tochter Elisabeth (1741—1762) stiftete 1755 die erste russische Universität in Moskau. An der vorher gegründeten Akademie der Wissenschaften in Petersburg war M. V. Lomonossow, der erste Verfasser einer russischen Grammatik und „Vater der russischen Schriftsprache", tätig. Außenpolitisch hielt sich Rußland an das Bündnis mit Österreich, aus dem es im polnischen Thronfolgekrieg (1732—1735) und im Türkenkrieg (1735 bis 1739) für sich Gewinn zog. Das Bündnis der beiden Kaisermächte von 1746 richtete sich bereits gegen Preußen.

3. Katharina die Große

Indessen gab es auch zahlreiche Thronwirren, Verschwörungen, Staatsstreiche und Günstlingswirtschaft, die diese autokratische Herrschaftsform als einen „Despotismus, gemildert durch Meuchelmord" (Ranke) erscheinen ließen. Als das Haus
| 1762 bis 1917 | Romanow 1762 ausstarb, folgte der Neffe Elisabeths, Peter III. (1762) aus dem Hause Holstein-Gottorp (1762 bis 1917) auf den Thron, nach

dessen Ermordung seine Witwe Katharina die Große (1762—1796), eine geborene
| 1762 bis 1796 | Prinzessin von Anhalt-Zerbst, die Herrschaft übernahm. Sie war vom Ideengut der Aufklärung erfüllt, korrespondierte mit Voltaire und plante große Reformen, die aber durchweg auf dem Papier blieben, da ein ausreichend gebildetes Berufsbeamtentum und eine breitere bürgerliche Bildungsschicht fehlten, ganz abgesehen davon, daß der Grundadel sich einer Aufhebung der Leibeigenschaft oder einer allgemeinen Volksschule widersetzte.

Im Zuge ihrer Kolonisierungsmaßnahmen gründete sie immerhin mit angeworbenen deutschen Bauern 1764 die deutschen Wolgakolonien. Aber die soziale Grundstruktur mit privilegierter Nobilität und Leibeigenschaft blieb unverändert, und die Verwestlichung Rußlands war nur Fassade, die von einer dünnen Intelligenzschicht getragen wurde.

Wichtiger waren die Kämpfe gegen die Türken (1768—1774 und 1787—1792), die der Zarin im Frieden von Kütschük-Kai-
| 1774 | nardschi (1774) den Zugang zum Schwarzen Meer und damit die Basis zu einer offensiven Mittelmeer- und Balkanpolitik verschafften.

Mit dem Durchfahrtrecht durch die Dardanellen und der Handelsfreiheit im Schwarzen und Ägäischen Meer stieß sie ihrem Reich das zweite Fenster nach Europa auf. 1783 wurde die Krim einverleibt und 1784 Sewastopol als Zwingburg des Schwarzen Meeres gegründet. Im Frieden von Jassy (1792) gewann Rußland auch noch das Küstenland bis zur Mündung des Dnjestr hinzu. Es trat dabei als Schutzmacht aller Christen unter türkischer Herrschaft von Armenien bis zum Balkan ein. Dahinter standen die weitgesteckten Mittelmeerpläne Katharinas, denen sie programmatischen Ausdruck verlieh, als sie ihre beiden Enkel nach den beiden antiken Mittelmeerherrschern, Konstantin dem Großen und Alexander dem Großen, benannte. Daraus ergab sich eine wachsende Rivalität mit Österreich und eine dauerhafte Annäherung an Preußen.

Den letzten Riegel gegen Europa im Mittelbereich, nämlich das Königreich Polen, beseitigte Katharina, als sie im Bunde mit

1772 Preußen die erste Teilung Polens (1772) erzwang, die ihr alles polnische Land östlich von Düna und Dnjestr einbrachte. Noch zu ihren Lebzeiten erfolgten die zweite (1793) und die dritte Teilung Polens (1795), mit welcher Polen, bisher die Vormauer der westlichen Welt, von der Landkarte verschwand. Damit hatte Katharina die Machtpolitik Peters des Großen vollendet, ohne indessen das soziale Grundgefüge ihres Riesenlandes wesentlich verändern oder auflockern zu können.

Der aktive Eintritt Rußlands in die europäische Politik, sowohl als Führer der „bewaffneten Seeneutralität" gegen England

1780 (1780) während des amerikanischen Unabhängigkeitskriegs (1776 bis 1783) und auch als verspäteter Garant des Westfälischen Friedens (Friede von Teschen 1779) (vgl. G, V, 3) verschob den Schwerpunkt Europas weiter nach Osten und kündigte bereits mit der Balkan- und Dardanellenfrage sowie mit der nackten Machtpolitik gegen Polen die Probleme des 19. Jahrhunderts an.

Die russische Westgrenze im 18. Jahrhundert

Rußland im 18. Jahrhundert

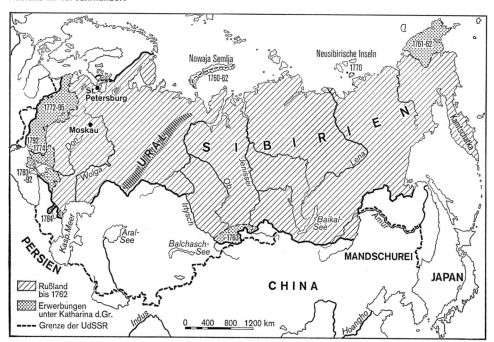

III. Die Zeit der Hochaufklärung

1714—1837	Haus Hannover in England		1746	Denis Diderot, Pensées philosophiques
1715—1727	Georg I.			
1721—1742	Robert Walpole leitender Minister in England		1748	Charles de Montesquieu, De l'esprit des lois
1727—1760	Georg II.		1750—1753	Voltaire in Sanssouci
1715—1774	Ludwig XV.		1751	Jean-Jacques Burlamaqui, Le progrès du droit publique
1726—1753	Kardinal Fleury leitender Minister in Frankreich		1751—1776	Diderot und d'Alembert (Hg.), Encyclopédie ou Dictionnaire raisonné
1740—1786	Friedrich der Große			
1740—1780	Maria Theresia		1754	Jean François Marie Arouet de Voltaire, Essai sur les moeurs et l'esprit des nations
1742—1761	Graf Haugwitz neue Staatsorganisation in Österreich			
1753—1764	Staatskanzler Graf Kaunitz		1755	Jean-Jacques Rousseau, Discours sur... l'inégalité des hommes
1740—1742	Erster Schlesischer Krieg			
1741—1762	Zarin Elisabeth		1755	R. Morelly, Code de la Nature
1741—1748	Österreichischer Erbfolgekrieg		1762	Jean-Jacques Rosseau, Du contrat social
1742—1745	Kaiser Karl VII. (Wittelsbach)			
1744—1745	Zweiter Schlesischer Krieg		1781	Immanuel Kant, Kritik der reinen Vernunft
1745—1765	Kaiser Franz I. von Lothringen			
1748	Friede von Aachen			

1. Die politischen Verhältnisse bis 1740

In den beiden ersten Jahrzehnten des 18. Jahrhunderts stand Europa im Zeichen zweier Kriege, die nebeneinander herliefen. Zu einem Zusammenfluß der weiträumigen Auseinandersetzungen in eine gesamteuropäische Konflagration kam es nicht. Das war zu einem guten Teil dem Verhalten Brandenburg-Preußens zuzuschreiben, das zwischen beiden Kriegsschauplätzen lag und erst nach der Befriedung im Westen in den Nordischen Krieg eingreifen konnte. Der Sieger im Westen war England, das im Frieden von Utrecht (1713) sein Ziel eines Gleichgewichts zwischen Habsburg und Bourbon erreicht hatte, und im Osten Rußland, das im Frieden von Nystadt (1721) zum Herrn des Baltischen Meeres aufgerückt war. Die Gleichgewichtspolitik der größten westlichen Seemacht und die Machtpolitik der größten östlichen Landmacht bestimmten über die gesamteuropäische Ordnung.

Danach folgte eine Zeit der Konsolidierung, in welcher es zwar vielerlei kriegerische Konflikte über Erb- und Thronfolgefragen gab, aber ein Krieg im großen Maßstab vermieden werden konnte. Den Vorrang hatte die Diplomatie, welche auf Erhaltung des gewonnenen Gleichgewichts bedacht war, Konflikte regional zu begrenzen suchte und größere territoriale Veränderungen nur an den südlichen und südöstlichen Randgebieten zuließ. Die bedeutsamste Machtverschiebung dieser Epoche war der Verlust der österreichischen Vormachtstellung in Süditalien nach dem Polnischen Thronfolge-Krieg (1733—1735) gegen Frankreich, Spanien und Sardinien. Im Vorfrieden von Wien 1735 (endgültig 1738) trat **1735** Österreich Neapel und Sizilien als Sekundogenitur an die spanischen Bourbonen ab und erhielt dafür Parma und Piacenza sowie für den Verzicht auf Lothringen die Anwartschaft auf das Großherzogtum Toscana, das ihm 1737 zufiel.

Der tiefere Grund für das relativ friedliche Einvernehmen lag in dem Bedürfnis der Mächte nach innerer Konsolidierung. Die Basis dieses Einvernehmens war die Friedens- und Gleichgewichtspolitik der beiden **1714 bis 1837** großen Westmächte Frankreich und England. In England war die neue Dynastie Hannover (1714—1837) ans Ruder gekommen, die von der Partei der Whigs getragen wurde und noch keinen sicheren Rückhalt im Volksganzen gewonnen hatte. Hier betrieb Walpole als

1721 bis 1742

erster Minister (1721—1742) nach innen eine Sicherungspolitik zugunsten der Whigherrschaft und nach außen eine Friedenspolitik zugunsten der Erhaltung des status quo.
Die Vorherrschaft Englands erschöpfte sich in der Bewachung des Gleichgewichts und in diplomatischen Interventionen und Allianzen, um freie Hand auf den Meeren, vor allem gegen die spanische Kolonialpolitik, zu behalten.
In Frankreich herrschte nach dem Tode Ludwigs XIV. (1715) ein Regentschaftsrat

1726 bis 1753

für den unmündigen Ludwig XV. (geb. 1710) und dann Kardinal Fleury (1726—1753), der angesichts einer wachsenden Adelsopposition ebenfalls auf die Erhaltung des Balancezustandes und den friedlichen Ausgleich mit England bedacht war. Beide Mächte waren um die Eingrenzung aller Konflikte bemüht und bevorzugten die Waffen der Diplomatie, die in zahlreichen Kongressen ihre große Zeit hatte.
Wenig anders stand es um Österreich, wo die Habsburger in tiefer Sorge über das Ausbleiben eines Erben im Mannesstamm um den Zerfall ihrer Monarchie fürchten mußten. Ihre Diplomatie suchte die Anerkennung der Pragmatischen Sanktion (1713), also des neuen Erbfolgegesetzes zugunsten der weiblichen Erblinie, von möglichst allen europäischen Mächten zu erreichen.
In Preußen richtete König Friedrich Wilhelm I. (1713—1740) sein ganzes Augenmerk auf den inneren Ausbau seines Staatswesens und kämpfte lediglich mit geringem Erfolg um die diplomatische Anerkennung seiner rheinischen Erbansprüche auf Berg. Rußland trat als starker machtpolitischer Faktor ins Spiel der Mächte ein, war aber durch häufige Palastrevolutionen und Thronwirren an einer klaren Politik gehindert.
Trotz der Kette größerer und kleinerer Kriege herrschte im ganzen für zwei Jahrzehnte der Friede vor. Erst das Jahr 1740 beendete die Zeit der Unentschiedenheit, des diplomatischen Schachspiels, der schnell wechselnden Bündnisse und der Vermittlungspolitik.

2. Die Schlesischen Kriege

Im Jahre 1740 änderte sich die Lage grundlegend; eine neue Generation kam ans Ruder. Der Thronwechsel in Berlin brachte den 28jährigen Friedrich II. (geb. 1712) an die Regierung. In Wien folgte die 23jährige Maria Theresia (geb. 1717), seit 1736 mit Franz Stephan von Lothringen verheiratet, auf ihren Vater, Kaiser Karl VI. In Petersburg trugen die Thronwirren Elisabeth I. auf den Zarenthron (1741). Die österreichische Erbfolgefrage war immer noch ungesichert, da Preußen seine Zusage an Österreich (1726) nach dessen schnöder Mißachtung der von ihm garantierten preußischen Erbansprüche auf Berg zurückgenommen hatte (1738) und gegen Österreich ein Geheimbündnis mit Frankreich (1739) eingegangen war. Frankreich selbst hatte seine Zusage an Österreich mit Vorbehalten verknüpft. Die Kurfürsten von Bayern und Sachsen hatten Töchter Kaiser Josephs I. zu Frauen und erhoben Erbansprüche, desgleichen der König von Spanien. Außerdem war Österreich durch einen unglücklichen Türkenkrieg (1737—1739) geschwächt und England seit 1739 in einen Krieg mit Spanien und dann mit Frankreich verwickelt. Sowohl Walpole als auch der greise Kardinal Fleury schreckten vor einer neuen großen Auseinandersetzung zurück.
In dieser ungewissen Situation sah Fried-

1740 bis 1786

rich II. (1740—1786) seine einmalige Chance. Ohne diplomatische Vorbereitung und ohne moralische Rücksichten eröffnete er im Dezember 1740 mit dem plötzlichen Einmarsch seiner Truppen in das habsburgische Schle-

1740 bis 1742

sien den ersten Schlesischen Krieg (1740—1742). Er holte sich damit gewaltsam mitten im Frieden ein Faustpfand, gegen dessen Abtretung er die Thronfolge Maria Theresias und ihres Gemahls Franz Stephan anzuerkennen versprach. Dieser unerwartete Alleingang war wie ein Donnerschlag, der nach und nach die Mächte in den Konflikt hineinzog. Die Welt erstaunte darüber, daß ein Fürst, der wenige Jahre zuvor in seinem „Anti-Machiavell" (1739) sich als Friedensfürst vorgestellt hatte, in dieser rechtswidrigen Form zu den Waffen griff. Aber Friedrich fühlte sich als Rächer seines Vaters, den die österreichische Diplomatie in der Bergischen Frage schmählich düpiert hatte. Ihn trieb allerdings auch in gleichem Maße Ehrgeiz und Ruhmsucht zum „Rendez-vous des Ruhmes" sowie der Wille, dem mittelalterlichen Kaisertum und der daranhängenden Geschichtstheologie endgültig den Todesstoß zu versetzen. Die hohenzollernschen Erbansprüche auf Liegnitz, Brieg, Wohlau und Jägerndorf dienten nur als willkommener Vorwand für eine Machtpolitik, die den günstigsten Augenblick für gekommen hielt. Erst der militärische Erfolg Preußens in der Schlacht bei Mollwitz (1741) veranlaßte Frankreich und Spanien, in den Krieg einzutreten; Bayern und Sachsen sowie die rhei

| **1741 bis 1748** | nischen Kurfürsten schlossen sich an. Damit weitete sich der Kampf zum Österreichischen Erbfolgekrieg (1741—1748) aus. Österreich schien |

Friedrich II., der Große (1712 bis 1786, seit 1740 König von Preußen) nach einem Gemälde von A. Graff, 1781

verloren, zumal auch Schweden durch eine Kriegserklärung an Rußland (1740) als Gegner Preußens ausfiel. Zugleich nahm der Konflikt wieder die übliche Form der Erbfolgekriege an, was den diplomatischen Manövern einen wechselvollen Spielraum gab. Hier erwies sich Friedrich als ein bedenkenloser Taktiker.
Er schloß mit dem bedrängten Österreich einen geheimen Waffenstillstand und ging erst wieder zu den Verbündeten über, nachdem sie Prag eingenommen hatten. Mit preußischer Hilfe konnte am 12. Februar

| **1742 bis 1745** | 1742 der Wittelsbacher Karl VII. (1742—1745) in Frankfurt zum Kaiser gewählt werden. Nur die Kurstimme von Böhmen fehlte, so daß |

die Kaiserwahl rechtmäßig war. Aber die

Österreicher standen am Krönungstag bereits in München, und Friedrich schloß eilends unter englischer Vermittlung den Frieden von Breslau (Juni 1742), der ihm Schlesien überließ. Dadurch hatte Österreich freie Hand, zumal England, Hannover und Dänemark mit der „pragmatischen Armee" Hilfstruppen stellten und die Franzosen bei Dettingen (1743) über den Rhein zurückschlugen.
Friedrich hatte zweimal gegen Österreich den Krieg eröffnet und zweimal seine Verbündeten im Stich gelassen. Er galt als die verkörperte Untreue und Unzuverlässigkeit. Der Österreichische Erbfolgekrieg ging indessen weiter. Frankreich erklärte 1744 an England und Österreich offiziell den Krieg. Nun brach Friedrich wiederum den Frieden und rückte im Namen der „Freiheit des Reiches" und des Kaisers Karl VII. erneut in Böhmen ein. Damit begann er den zweiten

| **1744 bis 1745** | Schlesischen Krieg (1744—45). Sachsen stellte sich indessen auf die Seite Österreichs. Die Preußen mußten sich unter starken Verlusten |

aus Böhmen zurückziehen; 17 000 Mann desertierten aus dem von Seuchen dezimierten Heer. Außerdem starb Kaiser Karl VII. Bayern machte Frieden mit Wien, und die Russen drohten einzugreifen. Schlesien schien verloren. Die Kaiserwahl Franz I. (1745), des Gemahls der Maria Theresia, wurde ohne Mitwirkung Preußens durchgesetzt.
Aber Friedrichs Siege bei Hohenfriedberg und Soor (Juni und September 1745) sowie die Vernichtung der sächsischen Armee bei Kesselsdorf brachten ihm Feldherrnruhm und den Frieden von Dresden (1745), in welchem er Schlesien gegen Anerkennung der Kaiserwürde von Franz I. behielt, ohne indessen seine Verbindung mit Frankreich aufzugeben. Der Krieg brannte langsam aus, und im Frieden von Aachen (1748) erkannten auch die europäischen Mächte den europäischen status quo und, auf Drängen der Franzosen, die preußische Herrschaft über Schlesien an.
Friedrich hatte sich also behauptet, wenn auch nur durch skrupellose Wankelpolitik zwischen den Mächten. Preußen, das bisher vier Millionen Einwohner hatte, gewann mit Schlesien 2,5 Millionen hinzu und erwarb zugleich eine Provinz, die jährlich für den

Fiskus an 800 000 Taler Überschuß abwarf. Allerdings blieb Friedrich ein König der Grenzstriche. Schlesien selbst war mit der Mark Brandenburg nur durch einen Grenzkorridor von 6 bis 7 Meilen verbunden, da sich das Kurfürstentum Sachsen bis sieben Meilen vor Berlin dazwischenschob. Sachsen und Polnisch-Westpreußen blieben die Keile im Herrschaftsgebiet des preußischen Königs, der nach seinen Siegen von 1745 erstmals als „der Große" gefeiert wurde. Die folgenden zehn Friedensjahre (1745—1755) sahen ihn als Herrscher auf der Höhe seines Könnens (vgl. G, V, 1). Die Zeit der Freundschaft Friedrichs mit dem großen Aufklärer, Dichter und Philosophen Voltaire (1750—1753) war Ausdruck eines Bündnisses der absolutistischen Herrschermacht mit dem Geist des Zeitalters.

Gleichzeitig wurden Adel und Klerus mit der Kopfsteuer von 1746 in die allgemeine Besteuerung einbezogen. Die ständischen Kreishauptleute als steuererhebende Lokalinstanzen bestanden weiter, wurden nun aber von Staatsdeputationen beaufsichtigt, die das ganze Heereslastenwesen, wie Verpflegung, Vorspann, Löhnung, Quartierwesen und auch die Verteilung der Kontributionen überwachten.

Diese Deputationen waren eine Art von Kommissariaten, die seit 1749 Repräsentationen oder Kammern hießen. Die alten fürstlichen Kammern, die bisher außerhalb ihrer Aufgaben nur beratend den feudalen Landesregierungen zur Seite standen, wurden zu kontrollierenden und weisungsberechtigten Dezernaten. Die ganze Verwaltung und die Finanzen unterstanden einem

Maria-Theresien-Taler, Vorder- und Rückseite mit Bildnis und Titeln der Kaiserin. Diese Taler wurden seit 1753 bis in die neueste Zeit geprägt, seit dem Tode Maria Theresias unter dem Datum 1780. Im Nahen Osten dienten sie bis in die Gegenwart als Zahlungsmittel.

3. Die theresianischen Reformen

Die schweren Belastungen durch die Auseinandersetzungen mit Preußen veranlaßten Maria Theresia (1740—1780) zu einer durchgreifenden Neuorganisation des Behördenwesens in ihren Kernländern (Böhmen, Österreich, Alpenland), die Graf Haugwitz (1742—1761) und dann Graf Kaunitz (1753—1764) einleiteten. Haugwitz ließ sich vom preußischen Vorbild leiten und setzte den Übergang der politischen Verwaltung aus dem ständischen in den fürstlichen Machtbereich durch. Dies geschah durch die Zusammenlegung des fürstlichen Kammerwesens für Regalien und Domänen mit dem ständisch geleiteten Kontributionswesen. Die Stände wurden aus der zweiten Instanz hinausgedrängt, und die Landeshauptleute behielten nur die Justiz.

Direktorium mit Haugwitz als Präsidenten. Dadurch konnte 1747 aufgrund von Katastern erstmals ein Staatshaushalt aufgestellt werden, 50 Jahre später als in Preußen. Die Zerstörung der Kraft der ständisch beherrschten staatsrechtlichen Organisation gelang erst 1749, als auch die Hofkanzleien mit ihren Ländervertretern politisch entmachtet und auf Justiz eingeschränkt wurden. Nebenfrucht dieser Reform war die Trennung von Justiz und Verwaltung. Kaunitz, seit 1753 leitender Reichsminister der k. k. Haus-, Hof- und Staatskanzlei (Staatskanzlei), machte diese Gesamtzentralisation teilweise zugunsten einer Spezialisierung wieder rückgängig. Er löste das Direktorium auf und gab der Böhmisch-österreichischen Hofkanzlei die politische Verwaltung als Innenministerium zurück und verselbständigte wieder den Hofkriegsrat

(Generalkriegskommissariat) und die Hofkanzlei (Kommerzdirektorium). Er gründete also „Ressorts" (Fachbereiche) und setzte zwischen Krone und Departements einen Staatsrat (1760) mit sich selbst als Staatskanzler, der nun eine Art kollegialisch eingerahmter Premierminister war. Der Staatsrat wurde das wichtigste Organ der absolutistischen Staatsverwaltung neben dem Hofkriegsrat als Zentralstelle für Militärsachen. Haugwitz wurde Staatsminister im Staatsrat statt Präsident des Direktoriums. Sein Ausscheiden erfolgte erst 1765. Er hatte den Bogen überspannt, aber mit der Verfassungsveränderung von 1749 erst den österreichischen Absolutismus als ein mit anderen absolutistischen Staaten vergleichbares Regelsystem geschaffen. Auch Kaunitz rührte nicht an die damit eingeleitete Verstaatlichung. Aber seine Fachministerien mit dem Staatsrat darüber, aus dem heraus

ges (1756) bezeichnet den Höhepunkt der Aufklärung, deren neues Evangelium sich über alle Lebensbereiche ausbreitete und die öffentliche Meinung bestimmte. In dieser Zeit wurde die Aufklärung von bloßer Kritik an der Vergangenheit zu einer beherrschenden Macht, der sich niemand entziehen konnte und die neue Orientierungsweisen, andere Vorstellungen und Lebensperspektiven ins Spiel brachte, die auf eine politisch-soziale Wandlung hinausliefen. Aber diese Wandlung sollte nach dem Glauben der Aufklärungsphilosophen nicht durch Gewalt und Revolution kommen, sondern durch die geistige Macht der Aufklärung selbst. Die Herrschaft der Vernunft sollte nur durch Vernunft herbeigeführt werden. Die Voraussetzungen dazu schienen gegeben: In dieser Zeit gab es ein anerkanntes Forum der aufgeklärten Wissenschaften, eine maßgebende „Gelehrtenrepu-

Wenzel Anton Graf Kaunitz (1717—1794), seit 1764 Fürst Kaunitz—Rietberg, 1753—1793 österreichischer Staatskanzler

Denis Diderot (1713—1784) nach einem Gemälde von L. M. van Loo

die Herrscherin regierte, entsprachen der wachsenden Spezialisierung der Staatsaufgaben. Joseph II. versuchte nochmals eine Zentralisation mit der „Vereinigten Hofkanzlei" und einer Regierung aus dem Kabinett, was ebenso wie seine aufklärerische Revolution von oben scheiterte (vgl. G, V, 4). Dagegen sicherten die Fundamente von 1749 den Fortbestand des Ancien Régime in Österreich bis 1848. Allerdings blieben die Länder der ungarischen Krone von den theresianischen Reformen ausgenommen.

4. Die Hochaufklärung

Die Zeit nach dem Aachener Frieden (1748) bis zum Ausbruch des Siebenjähriegen Krie-

blik", die ihre Ideen ins Feld führte zum „la plus grande lutte d'idées des temps modernes" (Diderot); und es gab eine aufgeklärte „öffentliche Meinung", einen „Zeitgeist", der die europäische Öffentlichkeit bestimmte, also nicht mehr ein Moment privater Lebensführung, sondern ein konstitutives Element der Meinungsbildung geworden war. Die Aufklärung hatte eine geistige Revolution eingeleitet, die nun die Vorstellungen von Welt, Leben und Lebenssinn prägte. Sie eroberte die Fürstenhöfe und Salons, die Katheder und Kanzeln, die Künste und Wissenschaften und weckte geradezu einen Rausch für das Gemeinwohl, „une rage du bien publique" (Diderot), einen kosmopolitischen Fanatismus, der das politisch befriedete Europa in lebhafteste Unruhe

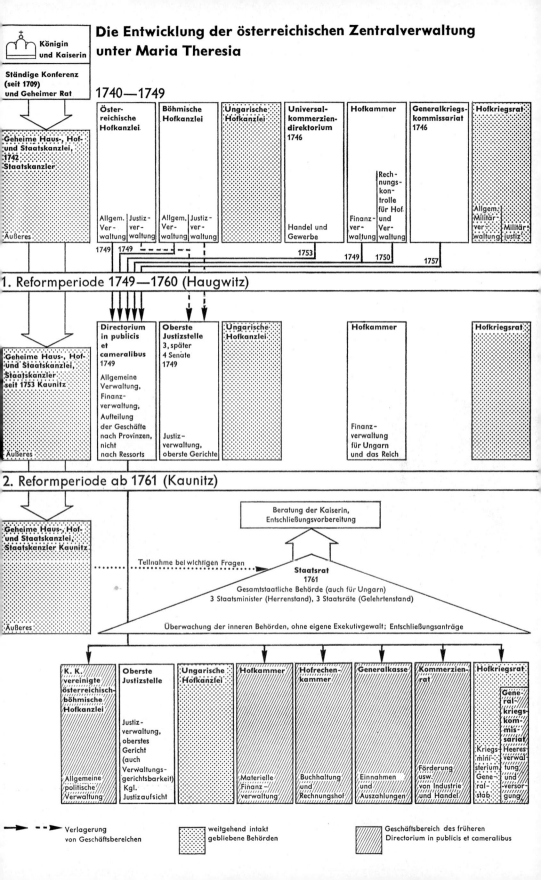

Die Entwicklung der österreichischen Zentralverwaltung unter Maria Theresia

versetzte. Diese Hochaufklärung stand im Zeichen des französischen Geistes, der sich mit dem Ancien Régime arrangierte, aber es auch durchtränkte. Der Prototyp des Aufklärers dieser Zeit war Denis Diderot (1713—1784) (Pensées philosophiques, 1746), der von der Menschennatur ausgehend eine neue Synthese der Weltorientierung und des gesellschaftlichen Zusammenhangs suchte und dessen menschheitlicher Freiheitsenthusiasmus die Stunde einer Apotheose der Vernunft kommen sah: „Natur und Vernunft werden ihre Rechte behalten. Beide haben sie vorher verloren, beide sind jetzt im Begriffe, sie zurückzuerobern, und wir werden einsehen, wie wichtig es für uns war, diesen Zeitpunkt zu erkennen und zu erfassen." Diderot begründete gemeinsam mit Jean le Rond d'Alembert ein epochemachendes Gemeinschaftswerk, an dem alle führenden Aufklärer beteiligt waren und

die Arbeit des kleinen Mannes ins Blickfeld einbezogen. Wie von der Wissenschaft das Weltall entzaubert worden war, geschah es nun mit der Gesellschaft und dem täglichen Leben, das als Feld menschlichen Denkens und Tuns erklärt wurde. Dieses größte literarische Unternehmen des Jahrhunderts trug am meisten zur Verbreitung aufklärerischen Denkens bei. Schon der erste Band enthielt ein Manifest der Hauptideen und wurde begeistert als das Grundbuch der Aufklärung begrüßt, das das Tor zu einer „natürlichen", auf Wissenschaft und Erfahrung gegründeten Weltanschauung öffnete. Das Werk kam gegen den Widerstand der Kirche, der Sorbonne (Universität) und des Parlaments von Paris zustande und verschaffte den „Enzyklopädisten" beherrschenden Einfluß auf die öffentliche Meinung.

Zur selben Zeit brach sich mit der Schrift

Montesquieu
(Charles de Secondat, Baron de la Brède et de Montesquieu, 1689—1755)

Voltaire
(eigentlich François-Marie Arouet, 1694 bis 1778) nach einem zeitgenössischen Kupferstich

welches das Gesamtwissen der Zeit im Lichte der Aufklärung zusammenfaßte.

Dies war die „Encyclopédie ou Dictionnaire raisonnée des sciences, des arts et des métiers", deren erster Band 1751 erschien, dem bis 1776 über 35 Bände folgten. Die „Enzyklopädie" stellte die erste, alle Lebensbereiche umgreifende und zugleich gliedernde Kodifikation des Aufklärungsgutes dar. Sie erstreckte sich auf alle Gebiete des Lebens, auch auf Handel und Wirtschaft, auf die bäuerlichen und handwerklichen Produktionsweisen, auf das gemeine Leben, auf Kunst und Musik, auf Politik, Kultur, Geschichte, Philosophie, Natur- und Geisteswissenschaften und wurde zum Symbol des Wandels der Lebensperspektiven, die auch

1751 bis 1776

des Genfer Juristen Jean-Jacques Burlamaqui „Le progrès du droit publique" (1751), das naturrechtliche Denken von den subjektiven Menschenrechten her Bahn. Danach ist jeder Mensch von selbst ein Naturrechtsjurist, also Träger übergesetzlicher Rechtsgrundsätze, von denen allein eine Gesellschaft aufgebaut werden müßte. Kurz vorher hatte der Franzose Charles de Montesquieu mit seinem Werk „De l'esprit des lois" (1748) die staatlichen Gesetze aus ihren natürlichen Bedingungen erklärt und die Gewaltenteilung zwischen Legislative, Exekutive und Justiz als Voraussetzung einer gesetzlichen Verfassung beschrieben, die durch eine wechselseitige Kontrolle und Einschränkung, durch „checs et balances", eine Regierung im Interesse

1748

von Vernunft und Gemeinwohl garantiere. Der Genfer Jean-Jacques Rousseau münzte das Freiheitspathos der Aufklärung in eine Sozialkritik um, die die Ungleichheit unter den Menschen und ihre „Depraviertheit" historisch erklärte (1755), diese Entwicklung

1762 verdammte und im „Contrat social" (1762) die revolutionäre Folgerung zog, daß die „volonté générale", also der Allgemeinwille, der eigentliche Souverän einer freiheitlichen Ordnung sein müsse, der allein die Identität des Ganzen mit der Freiheit des einzelnen herstelle. Indem jeder sein wahres Interesse in den Gesetzen wiederfindet, kehrt er aus seiner geschichtsbedingten Depraviertheit zur Güte des Naturmenschen zurück, die nunmehr aber das Ergebnis moralischer Selbstbestimmung ist und als patriotische Tugend des Staatsbürgers erscheint.

In Rousseau nahm die Aufklärung sozial-revolutionäre Züge an, die die kommende Revolution ankündigten, aber erst am Vorabend der Revolution virulent wurden.

Das große Orakel der Zeit war indessen Jean François Marie Arouet de Voltaire (1694 bis 1778), auf dessen Stimme die damalige Welt hörte. Er verkörperte den Übergang von der Krisis des europäischen Gewissens zur Herrschaft der Vernunft: „Wir leben in einem Zeitalter, wo die Vernunft mit jedem Tage mehr in die Paläste der Großen wie in die Läden der Bürger und Kaufleute eindringt. Man sollte immer von dem Punkte ausgehen, der erreicht ist und nicht zurücksehen." Er veränderte die bisherige Vorstellung von der Geschichte als Heilsgeschehen, indem er in seinem „Essai

1754 sur les moeurs et l'esprit des nations" (1754) erstmals eine wirkliche profane Weltgeschichte gab, die auch China, Japan und die arabische Welt umgriff und gegen den europäischen Kulturhochmut gerichtet war. Sein leidenschaftlicher Kampf gegen Mißbräuche und Ungerechtigkeit fand europäischen Widerhall; aber sein Mißtrauen gegen den „Pöbel" machte ihn zum Anhänger eines aufgeklärten Absolutismus. Er hielt nur eine geistige Revolution für notwendig, die nicht die Absetzung, sondern die Aufklärung der Fürsten erstrebte. — Seine Freundschaft mit Friedrich dem Großen (1750—1753) gab

Die Encyclopédie. Titelseite des ersten, 1751 erschienenen Bandes der Erstausgabe mit einer allegorischen Vignette

Zeugnis vom Triumph der Aufklärung, die sich des richtigen Weges in eine menschenwürdigere Zukunft gewiß war. Danach sollte sich aus der Revolution der Geister von selbst und ohne Gewalt eine glücklichere Zeit entfalten.

Die Hochaufklärung war die Zeit der größten Selbstgewißheit der Aufklärung, die offenbar die Freiheit zu ungehinderter Selbstentfaltung erreicht hatte. Sie hatte die Welt der Vorstellung grundlegend verändert, aber nicht die Wirklichkeit. Ihre Selbstgewißheit wurde durch das schreckliche Erdbeben von Lissabon (1755) erschüttert. Zudem wurde ihr Arrangement mit den absolutistischen Herrschern und der feudalen Gesellschaft durch eine wachsende Sozialkritik in Frage gestellt. Die Enzyklopädisten hatten eine Konfrontation mit den alten Mächten möglichst zu vermeiden gesucht. Aber ihre Reflexionen untergruben bereits die alten Autoritäten und Rangordnungen. — Ein revolutionäres Ferment regte sich schon in Rousseau und brach bald in einem Schweif französischer Radikalaufklärer an die Oberfläche, die von Morelly angeführt wurden, der in seinem „Code de la nature" (1755) schon einen utopischen Kommunismus propagierte, der alle Menschen in die Zwangsjacke eines genau geregelten Glücks hineinzwingen sollte.

Die Radikalisierung der Aufklärung zu einer Revolutionsideologie war vom Gesichtswinkel der Hochaufklärung schon Verfall; sie überschritt in ihren utopischen Spekulationen den Kreis der Erfahrung und vernünftiger Lebensgestaltung. Gegen sie wandte sich der große Königsberger Philosoph Immanuel Kant, indem er der Vernunft in einer umfassenden „Kritik der reinen Vernunft" (1781) Grenzen zog, die sie auf die Welt der Erfah-

1781

Immanuel Kant
(1724—1804),
Kupferstich nach
einem Gemälde
von Döbler (1791)

rung einschränkte. Die Hochaufklärung kannte noch keine solche Selbstkritik, und ihre Sozialkritik war moralisch und nicht revolutionär gemeint. Erst nach dem Siebenjährigen Krieg wandelte sich der aufgeklärte Federkrieg in einen ideologischen Krieg, den Frankreich im Namen der Freiheit gegen das britische See-Imperium führte (vgl. G, VI, 2) und der die Konstellation vorbereitete, aus der die erste Revolution im Namen von Naturrecht und öffentlicher Meinung (1776) möglich wurde. Frankreich war Träger der Hochaufklärung und wurde Wegbereiter des kommenden Umsturzes, dem es selbst zum Opfer fallen sollte.

„Was ist Aufklärung?" Anfang des 1784 erschienenen Aufsatzes von Immanuel Kant

---

Berlinische Monatsschrift.

1 7 8 4.

Zwölftes Stük. December.

I.

Beantwortung der Frage: Was ist Aufklärung?

(S. Decemb. 1783. S. 516.)

Aufklärung ist der Ausgang des Menschen aus seiner selbst verschuldeten Unmündigkeit. Unmündigkeit ist das Unvermögen, sich seines Verstandes ohne Leitung eines anderen zu bedienen. Selbstverschuldet ist diese Unmündigkeit, wenn die Ursache derselben nicht am Mangel des Verstandes, sondern der Entschließung und des Muthes liegt, sich seiner ohne Leitung eines andern zu bedienen. Sapere aude! Habe Muth dich deines eigenen Verstandes zu bedienen! ist also der Wahlspruch der Aufklärung.

Faulheit und Feigheit sind die Ursachen, warum ein so großer Theil der Menschen, nachdem sie die Natur längst von fremder Leitung frei gesprochen

---

(482)

(naturaliter majorennes), dennoch gerne Zeitlebens unmündig bleiben; und warum es Andern so leicht wird, sich zu deren Vormündern aufzuwerfen. Es ist so bequem, unmündig zu seyn. Habe ich ein Buch, das für mich Verstand hat, einen Seelsorger, der für mich Gewissen hat, einen Arzt der für mich die Diät beurtheilt, u. s. w. so brauche ich mich ja nicht selbst zu bemühen. Ich habe nicht nöthig zu denken, wenn ich nur bezahlen kann; andere werden das verdrießliche Geschäft schon für mich übernehmen. Daß der bei weitem größte Theil der Menschen (darunter das ganze schöne Geschlecht) den Schritt zur Mündigkeit, außer dem daß er beschwerlich ist, auch für sehr gefährlich halte: dafür sorgen schon jene Vormünder, die die Oberaufsicht über sie gütigst auf sich genommen haben. Nachdem sie ihr Hausvieh zuerst dumm gemacht haben, und sorgfältig verhüteten, daß diese ruhigen Geschöpfe ja keinen Schritt außer dem Gängelwagen,

IV. Der Siebenjährige Krieg

1755	Kampf zwischen französischen und englischen Truppen im Ohiotal; englischer Kaperkrieg in Übersee	1757	Siege Friedrichs bei Roßbach und Leuthen
1756—1762	Britisch-Französischer Kolonial- und Seekrieg	1757—1761	William Pitt leitender Minister in England
1756	Westminster-Konvention zwischen Preußen und England	1759	Niederlage Friedrichs bei Kunersdorf gegen Russen und Österreicher
1756	Französisch-Österreichisches Bündnis (diplomatische Revolution)	1762	Tod der Zarin Elisabeth Friede Preußens mit Rußland und Schweden
1756—1763	Siebenjähriger Krieg		Französisch-englischer Präliminarfriede
1756	Friedrichs Einmarsch in Sachsen	1763	Friede von Paris zwischen England und Frankreich
1757	Schlacht bei Kolin		Friede von Hubertusburg zwischen Preußen und Österreich (mit Sachsen)
1757	Ächtung Friedrichs auf dem Reichstag in Regensburg		

1. Der weltpolitische Zusammenhang

Nach dem Frieden von Aachen (1748) erreichte Europa eine allgemeine Beruhigung, die mit dem Ausbruch des Siebenjährigen Krieges ein jähes Ende fand. In diesen Friedensjahren bereitete sich aus dem Zusammenfluß innereuropäischer und überseeischer Gegensätze ein weltweiter Konflikt vor, der zum ersten Mal ein planetarisches Kriegstheater eröffnete, das zwar von den europäischen Mächten getragen wurde, aber die fernsten Weltgegenden einbezog und den Beginn der „europäischen Weltgeschichte" markiert. Aus den Konflikten in Übersee sprang der Funke auf Europa über; die kolonialen Gegensätze entschieden erstmals über die europäische Machtkonstellation.

Trotz des Friedens in ganz Europa dauerten die kriegsähnlichen Operationen in Übersee weiter an. Dahinter stand die französische Machtpolitik, die ihr Kolonialimperium gegen die britische Seehegemonie abzusichern und auszuweiten suchte und mit ihren planmäßigen Militäraktionen über die alte Form der privaten Handels- und Kaperkriege weit hinausging. In Indien und Nordamerika suchten die Franzosen die eingeborenen Völker auf ihre Seite zu ziehen, um ihre Minderzahl gegenüber den Engländern auszugleichen. Hier fielen die Vorentscheidungen, aus denen sich das europäische Kriegsgeschehen entwickelte. Die bisherige Gruppierung der

Mächte wurde dadurch völlig verändert, daß sich die Kolonialpolitik mit den europäischen Machtgegensätzen verflocht.

In Indien verfolgte die französische Diplomatie eine Vertragspolitik mit den indischen Fürsten, die die Tätigkeit der englischen Ostindien-Kompanie empfindlich einschränkte und deren Stützpunkte gefährdete. Die Kompanie antwortete mit Waffengewalt und brachte Bengalen in ihre Hand. Entlang der indischen Küste entbrannte mitten im Frieden ein unerbittlicher Kampf, der trotz französisch-englischer Verhandlungen ununterbrochen weiterging.

In Nordamerika betrieben die Franzosen eine offensive Einkreisungspolitik. Von der Mississippi-Mündung über die fünf Großen Seen bis zum Lorenzstrom errichteten sie eine Kette von Forts und Militärposten, die die englischen Siedlungen vom Hinterland abriegelten. Sie vertrieben die britischen Händler aus dem Ohio-Tal, das sie zum Stromgebiet des Mississippi rechneten, und bauten Fort Duquesne, um deren Rückkehr zu verhindern. England entsandte zum Schutz seiner Siedler vier Regimenter ins Ohiotal und blockierte gleichzeitig den Lorenzstrom. Das britische Expeditionscorps **1755** wurde bei Fort Duquesne vernichtet (1755). In einem großangelegten Handstreich kaperten daraufhin englische Kriegsschiffe fast 300 französische Handelsschiffe, größtenteils auf dem offenen Meer.

Diesen Schlag gegen sein Seehandelspotential beantwortete Frankreich mit einem Ultimatum, das England im Januar **1756** 1756 ablehnte. Damit brach der offene Krieg in Europa aus, der bereits auf amerikanischem Boden in Form eines Staatenkriegs zwischen regulären Truppen im Gange war. Zum ersten Mal hatte damit ein überseeischer Konflikt einen europäischen Krieg entzündet.

Schuld daran war einmal die koloniale Staatspolitik Frankreichs, gegen die die einzelnen Siedler und Handelskompanien im Nachteil waren, andererseits aber auch die enge Ausrichtung der englischen Kolonien auf das Mutterland, das im Austausch von Rohstoffen gegen Fertigwaren seine Ausfuhr seit 1700 verdoppeln konnte und in der ungestörten wirtschaftlichen Kooperation eine Lebensfrage sah. Infolgedessen verlegte England den Schwerpunkt seiner militärischen Operationen nach Amerika und eroberte Kanada und Teile des französischen West-Indien. Als Spanien in den Krieg eintrat (1762), besetzte England Havanna, Kuba und Manila (Philippinen). In Ostindien schränkte es die französische Macht auf einige wenige feste Plätze ein.

Die kolonialen Gegensätze veränderten sogleich die gesamten Machtgruppierungen. Schon sechs Tage nach Ausbruch des französisch-englischen Krieges kam am 16. Januar **1756** nuar 1756 die Westminster-Konvention zustande, die Preußen auf die Seite Englands brachte. Dies löste eine diplomatische Revolution aus, nämlich das Bündnis zwischen Habsburg und Bourbon (1. 5. 1756), das Frankreich Rückendeckung gegen England gab. Rußland trat angesichts der Westminster-Konvention in Verhandlungen mit Österreich und Frankreich ein. Schweden schloß wegen eines von England und Preußen inszenierten Staatsstreichs in Stockholm einen Subsidienvertrag mit Frankreich und vereinbarte mit Dänemark eine bewaffnete Neutralität gegen England. Die britische Politik zog alle Randmächte in die Verwicklung hinein und überließ Preußen den Schlüssel zur Entscheidung auf dem Festland. Als Friedrich der Große am 29. 8. 1756 den Krieg in Mitteleuropa eröffnete, stand sogleich ganz Europa in Flammen.

2. Die diplomatische Revolution

Bisher war in der europäischen Machtpolitik der Gegensatz Habsburg—Bourbon maßgebend. Frankreich stand meist im Bunde mit den deutschen Territorialmächten gegen Habsburg, das seinerseits mit England zusammenging. Diese Kombination war noch im Österreichischen Erbfolgekrieg (1741 bis 1748) maßgebend. Ohne französische Hilfe hätte Friedrich Schlesien nicht behaupten können. Die französisch-preußische Verbindung erhielt in dieser Zeit durch das innige Verhältnis Friedrichs des Großen zur französischen Kultur eine besondere geistige Note. Friedrich selbst vertraute auf den gemeinsamen Gegensatz zu Habsburg, dem Frankreich nach dem Polnischen Thronfolgekrieg (1730—1735) Lothringen und Preußen 1745 Schlesien abgetrotzt hatten. Er faßte nicht einmal die Erneuerung seines Bündnisses mit Frankreich (1744—1756) ins Auge. In Wirklichkeit hatte sich das Interesse Frankreichs an der Verbindung mit Preußen oder Bayern gegen Habsburg seit 1748 verringert, da ihm mehr am Seehandel als an deutschen Außenposten gelegen war. Die Zeit war für eine „Umkehrung aller Bündnisse" reif geworden. Frankreich brauchte für seine weltpolitischen Ambitionen gegen England eine Rückendeckung, die ihm nur Österreich geben konnte, das seinerseits ohne französische Hilfe kaum Schlesien zurückgewinnen konnte. Der grundsätzliche Wandel der Lage war dem großen österreichischen Diplomaten Graf Kaunitz schon früh klar geworden. Er war bereit, belastende Außenposten, darunter sogar Belgien (Österreichische Niederlande), zu opfern, wenn er sich damit eine französische Allianz zur Wiedergewinnung der österreichischen Machtstellung in Deutschland erkaufen konnte. Ihm kam entgegen, daß in Versailles nicht Österreich, sondern England als der Erbfeind erschien, der in Übersee offenen Krieg gegen die Franzosen führte. Kaunitz fand indessen erst Gegenliebe für seine Politik, als der plötzliche Stellungswechsel Friedrichs auf die Seite Englands eine Kettenreaktion auslöste, die in das berühmte „renversement des alliances" einmündete. Die innerdeutschen Gegensätze verblaßten vor den weltweiten Rücksichten der Seepolitik.

Die plötzliche Umorientierung Preußens wurde durch die bedrohliche Haltung Rußlands beschleunigt, das angesichts des siegreichen Aufstiegs Preußens schon 1746 mit Wien eine Allianz geschlossen hatte und dessen Herrscherin, die Zarin Elisabeth (1741—1762), eine unversöhnliche Gegnerin Friedrichs war. Friedrich wußte seit 1753 von den Geheimartikeln des österreichisch-russischen Vertrages von 1746 und war tief beunruhigt über die lebhafte englische Diplomatie, die um Verbündete gegen Frankreich und Preußen warb. Er erhielt Nachricht von einem englisch-russischen Subsidienvertrag (1755), der die Russen zum Schutz von Hannover gegen Frankreich und auch gegen Preußen verpflichtete. Eine russische Armee mit 55 000 Mann und 50 Galeeren stand in Livland bereit. Deshalb stachelte Friedrich Frankreich zu größerer Aktivität auf, als im Ohiotal der Kolonialkrieg mit England (1755) entbrannte. Er bot ihm die Österreichischen Niederlande an, ohne zu wissen, daß Kaunitz bereits dieses Angebot in Versailles gemacht hatte, und riet außerdem zu einem Angriff auf das englische Nebenland Hannover. Erst die Zurückhaltung Frankreichs gegen seine Angebote schreckte ihn auf und veranlaßte seine plötzliche Kehrtwendung zu England mit der Westminster-Konvention vom 16. Januar 1756. Sie war ein Freundschaftsvertrag und verpflichtete beide Seiten, den Durchmarsch fremder Truppen in deutschen Gebieten gemeinsam zu verhindern. Damit war jener Subsidienvertrag Englands mit Rußland hinfällig geworden, die englische Gegnerschaft beschworen und die drohende Einkreisung fürs erste gesprengt.

Aber diese Wendung Preußens hatte eine unerwartete Wirkung: sie weckte in Versailles helle Empörung und die preußenfeindliche Hofpartei, angeführt von der Marquise von Pompadour, triumphierte. Das Ergebnis war ein Defensivbündnis Frankreichs mit Österreich (1. 5. 1756). Darin verzichtete Frankreich auf sein preußisches und Österreich auf sein englisches Bündnis; Frankreich gab die Rückeroberung Schlesiens frei und stellte 24 000 Mann. Dafür erhielt es österreichische Rückendeckung in Europa. Das war die Krönung der Diplomatie des Grafen Kaunitz. Zum Erstaunen der ganzen Welt kam diese „diplomatische Revolution" zustande.

Rußland erklärte sich nach dem Wegfall des Subsidienvertrags mit England zum sofortigen Angriff gegen Preußen bereit. Seine Haltung bestimmte auch die Stellung Polens und Sachsens gegen Preußen. Schweden schloß ein Bündnis mit Frankreich. Zudem erhielt Friedrich die zuverlässige Kunde, daß der Kriegsbeginn für das Frühjahr 1757 festgelegt sei. Deswegen verlangte er von Wien die Zusicherung einer zweijährigen Neutralität, ohne eine Antwort zu erhalten. Darauf rückte er ohne Kriegserklärung am **1756** 28. August 1756 in das noch neutrale Sachsen ein, dessen Armee sich bei Pirna ergab, und suchte von Dresden aus ohne Erfolg mit Wien zu verhandeln, um die Welt von seiner Friedensliebe zu überzeugen. Sein Angriff setzte jedoch den noch unfertigen Mechanismus der feindlichen Bündnisse in Bewegung. Aber Friedrich glaubte sich zum Handeln gezwungen; er mußte Sachsen überrumpeln, um gegen Österreich operieren zu können. Er unterschätzte allerdings seine Gegner, insbesondere Rußland. Vor der Welt erschien er als Angreifer und Reichsfeind; er selbst rechtfertigte sich als protestantischer Fürst, der sich gegen den Despotismus der vereinigten katholischen Mächte für die Erhaltung des Gleichgewichts in Europa einsetzte.

Auf dem Reichstag in Regensburg (1757) wurde Friedrich geächtet und der Reichskrieg gegen ihn erklärt. Allerdings scheiterte die formgerechte Ächtung, da Friedrich als Verfechter der protestantischen Sache auftrat und das Religionsmotiv nicht mehr Gegenstand eines Reichstagsbeschlusses sein konnte und die protestantischen Reichsstände sich versagten (itio in partes). Immerhin wurde er dadurch der letzte Fürst, der als Geächteter gegen eine Reichsarmee zu kämpfen hatte.

3. Die Kriegsschuldfrage

Der Siebenjährige Krieg (1756—1763) war **1756 bis 1763** eine reine Machtauseinandersetzung, zumal der Aachener Friede den status quo Europas konsolidiert zu haben schien und Rechtstitel kaum noch als Vorwand beigebracht wurden. Dazu kam der rechtswidrige Überfall Friedrichs auf Sachsen ohne Kriegserklärung, um eine günstige Operationsbasis zu gewinnen, und nicht ohne die ferne Absicht, die Südwestflanke des Königreichs durch Annexion sächsischer Gebiete zu arrondieren. Aber auch Österreich wollte Schlesien zurückgewinnen, und Rußland wollte Ostpreußen erwerben, um es mit Polen gegen Kurland zu tauschen. Außerdem war der Krieg der beiden Westmächte bereits im Gange und die russische Armee schon aufmarschiert. An der Einkreisung Preußens und an den unmittelbaren Kriegsvorbereitungen seiner Gegner war nicht zu zweifeln. Drei europäische Großmächte bedrohten das kleine Preußen, eine Kombination der „Unterröcke", womit Maria Theresia, Elisabeth und die Pompadour gemeint waren.

Friedrichs Überfall war also ein Präventivschlag in ausweisloser Lage, aber auch mit dem Hintergedanken auf Sachsen. In etwa stießen zwei Eroberungskriege aufeinander. Friedrichs Völkerrechtsbruch sollte den Ring der Gegner sprengen und kam aus seiner Schwäche, zumal die Bindung an die Westminsterkonvention ihn ohnehin gegen die Franzosen verpflichtete. Nur als innerdeutsche Angelegenheit betrachtet, war Friedrich der Schuldige. In Wirklichkeit saßen ihm Rußland, Österreich und Frankreich zugleich im Nacken. Ein Eroberungskrieg gegen Sachsen war in diesem Augenblick Wahnwitz und ein Vorstoß gegen Böhmen in der späten Jahreszeit wenig aussichtsreich. Die Weichen zu einer allgemeinen Konflagration waren bereits von den Seemächten gestellt, und von ihnen aus begann die weltweite Auseinandersetzung, an der gemessen Friedrichs Krieg nur ein Seitenthema war. Aber er hatte größte Folgen für die künftige Aufteilung der Welt.

4. Der Verlauf des Krieges

Friedrich überwinterte in Dresden und rüstete sich zum Einmarsch in Böhmen. Im Bewußtsein des darin liegenden Risikos gab er am 10. Januar 1757 eine Geheiminstruktion: „Wenn ich getötet werde, müssen alle Dinge ohne Änderung weitergehen und ohne Rücksicht darauf, daß sie in andere Hände übergegangen sind. Wenn ich gefan-

gen werde, darf keine Rücksicht auf meine Person und auf meine Äußerungen in der Gefangenschaft genommen werden." Am 22. Januar 1757 verpflichtete sich Rußland in der Petersburger Konvention, 80 000 Mann zur Unterstützung Österreichs zu stellen. Im März drangen französische Truppen über die westlichen Reichsgrenzen vor. Am 1. Mai 1757 erweiterten Österreich und Frankreich ihren Defensivvertrag zu einem Offensivbündnis. Bald darauf kam es zur Reichsächtung Friedrichs in Regensburg.

Von allen Seiten wuchsen neue Feinde empor, als der böhmische Feldzug im Gange war. Er scheiterte in der Schlacht bei Kolin (1757), die den König zwang, zur Defensive überzugehen. Im Juni schlugen die Franzosen bei Hastenbeck die Hannoversche Armee unter dem Herzog von Cumberland. Eine französische Armee stand in Westdeutschland; eine zweite unter dem Prinzen Soubise vereinigte sich mit der Reichsarmee und bewegte sich in Stärke von 50 000 Mann auf die Saale zu. Friedrich überließ Sachsen den Österreichern und wandte sich mit 20 000 Mann gegen den Feind im Westen. Der glänzende Überraschungssieg bei Roß- **1757** bach (5. November 1757) zersprengte das Heer und machte einen gewaltigen Eindruck. Dann wandte Friedrich sich nach Schlesien und schlug das weit überlegene österreichische Heer bei Leuthen (5. 12. 1757), womit ganz Schlesien ihm wieder zufiel.

Die glanzvollen Siege Friedrichs entschieden keineswegs den Krieg; aber sie verhalfen in England der imperialen Politik des Ministers Pitt zum Durchbruch, der, von einer Woge der öffentlichen Meinung getragen, das Parlament zu gewaltigen Kriegskrediten zu bewegen wußte. Der Krieg nahm jetzt den von England erwünschten Verlauf: er wurde Subsidienkrieg in Europa und Eroberungskrieg in Amerika. Durch Roßbach erst wurden Ostindien und Kanada erobert. Ein neues Abkommen mit England (11. 4. 1758) sicherte Friedrich jährliche Subsidien in Höhe von 4 Millionen Talern (570 000 £) und schloß einen Sonderfrieden für die Kontrahenten aus. Das

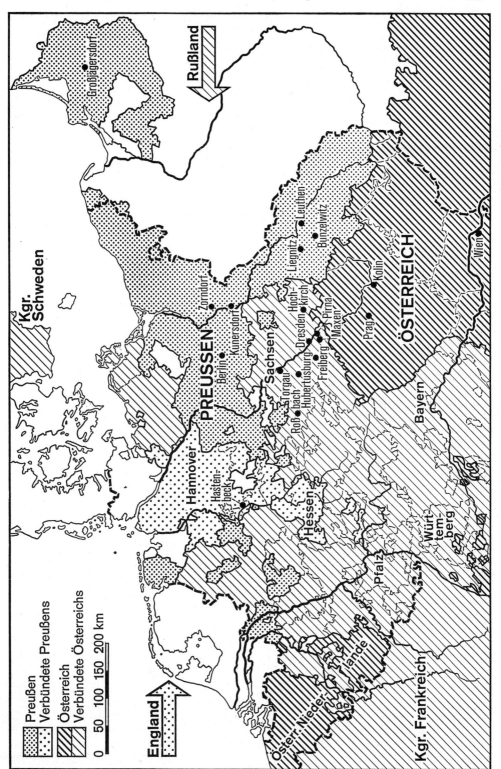

Schicksal von Europa war damit an die Ereignisse in Übersee gekoppelt.

Der Krieg nahm indessen durch das Eingreifen der Russen einen für Preußen bedenklichen Verlauf. Im Januar 1758 ging Ostpreußen mit Königsberg verloren; im Juni erschienen die Russen in der Neumark. Friedrich schlug sie bei Zorndorf (25. 8. 1758) in einem verlustreichen Kampf zurück und wandte sich gegen die Lausitz, wo die Österreicher bei Hochkirch (14. 10. 1758) ihm eine Niederlage beibrachten. Die Vereinigung von Österreichern und Russen führte zu der vernichtenden Niederlage Friedrichs bei Kunersdorf (12. 8.

1759 1759), die seinen Feinden den Weg nach Berlin offenlegte. Der König trug sich mit Selbstmordgedanken und übernahm erst nach tagelanger Verzweiflung wieder den Oberbefehl. Die Sieger waren uneins und versäumten, ihren Erfolg auszunutzen.

Im Jahre 1760 schlug Friedrich die Österreicher bei Liegnitz, entsetzte das von Russen und Österreichern eingenommene Berlin und siegte nochmals bei Torgau über den österreichischen Feldherrn Daun. Das Jahr 1761 brachte keine strategisch auswertbaren Erfolge mehr. Das preußische Heer mußte mit ausländischen Söldnern und bürgerlichen Offizieren notdürftig aufgefüllt werden. In England stürzte der Minister Pitt (5. 10. 1761) über die Frage einer Kriegserklärung an Spanien, das seinerseits in den Krieg gegen England eintrat. Die englischen Subsidien blieben aus, und Friedrich hielt sich im Lager von Bunzelwitz, von Aushungerung bedroht und in der vagen Hoffnung auf ein Eingreifen der Türken.

Der Tod der Zarin Elisabeth (5. 1. 1762) erlöste Friedrich aus seiner Not, da Zar Peter III. (1762) sein Bewunderer war und mit ihm am 5. 5. 1762 ein Friedensbündnis schloß, dem bald auch der Friede mit Schweden folgte. Das war die Wendung zugunsten Friedrichs, „das Mirakel des Hauses Brandenburg". Trotz der Ermordung Peters und der Abberufung der russischen Truppen genügte das kurze Zusammengehen dazu, Schlesien zu besetzen und die Sachsen bei Freiberg zu schlagen. Daran änderte auch der französisch-englische Präliminarfriede (3. 1. 1762) nichts, mit dem England seinen Verbündeten preisgab; denn

auch Österreich stand vor dem finanziellen Zusammenbruch. Wie der Krieg in Übersee begonnen hatte, ging er dort auch zuerst zu Ende. Der Friede in Europa war das Ergebnis allgemeiner Erschöpfung.

5. Das Ergebnis von 1763

Der Friede von Hubertusburg: die europäische Befriedung

Der Siebenjährige Krieg wurde durch zwei Friedensschlüsse beendet, durch den Frieden von Hubertusburg zwischen Österreich, Sachsen und Preußen, und den Frieden von Paris zwischen Frankreich, Spanien und England; mit Rußland und Schweden hatte Preußen schon 1762 Frieden geschlossen. Hubertusburg bezog sich ausschließlich auf die europäischen Verhältnisse und bedeutete im Grunde nur die endgültige Anerkennung des preußischen Besitzstandes. Schlesien mit Glatz blieb in der Hand Friedrichs, der als Gegenleistung dem habsburgischen Thronfolger Joseph, dessen Wahl zum „Römischen König" und damit zum künftigen Römischen Kaiser er 1750 verhindert hatte, seine brandenburgische Kurstimme bei der nächsten Kaiserwahl in Frankfurt (1764) zusagte. Gleichzeitig zog Friedrich der Große aus dem Krieg ein ungewöhnliches Fazit: Preußen sei keine wirkliche Großmacht und könne sich selbst nur durch Anlehnung an andere Mächte behaupten; es sei durch seine Lage zu einer ständigen Anstrengung, zu einem „toujours en vedette", verurteilt.

In der Tat gab es auf dem Festland keinen wirklichen Sieger, wenn auch Friedrich als solcher erschien. Aber er hatte nur noch um das Überleben Preußens gekämpft, was nach dem Ausbleiben der englischen Subsidien höchst zweifelhaft und nur der überraschenden Kehrtwendung Rußlands zu verdanken war. Friedrich zog daraus sogleich praktische Folgerungen und schloß 1764 ein auf acht Jahre befristetes Bündnis mit der Zarin Katharina II., das sich als das Ende der österreichisch-russischen Kombination und den Anfang eines preußisch-russischen Einvernehmens erweisen sollte, das im großen und ganzen bis 1890 gehalten hat. Die wachsende Rivalität zwischen Wien und Petersburg in Südosteuropa machte ohnehin einen erneuten Zusammengang Rußlands mit Österreich gegen Preußen unwahrscheinlich. Rußlands Zutritt ins europäische Konzert der Mächte kam also nunmehr Preußen zustatten. Österreich hingegen unterstrich seine Verbindung mit Frankreich durch die Heirat der habsburgischen Kaisertochter Marie-Antoinette mit dem französischen Thronfolger Ludwig (1770), dem späteren Ludwig XVI. (1774—1792). Das europäische Gleichgewicht blieb also bei veränderter Machtkonstellation und unter Schwerpunktverschiebung nach Osten erhalten. Der Friede von Hubertusburg bestätigte im Grunde lediglich den status quo in Europa und hatte nur für Preußen epochemachende Bedeutung.

Allerdings hatte der siebenjährige Kampf insofern eine gewisse Einzigartigkeit, als er kein dynastischer Konflikt war wie die bisherigen Erbfolgekriege und auch kein ideologischer Konflikt wie die späteren Kriege seit 1776. Er war reiner Machtkampf, der sich weder aus dem Ancien Régime noch aus den Ideen der Aufklärung legitimieren ließ. Die Staatsräson setzte die Kriegsziele und die Rückkehr zum Gleichgewicht den Frieden. So sah es jedenfalls von Kontinentaleuropa her aus.

Der Friede von Paris: die weltpolitische Befriedung

In Wirklichkeit war dieser Krieg mehr als alle vorhergehenden Kriege in weltpolitische Zusammenhänge verstrickt. Bei Roßbach fiel die Entscheidung über die Zukunft Indiens und Nordamerikas, insofern diese Schlacht erst Pitt die Bahn zu seiner imperialen Politik freigab. Aber die aus dem weltweiten Kampf sich ergebende Weltordnung wurde von den drei westeuropäischen Seemächten unter sich ausgehandelt. Weder Preußen noch Österreich oder Rußland hatten im Frieden von Paris mitzusprechen. Die Welt war zwar ein einziges Kriegstheater geworden, aber die alte Trennung der Außenwelt von Europa kam in den beiden völlig getrennten Friedensschlüssen nochmals zum Ausdruck, von denen der eine das Gleichgewicht der Mächte sicherte und der andere es im Weltmaßstab zerstörte.

Frankreich hatte die Herstellung eines Weltgleichgewichts gegen England mit staatlichen Mitteln und oft in Verbindung mit den

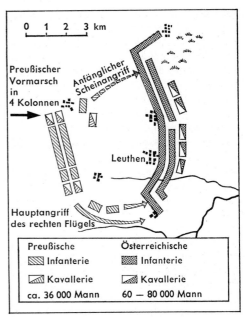

Die Schlacht bei Leuthen, 5. 12. 1757

eingeborenen Völkern erstrebt. Dadurch wurden die staatsfreien Zonen auch Kriegsschauplätze. Es erlitt eine völlige Niederlage, und England gewann ganz Kanada und das gesamte Gebiet östlich des Mississippi, dazu noch Florida von Spanien (nur bis 1783), das seinerseits mit dem französischen Louisiana westlich des Mississippi entschädigt wurde. In Afrika erhielt England Senegambien von Frankreich. In Indien dehnte es seine Herrschaft vom Himalaja bis Ceylon aus und überließ Frankreich nur einige Stützpunkte. Daneben blieben die Kolonialreiche Spaniens, Hollands und des von England abhängigen und protegierten Portugal bestehen. Aber England war die maßgebende Kolonialmacht, da es die Seerouten beherrschte. Es war der wirkliche und einzige Sieger des langen Ringens, der in Übersee keinen namhaften Gegner mehr zu fürchten brauchte, nachdem Frankreich aus Indien und Nordamerika verdrängt war.

Die Folgen des Friedens

Die Antwort Frankreichs auf diese Demütigung war eine umfassende anti-englische Politik in Europa, die alle von England angeblich geprellten kleinen und großen Mächte gegen das Inselreich und dessen seerechtliche Ansprüche zusammenzuführen trachtete. Unter der Parole eines freiheitlichen Seehandels zog es Spanien und die kleineren Kolonialmächte auf seine Seite. Es vertrat mit seiner auf Freiheit, Gleichheit und Solidarität abgestellten Weltpolitik ein neues außenpolitisches Prinzip gegen den britischen Kolonialmerkantilismus, der die Kolonien in völliger Abhängigkeit vom Mutterland halten wollte. Seine Diplomatie suchte dem britischen Imperium die europäische Rückendeckung zu nehmen und propagierte geradezu eine Freihandelsideologie, die schließlich zum Erfolg kam, als sich die englischen Siedlerkolonien in Nordamerika gegen die englische Handels- und Steuerpolitik zur Wehr setzten. Mit dem Abfall der amerikanischen Kolonien 1776 kam die Stunde Frankreichs. Hier zog es den Vorhang hoch zu einem „nouveau théâtre de l'humanité" (Mirabeau) und stellte durch seine diplomatische Vorarbeit in Europa und durch sein militärisches Eingreifen in Amerika zugunsten der aufständischen

Nordamerika 1763

Revolutionäre das Weltgleichgewicht im Frieden von Versailles (1783) wieder her.

Das seebeherrschende England gelangte zwar mit dem Jahre 1763 auf den Gipfel seiner Macht; aber ein innerer Widerspruch lag darin, daß die völlige Freisetzung der Welt zugunsten Englands sich mit dessen merkantilistischer Kolonialpolitik kaum vereinbaren ließ. Gerade die Befreiung der amerikanischen Siedler vom französischen und spanischen Druck diente der englischen Regierung dazu, ihre völlige Einordnung in ein weltumfassendes, auf die Bedürfnisse des Mutterlandes zugeschnittenes Handelssystem zu erreichen, das bisher durch die Nähe der anderen Seemächte stets unterlaufen werden konnte.

Die restriktive Handelspolitik Englands vertrug sich nicht mit dem Gesetz der individuellen Freiheit und Initiative, nach dem die Handelsleute der nördlichen Seemächte gegen die Staatsunternehmen Spaniens und Frankreichs angetreten waren. Frankreichs ideologischer Kampf gegen die Konzentration des Welthandels auf England hatte ein inneres Recht auf seiner Seite, insofern er das Naturrecht ins Feld führte und damit auf der Linie der Aufklärung lag.

Der Friede von 1763 hatte die alte völkerrechtliche Trennung der Außenwelt von Europa aufgehoben und kannte keine „Friedenslinien" mehr. Die siegreiche Großmacht England zog daraus aber Konsequenzen, die den eigenen Überseehandel nach außen abschirmten und nach innen auf einen Staatsmerkantilismus hinausliefen, der im Weltmaßstab nicht durchzusetzen war und Widerstand weckte. Nicht England, sondern das von den europäischen Querelen seit 1763 freigesetzte Nordamerika entband das in der atlantischen Handelsgesellschaft enthaltene Potential an freiheitlichen und ideellen Kräften und schuf sich eine „neue Welt", die sich mit Berufung auf das Naturrecht und die öffentliche Meinung der Welt vom Mutterland losriß und den Übergang von der Aufklärung zur Revolution wagte. Der Geburtshelfer dazu war in Europa das aufgeklärte Frankreich, das den amerikanischen Freiheitskampf (1776—1783) unter dem Beifall der öffentlichen Meinung als seine eigene Sache betrachtete und erstmals eine ideologische Außenpolitik verfolgte.

V. Der aufgeklärte Absolutismus

1764	Preußisch-Russisches Bündnis	1781	Toleranzpatent
1772	Erste Teilung Polens		Aufhebung der Leibeigen-
1779/80	Bayerischer Erbfolgekrieg		schaft
1779	Friedenskongreß von Teschen	1786	Allgemeines Bürgerliches Ge-
1785	Deutscher Fürstenbund		setzbuch
1794	Allgemeines Preußisches	1788	„Josefina" (Strafgesetzbuch)
	Landrecht	1790—1792	Leopold II.
1765 (1780) bis 1790	Joseph II.		

1. Der preußische Staat

Der autokratische Zentralismus

Friedrich II. übernahm von seinem Vater eine effektive Verwaltung, einen gefüllten Kriegsschatz und ein schlagkräftiges Heer, aber auch einen relativ armen Staat, der durch die großen Militärkosten aufs äußerste belastet war. Der Gewinn Schlesiens vermehrte die Bevölkerung um die Hälfte, und die Einnahmen aus der Verwaltung erreichten fast die Höhe aller anderen Länder zusammen. Jetzt erst verfügte der König über genügend Mittel, sein Staatswesen nach seinen Vorstellungen fortzuentwickeln. Er nutzte die Friedensjahre von 1745 bis 1756, um den Staat auf seine Person auszurichten und die Bürokratie mit dem Generaldirektorium an der Spitze zu seinem willenlosen Werkzeug zu machen. Er schränkte diese kollegiale Oberbehörde möglichst auf ihre provinzialen Kompetenzen ein, indem er neue Departements gründete, die ihm direkt verantwortlich waren, nämlich neben dem Departement für Äußeres (1728) noch ein Departement für Handel und Manufakturen (1740), für das Heer (1746) und das Münzwesen (1750). Am wichtigsten war hier das neue Sonderdepartement für Schlesien, das ihm direkt unterstand und einen eigenen Etat hatte. Damit zerbrach er die Finanzeinheit und konnte sich einen „Geheimen Dispositionsfonds" halten, der der Kontrolle des Generaldirektoriums entzogen war. Nur er allein hatte also eine Gesamtübersicht über die Finanzen; er verhinderte gemeinsame Ministerberatungen und stellte selbst die Haushaltspläne der Provinzen zu einem Staatshaushalt zusammen. Die zentrale Entscheidungsstelle war allein das Kabinett des Königs, der über die neuen Departements sein eigener Finanz-, Außen-, Kriegs- und Handelsminister war und nicht daran dachte, den Staat organisatorisch auf eigene Füße zu stellen. Nach unten suchte er eine Vereinheitlichung, aber auf der obersten Ebene eine Verunklarung, die ihm Bewegungsfreiheit gegen die allgegenwärtige Bürokratie verschaffte. In seiner Person allein konzentrierte sich die Einheit der Regierung, über der in Friedrichs Augen nur noch der Staat stand, als dessen Diener sich der König betrachtete. Er herrschte nicht über diese Verwaltung, sondern regierte selbst mit Hilfe der ihm unmittelbar verantwortlichen gesamtstaatlichen Ressorts. Die Beamten trugen die Routinegeschäfte und hatten nichts anderes zu tun als „travailler pour le roi de Prusse".

Finanz- und Währungspolitik

Die große Probe kam für Friedrich mit dem Siebenjährigen Krieg und der Zeit danach. Preußen war nach 1763 ein zurückgebliebenes, auf weite Strecken verwüstetes Land, das bei seiner Kapitalarmut diesen gewaltigen Rückschlag kaum wettmachen konnte. Der angesammelte Kriegsschatz war schon nach dem Feldzug in Böhmen (1756/57) erschöpft, und die Steuererträge aus Akzise und Kontributionen verminderten sich erheblich. Die Gesamtkosten des Krieges beliefen sich auf 140 Millionen Taler. Der Staatsschatz enthielt bei Kriegsausbruch jedoch nur 13,2 Millionen Taler.

Hier zeigte sich der König als ein Meister der Finanzmanipulation. Er brauchte nämlich während des Krieges nur eine einzige Anleihe in Höhe von 4 Millionen Taler aufzunehmen und wußte sich durch die englischen Subsidien und hohe Kriegskontributionen in Sachsen und Mecklenburg im ganzen 80 Millionen Taler zu beschaffen, so daß er am Ende des Krieges noch über einen Staatsschatz von 14,5 Millionen Taler verfügte. Er war wohl der einzige König, der einen langen Krieg mit vollen Kassen beendete. Sein Mittel war eine Münzverschlechterung, die den Nominalwert seiner Gelder verdoppelte. Die Ausgabe schlechter Münzen und die Sammlung guten Geldes wurde einem Konsortium jüdischer Geldmänner (Veitel Ephraim und Daniel Itzig) übertragen, die über das jüdische Hausierergewerbe den Münzumlauf besorgten. Dadurch wurden mittelbar die östlichen Nachbarländer, vor allem Polen, Rußland und auch Ungarn in Kontribution gesetzt. Der Existenzkampf auf Leben und Tod zwang Friedrich zu diesen Praktiken, die er später durch den Rücklauf des minderwertigen Geldes wieder auszugleichen vermochte. Dies war ihm nur möglich, weil er allein über seinen Kassenbestand Bescheid wußte. Allerdings konnte er Preissteigerungen, Münzhortungen und Flucht in die Sachwerte nicht verhindern und hatte alle Hände voll zu tun, um nach dem Kriege die kapitalschwachen und mit Wechselgeschäften operierenden Kaufleute und Gewerbetreibenden vor dem Bankrott zu bewahren. Im Wiederaufbau der ökonomischen Verhältnisse entwickelte Friedrich eine Wirtschafts- und Finanzpolitik, die Preußen zu einem Musterland des Merkantilismus machte, dessen fiskalischer Dirigismus zwar auch im Dienste des Gemeinwohls stand, aber doch das Gemeinwesen in eine Zwangsanstalt verwandelte.

Der Wiederaufbau

Das Münzedikt vom Mai 1763 setzte die Steuern nach Friedensgeldwert fest, was bei der Münzentwertung einer 40prozentigen Steuererhöhung gleichkam. Aber die kriegsgeschädigten Provinzen blieben davon befreit, Zahlungsaufschübe wurden an gefährdete Manufakturen gegeben, Zwangsversteigerungen von Gütern ausgesetzt, Monopole und Privilegien an gewerbliche Betriebe ausgegeben und damit ein staatlicher Interventionismus eingeleitet, der alle wirtschaftlichen Bereiche erfaßte. Eine Verordnung von 1764 verlangte, daß in Jahresfrist alle freigewordenen Bauernstellen wieder zu besetzen seien. Eine Kriegsschädenkommission entschied über die Austeilung von Subventionen. Andere bevollmächtigte königliche Kommissionen waren für Wiederaufbau, Meliorationen, Manufakturwesen usf. tätig. Facharbeiter wurden ins Land geholt, und die Soldaten in den Kasernen mußten bei der Wollherstellung helfen.

Experten wurden beauftragt, die Meliorationen im Warthebruch und bei der Oderregulierung technisch zu ermöglichen. Neues Saatgut und neue Wirtschaftsmethoden (Kartoffelanbau, Fruchtwechselwirtschaft) sowie die Aufhebung der Abgaben auf Getreide dienten der Förderung der Landwirtschaft. Getreidemagazine wurden zur Marktregulierung und für Notzeiten angelegt. Seit 1766 waren bereits Gelder für Meliorationen, Manufakturgründungen und Wiederaufbau verfügbar. Dazu kamen verschärfte Aus- und Einfuhrverbote, um die Einwohner zur Selbstproduktion zu zwingen (Prohibitionssystem). Neue Departements für Bergbau und Hüttenwesen (1768) und für Forstwesen (1770) entstanden. Der Staat erschloß sich neue Finanzquellen durch Luxussteuern auf Branntwein, Fleisch und Gewürze (1766), das erweiterte staatliche Salzmonopol (1765), ein Tabakmonopol (1765) und eine Kaffeeregie (1781). Alle Maßnahmen gingen unmittelbar an die Kammerpräsidenten in den Provinzen und nicht über das Generaldirektorium.

Die „Regie"

Eine neue, erstmals für alle Provinzen zuständige Steuerbehörde wurde 1766 | **1766** | mit der „Administration générale des accises et péages" gegründet, ein zentrales Fachdepartement mit eigener Organisation, das direkt dem König verantwortlich war und unter der Regie französischer Steuerfachleute (Regisseure) stand. Diese „Regie" verwaltete nun ohne Verbindung mit den anderen Behörden die Zölle und die Akzisen. Die neuen Steuerinspekteure mit dem Generalregisseur de Launay an der Spitze erhielten Erfolgsprämien und steigerten die Einkünfte auf 23,5 Millionen Taler. Aber ihre rücksichtslose Tätigkeit, die bis in die häuslichen Dinge hineinschnüffelte, verscherzte dem König die Zuneigung seiner Untertanen. — Auch das Postwesen wurde einem französischen Generalintendanten unterstellt, aber diese Postregie wegen ihres ärgerniserregenden Spionier- und Denunziantentums 1769 wieder abgeschafft. Alle Einnahmen der Regie flossen in jenen Geheimen Dispositionsfonds, der 1786 zu einem Staatsschatz von 55 Millionen Taler angewachsen war.

Der volkswirtschaftliche Dirigismus

Der König trug sich in der Notzeit nach dem Kriege sogar mit Plänen einer Konzentration des Geldverkehrs und der Kapitalien in einer Nationalbank, der Bank von Berlin, an die nach dem Muster der Bank von England aller Geldverkehr künftig gebunden sein sollte und alle monopolisierten Handelskompanien angeschlossen werden sollten, um das gesamte geschäftliche Leben übersehen zu können. Gleichzeitig sollte dies ein vorbereitender Schritt zur Ablösbarkeit wirtschaftlicher Abhängigkeitsverhältnisse durch Geldverbindlichkeiten einleiten. Vom Geldfluß her erhoffte sich Friedrich eine Übersehbarkeit der Gesamtwirtschaft und deren bessere Lenkbarkeit. Das setzte allerdings privates Eigenkapital und einheimische Gewerbetätigkeit voraus und fand keine Gegenliebe bei den Kaufleuten, die durchweg die Geschäfte der Nachbarländer besorgten und nicht mit ihren Kapitalgebern und reichen Handelsfirmen brechen wollten, zumal ihnen eigene Kapitalien meist fehlten. Monopole und Privilegien konnten diese Haltung nicht brechen, da das Königreich kein geschlossener Wirtschaftkörper war. Nur einige Teilstücke wurden verwirklicht, aber die Konzentration des Geldverkehrs auf die Zentralbank wurde nicht erreicht. — Ferner dachte er an eine planmäßige Regelung und Verteilung der Produktion aufgrund von Berufs- und Bedarfsstatistiken. Er wollte also die ganze Volkswirtschaft wie einen riesigen Trust planen und lenken, was in mancher Beziehung nahezu auf eine staatssozialistische Organisation hinauslief.

Erfolgreicher war Friedrichs Peuplierungspolitik, die von seinen Vorgängern schon eingeleitet worden war und nach den Kriegsverheerungen so tatkräftig fortge-

führt wurde, daß bis 1786 über 57 000 neue Familien auf dem Lande in 900 Kolonistendörfern angesiedelt waren und die Gesamtzahl der Kolonisten sich auf 300 000 vermehrt hatte. Jeder fünfte Preuße kam also von draußen, und, wenn man die Hugenotten (seit 1685) und Salzburger (1732) hinzurechnet, bestand die Bevölkerung sogar zu 25 v. H. aus Einwanderern. Die Einwohnerzahl stieg trotz der Kriegsverluste von 4,1 Millionen im Jahre 1756 auf 4,5 Millionen im Jahre 1776 (ohne Westpreußen).

Peuplierung und Versorgungspolitik

Erfolgreich war auch Friedrichs soziale Konjunkturpolitik in bezug auf den Getreidemarkt, zu der ihn die Brotpreissteigerung während des Krieges veranlaßte. Er ließ nach guten Ernten Getreide magazinieren oder bei Getreidemangel unter der Hand billiges Getreide in Polen aufkaufen. Dadurch hielt er gegen die Spekulanten den Getreidepreis stets auf einer mittleren Höhe. Besonders nach dem Erwerb Westpreußens (1772), der ihm die Kontrolle des Weichselgebietes in die Hand gab, wurde diese Getreidepolitik ein voller Erfolg. Sogar in den Hungerjahren 1771/72 hielt er den Preis in den preußischen Provinzen auf einer erträglichen Höhe und konnte nach den überreichen Ernten von 1777 und 1780 durch seine Magazineinkäufe das Absinken der Preise aufhalten. Zugleich suchte er den Bauernstand zu schützen. Er verwandelte die bäuerlichen Höfe auf den Domänen in Erbbesitz (1777). Er konnte aber die gutsherrliche Leibeigenschaft nicht beseitigen und verbot lediglich die Einziehung von Bauernstellen. Dabei leitete ihn stets das Interesse an der Rekrutierung seiner Armee, die vornehmlich aus dem Bauernstand erfolgte.

Als einem König der Grenzstriche war es Friedrich unmöglich, einen autarken geschlossenen Handelsstaat zu schaffen; er erreichte aber immerhin eine positive Handelsbilanz und eine beträchtliche Steigerung der Staatseinnahmen auf etwa 19—20 Millionen Taler (1786), von denen freilich 12—13 Millionen auf das Heer verwandt wurden. Auf der anderen Seite verlangte dieses System in einem Staatswesen mit offenen Grenzen eine ständige polizeiliche

Kontrolle und Einmischung in Handel, Gewerbe und Konsum bis hinunter zu den
amtliche bestellten Tabak-, Kaffee- und
Branntwein-Schnüfflern, also einen Polizeistaat, der manchem Besucher als „seelenlose
Maschine" erschien. Friedrich vollendete
den preußischen Staatsmerkantilismus, dessen innenpolitischer Dirigismus durch die
offenen Grenzen, die Kapitalarmut, die
scharfe Trennung von Stadt und Land und
die großen Heereskosten notwendig war.

Kirchen- und Schulwesen

Friedrich war aber nicht nur Staatskauf-
mann und Sozialpolitiker, sondern auch
Aufklärer, der sich seinem Staat moralisch
verpflichtet fühlte. Dieser Staat war zwar
protestantisch ausgerichtet, hatte aber mit
Schlesien und Westpreußen starke katholische Volksteile hinzugewonnen. Schon 1740
verordnete Friedrich im Hinblick auf Schlesien religiöse Toleranz und sicherte sie im
Hinblick auf seine ausländischen Söldner
und die hinzugekommenen Volksteile allen
Minderheiten in seinem Königreich mehrmals zu. Er betrachtete die Kirchen als will-
kommene Werkzeuge für die Volkserzie-
hung und verbot ihnen wechselseitige Ver-
ketzerung und Kontroverspredigten. Er ließ
1748 in Berlin die katholische Hedwigskir-
che bauen und nach der Aufhebung des Jesuitenordens durch Papst Clemens XII.
(1773) die Jesuiten in Schlesien weiterhin als
Lehrer und Erzieher wirken. Sie unterstanden nach Verlust ihres Ordensstatus fernerhin dem königlichen Schulinstitut und der
staatlichen Schulaufsicht, die auch ihre Güter verwaltete.

| 1766 | Das Generallandschulreglement von
1766 regelte die allgemeine Schulpflicht, die Lehrerbildung und die Schulin-
spektion. Friedrichs berühmter Brief über
die Erziehung (1769) sah die Förderung der
Urteilsfähigkeit und die aufgeklärte Philosophie von John Locke als die Grundlage
der Schulbildung an. Allerdings blieb die
preußische Schulbildung Berufs- und Stan-
deserziehung, und die Finanzen für Schul-
zwecke waren gering gehalten. Im Grunde
kümmerte sich Friedrich kaum um Schulpo-
litik und hielt von einer allgemeinen Aufklärung der Massen nichts.

Rechtsreformen

Bedeutsamer war, daß Friedrich den Rechtsstaat zu verwirklichen und jede dynastische
und richterliche Willkür auszuschließen
suchte. Schon 1748 wurde ein einheitliches
Prozeßverfahren und ein klarer Instanzen-
zug vorgeschrieben, und der König verzichtete 1768 ausdrücklich auf seine oberste
richterliche Befugnis in Zivilsachen. Die
Sonderjustiz für die Verwaltung (Kammer-
justiz) blieb freilich neben der ordentlichen
Gerichtsbarkeit bestehen. Die Strafgerichts-
barkeit wurde durch Wegfall der Tortur
und Milderung der Strafen humanisiert.
Die Ordnung des buntscheckigen Rechtswe-
sens lag in den Händen von Samuel Cocceji,
dem Kanzler der gesamten Justizverwaltung
(seit 1737). Friedrich begnügte sich jedoch
nicht mit Einzelreformen, sondern gab ihm
den Auftrag zu einem „Allgemeinen Gesetzbuch für die preußischen Staaten", das von
Carmer und Suarez schließlich fertiggestellt
wurde und 1794 als „Allgemeines
Preußisches Landrecht" erschien. Es
regelte die gesamten Rechte und Pflichten
des Staates, des Herrschers sowie der Untertanen untereinander und schließlich das
Verhältnis zwischen Staat und Untertanen.
Dieses Gesetzbuch war nichts anderes als
die Grundlegung des Rechtsstaates im Rahmen der absolutistischen Staatsform. Das
geltende Recht einschließlich des Privat-
rechts wurde damit zu einem öffentlichen
staatlichen Recht, das dem Staat selbst
Schranken setzte. Die hier vertretenen na-
tur- und staatsrechtlichen Grundsätze waren subsidiär zu den bestehenden Regional-
rechten gedacht, also eine Art Rechtskonsti-
tution, die als Übergangsform vom Rechtsstaat zum Verfassungsstaat angesehen werden kann.
Allerdings hielt auch dieses Preußische
Landrecht trotz seiner aufgeklärten naturrechtlichen Grundlagen an der ständischen
Gliederung der Gesellschaft fest. Die drei
Stände Adel, Bürger und Bauern wurden
streng geschieden, sowohl in bezug auf
Landbesitz, der nach herrschaftlichem,
bäuerlichem und städtischem Boden aufgeteilt war, als auch in bezug auf die Aufgaben
jeden Standes. Der Adel galt als der bevorzugte staatstragende Stand, der die lokale

Grundherrschaft als Hoheitsträger ausübte, Steuerfreiheit genoß und allein für den Offiziersdienst und die höhere Beamtenlaufbahn vorgesehen war; bürgerliche Erwerbstätigkeit war ihm untersagt. Die Bauern waren kontributionspflichtig und unterstanden der militärischen Dienstpflicht, auch soweit sie einer Gutsherrschaft angehörten. Den Bürgern waren in den Städten Handel, Geschäft und gewerbliche Produktion vorbehalten. Nur die niedere und die ländliche Schicht wurden von der Militärpflicht erfaßt, also jene, die außerhalb der Marktgesellschaft und der städtischen Gewerbeordnung tätig waren. Das alte Preußen hielt hier an einer Gliederung fest, die erst durch die Stein-Hardenbergsche Reform des 19. Jahrhunderts mit der Aufhebung der Gutsherrschaft und des Zunftzwangs liberalisiert wurde.

2. Friedrich der Große

Friedrich war die beherrschende Figur seiner Zeit, der die Zeitgenossen geradezu hypnotisierte. Sein politisches Schrifttum, seine Testamente, Denkschriften und seine Korrespondenz hatten selbst für das schreiblustige 18. Jahrhundert einen ungeheuren Umfang und hoben ihn turmhoch über seine fürstlichen Zeitgenossen. Alle, die mit ihm zusammentrafen, setzten sich mit seiner Persönlichkeit auseinander; davon zeugt die unübersehbare Menge zeitgenössischer Briefe, Memoiren, Tagebücher und Pamphlete. Nach seinem Tode erschien eine Flut von Darstellungen über sein Leben, und eine Unmenge von Anekdoten kreisten um den „alten Fritz". Die Zeitgenossen spalteten sich für und gegen ihn. Preußen selbst gewann durch seine Kriegstaten und seine Reformarbeit erstmals das Bewußtsein einer gesamtstaatlichen Zusammengehörigkeit. Friedrich galt als der aufgeklärte Herrscher, auf den viele Aufklärer ihre Hoffnung setzten. In der Tat war der König ein Freidenker und ein Philosoph auf dem Thron. Aber er war auch ein Realist und Pessimist, der nicht glaubte, daß nach dem Wegfall von Aberglaube und Vorurteilen sich die gute Natur der Menschen durchsetzen würde. Er hielt die Mehrheit

dieser „maudite race" für dumm und boshaft und wollte sie in Schranken gehalten wissen. Dazu dienten ihm Staat und Kirchen. Er teilte weder den Utopismus der Radikalaufklärer noch deren Unduldsamkeit gegen religiöse Meinungen und hielt einen „despotisme éclairé" für die beste Regierungsform, weil hier Staatsräson und Gemeinwohl, Machtbehauptung und allgemeiner Nutzen sich deckten.

Er begründete sein Herrscherrecht aus der Notwendigkeit des Staates, dessen oberster Zweck die Sicherung von Recht, Ordnung, Wohlfahrt, Glück und Erziehung für alle sei und dessen Macht dem ständigen Verfall der menschlichen Dinge entgegenwirke. Alle Chimären eines Gottesgnadentums und der hohen Geburt lehnte er ab. Für ihn lief die Regierung auf vier Rädern, der Rechtspflege, der Finanz, dem Militär und der Politik, und konnte nur funktionieren, wenn sie in einem einzigen Kopf erschaffen und durchgesetzt wurde. Um der notwendigen Ordnung willen muß der Souverän alles im letzten selbst machen wie der Steuermann auf stürmischer Fahrt.

In Friedrich trafen die Gegensätze der Zeit zwischen Ancien Régime und Aufklärung aufeinander. Er war geborener Herrscher und aufgeklärter Weltverbesserer, ein Menschenverächter und Humanist, ein Machtmensch und Moralist, ein Tyrann und Aufklärer. Er war Staatsmann und Feldherr aus Pflicht und Aufklärer und Philosoph aus Neigung. Er litt dabei an dem ständigen Konflikt zwischen der Notwendigkeit der Staatsräson und den idealen Forderungen der Moral, zwischen harter Wirklichkeit und aufgeklärtem Menschheitsideal.

Im Grunde war Friedrich durch sein grausiges Jugenderlebnis geprägt worden, welches ihm die Unvereinbarkeit seines privaten Glücksverlangens mit der preußischen Staatsräson in drastischer und geradezu unmenschlicher Weise vor Augen führte. Sein persönlicher Wille wurde gewaltsam gebrochen; das Menschliche in ihm verkümmerte gewissermaßen zu einem abstrakten Ethos des Dienens. Der erste Mann Preußens wurde sich selbst ein Fremder unter einem unpersönlichen Prinzip, das ihn wie eine Zwangsjacke einhüllte. Er selbst war der Prototyp des „Mußpreußen". Als Preis zahlte er einen Verlust an menschlicher Nähe und unbekümmerter Lebensfreude. Er erschien als entpersönlichte Staatsräson, als Repräsentant einer Staatsidee, und bezeichnete sich selbst als obersten Untertan und „ersten Domestiken des Staates".

Friedrichs Größe als preußischer Staatsmann und seine menschlichen Mängel gehören zusammen, wie Preußens Glorie und seine Armut zusammengehörten. Er verkörperte den Widerspruch zwischen absolutistischem Herrscher und freiem Aufklärer und war unfreiwilliger Ausdruck seines Zeitalters, das nach ihm mit Recht benannt werden kann.

Friedrichs Aufklärung blieb eine persönliche Angelegenheit und wurde keine Revolution von oben. Sein Rechtsstaat festigte sogar die ständische Schichtung, und sein Polizeistaat legte sich wie eine Zwangsjacke um die Menschen, die Untertanen, aber keine Staatsbürger waren. Friedrich blieb hier seiner Zeit verhaftet und ließ sich von niemandem in die Politik hineinreden. Er mußte sich deshalb die Kritik vieler Zeitgenossen und auch der „Berliner Aufklärung" (Mendelssohn, Nicolai) und seines aufgeklärten Beamtentums gefallen lassen, die die inneren Schwächen des Staatswesens ans Tageslicht zogen. Mit seinem Tode sank die Welt des Absolutismus ins Grab. Merkwürdigerweise gab seine Außenpolitik nach 1763 zugunsten der Reichsverfassung und gegen Österreich seiner Regierungszeit einen späten Glanz.

3. Friedrichs Außenpolitik

Die erste Teilung Polens

Das wichtigste außenpolitische Ereignis war das Defensivbündnis Friedrichs mit der Zarin Katharina II. (1764), das auf acht Jahre geschlossen wurde und aus dem gemeinsamen Interesse an Polen entsprang. Anlaß war der Tod Augusts III., Kurfürst von Sachsen und König von Polen (1763). Die beiden Herrscher einigten sich auf den Günstling der Zarin, Stanislaus Poniatowski, der unter ihrem Druck von der polnischen Adelsversammlung zum neuen König gewählt wurde (1764). Dabei kam es zu einem Bürgerkrieg, der von den Russen niedergeschlagen wurde, aber durch eine

Grenzverletzung zu einem russisch-türkischen Krieg führte. Russische Truppen besetzten die Moldau und die Walachei, was Österreich veranlaßte, als Entschädigung polnische Grenzgebiete zu besetzen. Friedrichs Vermittlungsversuche scheiterten vorerst und führten schließlich zu einem Teilungsplan, nach welchem Rußland das Gebiet östlich von Düna und Dnjepr, Österreich Ostgalizien und Rotrußland, Preußen schließlich Westpreußen ohne Danzig und

1772 Thorn, ferner das Bistum Ermland (Ostpreußen) und den Netzedistrikt erhielten (1772).

Diese Teilung beseitigte zwar die Kriegsgefahr, war aber ein Raub ohne Rechtsgrundlagen. Die polnische Adelsrepublik war zum Objekt reiner Machtpolitik geworden, in deren Zeichen das einstige Bollwerk des Abendlandes gegen Osten verkleinert wurde, bis es in zwei weiteren Teilungen (1793; 1795) ganz verschwand. — Der Erwerb Westpreußens gab dem preußischen Staat eine lebenswichtige territoriale Abrundung seiner Ostgrenzen. Nun erst konnte sich Friedrich König *von* Preußen nennen. Der katholische und polnische Volksteil vermehrte sich damit beträchtlich, so daß Preußen ein Staat der religiösen und nationalen Minderheiten wurde, der weder protestantisch noch national sein konnte und seine Einheit in einem patriotischen Dienstethos fand, das sich in der Persönlichkeit Friedrichs beispielhaft verkörperte.

Der König verwandelte die polnische Leibeigenschaft in eine mildere Erbuntertänigkeit. Die Starosteien wurden Staatsdomänen und die Besitzungen der Prälaten in staatliche Verwaltung übernommen. Die polnische Verfassung wurde durch eine preußische Verwaltung ersetzt. Friedrich holte 11 000 Ansiedler ins Land, darunter zahlreiche Handwerker für die Städte, und gründete fünfzig deutsche Dörfer. Dieser Verlagerung Preußens nach Osten ging eine Erbvereinbarung mit der Markgrafschaft Ansbach-Bayreuth (1769) voraus, die 1790 an Preußen fiel und ihm einen Fuß im südlichen Reichsland (bis 1807) gab.

Die Einschränkung Österreichs

Friedrichs weitere Politik war auf die Einschränkung Österreichs im Reich gerichtet

Polen vor 1772

Polen nach der ersten Teilung, 1772

und suchte die alte Kaisermacht in den Fesseln der Reichsverfassung zu halten.

Als die Münchener Wittelsbacher ausstarben und der kinderlose Carl Theodor von Pfalz-Sulzbach den wittelsbachischen Besitz im Westen und Osten in seiner Hand vereinigte (1777), vereinbarten Habsburg und Wittelsbach einen Austausch des ostbayerischen Besitzes (Niederbayern und Oberpfalz) gegen den vorderösterreichischen Besitz am Oberrhein. Dagegen wandte sich Friedrich im Bayerischen Erbfolgekrieg (1779/80, Kartoffelkrieg). Er marschierte in Böhmen ein und erreichte im Friedenskongreß von Teschen (1779) im Einvernehmen mit dem Reichstag in Regensburg und mit russischer Unterstützung die Rücknahme des Tauschplanes, der Bayern nach Westen und Österreich ins Reich hinein verschoben hätte. Bemerkenswert an diesem Friedenskongreß war, daß Rußland hier zur Garantiemacht des Westfälischen Friedens und damit des Fortbestandes der bisherigen Reichsordnung aufrückte. Friedrich erschien hier als Schützer der Reichsverfassung. Dabei kam ihm das Mißtrauen gegen die radikale Aufklärungspolitik Kaiser Josephs II. zugute. Dessen Konfiskationspolitik gegenüber dem in seine Erblande hineinragenden reichsfürstlichen Bistumsbesitz und die Vergabe der vakant gewordenen Hochstifte an österreichische Prinzen kosteten ihn das Vertrauen der geistlichen Reichsfürsten und trieb viele Reichsstände auf die Seite Friedrichs.

1779

Polen nach der zweiten Teilung, 1793

Polen nach der dritten Teilung, 1795

Ein zweiter Tauschplan Josephs, der Bayern an Habsburg und die Österreichischen Niederlande an Wittelsbach geben sollte, war durch sein Bündnis mit Rußland (1781) abgesichert, scheiterte aber am deutschen Für- **1785** stenbund (1785), der für die Ordnung von 1648 eintrat. Friedrich hatte diese Abwehrfront im Namen der „teutschen Libertät" zustande gebracht.

Diese „Reichspolitik" des späten Friedrich war zwar das Ergebnis taktischer Erwägungen, aber sie brachte ihm Beifall und Bewunderung ein, weit über die Grenzen des Königreichs hinaus. Obwohl man seine Leistungen im einzelnen nicht immer schätzte, galt er als deutscher Held, und Goethe schrieb von ihm, daß er am Himmel der Zeit „als Polarstern, um den sich Deutschland, ja die Welt zu drehen schien", angesehen

Joseph II.
(1741 bis 1790, 1764 römisch-deutscher König, 1765 Mitkaiser) nach einem Gemälde von P. Batoni

wurde. Selbst der kritische Kant nannte seine Zeit „das Zeitalter Friedrichs". Friedrich trug ungewollt dazu bei, daß Deutschland eine „Kulturnation" zu werden begann, deren Selbstbewußtsein an dem formgebenden Willen seiner Persönlichkeit erstarkte. Nur sie und die Mannhaftigkeit dieses Königs entzündeten die Phantasie der Zeitgenossen, nicht etwa der preußische Staat, der vielen als barbarische Zwangsanstalt erschien. Was sich an deutschem Nationalgefühl regte, blieb vielfach staatsfremd und oft sogar staatsfeindlich. Ein politisches Nationalgefühl entstand erst im Verlauf der Französischen Revolution und im Kampf gegen Napoleon.

Als Alleinherrscher stand Friedrich am Ende einer Epoche, und bei seinem Tode war sein absolutistischer Polizeistaat wachsender Kritik ausgesetzt. Aber im ganzen genommen war er neben Pitt, dem „Grand Commoner", und der Zarin Katharina der Großen eine gleichrangige Figur des Zeitalters und ist mit gutem Grund als „Friedrich der Große" in die Geschichte eingegangen.

4. Kaiser Joseph II.

Joseph II. (1765/1780—1790) verkörperte **1780 bis 1790** in sich den Widerspruch zwischen Absolutismus und Aufklärung. Er wollte gekrönter Menschenfreund sein und redete von den hohen Idealen der Volksbefreiung und der bürgerlichen Einfachheit, gebärdete sich aber zugleich wie ein Despot, Volksverächter und schrankenloser Gebieter. Er wollte den aufgeklärten Zwangsstaat der Vernunft schaffen und erklärte gewissermaßen seiner eigenen Monarchie den Krieg. Was er anrichtete, war kein organischer Weiterbau, sondern eine überhastete Revolution, mit der er nach dem Vorbild Friedrichs des Großen seine Staatsidee zu logischer Vollendung führen wollte. Dabei gelang dem vermeintlichen Zwingherrn zur Aufklärung nur eine Karikatur des aufgeklärten Absolutismus.

Er wollte den Einheitsstaat mit gleichberechtigten Untertanen, gleicher Besteuerung, einheitlicher deutscher Amtssprache (1784), mit Glaubensfreiheit (Toleranzpatent 1781), zentraler Bürokratie, **1781** Gewerbefreiheit, allgemeiner Schulpflicht schaffen, kurz, das ganze Arsenal aufklärerischer Ideen auf einmal verwirklichen. Er beseitigte die städtische und ländliche Selbstverwaltung und ersetzte sie durch ein staatliches Polizeiregiment. Er führte ein bürokratisches Bespitzelungssystem mit „Conduitenlisten" und Zensurrechten ein. Die Staatsräson ging ihm über Tradition und Väterglaube.

Er entschied in der Religion, was richtig und was Aberglaube war, und in Schule und Universität, was nützlich und was schädlich war. Ihn leitete ein platter Utilitarismus, der Kulturpflege nach den praktischen staatlichen Bedürfnissen betrieb. Er schränkte die Zahl der Universitäten ein und ließ die Lehrpläne überwachen. Er verbot Prozessionen und Bruderschaften, regelte die Zahl der Feiertage und der Gottesdienste. Er hob

1781 die beschaulichen Orden auf und schloß die Jesuitenuniversitäten in Graz, Innsbruck und Brünn. 700 von 2000 Klöstern verschwanden, Kirchen wurden aufgehoben, geistliche Vermögen und Ausbildungsstätten unter Staatsaufsicht gestellt (1781/82). Seine Kirchenpolitik verfolgte keine Trennung von Staat und Kirche, sondern eine Verstaatlichung der Kirche, die von Klerus und Volk als Provokation empfunden wurde.

Aber neben vielerlei Torheiten, die Ausfluß eines engstirnigen Doktrinarismus waren, gab es auch wirkliche Fortschritte. Schon **1781** hob Joseph die Leibeigenschaft auf und verordnete freie Arbeitswahl, Freizügigkeit, freies Heiratsrecht. Er führte im Ehepatent von 1783 die Zivilehe ein, wobei allerdings die kirchliche Trauung vorgeschrieben blieb. Er trennte die Justiz endgültig von der Verwaltung und verlangte fachliche Vorbildung und staatliche Besoldung der Richter (1787). 1786 erschien der erste Band des Allgemeinen Bürgerlichen Gesetzbuches und 1788 die „Josefina", ein verbessertes Strafgesetzbuch, in welchem die Todesstrafe abgeschafft war.

Seine Wohlfahrtspolitik war sogar vorbildlich und veranlaßte die Errichtung von zahlreichen Kranken-, Waisen-, Irren- und Findelhäusern. Hier wollte er der „barmherzige Samaritan auf dem Thron" sein. Dagegen erregten seine schroffen Verstaatlichungs- und Vereinheitlichungsmaßnahmen wachsenden Widerstand. Seine Revolution von oben rief eine Revolution von unten hervor. Gegen die Einführung der kaiserlichen Zentralverwaltung in den Österreichischen Niederlanden (1787) richtete sich ein Aufstand, dem Joseph II. mit der Militärdiktatur zu begegnen suchte. Januar 1790 kam es zum Abfall der Niederlande, die sich als neue Republik der „Vereinigten belgischen Provinzen" konstituierten. Hier siegte der alte Ständestaat über die moderne Monarchie, wobei dieser Ständestaat seinen Widerstand mit den Ideen der Aufklärung rechtfertigte. Ende 1790, nach dem Tode Josephs, hatte die Monarchie jedoch sich wieder durchgesetzt, aber ihre Ziele mußte sie preisgeben. — Ähnliches geschah in Ungarn, wo Joseph sich als Verspötter des alten Brauchtums nicht krönen und die Stephanskrone in ein

Wir Joseph der Zweyte, von Gottes Gnaden erwählter Römischer Kaiser, zu allen Zeiten Mehrer des Reiches, König in Germanien, Hungarn, und Böheim rc. Erzherzog zu Oesterreich, Herzog zu Burgund, und Lotharingen rc. rc.

Toleranzpatent Josephs II., erste Seite der Veröffentlichung des Erlasses von 1781 (Wien, Haus-, Hof- und Staatsarchiv)

Wiener Museum schaffen ließ. Er versammelte nicht den Reichstag und versuchte einen völligen Verfassungsumbau. Eine Welle nationalen Widerstands nötigte den Kaiser, alle Edikte außer dem Toleranzpatent und der Aufhebung der Leibeigenschaft zurückzunehmen. Joseph versprach Berufung des Reichstags und lieferte die Stephanskrone wieder aus (1790). Er sah sich am Abgrund und starb, an Leib und Seele zerbrochen. Ein neuer Begriff der Freiheit machte sich breit: die Freiheit vom Staat war die Losung. Sein Bruder Leopold II. (1790—1792) lenkte wieder in die alten Bahnen zurück.

VI. Die innere Entwicklung der beiden Westmächte

1760—1820	Georg III.	1774—1776	Turgot Finanzminister
1760—1780	Enclosure Acts	1776—1783	Amerikanischer Unabhängig-
1774—1792	Ludwig XVI.		keitskrieg
1774—1788	Reformversuche in Frankreich	1788	Staatsbankrott in Frankreich

1. Frankreich

Die Adelsopposition

Während Preußen und Österreich nach 1750 ihren Absolutismus vollendeten, stand der französische Absolutismus im Zeichen des Verfalls, der sich schon in der Endphase der Herrschaft Ludwigs XIV. angemeldet hatte. Die opferreichen und auszehrenden Kriege überstiegen die Kräfte des Landes und weckten einen wachsenden Widerstand im Innern, dessen die schwachen Könige Ludwig XV. (1715—1774) und Ludwig XVI. (1774—1792) nicht Herr werden konnten. Sogleich nach dem Tode des „Sonnenkönigs" nutzte das Parlament von Paris die Unmündigkeit des Nachfolgers zu einer Obstruktionspolitik, die seitdem nicht mehr verstummte und sich jeder Reform des Staatswesens entgegenstemmte. Die Handlungsfreiheit des Monarchen wurde durch die beiden oberen Stände zunehmend eingeschränkt, die in allen öffentlichen Führungsämtern eine Monopolstellung zu behaupten wußten und ihren politischen Einfluß im Bunde mit der öffentlichen Meinung zurückerobern konnten. Das vom aufgeklärten Adel inszenierte publizistische Trommelfeuer gegen die absolutistische Monarchie und gegen ihre Versuche einer Verwaltungs- und Steuerreform diente der Erhaltung seiner Machtstellung und wurde ihm selbst später zum Verhängnis, als sich an der Frage der Privilegien der oberen Stände die Revolution entzündete.

Ludwig XIV. hatte zwar die Herrschaftsstände (Klerus und Adel) politisch entmachtet und außerdem dem Bürgertum den Weg in die Amts- und Geldadel geöffnet, aber die ihnen belassenen Privilegien, wie Steuerfreiheit, Gerichtsbarkeit und Amtsfähigkeit wirkten sich als soziale und wirtschaftliche Vorteile aus, die ihnen einträgliche Führungsfunktionen und politischen Einfluß si-

cherten. Zum Wortführer der Adelsopposition rückte der Amtsadel an den obersten Gerichtshöfen und besonders in den zwölf Parlamenten des Landes auf, wobei das Hauptparlament in Paris durch seine Beteiligung an der Gesetzgebung (Registrationsrecht und Remonstrationsrecht) die dominierende Rolle spielte. Alle königlichen Minister, die mit einer Reform der überholten Steuerprivilegien Ernst machen wollten, wurden unter dem Druck der Parlamente und des Hofadels gestürzt. Dabei verschmolz der alte und allein hoffähige Schwertadel durch Heirat, gemeinsame materielle Interessen und die gemeinsame Front gegen die Bestrebungen des Absolutismus zunehmend mit dem hohen Amtsadel.

Feudalisierung von Hochklerus und Heer

Ein Unterschied zeigte sich noch darin, daß der Schwertadel neben seiner Bevorzugung am Hofe in die Führungspositionen von Kirche, Heer und Marine vordrang. Der König machte den Episkopat und alle Prälatenstellen, für die er das Präsentationsrecht hatte, zu einer Domäne des streng kirchlich-hierarchisch gesinnten Schwertadels, der damit in den alleinigen Genuß der umfangreichen Kirchenpfründen kam, die über ein Fünftel des nationalen Reichtums ausmachten. Dadurch wurde der Hochklerus eine exklusive Kaste, auch gegenüber dem Amtsadel, und verlor die Fühlungnahme mit den Gemeinden. Seit Ludwig XV. konnte kein Nicht-Adeliger mehr in den Hochklerus aufsteigen. Der Reichtum der Prälatur stand in krassem Gegensatz zur Armut des Pfarrklerus und der Leutepriester, die die seelsorglichen Lasten tragen mußten und die einzig verbliebene Verbindung zwischen König und Volk darstellten. Die Prälaten verteidigten ihre fiskalische Autonomie (Selbstbesteuerungsrecht) wie einen Glaubenssatz gegen die Pläne einer

Wachstum von Landwirtschaft und Gewerbe in Frankreich im 18. Jahrhundert
(In Mill. Fr. nach dem Geldwert 1905/13)

Periode	1701 bis 1710	1751 bis 1760	1771 bis 1780	1781 bis 1790
Landwirtschaft: Bruttoprodukt	2685	3157	4116	4155
jährl. Wachstumsrate (%)	—	0,32	1,33	0,09
Gewerbe/Industrie: Bruttoprodukt	133			604
jährl. Wachstumsrate (%)				1,91

Gesamtwachstumsrate jährlich von 1701/10 bis 1781/90: 0,54 %.
(Nach P. Léone, Histoire économique et sociale de France, Paris 1970, II, S. 309.)

allgemeinen Steuer (1750 ff.). Sie verschlossen sich trotz ihres Reichtums der dringenden Finanznot des Staates und trugen dazu bei, das Kirchenregiment bei Niederklerus und Volk in Mißkredit zu bringen.

In Armee und Marine wurde die Käuflichkeit der Offiziersstellen, die bisher dem wohlhabenden Bürgertum zugute kam, abgeschafft, um dem ärmeren Schwertadel Aufstiegsmöglichkeiten zu verschaffen. Das Bürgertum konnte sich nur noch in die Verwaltung einkaufen und hier bis zum Intendanten emporsteigen oder auch Grundbesitz erwerben, selten aber in den exklusiv gewordenen Parlamentsadel gelangen, der am lautesten sich jeder Reform verweigerte. Die zeitweilige Verbannung des Hauptparlaments aus Paris unter Ludwig XV. (1771) war ein Höhepunkt des Zwistes zwischen Adel und Monarchie. Sie rief den Protest aller hohen Gerichtshöfe Frankreichs hervor und mußte vom König unter dem Druck seiner Umgebung wieder zurückgenommen werden.

Pachtsystem und Ämterkauf

Der hohe Kaufpreis für ein Parlamentsamt und die kostspieligen Repräsentationspflichten am Hofe ließen nur die begüterten Adeligen in die oberen Stellen einrücken, deren Großgrundbesitz von Verwaltern oder kapitalkräftigen Pächtern nach kommerziellen Gesichtspunkten und unter rücksichtsloser

Ausnutzung der steuerlichen und gerichtlichen Vorrechte ihrer Grundherren bewirtschaftet wurden. Die Ablösung der großen Grundherrschaften mit Eigenbewirtschaftung und Grundholdenverfassung durch ein Pachtsystem verwandelte die grundherrlichen Kleinbauern (Grundholden) in Landarbeiter, steigerte die Fronen und Abgaben der noch verbliebenen Bauern und entfremdete das Bauerntum seinen Feudalherren. Ohnehin waren die steuerpflichtigen Bauern von vornherein im Nachteil und konnten weder mit der Modernisierung des Landbaus auf den Großgütern Schritt halten, noch die Aufteilung der alten Gemeinwiesen verhindern, zumal die ihnen offenstehenden Rechtsinstanzen in Händen der Grundherren waren. Daraus erklärt sich die wachsende Empörung des königstreuen Landvolks gegen die großen Grundherren. Nicht davon betroffen war der kleine Landadel, der kaum über den Eigenbedarf hinaus produzierte, auf seiner Scholle blieb und ebenso wie die Kleinbauern sich nur schwer gegen Marktkonkurrenz und Preisanstieg behaupten konnte. Ihm gehörte die Mehrzahl der 300 000—400 000 Mitglieder des Adels an.

Angesichts des Widerstandes der Führungsgruppen in Hochklerus und Adel gegen jede allgemeine direkte Besteuerung suchte sich die Regierung andere Geldquellen durch Schaffung und Verkauf neuer Ämter zu öffnen, was Bürger- und Bauerntum vergrämte, da sie damit dem privaten Profitinteresse der neuen Steuerpächter ausgeliefert wurden. Die Privatisierung der Steuereinziehung untergrub das Vertrauen zu Staat und Regierung und verschaffte der aufklärerischen Kritik bereitwilliges Gehör.

Dazu kam, daß die hohe Politik gegen die Interessen des Übersee- und Kolonialhandels verstieß. Der Bündnisvertrag mit Österreich (1757), der ohnehin der traditionellen Politik Frankreichs zuwiderlief, war praktisch eine Entscheidung gegen die Interessen in Übersee und überließ die Kolonien ihrem Schicksal, da hier Frankreich sich zu jährlichen Subsidien in Höhe von 30 Millionen Livres an Österreich und zur Stellung von 140 000 Mann verpflichtete. Der Verlust des französischen Kolonialimperiums (1763) war auch ein Schlag für das Großbürgertum und dessen Überseehandel; er verminderte die staatlichen Einnahmen und brachte den natürlichen Bundesgenossen des Absolutismus in eine mißliche Lage.

Reformversuche unter Ludwig XVI.

Ludwig XVI. suchte dem drohenden Staatsbankrott und der wachsenden Unzufriedenheit durch innere Reformen zu begegnen; er ernannte bei seinem Regierungsantritt den hochangesehenen und aufgeklärten Turgot zu seinem Finanzminister (1774—1776). Turgot dachte an einen aufgeklärten Absolutismus und erstrebte Steuerpflicht für alle, Ersatz der Steuerpacht durch eine effektive Staatsverwaltung, Freiheit für Gewerbe und Handel, Wegfall der Innungen und Zünfte und den Ausbau einer repräsentativen Organisation von den Gemeinden (Munizipalitäten) über die Provinzen bis zu einer Vertretung aller Kommunen. Er und alle seine Nachfolger scheiterten am vereinten Widerstand der Parlamente, des Hochklerus und der Amtspächter, die ihre Rechte und Einkünfte bedroht sahen. Ihr standesegoistisches Verhalten nahm sogar den Staatsbankrott (1788) in Kauf und machte die Revolution unvermeidlich. Sie selbst heizten das sich sammelnde Empörungspotential an, mit dem sie sich gegen die Reformminister verbündeten. Die Opposition reichte sogar bis in die königliche Familie hinein und scheute sich nicht, jene anarchischen Kräfte in ihre Segel zu nehmen, die sich in der radikalen Spätaufklärung bedrohlich verstärkten.

Seit 1750 bereitete eine aktive Minderheit in einer unermüdlichen Verleumdungs- und Hetzkampagne gegen König, Hof und Kirche die Revolution vor. Allenthalben entstanden Salons, Clubs, Freimaurerlogen, geheime Zirkel, in denen Philosophen, Schriftsteller, Freidenker, Intellektuelle, aber auch Adelige, Kleriker und hohe Amtsträger sich zusammenschlossen. Sie griffen mit einer Flut von Schmäh- und Spottschriften in die politischen Auseinandersetzungen ein. Selbst in der Armee bildeten sich Logen, und mehrere Prinzen von Geblüt, an der Spitze der Herzog von Orléans, beteiligten sich eifrig an den radikalen Umtrieben. Unter ihrem Druck stürzte mit dem Verbot des königstreuen Jesuitenordens (1772) die letzte wichtige Säule der Monarchie. Erst

die Adelsrevolte von 1787/88 legte an den Tag, daß die aufsässigen Parlamente und die aufgeklärten Adelskreise nicht die Sache des Dritten Standes und der ganzen Nation, sondern ihre eigenen Interessen verfolgten. Nicht die Übersteigerung, sondern das Versagen des Absolutismus öffnete der Aufklärung den Weg in die Revolution. In der Außenpolitik war Frankreich sogar fortschrittlich und kämpfte gegen den britischen Merkantilismus für die Freiheit der Meere und des Seehandels (vgl. G, IV, 5). Nach innen verhinderten die Träger und Nutznießer des „Ancien Régime" die lebensnotwendigen Reformen, die die materiellen Reichtümer des Landes in den Dienst der Politik stellen sollten. Der von Adel und Kirchenführung mitverschuldete Staatsbankrott galt den Zeitgenossen als moralische Bankrotterklärung des Herrschaftssystems, zumal die Adelsopposition mit der Radikalaufklärung im Rücken unter falscher Flagge segelte. Dazu kam die unbeholfene Einfalt des Königs, der die im Aufstand des dritten Standes liegenden Chancen für sich und sein Land nicht erkannte. Die wachsenden sozialen Spannungen zwischen Bauern und Grundherrschaft, zwischen Hochklerus und Pfarrgemeinden, zwischen Steuerpächtern und drittem Stand im Verein mit der Ohnmacht der Regierung gegenüber den schweren Wirtschafts- und Ernährungskrisen von 1771—1774 und schließlich der Jahre um 1789 brachten den Widerspruch zwischen Aufklärung und Ancien Régime auf den Siedepunkt, aus dem die Revolution sich Bahn brach.

2. England

Die Vorherrschaft des Adels

Ähnlich wie in Frankreich gewann auch im England des 18. Jahrhunderts die Nobilität an politischem Gewicht. Die neue Dynastie Hannover (1714—1837) stützte sich unter den beiden ersten Königen Georg I. (1714—1727) und Georg II. (1727—1760) ausschließlich auf die Whig-Magnaten, die über die Krone sich ein Ämtermonopol verschafften. Sie und ihre Söhne, Neffen oder sonstigen Verwandten waren die designierten Amtsträger

1714 bis 1837

am Hof, im königlichen Haushalt, in Armee, Flotte und höherer Verwaltung sowie zunehmend auch im Hochklerus. Von ihren Führungspositionen aus vermochten sie eine weitverzweigte Patronage auch über die niederen Ämter auszuüben. Sie stellten eine mächtige Föderation von Familienhäuptern und Familienstämmen neben der Verfassung dar, ein Netzwerk von Beziehungen, Interessen und Abhängigkeiten, das der Stabilität von Krone und Regierung zugute kam. Die Grundlage ihrer Macht waren Großgrundbesitz und der Bund mit der Krone, deren Ernennungsrecht völlig unter ihren Einfluß geriet.

Der Kleinadel (Gentry und Squires) spielte demgegenüber nur auf der lokalen Ebene eine Rolle. Soweit er im Unterhaus saß, beschränkte er sich vorwiegend auf die Wahrung seiner lokalen Interessen. Seine regionale Führungsrolle beruhte auf dem Landbesitz, der die Voraussetzung für öffentliche Führungsfunktionen in Gemeinde und Grafschaft war. Das lag daran, daß nach der Beseitigung der königlichen Staatsgerichtsbarkeit zugunsten der Alleingeltung des Common Law die freien Grundherren die Träger aller öffentlich-rechtlichen und verwaltungsrechtlichen Befugnisse geworden waren. Unabhängige Grundherren waren aber im 18. Jahrhundert nicht mehr die Freibauern (Freeholders), sondern fast nur noch Lords, Gentry und Squires, deren Zahl sich beträchtlich vermehrte, da die gutsituierten Schichten ihrem sozialen Aufstieg durch Kauf von möglichst viel Grundbesitz Anerkennung verschafften, bis es seit 1730 in England keinen Landmarkt mehr gab.

Durch die hohe Grundsteuer (Land-Tax) seit 1693, die sinkenden Renditen und die Konkurrenz der landwirtschaftlichen Großbetriebe verschwand das alte Freibauerntum, so daß England um 1800 als ein Land von Pächtern galt. Der Abschichtung einer oberen, öffentlich aktiven Schicht von Grundbesitzern entsprach nach unten eine Vermehrung der abhängigen Unterschichten, die zwar etwaige Rechtstitel, etwa als wahlberechtigte Freeholders, nicht verloren, aber von den Grundherren arbeits- oder pachtvertraglich abhängig waren, welche gleichzeitig als lokale Amtsträger, besonders als Friedensrichter, die Preise, die Arbeits-

löhne und die Armenunterstützung festsetzten und weitgehende polizeiliche Befugnisse (seit der Riot Act von 1715) in Händen hatten.

Das Unterhaus unterstrich seine oligarchische Autonomie und entzog sich dem öffentlichen Meinungsstreit, indem es in der Septennial Act (1715) seine Amtsdauer von drei auf sieben Jahre verlängerte. Da außerdem Landbesitz seit der „Qualification Act" von 1711 allein für das Unterhaus qualifizierte (vgl. F, VI, 8), wurden viele Unterhaussitze zu Domänen der Grundherren, die im Parlament über private Gesetzgebung (Private Bills) durch zahlreiche „Enclosure Acts" (1760—1780) das Gemeindeland sich aneigneten, um ihre Weide- und Anbauflächen abzurunden oder durch Wegebau und Anlage von Produktionsbetrieben ihre marktbezogene intensive Wirtschaftsweise zu verbessern. Damit war das alte freibäuerliche Landsystem zerstört. In den meisten Grafschaften und Landstädten wurden die Landlords die allein maßgebenden Herren.

Die großen Landlords wie die Magnaten und auch die reiche Gentry waren darüber hinaus potente Kapitalausleiher an Staat, Handelsgesellschaft oder Privatwirtschaft. Über die Wollproduktion und die Erschließung von Bodenschätzen auf ihren Ländereien beteiligten sie sich an Manufakturen, Erzbetrieben und Kohlenhandel, desgleichen über den Wege- und Kanalbau an der Markterschließung. Mit der Verbesserung des Landanbaus (Fruchtwechselwirtschaft) und der Zugangswege leiteten sie eine Agrar- und Verkehrsrevolution ein, die der industriellen Revolution vorausging. Außerdem hatten sie als Peers über das Oberhaus und mehr noch über die Kron- und Ämterpatronage, also durch Vergabe von Posten, Sinekuren oder Pensionen, die Möglichkeit, auf das Unterhaus Einfluß zu nehmen.

Die parlamentarische Opposition

Im Unterhaus stellten die kleineren Landlords als unabhängige Vertreter der Grafschaften und vieler Landstädte das größte Kontingent. Sie erwarben ihre Unterhaussitze als Lokalgrößen und ließen sich nicht von der Regierung managen. Sie hatten lediglich auf Grafschaftsebene Ämter inne; die hohen Ämter im Bereich der königlichen

Britischer Außenhandel im 18. Jahrhundert in Prozenten

Export	nach Europa	Afrika	Amerika	Asien
1701—1705	71,1	0,1	6,4	4,7
1746—1750	55,4	1,8	14,4	6,5
1786—1790	51,3	5,2	30,0	13,6

Import	von Europa	Afrika	Amerika	Asien
1701—1705	55,7	—	19,4	18,1
1748—1750	47,2	—	29,4	16,3
1786—1790	40,0	0,7	32,0	25,6

(Nach Pierre Léone, a.a.O., S. 189.)

„Zivilliste" blieben ihnen verschlossen. Deshalb standen sie als Unterhausmitglieder meist in einer verdrossenen, jedoch grundsätzlich loyalen Opposition zur Regierung, an deren „Korruption" sie keinen Anteil haben wollten. Sie nahmen seit 1731 aus Protest gegen den „Influence" von Krone und Magnatenschaft kein Amt im Bereich der Whig-Regierung mehr an und trugen dazu bei, daß seit 1742 im Unterhaus die „Ins" und „Outs", Regierung und Opposition, sich gegenübersaßen. Die einseitige Bevorzugung der Whigs belebte die alten Parteigegensätze von Whigs und Tories, die aber mehr unterschiedliche Lebensorientierung als grundsätzliche Gegnerschaft bedeuteten und die soziale Solidarität des Unterhauses kaum gefährdeten. Sie bestimmten mehr die Haltung der Öffentlichkeit als die Entscheidungen im Parlament.

Immerhin kündigte die ständige Opposition **1721 bis 1742** gegen Walpole als ersten Minister (1721—1742) und dessen parteiliche Ämterpatronage an, daß das Parlament vom Hüter der etablierten Interessen und des Rechts zur Plattform des politischen Entscheidungsprozesses zu werden begann, allerdings durch den starken „Influence" der Krone und die Loyalität des Landadels gegenüber dem König noch keine Regierung gegen den Willen des Königs zu Fall bringen konnte. König Georg III. (1760—1820) vermochte sogar längere Zeit eine Art Selbstregierung durchzusetzen, die aber am unglücklichen amerikanischen Unabhängigkeitskrieg (1776 bis 1783) scheiterte.

Erst im letzten Drittel des Jahrhunderts meldete sich öffentliche Kritik gegen den Kroneinfluß und die Selbstherrlichkeit der Parlamentsoligarchie an, die im Radikalismus der Metropole London eine tumultuarische Öffentlichkeit ins Spiel brachte und einige Reformen herbeinötigte, ohne indessen das Herrschaftssystem ernsthaft zu gefährden.

Der britische Merkantilismus

Auffällig war, daß in dieser Zeit der britischen Vormachtstellung das Geld- und Handelsinteresse im Unterhaus völlig unterrepräsentiert war. Um 1740 saßen 36 und um 1780 erst 72 Kaufleute im Unterhaus. Die Geschäftsleute waren dafür aber mittelbar durch Staatsaufträge, Anleihen, Monopol- und Privilegienkauf oder auch über den „Board of Trade" (seit 1695) und über Banken und Börsen an die Regierungspolitik gebunden. Für sie boten die Finanzbedürfnisse des Staates die besten und sichersten Investitionsmöglichkeiten, deren Zinsdienst das Parlament garantierte.

Das Parlament allein genoß das Vertrauen der Kreditgeber und konnte der hohen Politik die Finanzen verschaffen. Es beanspruchte deshalb auch die Kontrolle über ihre Verwendung. Es repräsentierte immer noch die Lebensgrundlage der Bevölkerung, da das Sozialprodukt vom Landbesitz her am höchsten war und erst um die Wende zum 19. Jahrhundert von Handel und Industrie übertroffen wurde. — Mit der Begründung des „Consolidated Fund" (1787) setzte das Unterhaus sogar im voraus feste Summen für jede Ausgabe nach den Schätzungen des „Committee of Supply" fest, nach denen sich die hohe Politik zu richten hatte.

Das Parlament dachte dabei merkantilistisch, also von den Bedürfnissen des Mutterlandes und der Handelsbilanz her. Der Lebensnerv des britischen Seeimperiums war zwar der Handel; aber die Handelsgesetzgebung, die Monopolausstattungen, dann auch die Austeilung von zahlreichen Sonderrechten, wie Markt-, Stapel-, Zufahrts- und Umschlagsrechten, desgleichen Ausnahmegenehmigungen, Import- und Exportzölle lagen in der Kompetenz des Parlaments, das die reichen Gewinne aus den Kolonien nach England lenken wollte. Der Kontrollrat der Ostindien-Kompanien als

der reichsten und mächtigsten Handelsgesellschaft war sogar seit 1784 unmittelbar
dem Parlament verantwortlich.

Das Mutterland wurde der große Stapelplatz für die kolonialen Erzeugnisse und
verbot den Kolonien Eigenhandel und Ei-
gengewerbe. London, Bristol, Yarmouth,
Hull und Liverpool wuchsen zu großen Um-
schlagplätzen von Kolonialwaren und auch
von europäischen Waren für die Kolonien
heran. Die Gewinne aus den Kolonien mußten in England investiert oder für englische
Waren ausgegeben werden. Dadurch wurde
London der Mittelpunkt des Welthandels,
wo Börsen, Banken, Versicherungsbüros,
die Handels- und Industriegesellschaften
ihre Zentren hatten. Die Steuerkompetenz
dieser Handels- und Finanzwelt lag bei Regierung und Parlament in Westminster,
während das Zentrum der Wirtschaftsmacht
in der City London lag. Das Parlament hielt
an seinem Dirigismus fest, als der gewaltige
Kapitalüberhang und die Bevölkerungsver-
mehrung seit 1750 ihn überflüssig machten.
Dieses Merkantilsystem diente den fiskalischen Interessen der Regierung und zugleich den volkswirtschaftlichen Interessen
des Mutterlandes. Es schützte den britischen Handel vor ausländischer Konkurrenz und wirkte nur nach außen geschlossen. Nach innen ließ es den eigenen Kaufleuten freie Hand für Initiativen auf eigenes
Risiko und auch außerhalb der Handelskompanien. Hier waren zahlreiche „Interlo-
pers" tätig, die als illegale Freihändler die
Monopole unterliefen und doppelte Gewinne einheimsen konnten.

Der britische Merkantilismus widersprach
aber völlig den Interessen der anderen europäischen Handelsmächte. Davon betroffen
waren auch jene englischen Siedlungskolonien in Nordamerika, denen das Mutterland
nach der Verdrängung der Franzosen aus
Nordamerika den unerlaubten Handel mit
Westindien und den unmittelbaren Bezug
von Kolonialwaren aus Übersee verbieten
wollte. Ihr Aufstand wandte sich gegen das
Merkantilsystem des Mutterlandes, zuerst
im Namen der englischen Freiheiten und
dann im Namen des Naturrechts und der öffentlichen Meinung der Welt. Sie fanden
Verbündete in den europäischen Seemächten Frankreich, Holland und Spanien, und
Hilfe in der bewaffneten Seeneutralität aller
am freien Seehandel interessierten europäischen Staaten unter Führung Rußlands
(1780) und gegen England (vgl. G, II, 3; G,
IV, 5).

Der amerikanische Unabhängigkeitskrieg
(1776—1783) wurde durch die euro-

| 1776 |
| bis |
| 1783 |

päische Mitwirkung ein Erfolg. Er
legte nicht nur die Axt an das alte
britische Imperium, sondern erschien den Zeitgenossen als Vorbild einer
aufgeklärt-naturrechtlichen Revolution. Er
löste auch in der englischen Öffentlichkeit
revolutionäre Kräfte aus, die im Verein mit
der seit 1770 in England einsetzenden industriellen Revolution die bisherige Herrschaftsordnung in Frage stellten und das
kommende Jahrhundert ankündigten. Allerdings verhinderte hier die enge Verbindung
von Krone, Magnatentum, Regierung, Parlament und Handelsinteressen sowie die Dynamik des anhebenden Industrialismus eine
Revolution, deren Opfer statt dessen das im
Ancien Régime erstarrte und reformunfä-
hige, finanziell ruinierte Frankreich wurde.

Literaturverzeichnis

I. Kapitelübergreifende Literatur

Boehm, Laetitia, Geschichte Burgunds, Stuttgart—Berlin—Köln—Mainz 1971

Borst, Arno, Lebensformen im Mittelalter, Frankfurt/M. u. Berlin 1973

Bracher, Ulrich, Geschichte Skandiaviens, Stuttgart 1968

Conrad, Hermann, Deutsche Rechtsgeschichte, Bd. 1, 2. Aufl., Karlsruhe 1962, Bd. 2, Karlsruhe 1966

Gebhardt, Bruno, Handbuch der deutschen Geschichte, 9. Aufl., hrsg. von Herbert Grundmann, Stuttgart 1970 ff.

Gurjewitsch, Aaron J., Das Weltbild des mittelalterlichen Menschen, München 1980

Haberkern—Wallach, Hilfswörterbuch für Historiker, 3. Aufl., München 1972

Haller, Johannes, Das Papsttum, Idee und Wirklichkeit, 5 Bde., Stuttgart 1965

ders., Die Epochen der deutschen Geschichte, München 1957

Handbuch der deutschen Geschichte, neu hrsg. von Leo Just, 1. Bd., Konstanz 1957, 2. Bd., Konstanz 1956

Handbuch der deutschen Wirtschafts- und Sozialgeschichte, hrsg. von Hermann Aubin/Wolfgang Zorn, 1. Bd., Stuttgart 1971

Handbuch der europäischen Geschichte, hrsg. von Theodor Schieder, Stuttgart 1976 ff.

Handbuch der Kirchengeschichte, hrsg. von Hubert Jedin, Bd. 3—5, Freiburg—Basel—Wien 1966 ff.

Handwörterbuch zur deutschen Rechtsgeschichte, hrsg. von A. Erler und E. Kaufmann, Berlin 1971 ff.

Hartung, Fritz, Deutsche Verfassungsgeschichte vom 15. Jahrhundert bis zur Gegenwart, 9. Aufl., Stuttgart 1969

Hauck, Albert, Kirchengeschichte Deutschlands, Bd. 2—4, 6. Aufl., Bd. 5, 5. Aufl., Berlin 1952 ff.

Henning, Friedrich-Wilhelm, Das vorindustrielle Deutschland 800—1800, 3. Aufl., Paderborn 1978

Holtzmann, Robert, Französische Verfassungsgeschichte, München—Berlin 1910

Kluxen, Kurt, Geschichte Englands, 2. Aufl., Stuttgart 1976

Kroeschell, Karl, Deutsche Rechtsgeschichte, 2 Bde., Reinbek 1972/73

Le Goff, Jacques, Kultur des europäischen Mittelalters, München 1970

Lütge, Friedrich, Deutsche Sozial- und Wirtschaftsgeschichte, 3. Aufl., Berlin—Heidelberg—New York 1966

Ostrogorsky, G., Geschichte des Byzantinischen Staates, München 1963

Pirenne, Henri, Sozial- und Wirtschaftsgeschichte Europas im Mittelalter, 3. Aufl., München 1974

Schramm, Percy Ernst, Der König von Frankreich, 2. Aufl., Darmstadt 1960

Sprandel, Rolf, Verfassung und Gesellschaft im Mittelalter, 2. Aufl., Paderborn 1978

Sprandel, Rolf, Gesellschaft und Literatur im Mittelalter, Paderborn 1982

van der Ven, Frans, Sozialgeschichte der Arbeit, 3 Bde., München 1971

II. Zu den einzelnen Kapiteln

Zu A. Das karolingische Erbe

Mühlbacher, Engelbert, Deutsche Geschichte unter den Karolingern, Darmstadt 1972 (Nachdruck der 1. Aufl. von 1896)

Riché, Pierre, Die Welt der Karolinger, Stuttgart 1981

Schlesinger, Walter, Die Auflösung des Karlsreiches, in: Karl der Große, Lebenswerk und Nachleben, 1. Bd., hrsg. von W. Braunfels — H. Beumann, Düsseldorf 1965, S. 792—857

Der Vertrag von Verdun 843, Neun Aufsätze zur Begründung der europäischen Völker- und Staatenwelt, hrsg. von Theodor Mayer, Leipzig 1943

Zu B. Die Zeit der sächsischen und salischen Kaiser

Adel und Bauer im deutschen Staat des Mittelalters, hrsg. von Theodor Mayer, Darmstadt 1967 (Nachdruck der Ausgabe von 1943)

Brunner, Otto, Land und Herrschaft, 5. Aufl., Wien—Wiesbaden 1965

Die Entstehung des Deutschen Reiches (Aufsatzsammlung), hrsg. von Hellmut Kämpf, 3. Auflage, Darmstadt 1971

Ganshof, François L., Was ist das Lehenswesen? Darmstadt 1961

Hampe, Karl, Das Hochmittelalter, 5. Aufl., Köln—Graz 1963

ders., Deutsche Kaisergeschichte, 11. Aufl., bearbeitet von Friedrich Baethgen, Darmstadt 1963

ders., Herrschergestalten des deutschen Mittelalters, 6. Aufl., 1955

Herrschaft und Staat im Mittelalter (Aufsatzsammlung), hrsg. von Hellmut Kämpf, Darmstadt 1974

Holtzmann, Robert, Geschichte der sächsischen Kaiserzeit, München 1961

Kern, Fritz, Gottesgnadentum und Widerstandsrecht, 2. Aufl., Münster-Köln 1954

Kienast, Walter, Deutschland und Frankreich in der Kaiserzeit (900—1270), Weltkaiser und Einzelkönige, 3 Bde., Stuttgart 1974

Lintzel, Martin, Die Anfänge des Deutschen Reiches, München—Berlin 1942

Mitteis, Heinrich, Der Staat des hohen Mittelalters, 7. Aufl., Weimar 1962

ders., Lehnrecht und Staatsgewalt, Darmstadt 1958 (Nachdruck der Ausgabe von 1933)

Schramm, Percy Ernst, Kaiser, Rom und Renovatio, Darmstadt 1962 (vollständige Ausgabe 1929)

Santifaller, Leo, Zur Geschichte des ottonisch-salischen Reichskirchensystems, 2. Aufl., Wien 1964

Tellenbach, Gert, Die Entstehung des Deutschen Reiches, 2. Aufl., München 1940

ders., Libertas, Kirche und Weltordnung im Zeitalter des Investiturstreites, Stuttgart 1936

Ullmann, W., Die Machtstellung des Papsttums im Mittelalter, Graz—Wien—Köln 1960

Zu C. Die Zeit der Hohenstaufen

Ennen, Edith, Die europäische Stadt des Mittelalters, Göttingen 1972

Erdmann, Carl, Die Entstehung des Kreuzzugsgedankens, Stuttgart 1935, Nachdruck 1974

Grundmann, Herbert, Religiöse Bewegungen im Mittelalter, Darmstadt 1970 (Nachdruck der Auflage von 1935)

Hampe, Karl, Der Zug nach Osten, Leipzig—Berlin 1921

Jordan, Karl, Friedrich Barbarossa, 2. Aufl., Göttingen 1967

Kantorowicz, Ernst, Kaiser Friedrich der Zweite, Düsseldorf—München 1963

Mayer, Hans E., Geschichte der Kreuzzüge, Stuttgart 1965

Runciman, Steven, Geschichte der Kreuzzüge, 3 Bde., München 1957 ff.

(außerdem siehe unter B, bes. Hampe, Mitteis)

Zu D. Das Spätmittelalter

Baethgen, Friedrich, Europa im Spätmittelalter, Berlin 1951

Cipolla, Carlo M./Borchardt, Knut, Europäische Wirtschaftsgeschichte, 1. Bd., Stuttgart—New York 1978

Dollinger, Philipp, Die Hanse, Stuttgart 1966

Hassinger, Erich, Das Werden des neuzeitlichen Europa 1300—1600, 2. Aufl., Braunschweig 1957

Huizinga, Jan, Herbst des Mittelalters, 9. Aufl., Stuttgart 1965

Redlich, Oswald, Rudolf v. Habsburg, Innsbruck 1903

Schmeidler, Bernhard, Das spätere Mittelalter, Wien 1957

Zu E. Beginn der Neuzeit

Brandi, Karl, Die Renaissance in Florenz und Rom, Leipzig 1913

ders., Deutsche Geschichte im Zeitalter der Reformation und Gegenreformation

ders., Kaiser Karl V., München 1973

Burckhardt, Jacob, Die Kultur der Renaissance in Italien, 14. Aufl., Leipzig 1925

Diwald, Hellmut, Wallenstein, München—Esslingen 1969

Franz, Günter, Der deutsche Bauernkrieg, 4. Aufl., Darmstadt 1956 (dazu Aktenband, Darmstadt 1968)

Buszello, Blickle, Endres, Der deutsche Bauernkrieg, Paderborn 1984

Ritter, Gerhard, Die Neugestaltung Europas im 16. Jahrhundert, Berlin 1950

Wedgwood, C. V., Der Dreißigjährige Krieg, München 1967

Zu F. Die Bildung des europäischen Staatensystems im Zeitalter des Absolutismus

Blaich, Fritz, Die Epoche des Merkantilismus, Wiesbaden 1973

Carstens, Francis L., Die Entstehung Preußens, Köln 1968

Elias, Norbert, Die höfische Gesellschaft. Untersuchungen zur Soziologie des Königtums und der höfischen Aristokratie mit einer Einleitung: Soziologie und Geschichte, 2. Aufl., Darmstadt und Neuwied 1975

Euchner, Walter, Naturrecht und Politik bei John Locke, Frankfurt 1969

Hazard, Paul, Die Krise des europäischen Geistes, Hamburg 1939

Hill, Christopher, Von der Reformation zur industriellen Revolution. Sozial- und Wirtschaftsgeschichte Englands 1530—1780, Frankfurt 1969

Hintze, Otto, Regierung und Verwaltung, hrsg. u. eingel. von Gerhard Oestreich, 2. durchgesehene Aufl., Göttingen 1967

Hofmann, Hans H., Die Entstehung des modernen souveränen Staates, Köln 1967

Hubatsch, Walter, Absolutismus, Darmstadt 1973

ders., Das Zeitalter des Absolutismus 1600—1789, 4. Aufl., Braunschweig 1975

Malettke, Klaus, Colbert, Aufstieg im Dienste des Königs, Göttingen 1977

Mieck, Ilja, Europäische Geschichte der Frühen Neuzeit, 2. Aufl., Stuttgart 1977

Oestreich, Gerhard, Friedrich Wilhelm, der Große Kurfürst, Göttingen 1971

ders., Friedrich Wilhelm I. Preußischer Absolutismus, Merkantilismus, Militarismus, Göttingen 1977

Winter, Eduard, Barock, Absolutismus und Aufklärung in der Donaumonarchie, Wien 1971

Zu G. Die Großmächte im Zeitalter der Aufklärung

Aretin, Karl Otmar Freiherr von, Der Aufgeklärte Absolutismus, Köln 1974

Bradler—Rottmann, Elisabeth, Die Reformen Kaiser Josephs II., 2. Aufl., Göttingen 1976

Büsch, Otto, Militärsystem und Sozialleben im alten Preußen, 1713—1807, Berlin 1962

Cassirer, Ernst, Die Philosophie der Aufklärung, 2. Aufl., Tübingen 1932

Fieldhouse, David K., Die Kolonialreiche seit dem 18. Jahrhundert, Frankfurt 1965

Groethuysen, Bernhard, Philosophie der Französischen Revolution, Neuwied und Berlin 1971 (1956)

Hazard, Paul, Die Herrschaft der Vernunft, Hamburg 1949

Hintze, Otto, Regierung und Verwaltung, hrsg. u. eingel. von Gerhard Oestreich. 2. durchgesehene Aufl., Göttingen 1967

Hubatsch, Walter, Friedrich der Große und die preußische Verwaltung, Köln und Berlin 1973

Kopitzsch, Franklin, Aufklärung, Absolutismus und Bürgertum in Deutschland, München 1976

Koselleck, Reinhart, Kritik und Krise. Eine Studie zur Pathenogenese der bürgerlichen Welt, Frankfurt 1973 (1959)

ders., Preußen zwischen Reform und Revolution. Allgemeines Landrecht, Verwaltung und soziale Bewegung von 1791 bis 1848, Stuttgart 1967

Palmer, Robert R., Das Zeitalter der demokratischen Revolution. Eine vergleichende Geschichte Europas und Amerikas von 1760 bis zur Französischen Revolution, Frankfurt 1970 (1959)

Schieder, Theodor, Friedrich der Große, Frankfurt 1983

Stökl, Günther, Russische Geschichte. Von den Anfängen bis zur Gegenwart, 2. erw. Aufl., Stuttgart 1965

Personenregister

Orts- und Begriffsregister

Häufiger auftretende Länder- und Staatennamen, wie Deutsches Reich, Frankreich, England, Italien, Rußland, werden hier nicht genannt. Das Inhaltsverzeichnis führt alle Abschnitte auf, in denen diese Länder und Staaten eingehender behandelt werden.

Europa um 1529

KGR. NORWEGEN

KG

KGR. SCHOTT-LAND.

IRLAND

KGR. DÄNEMARK

Wismar

Bremen
Hamburg

KGR. ENGLAND

Brandenburg

London

Berlin
Wittenberg
Leipzig

Calais
Gent
Antwerp
Brussel

Niede...
...lande

Kassel

Aachen

DEUTSCHES REICH

KGR. BÖHMEN

Prag

Rouen

Würzburg

Rennes

Paris

Orleans

Metz
...raßburg

Freiburg

Regensburg

Ehzn

KGR. FRANKREICH

Bayern
München

Salzburg

Österreich

Frgft.
Burgund
Bern
Zürich

Eidgenossenschaft

Tirol

Kärnter

Clermont

Lyon

Trient

Krain

Bordeaux

Turin

Mailand

Verona

Venedig

päpstl.

Burgos

Madrid

Zaragoza

Barcelona

Valencia

KGR. SPANIEN

PORTUGAL

Lissabon

Sevilla

Granada

Tanger

Melilla
Oran

Algier

Burga

Boña

Tunis

Algier

Marseille
Toulon

Genua

Siena

Korsika

Balearen

KGR. SARDINIEN

Republik Venedig

Ravenna

Kirchenstaat

Rom

Benevent

KGR

NEAPI

Palermo

KGR. Sizilien

Tunis

Tripolis

Tripolis

0   250   500 km